LE SYSTÈME POLITIQUE AMÉRICAIN

D1365219

LE SYSTÈME POLITIQUE AMÉRICAIN

Sous la direction de

MICHEL FORTMANN *et* PIERRE MARTIN

4ᵉ édition

LES PRESSES DE L'UNIVERSITÉ DE MONTRÉAL

Catalogage avant publication de Bibliothèque et Archives nationales du Québec
et Bibliothèque et Archives Canada

Vedette principale au titre :
  Le système politique américain
  4ᵉ édition
  (Paramètres)
  Publ. antérieurement sous le titre : Le système politique des États-Unis. 1987.
  Comprend des réf. bibliogr.
  ISBN 978-2-7606-2080-3
  1. États-Unis – Politique et gouvernement – 1993-2001.
  2. États-Unis – Politique et gouvernement – 2001- .
  3. Politique publique – États-Unis.
  4. Gouvernement représentatif – États-Unis.
  5. Institutions politiques – États-Unis.
  I. Fortmann, Michel. II. Martin, Pierre, 1963- .
  III. Titre : Le système politique des États-Unis. IV. Collection.

JK21.S97 2008 302.973   C2007-942458-9

Dépôt légal: 1ᵉʳ trimestre 2008
Bibliothèque et Archives nationales du Québec
© Les Presses de l'Université de Montréal, 2008

Les Presses de l'Université de Montréal reconnaissent l'aide financière du gouvernement du
Canada par l'entremise du Programme d'aide au développement de l'industrie de l'édition
(PADIÉ) pour leurs activités d'édition.
Les Presses de l'Université de Montréal remercient de leur soutien financier le Conseil des Arts
du Canada et la Société de développement des entreprises culturelles du Québec (SODEC).

IMPRIMÉ AU CANADA EN FÉVRIER 2008

À la mémoire de notre collègue Edmond Orban

INTRODUCTION

Michel Fortmann

La présente édition du *Système politique américain* est la quatrième depuis
sa publication initiale en 1987. C'est aussi la première qui ne se fera pas sous
la direction de notre collègue et ami Edmond Orban, tragiquement décédé
à l'été 2002. Edmond Orban m'avait invité à contribuer à la version initiale
du *Système politique des États-Unis*, c'est lui aussi qui m'a sollicité afin de
codiriger l'ouvrage en 1994 et 2000. À la demande des Presses de l'Université de Montréal, je reprends cette responsabilité, en collaboration avec mon
collègue Pierre Martin, directeur de la Chaire d'études politiques et économiques américaines de l'Université de Montréal.

Le *Système politique américain* a été conçu comme un manuel destiné à
présenter le régime politique des États-Unis sous tous ses aspects aux
étudiants du premier cycle universitaire ainsi qu'aux finissants du collégial.
Il s'agit d'un texte d'introduction dont le but est de réaliser un équilibre
pédagogique délicat. Nous avons voulu à la fois éviter d'offrir un ouvrage
trop chargé ou, au contraire, trop léger du point de vue de la substance.
Plus que jamais, nous devons en effet faire face à une quantité énorme de
faits, de documents, de statistiques et d'opinions, au milieu desquels un
lecteur non averti risque de se perdre. Cela est particulièrement vrai dans
un contexte idéologique polarisé, comme celui qui prévaut depuis le
11 septembre 2001.

Il s'agit donc d'éviter de s'embourber dans les détails et de proposer, avant tout, une vue d'ensemble des problèmes posés. Mais ce survol exige un cadre d'analyse souple qui laisse une large place à la liberté intellectuelle. En d'autres termes, le lecteur doit pouvoir peser le pour et le contre et dégager sa propre opinion. Cet ouvrage fait donc plus qu'exposer des connaissances. Il aide à les organiser en une synthèse dont les sources sont précisées pour que l'on puisse éventuellement y remonter.

Comme les éditions précédentes, le *Système politique américain* comprend quatre parties. La première présente les fondements culturels, constitutionnels et institutionnels du système fédéral américain. La seconde examine les principaux processus politiques (législatif, électoral, lobbying). La troisième passe en revue les principaux centres de décision du gouvernement fédéral (présidence, Congrès, administration publique, Cour suprême). La quatrième analyse les politiques publiques et leur évolution dans quatre secteurs : l'économie, les affaires sociales, la politique étrangère et la défense.

En ce qui a trait aux auteurs, maintenant, le but initial d'Edmond Orban était de faire participer à ce collectif les spécialistes les plus connus des universités québécoises. Nous avons respecté ce principe, et la majorité des auteurs de l'édition précédente ont gracieusement accepté de poursuivre leur collaboration. Au noyau initial des auteurs, et pour remplacer ceux qui ont pris leur retraite, se sont cependant ajoutés plusieurs collègues : Jean-François Gaudreault-DesBiens (Faculté de droit, Université de Montréal) a accepté de traiter de la Cour suprême. Louis Massicotte (Science politique, Université Laval) et François Vaillancourt (Sciences économiques, Université de Montréal) présentent un texte entièrement nouveau sur le fédéralisme américain. Richard Nadeau (Science politique, Université de Montréal) et Antoine Yoshinaka (Science politique, Université de Californie), quant à eux, étudient le processus électoral et sa dynamique. Pierre Martin, finalement, joint ses efforts à ceux de Marc Brawley afin de renouveler le chapitre portant sur l'économie politique. En hommage à notre regretté collègue Edmond Orban, nous avons aussi décidé de conserver une de ses contributions à la précédente édition. Le chapitre portant sur la Constitution demeure donc inchangé, ce qui est normal, car la présentation de ce document n'exigeait pas de modifications importantes.

Comme on le sait, les six dernières années ont été fort mouvementées pour les États-Unis. Après une période de prospérité remarquable pendant les années 1980 et 1990, le pays a dû faire face, en ce début de millénaire, aux forces sombres de la mondialisation. Les turbulences engendrées par les attentats du 11 septembre affectent, de ce point de vue, autant la politique étrangère et de défense américaine que son système politique et sa culture. Au sommet de leur puissance mondiale, les États-Unis disposent des moyens de faire face aux défis de ce nouvel environnement, mais les avis sont partagés, et souvent opposés, en ce qui a trait à leur capacité de triompher de la situation et de préserver la santé de leur système politique et économique. Puisse cet ouvrage aider le lecteur à se faire une opinion plus précise à ce sujet.

PREMIÈRE PARTIE

ÉLÉMENTS DU CADRE GÉNÉRAL

LES FONDEMENTS DE LA CULTURE POLITIQUE

Louis Balthazar

Il suffirait de parcourir les discours de plusieurs présidents américains pour se rendre compte de la remarquable récurrence d'un certain nombre de thèmes qui font le bonheur du public aux États-Unis. De George Washington à George W. Bush, en dépit de plus de 200 ans d'évolution et de bouleversements sociaux, on retrouve dans le discours politique (reflet obligé de la culture populaire) le même optimisme, le même idéalisme, la même bonne conscience qui témoignent de la permanence du visage culturel des États-Unis. La culture américaine n'en est pas pour autant un phénomène immuable, il s'en faut. Comme toutes les autres façons d'appréhender la réalité et de l'interpréter, cette culture est un phénomène dynamique fondé sur une expérience qui se poursuit dans le temps. Elle est sans cesse susceptible de corriger ses perceptions antérieures. À notre époque, tout particulièrement, on assiste à beaucoup de remises en question, par exemple quant à l'intégration des immigrants et des divers groupes ethniques, aux valeurs communes, aux programmes des institutions d'enseignement. Mais on peut observer, malgré tout, peut-être aux États-Unis plus qu'ailleurs, une étonnante continuité des traits fondamentaux qui alimentent le consensus social et façonnent l'unité de la nation.

On a déjà expliqué cette permanence par le fait que le libéralisme américain a été isolé du contexte dont il était issu dans le milieu européen et qu'il a échappé à la dynamique évolutive des idéologies. Parce que l'Ancien Régime était absent aux États-Unis, le libéralisme n'aurait pu donner lieu au socialisme[1]. L'idéologie libérale se serait pour ainsi dire cristallisée et serait demeurée à peu près ce qu'elle était au XVIIIᵉ siècle. Quel que soit le bien-fondé de cette interprétation, force est de constater que les principes de base du libéralisme américain n'ont guère changé depuis plus de 200 ans, bien que les conditions de production et les rapports sociaux aient considérablement évolué. Les États-Unis sont à la fois une terre d'incessants progrès et de conservatisme invétéré. Progrès constants dans le domaine technologique, stabilité indéfectible quant à l'idéologie au point qu'on a pu proclamer « la fin des idéologies[2] ». Le libéralisme omniprésent est devenu imperceptible.

Il n'est donc pas inopportun de relever les traits culturels des premiers colons américains pour comprendre les États-Unis d'aujourd'hui, d'autant plus que la Révolution américaine, loin d'altérer ces traits, les a plutôt renforcés. L'histoire en témoigne au cours des deux siècles suivants. De cette culture et de cette histoire émergeront les contours du **style national** et la nature du nationalisme des Américains.

Traits culturels des premiers colons

Ceux qui ont quitté le sol britannique pour venir s'installer dans le Nouveau Monde étaient certainement, comme la plupart des autres colons, des aventuriers, des gens qui avaient le goût du nouveau et du recommencement. Bien davantage que les colons espagnols et français, ils opéraient une rupture avec un monde qu'ils fuyaient. Loin de songer à reproduire cet ancien monde en Amérique, ils éprouvaient peu de respect pour les traditions et pour l'histoire passée : ils étaient fascinés par les promesses de l'avenir et des espaces neufs. Plusieurs d'entre eux étaient des créateurs. Peut-être étaient-ce les circonstances qui les avaient amenés à vouloir créer du nouveau. Ils n'en demeuraient pas moins essentiellement tournés vers un futur qu'ils entrevoyaient avec optimisme. Voilà un premier trait culturel américain qui a été par la suite considérablement grossi, enjolivé et célébré. Les Américains d'aujourd'hui se plaisent encore à le rappeler.

On se plaît aussi à souligner que ces premiers colons étaient déjà imprégnés, en quelque sorte, de la philosophie de l'**individualisme libéral.** En effet, les Britanniques qui ont d'abord peuplé les côtes de l'Amérique du Nord étaient, pour la plupart, imbus des principes du libéralisme qui prenait naissance en Angleterre. Le courant libéral propageait une conception de la liberté axée essentiellement sur l'individu dégagé de toute attache ou contrainte sociale naturelle. Les différentes théories du **contrat social** et de l'**état de nature** antérieur au contrat s'accordent toutes pour concevoir l'homme naturel comme un individu entièrement autonome. Tous les humains sont considérés comme égaux en nature et le meilleur contrat social est celui le plus susceptible de garantir cette égalité et cette liberté. La société britannique était encore loin de suivre ce modèle, mais comment ne pouvait-on pas espérer qu'il prenne forme en Amérique ? De là va naître le grand rêve du « chacun-pour-soi », de la « chance-égale-pour-tous ».

Parmi les libertés bafouées en Grande-Bretagne, figurait au premier chef la liberté de religion. Seule la religion d'État, l'anglicanisme, avait droit de cité. Les puritains, entre autres, souffraient de cette situation et plusieurs d'entre eux ont voulu se réfugier dans le Nouveau Monde. Ils ont contribué à donner un visage très religieux à l'expérience de la colonisation. De tradition calviniste, ils se sont bientôt sentis l'objet de l'élection divine, d'une attention spéciale de la Providence.

> Élue par Dieu, à l'instar des membres de la secte puritaine, écrit Élise Marienstras, la nation américaine entre dans un vaste plan providentiel. Les bienfaits qu'elle a reçus dès l'installation des colonies et lors des combats qui la menèrent à l'indépendance sont les signes qu'elle est dotée par Dieu d'une mission exceptionnelle[3].

Tout au long de l'histoire américaine, et de nos jours plus que jamais, la religion, même dans un contexte de séparation entre l'État et les Églises, prend une place très importante dans la trame sociale. Dans cette société indubitablement laïque, on fait constamment appel aux valeurs religieuses pour justifier des décisions politiques. Les campagnes électorales sont farcies de références à un christianisme souvent très traditionnel. Le sentiment d'être un « peuple choisi » a pu engendrer des attitudes draconiennes à l'endroit de ceux qu'on a exclus ou qu'on ne s'est pas résolu à admettre à part entière : les Amérindiens et les Noirs. Une contradiction fondamentale apparaît là, entre la tendance au moins théorique du libéralisme à l'universalisme et cette conception d'une élection particulière. Contradiction jamais vraiment résolue et qu'on retrouve encore dans une diplomatie qui se veut parfois libérale et internationaliste, mais qui cache mal son exclusivisme.

Le puritanisme des premiers colons américains ne les tient pas à l'écart des activités mercantiles. Bien au contraire. L'éthique protestante les encourage à accumuler des richesses et à les faire fructifier, la richesse étant considérée comme un signe de la bénédiction divine. Voilà donc un autre trait culturel de ces Européens venus en Amérique : ils sont déjà touchés par l'esprit du **capitalisme**. Ils mènent une existence relativement frugale, travaillent assez intensément en vue de recueillir non seulement les fruits naturels de leur labeur, mais aussi des gratifications en termes monétaires. De plus, ils se soucient davantage de réinvestir l'argent gagné, et cela, dans des entreprises diverses, que de s'adonner aux dépenses somptuaires.

Enfin, ces aventuriers individualistes, puritains et mercantiles sont aussi des démocrates. Certes, ils ne vivent pas encore une **démocratie politique** aussi élaborée que celle d'après l'indépendance, surtout celle d'après Andrew Jackson, mais ils sont déjà soucieux de surveiller leurs gouvernements et de créer des institutions populaires en vue d'exprimer des doléances, de demander des comptes. Les assemblées locales, les *town meetings*, sont nombreuses dans les colonies britanniques et elles se manifestent parfois bruyamment. Des imprimeries sont mises sur pied, au cours du XVIIIᵉ siècle, en vue de diffuser des journaux et des tracts. L'esprit du *rep by pop* (représentation selon la population) est à l'œuvre bien avant la Révolution américaine. C'est lui qui conduira peu à peu à la Déclaration d'indépendance. Car l'esprit révolutionnaire américain ne doit pas être compris comme une rupture avec l'univers culturel de la colonie, mais bien plutôt comme une sorte de couronnement naturel des tendances qu'on vient de relever.

Caractéristiques et conséquences de la Révolution

La Révolution américaine, contrairement à d'autres révolutions comme celles de 1789 en France ou de 1917 en Russie, ne comporte pas de bouleversement idéologique ni même de passage d'un ancien ordre à un nouveau. Les structures sociales et culturelles de l'Amérique britannique n'ont pas été profondément modifiées. Certes, la Déclaration d'indépendance (1776), la victoire finale des troupes révolutionnaires sur celles de la métropole (1783) et l'avènement d'une nouvelle Constitution (1787) ont apporté de profonds changements d'ordre politique. Un pays nouveau est né, une fierté nouvelle s'est manifestée chez les habitants des anciennes colonies. Si l'indépendance a été conquise contre la Grande-Bretagne, c'est bien plutôt contre un roi et contre un système politique particulier que contre une tradition culturelle. Les Américains ont cessé d'être gouvernés par des représentants de la couronne britannique, ils ont cessé d'appartenir au système économique impérial et de payer des impôts au roi. Ils n'ont pas cessé de s'alimenter à l'idéologie libérale dont ils avaient hérité des grands penseurs britanniques, tel John Locke. Les traits culturels déjà visibles au temps de la colonie sont demeurés plus vivants que jamais, libérés des quelques éléments traditionnels qui auraient pu les atténuer et surtout d'une structure politique jugée aliénante.

Les colons se sont rebellés contre l'autorité britannique pour satisfaire des intérêts bien particuliers, en premier lieu des intérêts économiques qu'entravait le système impérial, à leurs yeux. Les Américains rebelles n'ont pas accepté d'être victimes de ce système, mais on peut aller jusqu'à se demander s'ils l'ont vraiment répudié, s'ils n'ont pas plutôt voulu le transformer à leur avantage ou en créer un autre dont ils seraient les maîtres. L'empire se déplace d'est en ouest, disait-on déjà en 1783[4], anticipant le déplacement de la puissance mondiale qui devait s'opérer plus tard.

La Révolution américaine n'a pas été menée vraiment contre les Britanniques, mais contre George III, non pas contre un ordre sociopolitique, mais contre des politiques jugées particulièrement répressives. D'ailleurs, les Américains ne se sont-ils pas donné un système de gouvernement qui reproduisait en bonne partie le jeu d'équilibre (*check and balance*) qui existait alors en Grande-Bretagne entre le roi et le Parlement ?

La Révolution s'est faite contre **les politiques** et contre **les politiciens.**
Elle s'est dressée aussi contre la **bureaucratie** britannique et contre celle des
gouverneurs en place dans les colonies. L'appareil administratif devait se
développer en Grande-Bretagne et au Canada (où iront se réfugier la plupart des fonctionnaires loyaux à la couronne) selon des normes propres et
rigoureuses. Aux États-Unis, la Révolution a pour ainsi dire fait le vide de la
bureaucratie et l'administration publique n'allait se reconstruire que bien
lentement, dans une atmosphère de méfiance qui ne permettrait pas l'édifi-
cation d'une fonction publique professionnelle avant plusieurs années.

L'idéologie libérale prérévolutionnaire devait donc prendre un élan
nouveau, la Déclaration d'indépendance ouvrant une ère nouvelle. Une
première conséquence de la rupture avec la Grande-Bretagne : la coupure
déjà bien amorcée à l'endroit de l'Europe et de ses traditions devient définitive. Déjà les premiers colons avaient tourné le dos à l'Europe et au passé.
Avec la naissance d'un nouveau pays, l'Europe est maintenant volontairement oubliée, le passé n'existe plus. « Le bonheur des Américains est dû à
ce qu'ils n'ont aucun passé[5]. » C'est là la conviction des fondateurs du
nouveau pays.

De cette rupture, qui est d'autant plus profonde qu'elle s'opère grâce à la
distance d'un océan et à un isolement privilégié sur un immense continent
aux ressources quasi inépuisables, découle une volonté de « recommencer
l'histoire de l'humanité[6] » avec un sens profond d'être l'objet d'une véritable
mission providentielle, selon les principes religieux évoqués plus haut.

Sur cette véritable « terre promise » qu'est l'Amérique, s'ouvre une destinée
toute nouvelle, qu'on nommera au XIXe siècle la « destinée manifeste » (*Mani-
fest Destiny*), cette mission des Américains qui les amène à repousser
toujours plus loin la frontière, à « refaire le monde » sans égard aux occu-
pants du territoire qui ne sont pas inclus dans cette destinée : les Amérindiens d'abord qui seront refoulés vers l'Ouest et ensuite presque balayés
par les impératifs technologiques des grands réseaux de communication.
Les Mexicains aussi qui seront évincés, d'une manière plutôt cavalière, des
territoires qu'ils occupaient, du Texas à la Californie, à la suite d'une guerre
habilement provoquée. C'était l'esprit de la frontière (*frontier spirit*) qui
entraînait ainsi les infatigables explorateurs américains à l'exploitation
d'un territoire toujours plus vaste.

Il est remarquable que le mot « frontière » en soit venu à désigner, au lieu d'une ligne fixe, comme c'est le cas ailleurs dans le monde, une ligne qui se déplace constamment. Cela vient du fait que les Américains, pendant de longues années, du milieu du xixᵉ siècle à la fin du xxᵉ, n'ont pas été sérieusement préoccupés par les frontières au sens classique du mot puisque ni le Canada ni le Mexique n'ont représenté une menace et que les océans avaient isolé les États-Unis des autres pays du monde. La véritable « frontière » était donc une ligne mouvante, témoin de l'intarissable dynamisme américain. Encore aujourd'hui, alors qu'on ne cherche plus à étendre le territoire, on parle volontiers de « frontière » pour évoquer de nouvelles découvertes scientifiques, l'exploration spatiale ou même les causes chères à la superpuissance américaine. Il faut dire cependant que l'obsession contemporaine de la sécurité du territoire suscite une attention toute particulière aux frontières classiques, tant au nord qu'au sud[7].

Pour s'être résolument tournés vers le progrès (entendu au sens technologique) et vers l'avenir, les Américains se sont souvent privés, en contrepartie, des richesses du passé européen et des leçons de l'histoire. Alors que l'Europe vit d'une histoire inscrite sur son sol et dans ses monuments, il existe aux États-Unis une forte tendance à sous-estimer la pertinence du poids de l'histoire. Certes, les études historiques ont leur place au curriculum des maisons d'enseignement et de grands historiens produisent des œuvres remarquables. Il est plutôt rare cependant que l'expérience de l'histoire soit mise à contribution dans les grandes décisions politiques et sociales.

L'histoire américaine elle-même a été vécue selon ce mouvement vers l'avant. Elle est l'illustration de cette marche incessante vers le progrès, vers un certain élargissement des horizons. C'est une histoire généralement faite de succès. Car les faillites mêmes de l'expérience américaine sont habituellement corrigées, récupérées et résorbées par de nouveaux succès. Certains moments de l'histoire des États-Unis sont particulièrement révélateurs.

Quelques jalons de l'histoire américaine

Les deux plus grands moteurs de l'histoire américaine sont sans doute la Déclaration d'indépendance de 1776 et la Constitution de 1787. La première est l'œuvre de Thomas Jefferson, la seconde a été inspirée, en grande partie, par Alexander Hamilton. Parmi les fondateurs de la nouvelle nation, ces deux hommes occupent une place privilégiée. Déjà leurs différences d'opinions et de perspectives, à l'intérieur de leurs accords fondamentaux, signalent les tensions majeures de l'histoire des États-Unis.

Jefferson, l'homme de l'indépendance, a été le champion de la démocratie, de la liberté individuelle, de l'égalité fondamentale de tous dans la poursuite du bonheur (bien qu'il se soit senti incapable d'aller jusqu'au bout de sa logique en répudiant l'esclavagisme). Pour lui, chaque individu est un « gouverneur en puissance » et la démocratie doit s'exercer dans une surveillance quotidienne des actions du gouvernement. Jefferson met beaucoup de temps à accepter que les États-Unis deviennent un pays industrialisé, ce qui doit entraîner le foisonnement des manufactures et les grandes concentrations urbaines. Parti d'un idéal agraire, quasi rousseauiste, il craint que l'industrialisation n'affecte la vie démocratique et écrase les individus. Son héritage, toujours vivant aux États-Unis en dépit des adaptations et des compromissions, est celui des droits de la personne, de la démocratie sans cesse régénérée, de la « compassion » envers les minorités, ce qu'on pourrait appeler une certaine authenticité ou générosité américaine. De temps à autre, cet héritage se manifeste particulièrement, comme au moment de l'affaire du Watergate (1972-1974), dans la campagne de Jimmy Carter (1977-1981) pour le respect des droits de la personne et dans la politique d'intervention humanitaire plus ou moins mise en œuvre sous Bill Clinton (1993-2001).

Hamilton, rédacteur de la Constitution, était l'homme de l'ordre, de l'organisation. Lui et ses collègues fondateurs du parti fédéraliste ont amené les 13 États nouvellement indépendants à prendre conscience des nécessités d'une organisation politique solide pour assurer les acquis de la Révolution. En vue de fonder un nouveau système économique autonome (certains auteurs diraient « un nouvel empire »), les États devaient se fédérer, sacrifier leur souveraineté particulière aux nécessités d'une forte organisation centrale, c'est-à-dire du gouvernement fédéral d'un véritable État-nation. C'est ainsi que la Constitution, tout en assurant que le pouvoir ne serait pas concentré dans une seule institution, confère tout de même au président de l'Union des pouvoirs considérables, comme on le verra plus loin dans cet ouvrage. Hamilton n'a jamais cessé de croire à la démocratie, il redoutait cependant certains excès auxquels pouvait donner lieu ce qu'on appelait alors avec inquiétude la *mob democracy* (démocratie de masse). Il était surtout préoccupé de mettre sur pied les instruments nécessaires au développement du capitalisme américain. Il fut le premier secrétaire au Trésor et, tandis que son collègue Jefferson veillait aux Affaires extérieures, il mit sur pied une banque centrale, assainit les finances publiques et encouragea l'industrie et le commerce de la jeune république par des mesures légèrement protectionnistes. Hamilton est le père du capitalisme américain. C'est lui qui a ouvert la voie à un libéralisme tout axé sur les grands intérêts économiques, sur la protection de la propriété privée. C'est selon la tradition hamiltonienne qu'on a pu croire que la seule liberté qui compte vraiment, celle qui vient avant toutes les autres, c'est la liberté économique.

Ces deux grands courants se sont affrontés tout au long de l'histoire des États-Unis. À certaines époques, l'un a dominé l'autre. Mais tôt ou tard, on a vu resurgir l'autre. Souvent, les deux héritages ont pu paraître inextricablement liés. George Washington, par exemple, le premier président, a voulu demeurer neutre et accorder sa confiance à la fois à Jefferson et à Hamilton[8].

Le premier souci du Père fondateur quand il s'apprête à quitter la présidence en 1796 est de préserver l'authenticité de la République américaine en enjoignant à ses compatriotes et successeurs de demeurer à l'écart de la politique européenne, sans toutefois renoncer à établir des liens économiques avec l'Europe. On retrouve ici le parti pris américain contre la tradition européenne et contre ce que Washington appelait les « vicissitudes » de la diplomatie. Monroe, 27 ans plus tard, lui fait écho en exigeant la réciprocité de la part des Européens : que les grandes puissances ne s'ingèrent pas à leur tour dans les affaires de l'hémisphère occidental. Déjà, l'Amérique entière est plus ou moins considérée comme la chasse gardée de la république des États-Unis. Le Canada britannique fait exception : depuis 1815, la Grande-Bretagne n'est plus menaçante.

Andrew Jackson reprend le flambeau de Jefferson et accède à la présidence en 1829 dans une grande ferveur démocratique. Jackson fonde le Parti démocrate. Il se veut le représentant de l'Américain moyen contre les grandes puissances financières. Le capitalisme n'est pas remis en cause, loin de là. Jackson lui-même était un commerçant. Ce qui est mis de l'avant, selon la pureté de la tradition, c'est la possibilité pour le petit entrepreneur de se frayer un chemin et de réussir. Andrew Jackson est bien typique du héros populaire américain. Il est un héros militaire pour avoir mené une expédition foudroyante à la Nouvelle-Orléans contre les Britanniques en 1815. Avec ses manières frustes et directes, il se situe aux antipodes de la civilisation européenne. Il est l'homme du développement de l'Ouest contre les milieux financiers du Nord-Est. Ses politiques sont parfois brutales mais efficaces et sans équivoque. Il s'est fait aussi le champion de l'Union contre les tentatives autonomistes des États du Sud. Enfin, c'est lui qui introduit le fameux « système des dépouilles » (*spoils system*) selon lequel plusieurs postes de la fonction publique vont à ceux qui ont appuyé la candidature du président. Le préjugé contre la bureaucratie et le carriérisme en sort victorieux.

Le XIXᵉ siècle américain est caractérisé par la marche effrénée vers l'Ouest. Libres de toute ingérence européenne, les Américains se consacrent entièrement au développement et à l'expansion de leur pays. Un seul problème les distrait de cette tâche, c'est le grand affrontement entre les États du Sud et ceux du Nord au sujet de l'esclavage. Un problème de taille qui n'est réglé qu'au prix d'une guerre civile (1861-1865), laquelle donnera lieu à des combats féroces. Le président Lincoln (1861-1865) est considéré comme le sauveur de l'Union : il proclame en 1863 l'émancipation des Noirs et mène les troupes du Nord à la victoire sur les sécessionnistes et esclavagistes du Sud.

À propos de la guerre de Sécession, retenons deux éléments importants pour la suite de l'histoire américaine. D'abord, l'unité nationale, déjà fort valorisée par Washington, Hamilton, Jefferson, Jackson et combien d'autres, est érigée à la hauteur d'un grand mythe. L'autonomie des États américains pourra alors être respectée, mais jamais on ne lui permettra d'empiéter de quelque façon sur la sacro-sainte identité américaine. Lincoln devient un autre héros national, une sorte de Père fondateur des États-Unis modernes. Il faut dire toutefois que le problème noir n'a toujours pas été résolu. Les Noirs sont émancipés, mais ils ne sont pas admis pour cela à part entière au sein de la nation. À l'esclavagisme succèdent la ségrégation, puis la discrimination. Et 100 ans plus tard, Martin Luther King réclame encore pour les siens l'application intégrale de la Déclaration d'indépendance. À peine peut-on dire aujourd'hui que les Afro-Américains ont obtenu à tout le moins l'égalité juridique.

La période qui suit la guerre civile laisse libre cours au développement accéléré du capitalisme américain et à la création de grands empires industriels. À cette expansion phénoménale à l'intérieur va correspondre, à la fin du siècle, une fois la frontière repoussée jusqu'au Pacifique, une politique extérieure impérialiste.

Ces deux excès sont corrigés par le progressisme de Théodore Roosevelt (1901-1909) et le libéralisme de Woodrow Wilson (1913-1921). Des lois antitrust et d'autres mesures sociales viennent réfréner le caractère sauvage du grand capitalisme et redonner une chance au citoyen moyen. L'impérialisme est bientôt remplacé par la politique de la « porte ouverte » et par la grande croisade wilsonienne pour l'autodétermination. La politique de Wilson est tragiquement répudiée par le Congrès. Les années 1920 donnent lieu à une remontée du capitalisme sauvage et à l'isolationnisme en politique étrangère. Nouvelles corrections jeffersoniennes : à la faveur de la crise, F. D. Roosevelt (1933-1945) se tourne vers le *common man* et son New Deal remet l'économie sur les rails tout en redonnant leurs chances aux démunis. Il s'ouvre aussi aux questions internationales et oriente lentement les États-Unis vers l'engagement.

Quelques années après la guerre, en 1953, les républicains reprennent le pouvoir et l'orthodoxie hamiltonienne est en quelque sorte réintégrée. John F. Kennedy (1961-1963) se présente en 1960, sous le slogan de la « nouvelle frontière », avec une nouvelle équipe qui devait réanimer le souffle jeffersonien : grandes manœuvres libérales à l'intérieur, nouveau leadership et nouvel idéalisme à l'extérieur. La guerre du Viêt-nam vient tout brouiller. Les États-Unis ne s'en relèveront que péniblement avec Richard Nixon (1969-1974) qui s'effondrera sous le scandale du Watergate. Jimmy Carter (1977-1981) réinstaure la pureté, la morale et les droits en 1977. Mais lui aussi est écrasé par une économie qui dégénère et des problèmes internationaux qui le font paraître comme faible, incohérent et incapable de s'imposer. Ronald Reagan (1981-1989) redonne aux Américains l'image convoitée. Une image de force morale et physique.

George H. W. Bush (1989-1993) s'accroche à cet héritage qu'il fait revivre au moment de la guerre limitée contre l'Irak en 1991. L'héritage apparaît bien illusoire par la suite dans un contexte socioéconomique troublé. Bill Clinton (1993-2001) veut faire revivre Jefferson, dont il porte fièrement le nom. Un Congrès hostile et à majorité républicaine à compter de 1995 ne le lui permet pas. Ses ennemis parviennent à le discréditer en mettant en lumière ses frasques sexuelles et ses mensonges, sans toutefois obtenir sa destitution. Si Clinton demeure malgré tout populaire, il faut bien constater que Jefferson lui-même, F. D. Roosevelt et J. F. Kennedy s'en étaient mieux tirés.

George W. Bush ramène les républicains au pouvoir et tire profit de la grande catastrophe que représentent les attaques terroristes du 11 septembre 2001 pour se présenter comme le champion de la guerre tous azimuts au terrorisme. Misant sur l'ampleur de la nouvelle menace et l'insécurité renouvelée des Américains, il met en œuvre un ensemble de politiques conservatrices et s'appuie sur le sentiment religieux comme peu de présidents l'ont fait avant lui. Tous les grands thèmes de la rhétorique traditionnelle sont mis à contribution. Les déboires d'une invasion de l'Irak appuyée sur de fausses prémisses et d'une occupation qui s'éternise au point de rappeler l'aventure du Viêt-nam le précipitent cependant dans l'impopularité. Le conservatisme de la population américaine aura été moins puissant qu'on ne l'aurait cru.

De cette fresque historique bien sommaire et un peu caricaturale se dégage tout de même un certain nombre de caractéristiques de ce qu'on peut appeler, à la suite de Walt W. Rostow et de Stanley Hoffmann en particulier, le style national américain[9].

Le style national

On peut définir le style comme un ensemble de données qui conditionnent les perceptions d'une population et de ses gouvernants et qui influent sur les décisions politiques. Le style s'enracine dans la culture qu'on suppose partagée par la grande majorité des citoyens et transmise par l'école, les médias et autres canaux de communication. Un style national peut évoluer, subir des mutations, mais habituellement de façon plutôt lente. Comme le style est commun à l'ensemble, il transcende les conflits entre les divers groupes ou partis. Enfin, même s'il est utilisé pour exprimer des « rationalisations » ou voiler des intérêts particuliers, il demeure significatif dans la mesure où il renvoie à des valeurs acceptées par l'ensemble de la population.

Voici quelques traits du style américain dont on peut dire qu'on les retrouve fréquemment non seulement dans la population en général, mais aussi chez les gouvernants de tout parti et de toute tendance. D'abord, le moralisme et l'idéalisme. Voilà qui ne devrait pas étonner si l'on se reporte à tout ce qui précède. On pourra accuser les Américains d'arrogance, d'insolence, voire de cruauté, mais il serait difficile de nier qu'ils ont constamment cherché à inscrire leurs actions dans le cadre d'une morale. Une morale qu'on pourra juger pharisaïque ou fausse à l'occasion, mais qui ne cessera pas d'exister pour autant. Il est bien rare qu'on accepte aux États-Unis de faire abstraction de l'univers moral pour exprimer les choses en termes de strict intérêt. Les Américains sont rarement machiavéliques. Ils sont plutôt généralement très idéalistes, ce qui est dû sans doute à la fidélité aux Pères fondateurs, mais aussi aux succès de l'histoire. On peut se permettre d'énoncer de grands idéaux parce qu'on a conscience d'avoir réussi dans le passé et que la confiance à l'égard de l'avenir demeure très grande. Les Américains acceptent mal que des problèmes demeurent insolubles. Selon eux, les idéaux peuvent se réaliser. Si seulement on pouvait écarter les obstacles, les possibilités des actions humaines seraient sans limites. Songeons aux discours et aux espoirs exprimés par les Wilson, Roosevelt, Kennedy, Carter, Reagan, Clinton et George W. Bush.

Un second trait qui découle encore des origines et des réussites historiques, c'est la conscience très forte d'avoir raison (*self-righteousness*) ou la bonne conscience. Autant sinon davantage que le marxisme, le libéralisme américain porte avec lui une sorte de messianisme. Selon l'Américain typique, il est sûr que le système capitaliste est le meilleur, que le mode de vie américain est le plus humain, le plus fraternel, le plus égalitaire. Les responsables politiques américains peuvent souvent mentir, comme les autres, mais il est rare qu'ils soient persuadés de défendre une mauvaise cause. Des voix s'élèvent aux États-Unis pour condamner des politiques injustes, mais ils sont rares ceux qui croient que la politique de leur pays est perverse. À partir de la constatation de cette bonne conscience généralisée, on mesure mieux l'intensité du scandale du Watergate (1972-1974) et, à un moindre degré, de celui auquel ont donné lieu les aventures de Bill Clinton avec une stagiaire de la Maison-Blanche (1998). On prend aussi la mesure du désenchantement auquel donnent lieu les politiques de George W. Bush. Qu'un président, le miroir de la nation, soit considéré comme responsable de malversations ou de mensonge, cela est insupportable.

Ces scandales ont encore mis en relief un autre trait majeur du style américain : la méfiance à l'égard du monde politique. Selon les principes de Locke, l'ordre politique doit être réduit à la simple fonction de défendre la propriété privée. Rappelons-nous l'aversion des Américains pour l'admi-·nistration publique et la bureaucratie. Même les hommes politiques qui ont du succès se doivent de dénigrer « la politique ». Carter, Reagan, Clinton et, paradoxalement, un fils de président, George W. Bush, ont dû une bonne part de leurs succès électoraux au fait qu'ils n'avaient jamais vécu à Washington. Gouverneurs d'États, ils sont venus à la politique plutôt tardivement, ils arrivaient dans la capitale, les mains propres. Ils devaient réformer l'administration en y injectant un dynamisme nouveau. Reagan, en particulier, et George W. Bush, dans une certaine mesure, obtinrent un grand succès en dénonçant les abus de la bureaucratie et en s'engageant à remettre les ressources entre les mains des individus, « là où elles peuvent fructifier, disaient-ils, car ce sont des individus qui ont bâti le pays et réalisé de grandes choses ». Le démocrate Clinton était moins porté vers cet individualisme sommaire. Mais, pour se rapprocher du centre, il s'est enorgueilli de mettre fin à un système de sécurité sociale mis en place par des politiques de son parti.

Si les Américains ont tendance à fonder peu d'espoir dans les solutions politiques aux problèmes sociaux, il en va tout autrement des solutions économiques. Dans l'ordre économique, on croit devoir s'engager davan-tage, au point que la croissance de l'économie, du produit national brut, du niveau de vie et d'autres indicateurs quantitatifs, est souvent considérée comme une sorte de panacée. Ce qu'on pourrait nommer l'économisme, c'est-à-dire une sorte de fixation sur la puissance du dollar comme instru-ment essentiel de progrès (*the almighty dollar*, dit-on), est un trait bien vivant du style américain. « Quand l'économie va, tout va. » « Ce qui est bon pour General Motors est bon pour l'Amérique. » Voilà des slogans populaires qui illustrent bien cette tendance. Sans doute, les Américains ne sont pas les seuls à privilégier l'ordre économique. Mais nulle part ailleurs n'est-on aussi enclin à négliger des facteurs d'ordre historique, politique ou culturel pour s'arrêter aux dimensions économiques des problèmes. Par exemple, cette croyance qui a la vie dure aux États-Unis et selon laquelle il suffit de créer une économie de marché pour se situer sur la bonne voie.

Enfin, dans la même veine optimiste, les Américains ont tendance à privilégier l'instrument technique comme moyen de faire avancer les choses. C'est là ce qu'on a appelé le pragmatisme américain, une attitude qui, sans jamais remettre en question les fins, les grandes orientations nationales, s'applique à trouver le moyen concret, opérationnel de progresser vers l'idéal à atteindre. Selon cette mentalité, il est très important de recueillir les faits avec exactitude dans l'examen d'un problème et cette seule opération est considérée comme un grand pas vers la solution. « *Let's get the facts straight* », dit-on couramment aux États-Unis, laissant entendre par là qu'il est toujours possible de rassembler tous les faits (sans opérer un choix subjectif) et de les laisser parler d'eux-mêmes. Ensuite, croit-on, on trouvera bien une technique particulière pour opérer à partir de ces faits. Plus la technique est opérationnelle et quantifiable, plus on a tendance à la valoriser, en vertu de ce qu'on a appelé la « pensée experte » (*skill thinking*). Rappelons seulement comment on a privilégié les instruments techniques de stratégie durant la guerre au Viêt-nam par opposition aux moyens politiques ou à l'intelligence des aspects culturels et psychologiques de la lutte des Vietnamiens rebelles. Pensons aux opérations hautement technologiques de la guerre du Golfe (1991) et des bombardements en Serbie (1999). Pensons surtout à la fameuse « révolution dans les affaires militaires » qui devait donner lieu, aux yeux du secrétaire à la Défense, Donald Rumsfeld (2001-2006), à une soi-disant « guerre propre » en Irak et à la création d'un modèle de démocratie dans ce pays du Moyen-Orient ! (Sur ce thème voir le chapitre 14.)

Ce sont là quelques-uns des traits les plus remarquables et les plus évidents du style national américain. Notons bien qu'il s'agit d'attitudes souvent relevées chez un grand nombre de personnes, chez les décideurs comme dans le public en général. Il ne faudrait pas croire cependant que ces attitudes ne sont jamais accompagnées d'une conscience critique. Cette conscience est très vive au contraire chez certaines élites intellectuelles. Ce sont d'ailleurs des auteurs américains qui ont analysé ce style national avec le plus d'à-propos. Il faut bien noter toutefois que ces analyses n'ont eu que peu d'impact sur les responsables des politiques. Un nationalisme très intense a souvent contribué plutôt à conforter de vieilles convictions et à renforcer les automatismes des comportements. Ce chapitre ne saurait se terminer sans une brève analyse du nationalisme aux États-Unis.

Le nationalisme américain

Les Américains parlent rarement de nationalisme en référence à eux-mêmes. Peut-être parce que ce mot est propre à évoquer souvent une certaine intransigeance qu'ils voient davantage chez les autres. Ils se perçoivent plutôt comme étant ouverts sur le monde et sur la diversité culturelle internationale qu'ils croient avoir reproduite chez eux. Il existe aux États-Unis une tendance très forte à voir le pays comme une sorte de micro-cosme, puisqu'on y retrouve des personnes issues des quatre coins du monde et d'un grand nombre de pays et de cultures. Les Américains croient bien connaître les Mexicains, les Chinois, les Italiens, les Polonais, les Allemands, les Grecs et combien d'autres puisque ces nationalités sont représentées chez eux. On oublie que tous les immigrants qui ont composé le *melting pot* américain sont venus en Amérique selon un processus analogue à celui des premiers colons, c'est-à-dire en tournant le dos à l'Europe (ou à d'autres régions), en regardant vers l'ouest, en voulant « refaire le monde », tout recommencer. Ils se sont empressés le plus souvent d'abandonner les éléments de leur culture qui faisaient obstacle au style américain, qu'ils ont aussitôt adopté pour eux-mêmes. Ces groupes ethniques sont donc devenus, pour la plupart, cent fois plus américains que fidèles à leur ethnie (exception faite de quelques traits folkloriques).

Il en va sans doute différemment depuis les années 1960. Les hispanophones latino-américains, tout particulièrement, et les Asiatiques, dans une moindre mesure, ne s'intègrent plus selon le processus du *melting pot*. L'ethnicité est valorisée et soulignée plus que jamais en certains milieux. Des voix prestigieuses, comme celles de l'historien Arthur Schlesinger Jr et de Samuel Huntington[10] s'élèvent pour dénoncer un courant susceptible de

« desservir » la nation. Quoi qu'il en soit, la tendance à valoriser l'appartenance à la nation américaine est toujours forte, même parmi les groupes ethniques marginaux. Si la différenciation ethnique devait progresser, il faudrait y voir une modification profonde du système américain suscitant possiblement des réactions violentes. Les plus optimistes croient que ces persistances culturelles vont disparaître avec les secondes générations qui s'américaniseront aussi bien que les autres vagues d'immigrants.

La nation américaine est la première à se constituer de façon aussi évidente sur une base volontaire. Cela ne permet pas de fonder le nationalisme sur l'appartenance ethnique comme on a pu le faire ailleurs. La valorisation d'une appartenance volontaire et nouvelle n'en aboutit pas moins au nationalisme. Car c'est bien d'une nation qu'il s'agit, une nation qui s'établit selon un consensus beaucoup plus fort que celui provenant d'une tradition ethnique[11].

Ce consensus est fondé sur la grande homogénéité idéologique dont il a été question au début de ce chapitre, c'est-à-dire sur une adhésion à ce point universelle aux principes du libéralisme que cette idéologie elle-même est presque disparue comme telle du niveau de la conscience. Le mot « libéral », dans la langue américaine, en est venu à perdre son sens originel. Il signifie maintenant « libéral progressiste » qu'on oppose à « conservateur ». Pourtant, George W. Bush est, à n'en point douter, tout aussi libéral, au sens idéologique du terme, que ses adversaires moins conservateurs. En pratique, on fait tellement consensus aux États-Unis autour du libéralisme que l'épithète libéral doit se traduire par *loyal American*. Les Américains ont pour ainsi dire nationalisé l'idéologie libérale. Le libéralisme s'est transformé en nationalisme. L'ennemi de la nation, c'est celui qui s'oppose au libéralisme à l'américaine. « Le destin de notre nation a été de ne pas avoir d'idéologie, mais d'en être une », écrivait un grand historien du nationalisme, Hans Kohn[12].

En conséquence, le nationalisme américain a ceci de particulier qu'il ne s'oppose pas d'abord aux autres nationalismes ni aux autres nations, mais à l'absence de libéralisme qu'il interprète spontanément comme une perversité. Le nationaliste américain n'a jamais été antirusse, encore moins antiarabe, mais bien anticommuniste, antiterroriste, voire antinationaliste ! La fierté nationale ne se traduit pas par un sentiment de supériorité, comme cela s'est produit si souvent ailleurs, mais par le sentiment d'avoir établi non pas le meilleur mode de vie mais la façon de vivre par excellence. Les autres ne sont donc pas méprisés ou dévalués par ce nationalisme. Ils sont tout simplement ignorés dans ce qu'ils ont de propre. Il est difficile de croire, pour un Américain, que, si les autres peuples avaient bénéficié des mêmes avantages qu'eux, ils n'auraient pas adopté ce « mode de vie par excellence ». On aboutit donc à la négation de l'hétérogénéité culturelle, à une sorte d'impérialisme culturel tout à la fois candide et redoutable. Il faut bien dire, au surplus, que les succès de l'expansionnisme culturel américain ont tendance à donner raison à ce nationalisme et à renforcer les attitudes américaines qui le sous-tendent, par exemple une opposition féroce aux politiques visant à protéger les produits culturels dans les échanges internationaux.

Il faut dire encore que la fierté américaine trouve facilement de quoi se nourrir. L'histoire des États-Unis en est une de succès prodigieux, d'une croissance phénoménale, accompagnée d'une stabilité politique incomparable. Certes, les déconvenues du Viêt-nam et de l'Irak obscurcissent le tableau, mais les Américains se consolent bien en rappelant qu'ils ont été les principaux vainqueurs des trois guerres mondiales du xxᵉ siècle. Le système électoral américain est plutôt vétuste et peut donner lieu à de terribles aberrations, comme au moment de l'élection présidentielle de 2000 dont l'issue a dû être déterminée par un jugement de la Cour suprême. Malgré tout, depuis plus de 200 ans, les Américains n'ont pas raté une seule élection ni à la présidence, ni au Congrès. En dépit de la croissance d'autres pôles de puissance dans le monde, les États-Unis tiennent encore le premier rang dans divers domaines, des percées technologiques au monde des arts et de la musique.

En contrepartie, ce nationalisme revêt un visage tragique lorsque les États-Unis doivent subir les contraintes du système international, partager la puissance militaire, faire face à des rivaux économiques et se heurter à la barbarie désespérée de certains « damnés de la terre ». Le nationalisme américain a la nostalgie des périodes où la domination américaine était sans faille, comme au cours des années 1950, peu après la Deuxième Guerre mondiale. Dans une certaine mesure, on a donné aux Américains l'illusion que les conditions de cette période pourraient être reproduites, ce qui est bien impossible. Le nationalisme qui cherche à entretenir cette illusion et à nier la complexité des problèmes et des défis nouveaux est un phénomène inquiétant.

Tout en reconnaissant la grandeur et la remarquable originalité de la culture américaine, il faut tout de même souhaiter que le libéralisme qui lui a donné naissance évolue en fonction des besoins nouveaux, comme cela fut le cas, au XXe siècle, durant la crise économique des années 1930 et au cours des années 1960. La culture américaine est certainement assez dynamique pour faire face à une autocritique vigoureuse (déjà présente aux États-Unis) et s'adapter aux nouveaux défis.

NOTES

1. Voir Louis HARTZ, *The Liberal Tradition in America*, New York, Harcourt Brace, 1955 et Louis HARTZ (dir.), *Les enfants de l'Europe*, Paris, Seuil, 1968.
2. Voir Daniel BELL, *La fin de l'idéologie*, Paris, Presses universitaires de France, 1996 ; Francis FUKUYAMA, *La fin de l'histoire et le dernier homme*, Paris, Flammarion, 1992.
3. Élise MARIENSTRAS, *Les mythes fondateurs de la nation américaine*, Paris, Maspero, 1976, p. 95.
4. Voir William A. WILLIAMS, dans *Empire as a Way of Life*, New York, Oxford University Press, 1980, p. 47.
5. Élise MARIENSTRAS, *op. cit.*, p. 61.
6. *Ibid.*, p. 78.
7. Notons toutefois qu'on n'emploie pas alors le mot anglais *frontier*, mais bien plutôt *border*.
8. Généralement, c'est le parti démocrate, héritier du parti républicain-démocrate de Jefferson et du grand parti populiste fondé par Andrew Jackson qui incarne le courant jeffersonien ; tandis que le parti républicain (succédant aux whigs et aux fédéralistes) porte le courant hamiltonien. Assez typiquement, un sondage du *New York Times* et de *CBS News*, pendant l'été 2000, révélait qu'une majorité d'Américains faisait confiance au parti républicain pour assurer une solide défense au pays, garantir une économie forte et conserver les valeurs familiales traditionnelles. On s'en remettait, par contre, au parti démocrate pour prendre de bonnes décisions en matière de sécurité sociale, pour se préoccuper des gens ordinaires, pour améliorer le système de santé et l'éducation, pour protéger l'environnement (*The New York Times*, 25 juillet 2000). Après l'élection présidentielle de 2004, le grand responsable du triomphe de George W. Bush et du Parti républicain, Karl Rove, se targuait d'avoir assuré une prédominance républicaine pour une génération. Deux ans plus tard, la victoire démocrate aux élections législatives de 2006 lui donnait tort.
9. Voir Stanley HOFFMANN, *Gulliver empêtré. Essai sur la politique étrangère des États-Unis*, Paris, Seuil, 1971, p. 135-238.

10. Voir Arthur M. SCHLESINGER Jr, *L'Amérique balkanisée : une société multiculturelle désunie*, Paris, Économica, 1999 et Samuel P. HUNTINGTON, *Qui sommes-nous? : identité nationale et choc des cultures*, Paris, Odile Jacob, 2004.

11. Il faut bien noter cependant que les colons britanniques ont été tout à fait prépondérants aux origines de la nation américaine. Ils ont eu tôt fait d'imposer leur langue, leur culture et leurs idées politiques. Le libéralisme américain est bien anglais. C'est John Locke qui a inspiré la Déclaration d'indépendance et c'est encore dans ce document qu'on fait référence à la « consanguinité » entre Britanniques et Américains. Voir à ce sujet Benjamin SCHWARZ, « The Diversity Myth », *The Atlantic Monthly*, mai 1995.

12. Cité par Élise MARIENSTRAS, *op. cit.*, p. 153.

POUR EN SAVOIR PLUS

BIBLIOGRAPHIE ET LECTURES RECOMMANDÉES

CHERNOW, Ron, *Alexander Hamilton*, New York, Penguin Press, 2004.

ELLIS, Joseph J., *American Sphinx : The Character of Thomas Jefferson*, New York, Knopf, 1997.

ELLIS, Joseph J., *His Excellency : George Washington*, New York, Knopf, 2004.

FURSTENBERG, François, *In the Name of the Father : Washington's Legacy, Slavery, and the Making of a Nation*, New York, Penguin Press, 2006.

HARTZ, Louis, *The Liberal Tradition in America*, New York, Harcourt and Brace, 1955.

HUNTINGTON, Samuel P., *Qui sommes-nous? Identité nationale et choc des cultures*, Paris, Odile Jacob, 2004.

KASPI, André, *Les Américains*, tome I, « Naissance et essor des États-Unis, 1607-1945 », Paris, Éditions du Seuil, coll. « Points, Série Histoire », 1986.

KASPI, André, *Les États-Unis aujourd'hui : mal connus, mal compris, mal aimés*, Paris, Perrin, 2004.

LACORNE, Denis, *De la religion en Amérique*, Paris, Gallimard, 2007.

LIPSET, Seymour Martin, *Continental Divide : The Values and Institutions of the United States and Canada*, New York, Routledge, 1990.

MARIENSTRAS, Élise, *Les mythes fondateurs de la nation américaine*, Paris, Maspero, 1976.

TOCQUEVILLE, Alexis de, *De la démocratie en Amérique*, 2 vol., Paris, Gallimard, 2005 (1835-1840).

SITES INTERNET

The American Experience (documentaires sur l'histoire politique et culturelle des États-Unis et sites didactiques) : www.pbs.org/wgbh/amex/

LA CONSTITUTION

Edmond Orban

Élaborée à la fin du XVIIIe siècle, par 13 anciennes colonies, faibles, peu peuplées et en majorité rurales, la Constitution des États-Unis s'applique encore de nos jours. Et pourtant, entre 1789 et aujourd'hui, ce pays a connu des changements inouïs : industrialisation massive, formation d'énormes agglomérations urbaines, développement accéléré de nouvelles technologies, etc. En même temps, il était souvent déchiré par des conflits internes parfois très graves : guerre de Sécession, luttes sociales, violences raciales, crises économiques, etc. C'est sur cette double toile de fond que le nouvel État, relativement isolationniste, est finalement devenu la première puissance mondiale à la suite des « deux grandes guerres ».

Flexibilité de la Constitution

Conçue pour une société aussi radicalement différente, comment cette Constitution a-t-elle pu s'adapter aux transformations révolutionnaires évoquées plus haut ? Comment a-t-elle pu répondre à des exigences d'une telle ampleur sans se désintégrer ou tout au moins se trouver paralysée dans les moments de crise aiguë ? Bien d'autres pays ont vu leur système politique s'effondrer, en partie à cause de la dysfonctionnalité de leur

Constitution et, notamment, à cause de l'asynchronisme de son évolution par rapport à des transformations sociales rapides et profondes.

En réalité, il existe deux sortes de Constitutions. La première, dite **formelle**, comporte le texte de base ratifié par les 13 États en 1789, complété par une série relativement courte d'amendements votés formellement par le Congrès et les États. À côté de ce cadre difficilement amendable, il y a une autre Constitution qualifiée d'**informelle**, riche, complexe, aux composantes multiples. Elle résulte d'une foule de pratiques, de comportements, de lois fédérales (ou des États), de décisions administratives et, phénomène plus connu, de décisions des tribunaux (voir notamment le chapitre sur la Cour suprême). Par exemple, lors de la « Grande crise », le *New Deal* représente une transformation radicale de l'approche des problèmes économiques et sociaux, qui se traduit par toute une série d'interventions législatives et administratives, finalement acceptées par la Cour suprême, après avoir été rejetées pour inconstitutionnalité.

Ce développement latéral, d'une importance capitale, n'a pu s'effectuer que grâce à une Constitution écrite suffisamment souple, dont plusieurs clauses dites « élastiques » (*elastic clauses*) ont finalement permis des interprétations souvent extrêmement larges. En dépit de nombreuses résistances émanant des groupes de pression, des cours de justice ou du Congrès lui-même, elles ont en général contribué aux ajustements indispensables dans une société en constante évolution. Ce phénomène s'observe sur la scène intérieure, mais aussi dans les rapports avec les autres pays et organisations internationales. Il a surtout profité à l'État fédéral, et en particulier au président qui a vu ses pouvoirs considérablement accrus en dépit des réactions observées sous Nixon et Bill Clinton.

Sources en influences antérieures

Notons tout d'abord que ce sont des « Anglo-Saxons protestants » qui ont fondé les premières colonies et établissements, en même temps qu'ils imposaient leur langue, leur religion, leur mode de vie et leurs institutions politiques. Ils apportaient avec eux un ensemble de coutumes et de traditions héritées de la mère patrie, tout en réagissant aussi contre certains aspects de ces dernières lorsqu'elles entraient en conflit avec leur nouvel environnement et leurs besoins spécifiques. Mais, même quand ils feront leur révolution et leur guerre d'indépendance contre le gouvernement de Londres, ce sera au nom de principes que l'on retrouve dans la *Magna Carta* de 1215 et les différents *Bills of Rights* qui ont suivi ce document.

L'héritage anglais comporte, en outre, un ensemble de coutumes, de conventions (le droit coutumier anglais — *Common Law* — est appliqué dans les colonies) et certaines institutions, notamment des assemblées élues votant les impôts et s'efforçant progressivement de contrôler l'«exécutif». Ces assemblées locales ou régionales, bien qu'encore peu représentatives dans certains cas, avaient néanmoins comme dénominateur commun de vouloir limiter l'arbitraire du monarque ou de son représentant principal. À cet égard, on peut estimer, comme Jean-Louis Fyot, son meilleur traducteur et analyste, que Locke a été politiquement le maître à penser des Américains. Ces derniers le lisaient beaucoup et l'invoquaient souvent, que ce soit dans leur lutte contre le despotisme et la métropole, ou quand ils ont rédigé leur Constitution.

Pour **Locke** et ceux qui prétendent s'en inspirer, l'autorité du gouvernement dépend du consentement des administrés (du moins quand ceux-ci ont la possibilité d'être représentés). Cette autorité est donc à base contractuelle, elle est censée **placer l'individu au centre de la problématique politique**. En conséquence, le pouvoir législatif est le pouvoir suprême, les lois positives (par opposition au droit naturel) exprimant la volonté du peuple. Le reste se situe surtout sur le plan des moyens pour réaliser l'objectif précité : l'épanouissement individuel. Ainsi en va-t-il pour le fameux principe de la séparation des pouvoirs, conçu avant tout comme une limite apportée aux possibilités d'arbitraire (à la fois du monarque et de la «populace»), de même que le concept des «poids et contrepoids» qui l'accompagnent à l'intérieur même du législatif (base du bicaméralisme).

Selon Locke également, la **propriété privée** est à la base de tout le système économique et politique. Certains auteurs estiment d'ailleurs que la place et la fonction de la propriété privée, chez Locke et dans la culture politique américaine dominante, se sont imposées dans une perspective trop individualiste, aux dépens de préoccupations plus sociales, plus communautaires. Apparaît alors le danger de voir les «classes possédantes» dominer le système politique aux dépens de ceux qui sont absents ou trop marginaux dans le circuit économique (et donc sur le plan de la propriété privée). C'est là un thème sur lequel on reviendra ultérieurement, car peut-il y avoir une démocratie politique sans véritable démocratie économique ?

Montesquieu, surtout avec *L'esprit des lois*, est associé à Locke et fait partie des penseurs ayant le plus influencé les Pères fondateurs. Il a repris et développé une partie substantielle de l'argumentation de Locke, insisté davantage sur le rôle des corps intermédiaires, les poids et contrepoids (*checks and balances*), la séparation des pouvoirs (en y ajoutant le pouvoir judiciaire, non reconnu par Locke) et en élargissant la portée de certaines libertés individuelles. Il n'a cependant pas été suivi à cette époque dans son opposition à l'esclavage ; par contre, les Américains ont réduit la portée et l'influence de certains corps intermédiaires tels que la noblesse et l'aristocratie au sens où l'entendait Montesquieu.

Quant à **Thomas Paine**, chantre de la Révolution des 13 colonies et auteur de *Common Sense*, il reprend une partie de l'argumentation de Locke pour s'attaquer à la monarchie des Hanovre, qui, selon lui, a trahi les principes de base du régime parlementaire (pas de taxation sans le consentement des contribuables, etc.). Il s'appuie sur le droit de résistance invoqué par Locke pour justifier une révolution légale, faite au nom de la liberté individuelle. On n'est pas tenu de respecter un contrat si ce dernier est violé par la partie adverse. Ainsi donc, ce sont des Anglais de la mère patrie (Paine était un immigré de fraîche date) et un Français qui fournissent aux colonies révoltées « l'arsenal idéologique » qui allait leur permettre de conduire une révolution. Une révolution qui, à bien des égards, n'en était pas une puisqu'elle se faisait au nom d'un certain nombre de principes que le Parlement de Londres était censé respecter, non seulement en Grande-Bretagne, mais aussi dans sa lointaine et dynamique périphérie.

Les auteurs de la « Déclaration des droits » en 1776 invoquent aussi d'autres auteurs, dont Aristote (dans la *Politique*), mais c'est finalement le libéralisme de Locke et Montesquieu qui influence le plus profondément Benjamin Franklin et Thomas Jefferson lorsqu'ils rédigent leur Déclaration d'indépendance (*Declaration of Independence*). Ce document et la Constitution de 1789 sont devenus comme une bible pour une majorité d'Américains soucieux de se rattacher à un passé plus lointain qu'il ne paraît à première vue.

Échec d'une confédération d'États souverains

L'expérience de confédération, qu'ont connue les 13 colonies entre la Déclaration d'indépendance et l'élaboration de la Constitution de 1789, constitue un cas unique dans l'histoire politique, en raison d'abord de son caractère nettement progressiste pour l'époque et aussi, paradoxalement, parce que, malgré ses faiblesses, elle a permis de neutraliser sur le continent américain une des plus grandes puissances du monde. Son évolution s'effectue en plusieurs étapes qui comportent tout d'abord l'apparition de revendications relativement modérées, ensuite une phase de radicalisation, pour finalement aboutir à une sorte de consolidation de nature nettement conservatrice par rapport aux deux étapes antérieures : la Constitution de 1789.

Pour plusieurs auteurs, dont Merril Jensen et surtout les deux Beard, la Révolution américaine, comme beaucoup de révolutions modernes, a commencé à gauche et a fini à droite. Rappelons-en ici quelques éléments importants. En 1774 (au moment de l'Acte de Québec), les délégués de 12 colonies se réunissent en un « Congrès continental » pour réagir contre la fermeture du port de Boston. Devant l'insuccès de ces interventions, un second Congrès se réunit en 1775 pour organiser une résistance générale, alors que les combats contre l'armée britannique étaient déjà engagés. Ce Congrès a deux objectifs relevant essentiellement de la défense et de la politique étrangère. Chacune des colonies y envoie un délégué disposant d'une voix, mais recevant ses ordres de son gouvernement et non du Congrès. Notons qu'en mettant au point ses stratégies militaires, le Congrès a été amené à déborder sur d'autres domaines à caractère économique, en demandant des contributions financières aux colonies, en émettant une monnaie, en procédant à des emprunts à l'étranger, etc.

En 1776, la Déclaration d'indépendance est en quelque sorte traduite dans les articles de la Confédération que le Congrès va rédiger en 1777. L'opposition du Maryland, qui voulait monnayer son acceptation moyennant certaines concessions au sujet des territoires de l'Ouest, va cependant contribuer à retarder l'adoption et la ratification desdits articles jusqu'en 1781 (date de la victoire finale de Yorktown). La Constitution confédérale des 13 nouveaux États avait donc été appliquée avant d'être votée à l'unanimité (ce qu'exigeait sa nature confédérale).

Soulignons cet autre élément intéressant : avant 1781, presque tous les États ont pu effectuer des réformes politiques et sociales importantes et réorganiser leurs propres institutions politiques, malgré les difficultés de cette période révolutionnaire. La majorité d'entre eux avaient même adopté une nouvelle Constitution (remplaçant les chartes coloniales) dès la Déclaration d'indépendance. Quelques-uns, tels que le Massachusetts, le Connecticut et le Rhode Island, remirent cependant cette adoption à plus tard. Dans ces nouvelles Constitutions, on condamne l'absolutisme royal et son représentant, le gouverneur, symbole de la tyrannie de l'exécutif central. Conformément à ce qu'aurait dû être le véritable esprit d'un régime parlementaire, on y consacre la suprématie du pouvoir législatif des assemblées élues, les chambres hautes se voyant amputées de leurs éléments aristocratiques. Certes, le droit de vote et l'exercice d'une charge publique sont encore limités en fonction de qualifications basées sur la propriété individuelle, mais ces exigences sont considérablement réduites par d'autres dispositions. De plus, l'ouverture du domaine public aux colons permet d'augmenter sensiblement le nombre de propriétaires en mesure de voter (Ordonnance du Nord-Ouest).

Parallèlement, toute une série de *Bills of Rights* furent votés, ainsi que des mesures de nature à limiter le pouvoir de l'exécutif (principe de l'élection des gouverneurs, limitation de la tenure, etc.). Bien avant les réformes entreprises en Europe, on adoucit les codes pénaux dans leur esprit et leurs dispositions, réduisant fortement les peines et les catégories de crimes dans une perspective nouvelle, faite à la fois de rationalité et d'humanité. Plusieurs États, y compris certains États du Sud, cessèrent d'importer des esclaves et, dès 1784, tous les États de la Nouvelle-Angleterre abolirent l'esclavage. Cependant, cette abolition ne fut pas étendue à l'État fédéral, constitué en 1787. Il faudra attendre la fin de la guerre civile pour que la Constitution soit enfin amendée dans ce sens.

Contrairement à ce qui s'est parfois passé dans d'autres pays plus divisés à cet égard, les clergés des Églises protestantes (très majoritaires) et catholiques ont, pour la plupart, accordé leur appui au mouvement d'indépendance. En outre, bien que le principe de la séparation des Églises et de l'État ait été rapidement adopté dans la majorité des États (au nom de la liberté individuelle), cela n'a pas eu pour effet d'affaiblir les Églises. Au contraire, étant donné le contexte et l'esprit dans lesquels ce changement s'était effectué, il semble même avoir renforcé la cohésion de la nouvelle société américaine, alors que, dans d'autres pays, il avait contribué à accentuer les clivages religieux, sociaux et politiques.

À propos de cette période courte et mouvementée de l'histoire des États-Unis, on a écrit que les possibilités d'atteindre l'égalité économique et sociale n'avaient jamais été si proches de leur réalisation. Sur le plan de l'infrastructure sociale, on observait alors dans plusieurs États un déplacement du rapport de force au profit des artisans, des agriculteurs et autres «politiquement inconnus», aux dépens des riches marchands, des grands propriétaires fonciers, des juristes et des vieilles familles. Cette tendance générale, que l'on s'accorde à qualifier de progressiste, a par la suite été renversée selon certains, freinée selon d'autres, ce qui a permis aux forces plus conservatrices de reprendre le dessus, et ce, dans un tout nouveau cadre politique, presque diamétralement opposé à celui de la Confédération, à savoir l'État fédéral né en 1787, où le gouvernement central fut pleinement reconnu.

Selon les articles de la Confédération de 1781, chaque État membre conservait totalement (et non nominalement, comme dans certains États fédéraux) sa souveraineté, son indépendance et tous les pouvoirs qui ne sont pas expressément délégués par la Confédération aux «États-Unis rassemblés en Congrès». Le Congrès continental pouvait, comme nous l'avons rappelé plus haut, effectuer un certain nombre d'opérations fort importantes (en matière de défense, de politique étrangère, de conclusion de traités, etc.), mais ces dernières étaient soumises au consentement unanime des États membres. Sur le plan financier, la règle de l'unanimité était cependant encore plus difficile à appliquer et rendait le Congrès extrêmement dépendant du bon vouloir des États. Quant à la fonction publique, elle était quasi inexistante et il n'y avait pas de «judiciaire national».

Plusieurs auteurs, dont ceux que nous avons signalés antérieurement, ont une opinion positive de l'expérience confédérale. Ils rejoignent en partie les théoriciens favorables à une décentralisation poussée, en soulignant que cette confédération a été capable de gagner une longue guerre de libération et d'apporter des réformes profondes, tout en assurant un développement économique que confirme un certain nombre d'indicateurs:

expansion du commerce malgré le blocus britannique, confiance des créanciers étrangers, développement du secteur manufacturier, bien que celui-ci reposât encore sur une base artisanale, etc.

Pour d'autres, ce système était trop faible pour éventuellement continuer la lutte contre l'ancienne métropole et les autres puissances étrangères qui, tôt ou tard, auraient pu concrétiser leurs menaces. En outre, les nécessités d'un marché commun interne exigeaient une intervention accrue d'un gouvernement central doté de pouvoirs suffisants pour faire disparaître les obstacles à la libre circulation des biens et des personnes, tout en adoptant des « politiques unifiées » en matière de relations extérieures (notamment en ce qui concerne l'adoption d'un tarif extérieur commun). Et puis, sur le plan intérieur, après la victoire finale de 1781, beaucoup de petits fermiers étaient ruinés, alors que certains intérêts financiers, abusant de la situation des régions déprimées, reprenaient le contrôle de nombreux États. Les rébellions nées de cet antagonisme justifièrent aussi en partie l'opinion de nombreux conservateurs, selon laquelle il fallait renforcer les institutions centrales pour mettre fin aux divisions internes.

Avant de passer à l'étude de la réforme qui devait aboutir à la Constitution de 1789, notons que, parmi les rédacteurs de ce document d'une importance capitale, on ne trouve pour ainsi dire pas de représentants de cette « classe moyenne inférieure » qui avait pourtant joué un rôle majeur durant la Confédération et la guerre d'Indépendance. Ce type d'acteur a été virtuellement éliminé au sein du groupe des décideurs et fondateurs du nouveau système politique. Cela ne signifie pas automatiquement que la nouvelle Constitution de l'État fédéral consacre le triomphe de la classe dirigeante (marchands, financiers, grands propriétaires fonciers) sur les « antifédéralistes », composés d'artisans, de petits agriculteurs, de débiteurs, etc.

Nous n'avons pas à étudier ici jusqu'où a été cette polarisation à la fois politique et sociale. Nous nous bornerons à constater un changement très net dans la composition et dans l'esprit des nouveaux constituants. Remarquons entre autres l'importance que l'on va accorder à la protection de la propriété individuelle et aux mécanismes permettant de maintenir l'ordre contre les débordements de la populace (*mobcracy* en anglais, contraction de *mob democracy*, « voyoucratie »). À cela s'ajoutent d'autres dispositions de nature essentiellement conservatrice. En outre, les constituants de 1787, même s'ils appartiennent en quasi-totalité à une classe sociale relativement privilégiée, sont eux-mêmes divisés, du moins jusqu'à un certain point, quant au sujet qui nous intéresse ici plus directement, à savoir le degré de centralisation à atteindre dans la nouvelle Constitution. Car cette dernière devait, selon eux, éviter à la fois la centralisation autoritaire du modèle britannique tel qu'il avait été imposé aux colonies et les faiblesses politiques de la courte expérience confédérale.

La Constitution de l'État fédéral

Les problèmes de la défense et des affaires extérieures vont de nouveau dominer les débats auxquels se livrent les 55 notables, « Pères de la Constitution ». La nécessité d'organiser une défense plus efficace et de pratiquer une politique extérieure plus homogène paraît d'autant plus évidente que le pays continue d'être menacé à l'intérieur et, surtout, à l'extérieur de ses nouvelles frontières. Une pareille situation, nous le répétons, contribue à renforcer les pouvoirs d'un gouvernement central, mieux placé que les États pris séparément, lorsqu'il s'agit d'agir avec vigueur et rapidité face à une menace commune.

Il s'agit également de bâtir un pays et un État nouveaux, et le gouvernement central doit disposer par conséquent d'un minimum de leviers dans le domaine économique, même à cette époque où règne un libéralisme qui sera rapidement dépassé au cours de la révolution industrielle. Les Pères fondateurs, propriétaires fonciers, hommes de loi, marchands, représentant la bourgeoisie de ce temps, favorisent majoritairement un gouvernement national, doté en fin de compte de pouvoirs économiques considérables. Un tel gouvernement doit, en outre, être capable de « faire régner l'ordre là où règne le chaos ». Par contre, certains antifédéralistes, surtout les petits agriculteurs endettés, qui ne dépendaient guère des marchés et du commerce pour survivre, n'avaient que relativement peu d'intérêt pour un programme national de développement commercial. À leurs yeux, capitalisme et centralisation allaient de pair, et ils rejetaient les deux comme autant de formes d'exploitation. De leur côté, les fédéralistes insistaient sur la nécessité de faire reconnaître les dettes du Congrès continental par le gouvernement des États-Unis. Ce qui devait par la suite, selon certaines interprétations, contribuer à l'émergence du capitalisme moderne. Car « quand les parts de la dette publique peuvent être achetées et vendues, elles constituent une forme de capital investissement », dira Hamilton, leader de la tendance centralisatrice.

La lecture de la **Constitution**, spécialement de l'article 1, section 8, confirme ce qui précède. Cette Constitution, votée à la fin du XVIIIᵉ siècle, confère en gros à l'État fédéral les mêmes pouvoirs essentiels que l'on retrouve dans les Constitutions modernes des États fédéraux. En matière économique, parmi les plus importants, signalons : le pouvoir d'émettre la monnaie, d'en fixer la valeur ainsi que celle des monnaies étrangères (sur le territoire national), de faire des emprunts sur le crédit national, d'établir et de faire percevoir des taxes, droits, impôts et excises, de veiller à la prospérité générale (clause permettant plus tard des interprétations fort larges), de réglementer le commerce avec les nations étrangères et entre les divers États membres de la fédération.

Notons que la clause de compétence en matière de commerce interétatique permettra au gouvernement central de s'immiscer dans de nombreux domaines économiques et sociaux qu'on aurait pu considérer de la juridiction des États. À cela s'ajoute le droit d'établir des lois uniformes en matière de faillite, de protéger les inventions et leurs auteurs, d'établir des bureaux de poste dans tout le pays. Enfin, il y a les possibilités d'extension générale que fournit la clause dite des pouvoirs implicites, en fonction de laquelle le Congrès peut « faire toutes les lois que pourra nécessiter la mise en application des pouvoirs ci-dessus énumérés et de tous ceux dont sont investis par la présente Constitution, soit le gouvernement des États-Unis, soit tous les départements ou les officiers qui en dépendent[1] ».

Fait très curieux, cette Constitution non seulement ne parle pas des partis politiques, mais surtout, elle reste muette en ce qui concerne le fédéralisme. Sur ce point, elle se distingue nettement des Constitutions fédérales suisse et allemande, par exemple. On parle certes de la responsabilité des États en matière d'élections nationales, de leurs représentants au Sénat, de leur participation aux amendements constitutionnels, de l'interdiction de créer ou de modifier les limites des États sans leur consentement et de quelques autres dispositions de ce genre. Mais en ce qui concerne les principes de base, le partage des pouvoirs, etc., il n'y a rien d'explicite, le mot fédéralisme n'étant même pas invoqué. Certes, on reconnaît un second palier de gouvernement (celui des États) et l'on précise, nous le répétons, une série de pouvoirs exclusifs fort importants destinés au gouvernement central. Mais qu'en est-il du reste, c'est-à-dire de ceux qui ne sont pas nommément attribués à ce palier de gouvernement? Le 10ᵉ amendement (1791) fournit une première réponse : « Les pouvoirs non délégués aux États-Unis par la Constitution, ou qui ne sont pas refusés par elle aux États, sont réservés aux États ou au peuple[2]. » En réalité, il faudra attendre les interprétations des tribunaux et les « faits accomplis » pour pouvoir dégager plus clairement les principaux jalons d'une tendance en cette matière. À première vue, la lecture de l'amendement semble indiquer que les pouvoirs résiduaires appartiennent aux États.

Certains défenseurs de l'autonomie des États ont été jusqu'à dire que le gouvernement central ne disposait que des pouvoirs expressément délégués par l'article 1, section 8. Mais ils semblaient ignorer la présence de la clause sur les pouvoirs implicites, de sorte que l'amendement sur les pouvoirs résiduaires pouvait facilement être entravé dans son application par d'autres dispositions. Mentionnons également ici le *supremacy article*, où il est dit textuellement que la Constitution et les lois des États-Unis qui seront faites en conséquence de celle-ci constituent la loi suprême du pays et seront obligatoires pour tous les juges dans chaque État, et cela, nonobstant les dispositions contraires insérées dans la Constitution ou dans les lois de l'un quelconque des États. Les mêmes dispositions s'appliquent aux traités conclus sous l'autorité des États-Unis, ces derniers ayant également force de loi dans les conditions précitées.

D'autre part, influencés par Locke et Montesquieu, les fondateurs de la Constitution ont voulu imposer certaines limites au gouvernement central. C'est ainsi qu'émerge le « modèle Madison », en vertu duquel on va tenter de séparer les trois branches classiques du pouvoir : législatif, exécutif et judiciaire. On répartira même le pouvoir législatif entre deux chambres pour les mêmes raisons. Au nom de la démocratie libérale, on veut créer un système de poids et contrepoids, de nature à éviter les abus d'un gouvernement trop autoritaire ou démagogique. Mais ces contre-poids sont surtout organisés dans une dimension horizontale, le pouvoir sur la bourse pour le Congrès, l'approbation des traités et de certaines nominations conférée au Sénat et, plus tard, le pouvoir de la Cour suprême de déclarer les lois fédérales non constitutionnelles, etc. Les trois pouvoirs peuvent, théoriquement du moins, se contrebalancer et s'équilibrer. Mais la même notion d'équilibre, de *checks and balances*, ne semble pas avoir profité aux États dans une mesure comparable.

Compromis et ratification

La Constitution élaborée en 1787, finalement ratifiée par une majorité qualifiée des législatures des trois quarts des États d'alors (9 sur 13), a été le résultat de nombreux compromis signalés plus haut, entre, notamment, les thèses centralisatrices d'Hamilton et la volonté d'autonomie régionale de Jefferson. C'est aussi un compromis entre, d'une part, la thèse des grands États tels que la Virginie, la Pennsylvanie, le Massachusetts, les deux Carolines et, d'autre part, celle des petits États moins étendus ou moins peuplés comme le New Jersey, le New Hampshire, le Connecticut et New York (relativement moins important à cette époque).

Le plan de la Virginie (celui des grands États), mis de l'avant par James Madison, exigeait la Constitution des trois paliers de gouvernement telle qu'elle a été conçue par Montesquieu, mais il voulait diviser également le législatif en deux chambres. La première devait être élue par le peuple, au prorata de la population. Une fois élue, la première Chambre pouvait choisir les membres de la seconde. Quant à l'exécutif national, c'est la législature nationale qui aurait eu le droit de le choisir, ainsi que les juges de la Cour suprême et des autres tribunaux fédéraux. Cette même législature aurait également le pouvoir d'annuler les lois émanant des États membres, si elles contrevenaient aux articles de la Constitution, conférant de ce fait la légitimité première au Congrès national et non aux États comme l'auraient voulu d'autres Américains et, plus tard, Calhoun, pour qui les États étaient souverains.

Le plan du New Jersey (des petits États) s'opposait, quant à lui, à la représentation proportionnelle du plan précédent. Il désirait seulement amender certaines clauses des articles de la Confédération et refusait catégoriquement la domination des grands États. Il exigeait la création d'une seule Chambre législative élue, dans laquelle chaque État aurait disposé d'une voix sur un pied d'égalité complète. L'exécutif aurait été élu par cette Chambre, tandis que les juges fédéraux auraient été nommés par ledit exécutif. Mais, et ceci constitue la base d'un compromis, le plan du New Jersey reconnaissait finalement, lui aussi, la suprématie de la loi fédérale (ou nationale) sur les lois des États.

Le compromis final du Connecticut reconnaît la suprématie (au sens large) du gouvernement national sur les différents États et il résout le **problème de la représentation des États** au sein de la législature nationale, en donnant à la fois partiellement satisfaction aux deux thèses précitées. La Chambre des représentants sera élue au prorata de la population, mais la Chambre haute (ou Sénat) rassemblera un nombre égal (deux) de représentants pour chaque État, quelle que soit sa population.

D'un autre côté, le compromis du Connecticut résout, au moins temporairement, la question brûlante de l'**esclavage** sur l'ensemble du territoire. Ici, le clivage s'observe selon un axe géographique Nord-Sud. L'économie des anciennes colonies du Sud reposait alors sur une agriculture dépendant essentiellement de l'esclavage, alors que ce dernier ne jouait qu'un rôle mineur dans le mode de production des États du Nord. Déjà alors, on observe donc une opposition majeure et croissante entre, d'une part, le Sud, agricole (et esclavagiste) et, d'autre part, le Nord, commerçant et en voie d'industrialisation, ou tout au moins dans la phase du décollage.

Lorsqu'il a été question du nombre de membres à envoyer à la Chambre des représentants, on n'a pas reconnu aux esclaves un statut de citoyen. Mais, lorsqu'il s'est agi de déterminer la population de chaque État, dans le comptage final, on a estimé que chaque esclave valait « quand même » trois cinquièmes de personne libre, ce qui donnait ainsi un bassin de population plus étendu aux États du Sud.

Malgré les oppositions nombreuses rencontrées au cours de la rédaction de la Constitution, celle-ci fut adoptée rapidement par des délégués qui, en très grande majorité, provenaient, rappelons-le, d'un milieu social aisé. Pour la première fois, 55 notables, délégués des 13 États (ex-colonies), se réunissent le 28 mai 1787 à Philadelphie et déjà, le 17 septembre de la même année, 39 délégués sur les 42 présents votent en faveur de la nouvelle Constitution adoptée « à la vapeur ». Celle-ci prévoyait cependant, à l'article 5, une ratification par les législatures des trois quarts des États ou par les trois quarts des conventions réunies à cet effet dans chaque État, selon que l'un ou l'autre de ces modes de ratification aura été proposé par le Congrès des États-Unis.

La ratification par les États prit plus de temps que prévu. Les opposants, appelés aussi les antifédéralistes, se recrutaient notamment dans les régions rurales, où le gouvernement central semblait beaucoup moins nécessaire. Les fédéralistes, regroupés autour de James Madison, John Jay et surtout Alexander Hamilton, vont défendre le concept d'un gouvernement central fort. Les arguments qu'ils allèguent restent une source de référence d'une importance capitale pour l'étude de la pensée politique américaine, en ce qui concerne les fondements et les orientations politiques à court et à long terme de la Constitution. Ce sont d'ailleurs les vues de ce trio célèbre qui ont fini par s'imposer malgré les réticences de quelques États.

Quelles que soient les interprétations que l'on puisse donner ici, il est évident que la Constitution de 1789 représente un changement radical par rapport à la Confédération de 1781. Or, ce changement s'est effectué, nous le répétons, presque sans transition. Il n'est donc pas étonnant qu'un tel document ait fait l'objet d'âpres contestations, qui atteindront leur sommet lors de la guerre de Sécession (1861-1865), contre une confédération nouvelle, celle des États sudistes. Mais si nous revenons au texte de base de 1789, nous pouvons dire que déjà, à la fin du Siècle des lumières, ceux qui voulaient à la fois développer le capitalisme et unifier le pays ont réussi à forger un outil remarquable et bien en avance sur ce qui existait à cette époque dans la plupart des pays. Le phénomène est d'autant plus étonnant si l'on considère le peu de précédents dont on disposait alors en cette matière et les moyens artisanaux utilisés dans une société encore au stade préindustriel. La modernité de cette Constitution offre un singulier contraste avec la société qu'elle est censée venir encadrer à cette époque.

Procédures d'amendement

Dans le système parlementaire britannique, les lois et les conventions représentent les principales sources (écrites et non écrites) de la Constitution.

TABLEAU 2.1

Schéma de la distribution des pouvoirs dans la Constitution

1   Pouvoirs énumérés du gouvernement central (ou fédéral ou national) ;

2   Pouvoirs des deux paliers de gouvernement ou pouvoirs concurrents ;

3   Pouvoirs des États (les pouvoirs résiduaires) ;

4   Pouvoirs implicites du gouvernement central ;

5   Pouvoirs interdits à l'un des paliers de gouvernement ou aux deux.

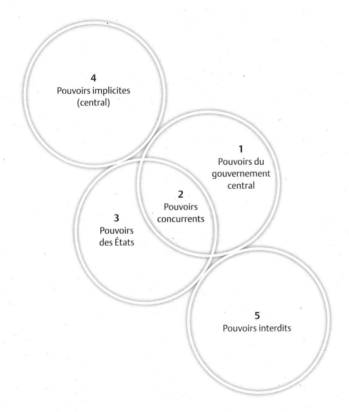

N.B. : Les cercles ne nous donnent évidemment aucune idée de l'importance relative de chacune des cinq catégories. Fait certain, la catégorie 1 est de loin la plus importante, la 4 va se dévelop- per considérablement par la suite, de même que la 2. Ultérieurement, nous porterons donc notre attention surtout sur l'évolution des catégories 2 et 4.

TABLEAU 2.2

Distribution des pouvoirs par matière

Gouvernement central	Les deux paliers de gouvernement	Gouvernement des États
Conduite des affaires étrangères	Impôt	Établissement de gouvernements locaux
Émission, réglementation de la monnaie	Emprunts	
Commerce extérieur et interétatique	Travaux publics	Écoles
	Banques et sociétés interétatiques	Réglementation du commerce
		Milice de l'État
Défense (armée, flotte)	Établissement de tribunaux	Réglementation interétatique
Déclaration de guerre et de paix	Aide à l'agriculture et à l'industrie	du travail, de l'industrie et des affaires
	Santé publique	
Établissement de tribunaux	Santé publique et morale	
Postes		Affaires sociales
Poids et mesures		(pauvres, etc.)
Naturalisation et lois sur la faillite		Pouvoirs résiduaires
Protection des auteurs et des inventions		
Pouvoir de faire les lois nécessaires pour appliquer ces dispositions		

Quelques pouvoirs spécifiquement interdits par la Constitution

Taxer les biens exportés d'un État à l'autre	Accorder des titres de noblesse	Taxer les importations ou les exportations
Violer les droits civils		Faire des traités
Changer les limites d'un État	Violer les 13e, 14e et 19e amendements	Battre la monnaie
		Violer le 14e amendement

Mais il n'y a pas à proprement parler de Constitution écrite et le Parlement reste le maître absolu en matière d'amendements constitutionnels, les lois antérieures, de même que les conventions, pouvant, théoriquement du moins, être annulées par une majorité parlementaire. En pratique, jusqu'ici du moins, la culture politique de ce pays réduit considérablement la possibilité de changements constitutionnels brusques et en nette contradiction avec les pratiques et lois établies au cours d'une longue évolution.

Aux États-Unis, la Constitution de 1789 prévoit un mode d'**amendement formel** en deux étapes, l'une concernant les propositions d'amendement et l'autre, leur ratification. Chacune de ces deux étapes comporte deux voies possibles : un amendement peut être proposé soit par un vote aux deux tiers au Sénat et à la Chambre des représentants à Washington, soit par une convention nationale convoquée par le Congrès à la demande des deux tiers des législatures des États. Rappelons en passant que 50 États comportent chacun deux chambres (sauf le Nebraska qui est monocaméral). Quant à la ratification, elle s'obtient soit par les législatures des trois quarts des États, soit par des conventions spéciales convoquées dans au moins les trois quarts des États.

Dans la pratique, les choses sont plus simples puisque tous les amendements qui ont été adoptés (sauf un) ont été proposés par le Congrès et ensuite ratifiés par la majorité des trois quarts des législatures des États. L'exception concerne le rappel du 18e amendement sur la prohibition. En l'occurrence, le 21e amendement de 1933 avait réuni les deux tiers des votes exigés au Congrès, mais ce dernier a usé de son droit de convoquer des conventions spéciales dans les États pour obtenir une ratification, ce que la première voie ne lui aurait peut-être pas permis.

Comme on peut le constater, une telle procédure s'avère longue et très difficile, si l'on considère les majorités qualifiées qu'il faut réunir au Congrès (les deux tiers) et surtout sur le plan des États (les trois quarts). Ainsi s'explique l'extraordinaire développement de ce que l'on appelle les **amendements informels**. Les amendements formels ne nous donnent donc pas une véritable image de l'évolution de la Constitution, surtout en ce qui concerne ses dimensions économiques et nationales.

Parmi les amendements les plus importants à ce sujet, deux furent adoptés sous un président peu interventionniste, William H. Taft (1909-1913). Le 17e amendement exige que les deux personnes que chaque État envoie au Sénat fédéral soient désormais élues par la population de chaque État, ce qui met fin aux autres procédures de désignation instaurées jusque-là par les États eux-mêmes. Le 16e amendement provoque des changements considérables dans la capacité de financement des activités du gouvernement central ; il confère au Congrès le pouvoir d'établir et de percevoir des impôts sur le revenu, de quelque source qu'ils dérivent, sans

répartition parmi les divers États, contredisant ainsi un principe fondamental énoncé en 1787 (article 1, section 9), en vertu duquel le gouvernement central était censé ne pas lever d'impôt direct, si ce n'est dans des
limites bien précises.

Une autre série de clauses ont trait aux droits individuels et seront adoptées sous forme d'amendements formels (voir notamment les huit
premiers amendements de 1791). Quant aux 13ᵉ, 14ᵉ et 15ᵉ amendements
(appelés aussi Charte des droits des Noirs), ils seront adoptés beaucoup
plus tard (entre 1865 et 1870), de même que le 19ᵉ amendement sur le vote
des femmes (1920) et le 26ᵉ, sur le vote à partir de 18 ans (1971). Le
24ᵉ amendement, supprimant les taxes électorales, mettait fin à certaines
pratiques discriminatoires qui subsistaient encore, entre autres dans quelques États du Sud. On peut dire que les amendements concernant les droits
de l'Homme renforcent les pouvoirs du gouvernement fédéral (de sa législature, de son exécutif et de ses cours de justice), dans la mesure où il est
entendu qu'il appartient au Congrès de légiférer pour faire appliquer ces
dispositions. Ainsi, dans le cas des 13ᵉ, 14ᵉ et 15ᵉ amendements, il est clairement précisé que « le Congrès aura le pouvoir de faire exécuter les clauses du
présent article par des dispositions appropriées[3] ». La même observation
vaut pour les 19ᵉ et 24ᵉ amendements. Il en a été de même pour l'amendement sur l'égalité des droits des femmes (*Equal Rights Amendment* ou *ERA*),
voté par les deux chambres du Congrès en 1972, mais qui ne put cependant
pas réunir une majorité qualifiée d'États pour la ratification finale (malgré
une prolongation de la période de ratification jusqu'en 1982).

Au Canada également, on voit à quel point le gouvernement fédéral
peut s'immiscer dans des matières d'ordre à la fois économique et culturel
par le biais de certaines clauses de la Charte des droits et libertés. Cela tend
à démontrer comment un instrument, légitime en soi, destiné à protéger
les citoyens en tant qu'individus, peut en même temps servir comme une
arme politique pour limiter les pouvoirs des provinces ou des États. La
conception de la portée de ces droits individuels par rapport aux droits
collectifs d'une région peut évidemment varier considérablement.
D'ailleurs, en ce qui concerne les États-Unis, ce sont trop souvent certains
États (du Sud notamment) qui, en raison de la faiblesse de leurs institutions et de leur comportement politique, ont fourni au gouvernement

TABLEAU 2.3

Modes d'amendement formel à la Constitution

NOTE : 1) mode habituel ; 2) mode exceptionnel (21e amendement) ; 3 et 4) jamais utilisés jusqu'ici.

central l'occasion d'intervenir pour mettre fin à des abus criants (notamment en matière de ségrégation raciale).

✦

La Constitution de 1789 et ses amendements formels représentent le document de base (en Allemagne, on l'appellerait Loi fondamentale) auquel se réfèrent obligatoirement les tribunaux, les législateurs et les autres acteurs politiques. Elle est avant tout un ensemble de règles garantissant le bon fonctionnement du système politique. Elle est donc également une procédure pour la réglementation et la solution des conflits. Mais, en même temps, elle intègre des conceptions politiques et juridiques fondamentales et, mieux que cela, pourrait-on dire, une conception générale de la société (*Weltanschauung*).

En amont de ce document d'une importance capitale, échelonnés dans le temps et l'espace, on retrouve des documents écrits et des sources non écrites (conventions, coutumes, etc.) émanant surtout de l'ancienne métropole. En aval, on retrouve une grande quantité d'amendements informels ayant contribué, peu à peu, à transformer profondément la Constitution initiale dans ses applications pratiques. Les constituants avaient certes formulé des clauses très importantes, par exemple, en ce qui concerne les pouvoirs de l'État fédéral. Mais ils n'auraient jamais pu imaginer que le gouvernement central étendrait à ce point ses pouvoirs d'intervention, et ce, avec l'appui d'un énorme appareil bureaucratique.

L'opinion publique américaine et ses principaux acteurs politiques sont à la fois perplexes et divisés quant au degré souhaitable d'un tel interventionnisme, notamment en ce qui concerne ses aspects fiscaux et réglementaires. Ce problème aux conséquences multiples fait l'objet de certains des chapitres suivants, consacrés aux institutions et aux politiques proprement dites.

NOTES

1. « *To make all laws that shall be necessary and proper for carrying into execution the foregoing powers, and all other powers vested by this Constitution in the government of the United States, or in any department or officer thereof.* »
2. « *The powers not delegated to the United States by the Constitution, nor prohibited by it to the states, are reserved to the states respectively, or to the people.* »
3. « *The Congress shall have power to enforce this article by appropriate legislation.* »

POUR EN SAVOIR PLUS

BIBLIOGRAPHIE ET LECTURES RECOMMANDÉES

BEARD, Charles, *An Economic Interpretation of the Contitution of the United States,* New York, MacMillan, 1913.

BOWEN, Catherine Drinker, *Miracle At Philadelphia : The Story of the Constitutional Convention,* Boston, Little, Brown, 1966.

DAHL, Robert A., *How Democratic Is the American Constitution ?* (2ᵉ édition), New Haven, Yale University Press, 2002.

HAMILTON, Alexander, James MADISON et John JAY, *Le fédéraliste (The Federalist Papers),* Paris, Economica, 1988 (1787-1788).

LOCKE, John, *Essais sur le pouvoir civil (Of Civil Government),* traduit, présenté et annoté par Jean-Louis FYOT, Paris, Presses universitaires de France, 1953.

PAINE, Thomas, *Le sens commun (Common Sense),* Paris, Aubier, 1983 (1776).

SITES INTERNET

La Déclaration d'indépendance, la Constitution et le « Bill of Rights » (textes complets et reproductions des manuscrits), sur le site des Archives nationales des États-Unis : http://www.archives.gov/national-archives-experience/charters/charters.html

Traduction en français de la Constitution : http://usinfo.state.gov/usa/aboutusa/constfr.htm

ConstitutionalFacts.Com (comporte un jeu permettant de tester son « Q.I. constitutionnel ») : www.constitutionfacts.com

The Federalist Papers ; (texte complet) : www.loc.gov/rr/program/bib/ourdocs/federalist.html

Primary Documents in American History (tous les principaux documents fondateurs du premier siècle de la République américaine) : www.loc.gov/rr/program/bib/ourdocs/PrimDocsHome.html

Saving the National Treasures (documentaire sur la préservation des manuscrits originaux de la Déclaration d'indépendance et de la Constitution) : www.pbs.org/wgbh/nova/charters/

LE FÉDÉRALISME AMÉRICAIN : ÉVOLUTION HISTORIQUE, INSTITUTIONS POLITIQUES ET FLUX FINANCIERS

Louis Massicotte et François Vaillancourt

Dans cette introduction générale au fédéralisme américain, nous aborderons successivement son évolution historique, les États et les territoires de l'Union, la dimension fédérale des institutions nationales, les institutions politiques des États, le partage des pouvoirs et les dimensions financières du fédéralisme[1].

Évolution historique

Bien que les expériences fédéralistes remontent au moins à la Grèce antique, ce sont les Américains qui ont inventé le concept de fédéralisme au sens qu'on lui donne aujourd'hui. Par la suite, l'influence de leur fédéralisme dans le monde a été immense, beaucoup cherchant à copier une recette qui paraissait avoir tant de succès dans ce qui est devenu la plus puissante nation de l'univers. À un point tel que lorsque sir Kenneth Wheare, dans son *Federal Government* qui deviendra un classique, a cherché, après la Deuxième Guerre mondiale à définir clairement ce qu'on entend par fédéralisme, il est parti de l'exemple américain. Les États-Unis étant de l'avis de tous une fédération, raisonnait-il, quel principe sous-tend le régime constitutionnel américain en ce qui a trait à la répartition des pouvoirs entre le centre et les États ? Le principe en question, celui de l'indépendance sectorielle des deux paliers de gouvernement, est ainsi devenu aux yeux de l'auteur le *federal principle* à l'aune duquel il distinguera par la suite ce qui est fédéral et ce qui ne l'est pas. Une démarche empirique qui vaut bien des dissertations savantes sur les possibilités théoriques d'association entre États.

Habitués à considérer les États-Unis en bloc, en tant qu'acteur essentiel sur la scène internationale, les étrangers tendent à sous-estimer l'hétérogénéité du pays et l'importance que revêt le fédéralisme dans sa vie politique. C'est une sérieuse erreur. Le fédéralisme reflète et renforce la complexité profonde du pays, et conditionne des pans entiers du fonctionnement de son système politique. Son influence se fait sentir sur le plan de la désignation du président, dans l'organisation du pouvoir législatif, mais aussi dans la structure des partis politiques.

Le régime fédéral américain s'est édifié en deux temps. C'est un fédéralisme d'association (*coming together*) plutôt que de dissociation (*hanging together*) comme celui par exemple des Belges ou des Espagnols. À l'origine, il y avait 13 colonies britanniques distinctes, sur lesquelles ne s'exerçait aucune autorité commune autre que la Couronne britannique, représentée distinctement dans chaque colonie par un gouverneur. La Déclaration d'indépendance produisit autant d'États cherchant ensemble à devenir souverains et la guerre d'Indépendance fut menée par ces entités distinctes. Très tôt celles-ci sentirent le besoin d'une coordination centrale. Celle-ci prit la forme des « articles de Confédération », première Constitution américaine, élaborés dès 1777, mais entrés en vigueur seulement en 1781, le Maryland s'étant fait tirer l'oreille avant de les ratifier.

Le régime mis en place par ce document correspondait tout à fait à la notion contemporaine de confédération. Il était fondé sur la souveraineté des États membres. En pleine révolte contre l'autorité britannique, les colonies rebelles, devenues des États, ne voulaient pas se donner de nouveau maître, mais simplement coordonner leurs efforts pour se débarrasser de celui qu'elles avaient eu. Au sein du Congrès monocaméral, dont les membres étaient désignés par les législatures des États membres, chaque

État pesait d'un poids égal, sans égard à son poids démographique, comme c'est le cas à l'heure actuelle au sein de l'Assemblée générale des Nations Unies. Les décisions n'étaient acquises que si 9 des 13 États y concouraient, et la modification des articles exigeait l'unanimité des États. Il n'y avait aucun pouvoir exécutif digne de ce nom, le «président» se bornant à présider les séances du Congrès. Pour son fonctionnement, la confédération dépendait des contributions des États et ne disposait d'aucun pouvoir de taxation.

Cette simple ligue d'États fut assez tôt jugée insuffisante pour permettre à la nation d'atteindre son plein potentiel. D'où la décision prise de réunir des délégués des 13 États en congrès à Philadelphie. Au terme de délibérations qui durèrent de mai à septembre 1787, le congrès accoucha d'un projet de constitution. Au vu du grand avenir qui attendait cette Constitution et de la vénération qu'elle inspire toujours, on a peine à imaginer les obstacles qui se dressèrent alors contre sa ratification. Celle-ci ne fut acquise que moyennant une campagne épique, ponctuée par les célèbres *Federalist Papers*, répertoire des arguments des partisans du nouveau régime proposé. La lecture de ce classique s'impose encore aujourd'hui. On sera impressionné notamment par la connaissance intime qu'avaient les auteurs des différentes formes d'association politique dont l'histoire offrait alors l'exemple. Les constituants de Philadelphie ont été décrits comme un groupe d'hommes bien élevés (*well bred*), bien mariés (*well wed*), bien nourris (*well fed*) mais aussi, et à juste titre, érudits (*well read*). Leurs arguments furent cependant insuffisants, et l'adhésion nécessaire ne fut obtenue au sein des États que moyennant l'adoption d'un addendum promis lui aussi à un brillant avenir, les dix premiers amendements à la Constitution, aujourd'hui connus sous le nom de *Bill of Rights*. La ratification fut acquise dans 11 des 13 États (9 étaient nécessaires). Ainsi modifié, le texte entra en vigueur en 1789. Cette Constitution demeure aujourd'hui la plus ancienne du monde qui soit en vigueur dans un État souverain, bien que le Massachusetts (1780) et le New Hampshire (1784) puissent se targuer d'être régis par des textes encore plus anciens.

Le nouveau régime différait du précédent sur plusieurs points fondamentaux. Essentiellement, il créait un nouveau pays, avec un pouvoir central fort, doté de compétences exclusives en plusieurs domaines-clés. Ce pouvoir se concrétisait par l'institution d'un président, dépositaire du pouvoir exécutif. Il s'exerçait sur les citoyens sans devoir passer par l'intermédiaire des États. Incapables par ailleurs de trancher entre deux principes de représentation opposés, l'égalité des États et celle des individus, les constituants avaient coupé la poire en deux, le premier principe triomphant au sein du Sénat, et le second au sein de la Chambre des représentants. Les deux Chambres du Congrès devaient statuer de concert. Si les sénateurs étaient désignés par les législatures des États, et faisaient figure d'ambassadeurs étatiques, les représentants émanaient, eux, du suffrage populaire direct.

L'évolution ultérieure du régime fut marquée par une coupure sanglante, la guerre de Sécession (1861-1865), point tournant (*defining moment*) dans l'élaboration de la vision que le pays a de lui-même. Avant ce conflit de grande envergure (plus d'un demi-million de victimes), la vie nationale fut constamment empoisonnée par un conflit portant sur la nature même du nouveau pacte fédéral. Les uns, dans le Sud, voyaient dans le pouvoir central une simple ligue d'États appelée à jouer un rôle minimal. Les autres y voyaient au contraire un véritable gouvernement national doté du pouvoir de contraindre les États.

La querelle de l'annulation de 1832 constitue un bon exemple des prétentions sudistes. Le Congrès avait adopté des mesures protectionnistes qui favorisaient l'essor de l'industrie du Nord, mais gênaient l'exportation du coton et du riz produits dans les plantations sudistes. Bien que l'adoption d'une telle mesure fasse partie des prérogatives du Congrès, une convention élue en Caroline du Sud adopta une ordonnance dite d'annulation (*nullification*) qui, tout en agitant la menace d'une sécession, déclarait le tarif fédéral inapplicable sur son territoire, et ne consentit à la retirer que lorsque le Congrès accepta de réduire le tarif protectionniste.

C'est à propos de l'esclavage que le conflit entre le Nord et le Sud tourna au tragique. Tout comme celle des Caraïbes, l'économie du sud des États-Unis était fondée sur l'exploitation massive de la main-d'œuvre servile importée de force d'Afrique. Alors que les grandes nations européennes abolissaient l'une après l'autre l'esclavage dans leurs colonies respectives, le Sud s'accrochait désespérément à un mode de vie que l'évolution contemporaine rendait moralement inacceptable. L'élection en 1860 à la présidence d'un antiesclavagiste convaincu, Abraham Lincoln, conduisit à la rupture. La législature de la Caroline du Sud convoqua une convention, comme elle l'avait fait en 1788 pour ratifier le nouveau pacte fédéral, et cette convention élue décida d'abroger la décision de sa devancière, rompant ainsi unilatéralement le lien fédéral. La procédure suivie était révélatrice des conceptions de ses auteurs : la fédération était un club dont chacun sortait à son gré. Cette décision fit tache d'huile et, en juin 1861, 11 États du Sud, incluant le tiers de la population du pays, avaient quitté l'Union et formé les *Confederate States of America*, dont la Constitution garantissait le maintien de l'esclavage, sous la présidence de Jefferson Davis. La guerre éclata lorsque les Confédérés s'emparèrent par la force du fort Sumter, situé sur une île au large de Charleston, en Caroline du Sud. Or, pour Lincoln, aucun des États ne pouvait légalement quitter l'Union et le droit à la sécession unilatérale était générateur d'anarchie. C'est donc bel et bien au nom de l'intangibilité de l'Union, non de l'abolition de l'esclavage, que la guerre de Sécession débuta, puisque certains États esclavagistes avaient néanmoins choisi de demeurer dans l'Union. L'émancipation des Noirs s'ajouta au programme de guerre avec la Proclamation d'émancipation, signée par Lincoln en 1863 seulement.

C'est la force, et non le droit, qui trancha pour de bon le dilemme constitutionnel américain. Après quatre ans d'une guerre qui réduisit en cendres l'économie des États du Sud, les Confédérés durent capituler et accepter leur subordination temporaire au pouvoir central, ainsi que les nouvelles règles du jeu imposées par les vainqueurs. Les amendements constitutionnels qui suivirent abolirent l'esclavage, émancipant des millions de Noirs, et proclamèrent l'égalité de tous devant la loi. Appelée à trancher une controverse juridique après la guerre, la Cour suprême déclara que le pays était « *an indestructible union, composed of indestructible states*[2] ». Pour préserver la suprématie blanche, les États du Sud durent se rabattre sur la ségrégation raciale, jugée constitutionnelle par la Cour suprême en 1896. Une profonde rancœur s'installa dans le Sud, où les candidats du parti de Lincoln furent systématiquement battus aux élections pendant plus d'un siècle. Les passions furent rallumées durant les années 1950 et 1960 à la suite de la décision de la Cour suprême déclarant la ségrégation inconstitutionnelle. Encore aujourd'hui, plusieurs particuliers arborent le drapeau confédéré, et dans l'État de Virginie, à quelques kilomètres de la Maison-Blanche, des voies de communication importantes immortalisent les héros rebelles que furent Jefferson Davis et le général Lee.

La sécession s'appuyait alors, parmi la majorité blanche à tout le moins, sur un profond consensus populaire. S'il s'en trouve bien peu aujourd'hui pour déplorer son écrasement par les armes, c'est que la cause au nom de laquelle elle fut menée paraît encore plus abjecte aujourd'hui qu'au milieu du XIXᵉ siècle.

La guerre dissipa l'ambiguïté dans laquelle le fédéralisme américain avait baigné depuis son établissement. Les querelles juridictionnelles perdirent leur caractère central dans l'histoire nationale et le pouvoir fédéral se raffermit. Jusqu'aux années 1930, la pratique du fédéralisme correspondit davantage à la notion de *dual federalism*, où chacun reste chez soi à l'intérieur de « compartiments étanches » définis par la Constitution. Depuis, le fédéralisme dit coopératif a permis au pouvoir central d'investir davantage dans les domaines de compétence des États, comme on le constatera dans la sixième partie de ce texte.

Les États et les territoires de l'Union

De 13 à l'origine, le nombre des États est passé à 50 avec l'admission, en 1959, de l'Alaska et de Hawaï. Cette augmentation résulte en partie de scissions au sein des États existants. Par exemple, le Maine est issu d'une rupture avec le Massachusetts survenue en 1820 et la Virginie occidentale d'une sécession d'avec la Virginie survenue durant la guerre civile (1863), les sécessionnistes se refusant dans ce cas-ci à quitter l'Union à l'instar de l'État dont ils faisaient partie. Pour l'essentiel, cependant, c'est bien l'expansion territoriale américaine qui est responsable de l'augmentation du nombre d'États. L'élimination de l'Empire français en Amérique ouvrit la voie à l'expansion vers l'ouest, et la vente de la Louisiane aux États-Unis par Napoléon (1802) pour 15 millions de dollars, peut-être la plus importante transaction immobilière de l'histoire humaine, doubla d'un coup la superficie du jeune pays. Le reste du territoire actuel des États-Unis fut arraché (1848) ou acheté (1853) aux Mexicains ou, pour l'Alaska, acheté aux

Russes (1867). À mesure que ces nouvelles régions étaient colonisées par des Américains, de nouvelles entités étaient créées sous le nom de territoires, et plus tard admises dans l'Union à titre d'États. On a calculé que 31 des États actuels de l'Union ont suivi ce cheminement.

La capitale nationale est située dans le district fédéral de Columbia, qui avait à l'origine la forme d'un carré de 10 milles sur 10 reposant sur une de ses pointes et chevauchant les États du Maryland et de Virginie. Ce territoire comptait originellement une si faible population que la portion située à l'ouest du Potomac fut rétrocédée en 1846 à la Virginie. Depuis, l'agglomération urbaine de Washington, avec une population de l'ordre de 4 millions, a débordé largement les limites du district. Celui-ci demeure sous la tutelle de l'État central, bien qu'une autonomie municipale lui ait été concédée en 1973, il n'est pas représenté au Sénat et ne dispose à la Chambre des représentants que d'un délégué privé du droit de vote, ce qui amène plusieurs résidents du district à se plaindre d'être la seule population soumise à la règle de la *Taxation without representation*.

Les États-Unis ont eu par le passé un empire colonial important, mais dès 1934, ils avaient accordé le statut de Commonwealth (analogue à celui de Porto Rico) aux Philippines. Certaines relations coloniales ont été par la suite reformulées d'une façon plus conforme aux normes contemporaines. Hawaï, conquise en 1898, devint ultérieurement un État. L'île de Porto Rico, arrachée à l'Espagne en 1898, devint en 1952 un Commonwealth librement associé aux États-Unis selon des modalités complexes[3], et a refusé par trois fois (1967, 1993 et 1998) lors de référendums de devenir un État de plein droit. À cette dernière occasion, l'intégration complète a été à nouveau repoussée par 50,3 % des voix contre 46,3 %[4].

Les 50 États d'aujourd'hui sont de taille fortement inégale. En ce qui concerne la superficie, l'Alaska se démarque nettement des autres puisque cet État compte à lui seul un sixième de la superficie des États-Unis; vient ensuite le Texas, qui compte pour moins de la moitié de l'Alaska, et aucun autre État ne dépasse 5 % du territoire américain, le plus petit étant le Rhode Island. La Californie est l'État le plus peuplé: on y retrouve un huitième de la population américaine. Suivent le Texas, l'État de New York et la Floride. Les États les moins peuplés sont l'Alaska, le Vermont et le Wyoming. Aucun État n'est donc en mesure de donner le ton au pays à lui tout seul, puisque le plus peuplé d'entre eux ne compte que 12 % de la population américaine. Et entre les gros États, il existe des différences importantes qui gênent d'éventuelles alliances.

Le Nevada est l'État qui a vu sa population croître le plus de 1960 à 2005, et il est suivi de l'Arizona puis de la Floride ; ce qui s'explique, en partie, par un désir de vivre sous un climat chaud. Dans seulement quatre États — le Maine, le Mississipi, le Vermont et la Virginie occidentale —, la population urbaine compte pour moins de la moitié du total en 2005. L'importance relative des terres fédérales constitue un aspect particulier du fédéralisme américain. Celles-ci occupaient en 2000 près des deux tiers de l'Utah et presque rien du Rhode Island. Ceci reflète le mode d'accession des États à la fédération américaine, et aussi la nature des terres (désertique ou fertile).

Chaque État constitue un petit monde en soi, avec sa Constitution, son Parlement, son gouverneur et ses tribunaux. Tous disposent d'un drapeau et d'autres symboles (fleur, pierre, surnom, etc.) distinctifs. Aucun toutefois ne constitue l'assise d'un groupe distinct susceptible de jouer le rôle de l'enfant terrible de la nation. Par exemple, les Noirs ne constituent la majorité dans aucun État, bien qu'ils aient été majoritaires par le passé au Mississippi et en Caroline du Sud, et leur prépondérance actuelle au sein du district de Columbia, autrefois de l'ordre de 70 %, a dégringolé à 55 % ces dernières années sous l'effet de la *gentrification*. Un mouvement sécessionniste existe au Vermont, mais ne paraît guère puissant[5].

Cela dit, les limites territoriales des États n'ont pas la même signification partout. Des pans entiers du New Jersey sont en fait des banlieues-dortoirs de New York ou de Philadelphie. Plusieurs autres grandes agglomérations urbaines excèdent *de facto* les limites de l'État aux confins duquel la ville centre est située : c'est le cas par exemple de Cincinnati, à cheval sur l'Ohio et l'Indiana, de Saint-Louis et de Kansas City dans le Missouri. Le même individu peut aisément résider dans le Maryland, travailler dans le district de Columbia, faire quelques courses en Virginie, tout en possédant dans le Delaware une résidence secondaire en bordure de l'océan. Ajoutons que le taux élevé des migrations interétatiques occasionne un grand brassage de population qui relativise l'identification à l'État de résidence. On estime à 73 000 000 le nombre des Américains qui ont émigré dans un autre État durant les années 1990.

Bien que le pays n'ait pas de langue officielle, et bien que la population de souche purement anglo-saxonne soit nettement minoritaire dans le pays, l'anglais est depuis toujours la langue dominante. La thèse voulant que l'allemand soit passé à une voix près d'être consacré langue officielle aux débuts de la République, avec les conséquences à long terme qu'on peut imaginer, est une pure légende. Devant faire face aux revendications de la population croissante d'origine hispanique, pas moins de 30 États (les plus récents à ce jour sont l'Idaho et le Kansas, en 2007) ont senti le besoin de proclamer l'anglais seule langue officielle[6], mais force est de constater que beaucoup d'autres optent plutôt pour un bilinguisme limité, notamment dans le domaine électoral, et que dans nombre de commerces, les propriétaires ont jugé bon de recourir à l'affichage bilingue (anglais/espagnol) pour accommoder leur clientèle. Au total, les États-Unis ont réussi bien mieux que d'autres à intégrer les nouveaux arrivants et à faire en sorte qu'ils se fondent dans le grand *melting pot*. L'ethnicité joue quand même un rôle important dans la vie politique américaine. Être par exemple un catholique irlandais a longtemps signifié dans une ville comme Boston l'appartenance à un groupe économiquement désavantagé, qui contrebalançait par son pouvoir électoral le mépris que lui vouaient les « Brahmins » anglo-protestants qui dominaient le paysage social.

Stéphane Dion aimait à dire que « la fédération du nirvana n'existe pas », et les querelles juridictionnelles entre paliers de gouvernement existent aux États-Unis comme ailleurs. Cependant, depuis la guerre civile, elles ont perdu de leur importance, et les relations intergouvernementales se déroulent d'une façon bien plus feutrée qu'au Canada.

La dimension fédérale des institutions politiques nationales

Les fédérations pratiquent deux méthodes d'accommodement de la diversité. Les tenants du fédéralisme interétatique cherchent à obtenir pour les gouvernements des États membres le maximum de pouvoirs, alors que les partisans du fédéralisme intraétatique cherchent plutôt à faire en sorte que le gouvernement central reflète davantage cette diversité en son propre sein. La présente section traite du fédéralisme intraétatique.

L'élection présidentielle

Le président des États-Unis, à la fois chef d'État et chef du gouvernement, dépositaire unique du pouvoir exécutif, constitue à première vue un organe essentiellement unitaire. Toutefois, sa désignation se déroule selon un processus tout à fait unique parmi les fédérations, depuis que l'Argentine a abandonné son collège électoral en 1994.

Bien que dans l'entendement populaire le président soit l'élu de la nation, en droit comme en fait, il est plutôt désigné par le collège électoral. Cet organe est composé de 538 membres appelés les «grands électeurs». La base du collège est territoriale. Chaque État y dispose d'un nombre de votes égal au nombre de ses sièges à la Chambre des représentants, augmenté dans chaque cas de deux unités correspondant au nombre de sénateurs. De plus, aux termes d'un amendement constitutionnel de 1961, le district de Columbia a droit à trois votes.

Ce mode de répartition avantage les États les moins peuplés. Si le partage des sièges à la Chambre des représentants est proportionnel à la population de chaque État, celui des sièges du Sénat ne l'est aucunement. Le poids des petits États est donc accru de façon artificielle, et celui des grands États est réduit d'autant. Pour chaque État considéré individuellement, cette péréquation électorale paraît minime, mais l'accumulation par les petits États de ces minuscules primes provoque globalement une distorsion majeure. En 2004, par exemple, les quatre États les plus peuplés (Californie, Texas, New York et Floride) comptaient ensemble 90 000 000 d'habitants, soit 31,9 % du total, et 147 votes au collège, soit 27,3 %. Par contre, avec une population équivalente (90 200 000), les 34 entités les moins peuplées (33 États plus le district de Columbia) avaient 51 votes de plus (198), soit 36,8 % du total[7].

Une élection présidentielle est donc constituée, légalement, de 51 élections partielles visant à déterminer auquel des candidats à la présidence iront les voix de l'État. En général, c'est le candidat arrivé en tête au sein de l'État qui reçoit en bloc toutes les voix de cet État, selon le principe du *winner-takes-all*. Un État pourrait cependant décider de répartir ses voix autrement, ce qu'ont fait d'ailleurs deux d'entre eux. Au Maine depuis 1969, et au Nebraska depuis 1992, prévaut le compromis suivant : deux votes vont au candidat en tête dans l'État, et les autres au candidat en tête dans chacun des districts utilisés pour la Chambre des représentants, ce qui crée la possibilité théorique, jusqu'ici jamais concrétisée, d'une délégation d'État divisée au collège électoral.

L'importance stratégique du collège électoral a été mise en lumière par l'élection présidentielle de 2000. Au chapitre du vote populaire à l'échelle nationale, le candidat démocrate Al Gore surclassait George Bush par un demi-million de voix. Légalement, toutefois, ce chiffre ne constituait rien d'autre qu'une statistique intéressante. Le suffrage populaire ne servait qu'à désigner les membres du collège et, à ce chapitre, Bush l'emporta par seulement cinq votes. Dans la grande majorité des cas, le verdict du collège a correspondu à la préférence d'une pluralité d'électeurs, donnant souvent une majorité absolue de votes à un candidat qui n'avait que la pluralité des voix. À trois occasions seulement dans le passé (élections de 1876, 1888 et 2000), la situation a été différente, et un candidat arrivé second au vote populaire a néanmoins triomphé grâce au collège électoral. En 2000, ce paradoxe est entièrement attribuable au fait que Bush a remporté presque systématiquement les États moins peuplés, surreprésentés au collège.

L'influence du fédéralisme se fait sentir dans d'autres aspects du processus. Par exemple, le collège ne se réunit pas : chaque électeur envoie depuis la capitale de son État son vote à Washington où il sera dépouillé. Si aucun candidat n'a la majorité absolue au collège, un deuxième scrutin sera tenu à la Chambre des représentants et opposera les trois candidats arrivés en tête au collège. Chaque État n'a alors droit qu'à un seul vote (*unit rule*), ce qui accentue encore le poids relatif des petits États. Cette situation s'est produite pour la dernière fois en 1825.

L'organisation du Congrès

Le fédéralisme se fait sentir, à un degré inégal, dans la structure des deux Chambres du Congrès.

Le Sénat est la Chambre fédérale par excellence. Les États y sont représentés sur une base égalitaire (deux sénateurs par État), quelle que soit leur population. Le Wyoming y pèse du même poids que la Californie, bien que celle-ci soit 70 fois plus peuplée. Le Sénat permet donc aux petits États de contrebalancer la tyrannie appréhendée des grands au chapitre de la représentation, et cette pondération est d'autant plus significative qu'il dispose de pouvoirs législatifs égaux à ceux de la Chambre des représentants, sous réserve de ne pouvoir proposer de nouvelles dépenses ou de nouvelles taxes. On pourrait même soutenir que, dans une certaine mesure, le Sénat est plus puissant que la Chambre, puisqu'il dispose de pouvoirs exclusifs comme la ratification des traités internationaux ou des nominations effectuées par l'exécutif, et qu'en cas d'*impeachment* d'un président par la Chambre, c'est le Sénat qui prononce le verdict final. À cela s'ajoute le prestige que vaut à un individu le fait d'appartenir à un organe élitiste et de représenter une circonscription de plus grande envergure, et on comprendra que le Sénat attire les plus grands talents et puisse difficilement être qualifié de « seconde Chambre ».

À l'origine, les sénateurs étaient désignés par les législatures des États. L'élection indirecte des sénateurs offrait théoriquement aux États la possibilité de coloniser une branche essentielle du pouvoir législatif de l'Union, mais en pratique elle n'a pas survécu à la vague progressiste du début du xxe siècle, qui dénonçait ce procédé comme élitiste et antidémocratique. Selon le 17e amendement à la Constitution, adopté en 1913, les sénateurs doivent être élus au suffrage universel direct. Chaque sénateur est élu par l'État tout entier et, puisque le Sénat se renouvelle par tiers tous les deux ans, les sénateurs ne sont pas tous élus au même moment. Autre élément typiquement fédéraliste, c'est le gouverneur de l'État qui certifie l'élection d'un sénateur et qui comble provisoirement une vacance en attendant la tenue d'une nouvelle élection.

Les sénateurs se perçoivent comme les représentants de la population de leur État, non comme les délégués du gouvernement de cet État. Vu l'absence de discipline au Congrès, leur vote est souvent dominé par des préoccupations d'ordre local plutôt que national.

La dimension fédérale de la Chambre des représentants est moins évidente, comme il se doit, puisque les sièges y sont répartis proportionnellement à la population. Fédéralisme impose, les sièges sont d'abord répartis entre les États, ce qui empêche qu'un district électoral chevauche une frontière étatique, et par la suite les districts sont délimités au sein de l'État. Cette opération est effectuée tous les 10 ans sur la base du recense-

ment décennal (le dernier remontant à 2000), et vise à ce que les changements démographiques soient reflétés dans la représentation politique.
Comme le bon sens exige que chaque État ait au moins un siège, les très
petits États obtiennent à coup sûr un siège que l'arithmétique pure pourrait
théoriquement leur refuser. Un district compte en moyenne près de 700 000
habitants, mais l'Alaska, le Dakota du Nord, le Vermont et le Wyoming
disposent d'un siège bien que leurs populations respectives soient infé-
rieures à ce chiffre. Reste que les Américains acceptent le verdict de la démo-
graphie de façon bien plus stricte que les Canadiens. Aucune disposition
n'empêche que le poids relatif d'un État ne dégringole à long terme. Le
nombre actuel des représentants (435) a été établi en 1910. Entre cette date et
la redistribution consécutive au recensement de 2000, l'Illinois a vu sa
représentation passer de 27 sièges à 19, la Pennsylvanie de 36 à 19, et l'État de
New York de 43 à 29. La progression foudroyante de certains États a été
pleinement reflétée à la Chambre durant le même intervalle : de 18 sièges à
32 pour le Texas, de 11 à 53 pour la Californie, et de 4 à 25 pour la Floride.

Un membre de la Chambre est identifié comme le représentant du
énième district de son État. Le localisme des membres des deux Chambres
du Congrès est accentué par une règle constitutionnelle exigeant qu'ils
résident ordinairement dans l'État qui les a élus, et, dans le cas des représentants, par une coutume très stricte voulant qu'ils résident dans le
district qui les a élus. Le parachutage est donc en pratique très rare.

La Cour suprême

C'est peut-être sur le plan du pouvoir judiciaire américain, à tout le moins
au sommet de la pyramide, que l'impact du fédéralisme est le moins
évident. Ainsi, les gouvernements et les législatures des États n'ont nullement voix au chapitre lorsque le président désigne les juges de la Cour
suprême. Le Sénat doit confirmer ces nominations à la suite de séances
publiques en commission, mais les considérations les plus importantes qui
guident la décision des sénateurs tiennent à l'orientation idéologique générale du candidat proposé, non à l'ardeur de ses convictions centralisatrices
ou décentralisatrices. Aucune loi ne garantit que les diverses régions du
pays sont équitablement représentées au sein de l'institution, et le lieu de

résidence des juges au moment de leur nomination ne constitue pas une considération essentielle. En témoignent les chiffres suivants : quatre des juges en fonction au milieu de 2007 résidaient au moment de leur nomination dans la région de la capitale nationale, trois dans un État du Nord-Est (dont deux en Nouvelle-Angleterre), un en Illinois et un autre en Californie.

Le droit électoral

Le cas du droit électoral constitue un cas de décentralisation extrême. En ce domaine, la fédération américaine ressemble davantage à une confédération. En effet, il n'existe aucune loi électorale nationale régissant les élections présidentielles ou législatives, une originalité que parmi les fédérations seule la Suisse peut se targuer de partager avec les États-Unis.

La Constitution américaine fixe la tenue des élections à la présidence et au Congrès au premier mardi de novembre partout au pays, et accorde au Congrès le pouvoir de légiférer relativement à l'élection de ses membres. Dans la pratique, cependant, ce pouvoir a été exercé de façon fort économe. Par exemple, une loi fédérale dispose que les membres de la Chambre des représentants sont élus dans des circonscriptions uninominales[8]. Le *Federal Elections and Campaigns Act* (FECA) régit depuis les années 1970 le versement des contributions aux candidats. Le *Motor Vehicle Registration Act* encadre l'inscription des électeurs sur les listes électorales. Plus récemment (2002), le *Help America Vote Act* (HAVA) a permis au gouvernement central de subventionner l'acquisition de machines à voter par les États. Au fil des ans se sont ajoutés à la Constitution des amendements applicables sur l'ensemble du territoire national, et qui interdisent que le droit de vote soit restreint pour cause de race (1868), de sexe (1920), ou qu'il soit en pratique détruit par des pratiques telle la *poll tax* (1964), ou encore imposent que le droit de vote s'acquière à 18 ans (1971). Au chapitre de la représentation électorale, la Cour suprême a imposé, à compter de 1962, un égalitarisme très rigoureux et sanctionné les législatures d'État qui s'éloignaient de ce principe. Et bien entendu, seul le Congrès peut décider du nombre de sièges que chacun des États comptera au sein de la Chambre des représentants, alors que la Constitution fixe à deux le nombre de leurs sièges au Sénat.

Pour tout le reste, cependant, l'inaction du Congrès a fait en sorte que, dans chaque État, les élections, primaires et générales, présidentielles aussi bien que législatives, sont régies par la loi électorale adoptée par la législature de l'État, et gérées par les autorités administratives de l'État. La maîtrise complète du droit électoral américain requiert donc la consultation d'une cinquantaine de lois différentes, tout comme le droit régissant les élections au Parlement européen est constitué d'une vingtaine de lois nationales. Aucune commission fédérale n'a le pouvoir d'intervenir dans la gestion des scrutins, chaque État disposant de sa propre commission électorale. Ce qui pour un observateur étranger fait figure de fouillis indescriptible est aggravé par la décision de nombre d'États de décentraliser au maximum la gestion des scrutins, en confiant celle-ci aux autorités locales. Par exemple, dans l'État de Virginie, chaque « juridiction » (ville ou comté) a le pouvoir de choisir sa propre machine à voter : or, l'État ne compte pas moins de 123 entités de ce type !

La décentralisation extrême s'étend également à la délimitation des circonscriptions (*districts*) pour l'élection des membres de la Chambre des représentants. Dans chaque État, une fois connu le nombre de sièges déterminé sur la base du recensement décennal, c'est à la législature de l'État qu'incombe la délimitation des circonscriptions. Certains États confient cette tâche à une commission multipartisane, d'autres réservent cette prérogative aux législateurs de l'État. Chaque État contrôle également la tenue des élections primaires et en fixe la date, plusieurs ayant tendance à avancer la tenue de telles élections pour éviter que l'Iowa et le New Hampshire ne déterminent l'issue de la course à la candidature.

Dans deux États (Géorgie et Louisiane), les représentants sont élus non à la pluralité des voix, mais à la majorité absolue. Si cette dernière n'est pas acquise au premier tour, un second tour oppose les deux candidats arrivés en tête au tour précédent.

Les institutions politiques des États

Les États sont antérieurs à l'Union, et la Constitution américaine n'impose pour leurs Constitutions internes aucune balise autre que l'établissement d'une « forme républicaine de gouvernement ». Chaque État a sa propre constitution. Dix-neuf n'en ont eu qu'une seule dans leur histoire, et elles sont parfois très anciennes. D'autres en ont eu beaucoup plus : l'actuelle Constitution de la Louisiane est la onzième[9]. L'organisation des pouvoirs publics suit un modèle passablement standardisé, très proche de la Constitution fédérale, au point de faire dire à certains que les constituants américains avaient passablement manqué d'imagination.

Le pouvoir exécutif est entre les mains d'un gouverneur élu au suffrage universel direct. Son mandat est de deux ans au New Hampshire et au Vermont, et de quatre ans ailleurs. Souvent le gouverneur ne peut remplir plus de deux mandats, mais 15 États ne limitent pas le nombre de mandats à ce palier. Dans 42 États (43 à compter de 2009, le New Jersey en ayant décidé ainsi), un lieutenant-gouverneur est élu pour lui succéder au besoin. Ailleurs, la succession du gouverneur va au président du Sénat ou au secrétaire du Sénat[10]. Partout, sauf en Oregon, le gouverneur peut être destitué par les Chambres par voie d'*impeachment*. La destitution requiert la majorité des membres du Sénat en Alabama, et une majorité des deux tiers ailleurs[11]. La procédure est rarement utilisée. Dans l'histoire américaine, seulement une quinzaine de gouverneurs ont fait l'objet d'une procédure d'*impeachment*, et sept autres ont été menacés de l'être. Sept ont été destitués ; le cas le plus récent, celui du gouverneur de l'Arizona, Evan Mecham, s'est produit en 1988[12]. En 2004, le gouverneur Rowland du Connecticut démissionna pour échapper à la destitution.

Comme en Allemagne, le poste de gouverneur d'État constitue non un passage obligé, mais à tout le moins un important marchepied vers la direction du pays tout entier. Depuis 1932, les présidents Roosevelt (New York), Carter (Géorgie), Reagan (Californie), Clinton (Arkansas) et George W. Bush (Texas) ont fait leurs classes à la tête d'un État comme nombre de candidats malchanceux à la présidence, tels Alf Landon (Kansas), Tom Dewey (New York), Adlai Stevenson (Illinois), George Wallace (Alabama) et Michael Dukakis (Massachusetts).

Le pouvoir législatif est exercé dans chaque État par un organe génériquement appelé « législature » par la Constitution, et qui porte effectivement ce nom dans 27 États. Ailleurs, il est appelé *General Assembly* (19 États), ou *Legislative Assembly* (2 États). Au Massachusetts et au New Hampshire, l'ensemble porte le nom délicieusement archaïque de *General Court*[13]. La législature est composée de deux Chambres dans tous les États sauf le Nebraska, qui a aboli sa deuxième Chambre en 1937 (ironiquement, les membres de la Chambre unique ont choisi d'être appelés sénateurs). La première Chambre porte habituellement le nom de Chambre des représentants (*House of Representatives*), mais d'autres appellations survivent dans quelques États (*Assembly, House of Delegates, General Assembly*), alors que partout où elle existe, la seconde Chambre est appelée Sénat. Les pouvoirs des deux Chambres sont passablement identiques. Aucune balise nationale n'encadre la taille des assemblées, déterminée souverainement par l'État lui-même. L'Assemblée de la Californie a 80 représentants, alors que celle du minuscule New Hampshire en compte 400, soit plus que les entités correspondantes en Californie, au Texas et à New York réunies (380). Les Sénats des États comptent moins de membres (entre 20 et 67) que les Chambres basses (entre 40 et 400). Dans l'une et l'autre Chambre, les sièges sont répartis depuis les années 1960 proportionnellement à la population, la Cour suprême ayant rejeté la doctrine de «l'analogie fédérale», qui aurait permis aux Sénats des États de surreprésenter certaines collectivités territoriales à l'instar du Sénat fédéral. En 2006, les législatures des États comptaient un total de 7 382 membres, soit 1 971 sénateurs et 5 411 représentants. Tous, sauf 28, appartenaient au Parti républicain ou au Parti démocrate. Il faut dire que la prévalence quasi universelle du scrutin majoritaire, ainsi que les conditions draconiennes entourant la présentation des candidatures, gênent l'émergence de tiers partis[14].

Les mandats législatifs dans les Chambres basses tendent à être relativement courts : deux ans seulement dans 44 États, quatre ans ailleurs. Ceux des sénateurs sont plus longs : deux ans dans 12 États, quatre ans dans 37 autres, avec un régime complexe et distinctif pour l'Illinois[15], mais nulle part on n'a institué de mandat de six ans comme au Sénat fédéral. La moitié environ des Sénats est renouvelée par tranches, l'autre moitié fait l'objet d'un renouvellement intégral. Avec le temps, on a observé un allongement des mandats. Durant la première moitié du XIXᵉ siècle, les élections législatives *annuelles* n'étaient pas rares.

La nature du mandat parlementaire varie également d'un État à l'autre. En 2006, un représentant du New Hampshire gagnait 200 $ US par année, contre 110 880 $ US pour son homologue de Californie. Une étude récente[16] identifie une douzaine d'États où le mandat législatif est exercé à plein temps : les parlementaires y gagnent en moyenne 68 599 $ US par année et disposent de nombreux adjoints : on parle d'une législature professionnalisée. À l'autre extrême, dans 17 États, avec un salaire moyen de 15 984 $ US et un seul adjoint, le métier constitue plutôt une occupation à temps partiel. Les autres États se situent entre ces deux groupes.

Tout comme au palier fédéral, il est tout à fait possible que l'exécutif et les deux Chambres soient contrôlés par des partis différents. Au milieu de 2007, 25 États connaissaient une telle cohabitation (*divided government*), 10 États étant dominés par les républicains et 15 par les démocrates.

Si elles suivent habituellement le modèle fédéral, les Constitutions des États fourmillent d'originalités qui souvent en rendent la lecture intéressante. Par exemple, les principaux officiers exécutifs (secrétaire d'État, procureur général, trésorier, etc.) sont souvent élus au suffrage universel direct au même titre que le gouverneur et le lieutenant-gouverneur. Le contraste est frappant avec le président des États-Unis, qui nomme et révoque à sa guise les membres de son cabinet. Fidèle à la tradition de méfiance envers le pouvoir exécutif en vogue au moment de l'indépendance, la vénérable Constitution du New Hampshire (1784) partage encore le pouvoir exécutif entre le gouverneur et un conseil de cinq membres élus eux aussi au suffrage universel direct, chaque organe ayant droit de veto sur l'autre en certaines matières.

Sauf dans huit États, le gouverneur dispose d'un pouvoir de veto sélectif (*item veto*) lui permettant de cibler pour un veto les dispositions particulières d'une mesure législative à laquelle il s'oppose sans avoir pour autant à rejeter le texte en bloc. Ce veto peut être levé par les membres de chaque Chambre, le seuil décisionnel requis allant de la majorité (6 États) aux trois cinquièmes (7 États) ou aux deux tiers (36 États), un État exigeant la « majorité constitutionnelle[17] ».

Si le mouvement progressiste a dans l'ensemble peu bouleversé la Constitution fédérale, ses revendications ont amené nombre d'États à se doter d'institutions originales sans équivalent à Washington. Ainsi, une vingtaine d'États permettent à la population d'élire les juges, la nomination par l'exécutif étant considérée antidémocratique. Surtout, les procédures de démocratie semi-directe, inexistantes au palier fédéral, sont très populaires dans les États. Partout, sauf au Delaware, une modification constitutionnelle doit faire l'objet d'un référendum. Dix-huit États permettent même au peuple de proposer des modifications constitution-nelles par voie de pétition[18]. Situés pour la plupart à l'ouest du Mississippi, 21 États permettent aux citoyens, par voie de pétition, de provoquer la tenue d'un référendum d'initiative populaire sur un sujet particulier d'ordre législatif. En 2005, 19 mesures ont été mises aux voix par initiative populaire dans un État (2 seulement ont été approuvées)[19]. Le nombre des référendums grimpe durant les années d'élections nationales. En 2006, 204 propositions ont été mises aux voix dans 37 États, dont 76 introduites par initiative populaire, et les deux tiers ont été approuvés[20]. À cette occa-sion, des référendums ont interdit le mariage entre conjoints de même sexe dans sept des huit États où la proposition avait été mise aux voix, et une augmentation du salaire minimum a été approuvée partout où elle a été proposée[21]. Dix-huit États ont été jusqu'à instituer le *recall*, une procédure originale qui permet à l'initiative populaire de provoquer la tenue d'un référendum sur l'interruption du mandat d'un élu[22]. C'est ainsi qu'en octobre 2003, les électeurs de Californie ont révoqué le gouverneur Gray Davis, réélu l'année précédente, et l'ont remplacé par l'acteur de cinéma Arnold Schwarzenegger[23]. Bien que très rarement invoquée, et plus rare-ment encore avec succès, cette procédure constitue une épée de Damoclès permanente censée contrebalancer les excès possibles des puissants du jour, dans l'esprit de la Constitution nationale.

Le partage des pouvoirs

La description complète du partage des pouvoirs entre l'Union et les États couvrirait plusieurs volumes. Le point de départ obligé est l'article 1, section 8 de la Constitution fédérale, qui énumère les pouvoirs législatifs du Congrès, et le 10e amendement (1791), qui précise que les pouvoirs qui n'ont pas été délégués aux États-Unis par la Constitution, ni enlevés aux États, demeurent entre les mains des États, ou du peuple. Règle générale, donc, le pouvoir législatif central est confiné aux matières spécifiquement énumérées, et le reste va aux États en application de la clause résiduelle. Le Congrès a le pouvoir de déclarer la guerre. Il a juridiction en matière de défense, de commerce international et interétatique, de monnaie, de postes, de brevets. Certaines compétences réservées aux États pourront paraître insolites à des lecteurs étrangers. Ainsi, le droit criminel relève des États, ce qui signifie que la nature des crimes et les punitions qui les sanctionnent peuvent varier d'un État à l'autre. De même, les États ont leur propre milice, les gardes nationales.

La portée de ces dispositions constitutionnelles a été précisée depuis plus de 200 ans par de nombreuses décisions des tribunaux, notamment de la Cour suprême. Celle-ci a développé diverses doctrines (*implied powers, preemption*) qui ont conforté, surtout au xxe siècle, la suprématie du pouvoir central. De plus, ce dernier est en mesure d'influencer profondément les décisions prises par les États dans leur domaine de compétence par le biais des subventions conditionnelles, appelées aux États-Unis *grants-in-aid*. Notons, par exemple, le droit pour le pouvoir central de relier l'octroi de fonds aux États pour la construction de routes à l'exigence faite aux États d'imposer une vitesse maximum de 55 milles/heure et un âge minimum de consommation d'alcool de 21 ans[24].

Les dimensions financières du fédéralisme américain

Particulièrement intéressantes à cet égard sont les tentatives de réduire le rôle de l'État central en réformant les programmes de transferts financiers, et en réduisant l'importance des exigences fédérales (*unfunded mandates*).

Les transferts financiers

Le fédéralisme américain est, d'un point de vue financier, demeuré largement décentralisé jusqu'aux années 1930. La grande dépression et les politiques du président Roosevelt (*New Deal*), la Deuxième Guerre mondiale et la *Great Society* du président Lyndon B. Johnson (1963-1969) ont contribué à accroître l'ascendant de l'État central, qui s'exprime par des programmes de financement nationaux (*grants*) et par l'imposition d'exigences fédérales (*mandates*)[25].

En réaction, divers présidents ont proposé des changements qualifiés en règle générale de néofédéralisme (*New Federalism*). Nixon, le premier a mis de l'avant le seul programme général de péréquation que la fédération américaine ait connu. Ce programme, le *General Revenue Sharing*, était un octroi inconditionnel aux États et villes qui remplaçait certains octrois conditionnels (*categorical grants*). Il sera aboli en 1986 par le président Reagan.

La deuxième vague de réformes est introduite par le président Reagan, qui en 1983 remet de l'avant le *New Federalism* sur la base du constat suivant : « *what had been a classic division of functions between the federal government and the states and localities has become a confused mess* ». Par conséquent, il réduit le nombre de programmes de transferts de 23 % et la dépense en transferts de 15 %. Son principal instrument de réforme est le remplacement de programmes d'octrois conditionnels par le financement en bloc (*block grants*). Selon Vergniolle de Chantal[26], cette initiative découle d'une vision conservatrice plus générale qui veut réduire la taille de l'État. Cet auteur nous rappelle également que les succès du président Reagan dans ce domaine, bien que réels, sont fort modestes par rapport aux divers projets qu'il mit de l'avant au cours de ses deux présidences. Et l'après-Reagan voit le naturel, soit le désir du Congrès de multiplier les octrois pour maintenir, sinon accroître, son influence, revenir vite au galop. Ainsi de 1990 à 2003, le nombre de programmes de transferts est passé de 463 à 716. Certains voient là une occasion de se livrer à de nouvelles compressions, particulièrement opportunes, selon eux, étant donné le déficit du gouvernement central[27].

La principale réforme sous Clinton, et la plus importante des 20 dernières années, est le remplacement en 1996 du programme *AFDC* (*Aid to Families with Dependent Children*) par le programme *TANF* (*Temporary Assistance to Needy Families*). Cette réforme avait pour but principal de réduire les dépenses fédérales et, pour ce faire, d'accroître l'effort de travail (pour les adultes, maximum de cinq ans de paiements de transferts leur vie durant et maximum de deux ans consécutifs sans période de travail). Elle a été mise de l'avant par les républicains dans le cadre du *Contract with America* et mise en œuvre par Newt Gingrich à la suite de l'élection de 1994, qui leur permit de prendre le contrôle des deux Chambre du Congrès[28]. L'*AFDC* introduit en 1935 comportait un mécanisme de cofinancement par le gouvernement fédéral et les États : la part du gouvernement fédéral variait de 50 % (minimum) à 65 % (maximum) selon le revenu moyen de l'État. Le *TANF* remplace ce cofinancement par un montant fixe dit *block grant*. Par conséquent, toute variation à la hausse ou à la baisse des dépenses en assistance sociale est entièrement à la charge/au bénéfice des États. Le montant du *TANF* initial a été établi en fonction des octrois antérieurs en vertu de l'*AFDC* (le plus élevé de 1995, 1994, ou la moyenne 1992-1994)[29]. Les États doivent continuer à dépenser 80 % de ce qu'ils dépensaient en 1994 (75 % si l'État atteint la cible *TANF* de participation au marché du travail).

Peu de réformes de ce type ont été lancées sous George W. Bush depuis 2000. De fait, le programme d'exigences fédérales en matière d'éducation mis en place en 2002 (*No Child Left Behind*) est composé à la fois de nouveaux transferts fédéraux et d'exigences fédérales, et constitue donc l'antithèse de telles réformes.

Les exigences fédérales

Un aspect intéressant des relations intergouvernementales américaines est le concept de *unfunded mandates* ou exigences (fédérales) non financées. Ces exigences fédérales non financées sont imposées par des lois fédérales qui visent une modification du comportement des États, gouvernements locaux, tribus amérindiennes ou entreprises. En vertu du *State and Local Government Cost Estimates Act* (1981), le Congressional Budget Office (*CBO*) a calculé le coût de plus de 7 000 exigences imposées de 1982 à 1995[30]. Et l'*ACIR* (*Advisory Commission on Intergovernemental Relations)*[31] a constaté la présence de plus de 200 exigences non financées. L'*ACIR* identifie les problèmes suivants dans son rapport :

- La présence de procédures trop détaillées qui enlèvent toute flexibilité aux États et gouvernements locaux, ce qui accroît les coûts et retarde l'atteinte des objectifs.
- L'indifférence du gouvernement fédéral face aux coûts imposés aux autres gouvernements, ce qui se comprend, car ses actions ne lui coûtent rien.

- La non-reconnaissance par le gouvernement fédéral que les États et gouvernements locaux ont des comptes à rendre à leur population. On les traite souvent comme des agences d'exécution fédérales.

- Le droit pour les individus de poursuivre les États et gouvernements locaux pour non-respect des mandats fédéraux, nonobstant le fait qu'une agence fédérale a déjà la responsabilité de s'assurer de ce respect. Ceci crée de l'incertitude.

- La difficulté pour les très petits gouvernements locaux de respecter les normes et échéanciers des mandats fédéraux. Plus de flexibilité faciliterait leur tâche.

- L'absence de politiques fédérales coordonnées et d'un décideur unique lorsqu'un *mandate* implique plusieurs agences fédérales.

De plus, certaines exigences fédérales s'appliquent aux États et gouvernements locaux comme si ceux-ci étaient des employeurs privés. Par exemple, le *Fair Labor Standards Act* impose aux États des exigences en matière de paiement des heures supplémentaires.

En 1995, le Congrès adoptait le *Unfunded Mandates Reform Act* (*UMRA*) qui exigeait qu'une évaluation soit faite[32]. L'objectif de cette loi a été ainsi défini :

> [...] *to curb the practice of imposing unfunded Federal mandates on States and local government* [...] *to ensure that the Federal Government pays the costs incurred by those governments in complying with certain requirements under Federal statutes and regulations*[33].

Les flux financiers

Avant de nous tourner vers les flux financiers caractérisant la fédération américaine, il est pertinent de compléter le portrait des États par un tableau résumant les données de base relatives à leur situation économique. Le Tableau 3.1 permet de constater que :

- le revenu personnel par habitant en 2005 varie du simple au double entre, d'une part, la Louisiane ou le Mississippi et, d'autre part, le Massachusetts ou le Connecticut ;

- les États qui contribuent le plus au PIB américain sont les plus peuplés, soit la Californie, New York et le Texas.

TABLEAU 3.1

PIB par habitant et revenu personnel par habitant des États américains, 1963 et 2005

États	PIB par habitant 1963* (milliers de dollars)	PIB par habitant 2005 (milliers de dollars)	Revenu personnel par habitant 2005 (milliers de dollars)	Taux de croissance du PIB par habitant de 1963 à 2005 (%)	Part du PIB des États-Unis en 2005 (%)
Alabama	2 161	32 866	29 136	1 420,9	1,2
Alaska	4 253	60 079	35 612	1 312,6	0,3
Arizona	2 904	36 327	30 267	1 150,8	1,7
Arkansas	1 981	31 233	26 874	1 476,9	0,7
Californie	3 866	44 886	37 036	1 061,0	13,2
Caroline du Nord	2 631	39 690	30 553	1 408,8	2,9
Caroline du Sud	2 018	32 848	28 352	1 527,5	1,1
Colorado	3 087	46 314	37 946	1 400,5	1,7
Connecticut	3 656	55 400	47 819	1 415,5	1,6
Dakota du Nord	3 474	37 975	31 395	993,1	0,2
Dakota du Sud	2 276	40 037	31 614	1 659,2	0,2
Delaware	3 915	64 437	37 065	1 545,9	0,5
Floride	2 654	37 890	33 219	1 327,4	5,4
Géorgie	2 457	40 155	31 121	1 534,1	2,9

TABLEAU 3.1 (*suite*)

PIB par habitant et revenu personnel par habitant des États américains, 1963 et 2005

États	PIB par habitant 1963* (milliers de dollars)	PIB par habitant 2005 (milliers de dollars)	Revenu personnel par habitant 2005 (milliers de dollars)	Taux de croissance du PIB par habitant de 1963 à 2005 (%)	Part du PIB des États-Unis en 2005 (%)
Hawaï	3 424	42 119	34 539	1 130,1	0,4
Idaho	2 661	33 012	28 158	1 140,6	0,4
Illinois	3 816	43 894	36 120	1 050,2	4,5
Indiana	3 279	38 048	31 276	1 060,4	1,9
Iowa	2 819	38 529	32 315	1 266,7	1,0
Kansas	2 772	38 419	32 836	1 285,8	0,9
Kentucky	2 673	33 632	28 513	1 158,1	1,1
Louisiane	2 819	36 765	24 820	1 204,0	1,5
Maine	2 456	34 105	31 252	1 288,7	0,4
Maryland	3 083	43 729	41 760	1 318,4	2,0
Massachusetts	3 327	51 344	44 289	1 443,1	2,6
Michigan	3 780	37 338	33 116	887,7	3,0
Minnesota	3 054	45 451	37 373	1 388,4	1,9
Mississippi	1 936	27 454	25 318	1 317,8	0,6

TABLEAU 3.1 (*suite*)

PIB par habitant et revenu personnel par habitant des États américains, 1963 et 2005

États	PIB par habitant 1963* (milliers de dollars)	PIB par habitant 2005 (milliers de dollars)	Revenu personnel par habitant 2005 (milliers de dollars)	Taux de croissance du PIB par habitant de 1963 à 2005 (%)	Part du PIB des États-Unis en 2005 (%)
Missouri	3 088	37 251	31 899	1 106,5	1,7
Montana	2 796	31 903	29 387	1 040,9	0,2
Nebraska	2 885	39 950	33 616	1 284,7	0,6
Nevada	4 638	45 778	35 883	887,1	0,9
New Hampshire	2 564	42 513	38 408	1 558,0	0,4
New Jersey	3 571	49 414	43 771	1 283,8	3,5
New York	4 038	50 038	40 507	1 139,1	7,8
Nouveau-Mexique	3 050	35 949	27 644	1 078,5	0,6
Ohio	3 323	38 594	32 478	1 061,5	3,6
Oklahoma	2 491	33 978	29 330	1 263,9	1,0
Oregon	3 075	39 920	32 103	1 198,2	1,2
Pennsylvanie	3 049	39 194	34 897	1 185,6	4,0
Rhode Island	3 070	40 691	36 153	1 225,6	0,4

TABLEAU 3.1 (*suite*)

PIB par habitant et revenu personnel par habitant des États américains, 1963 et 2005

États	PIB par habitant 1963* (milliers de dollars)	PIB par habitant 2005 (milliers de dollars)	Revenu personnel par habitant 2005 (milliers de dollars)	Taux de croissance du PIB par habitant de 1963 à 2005 (%)	Part du PIB des États-Unis en 2005 (%)
Tennessee	2 407	37 985	31 107	1 478,3	1,8
Texas	2 854	42 975	32 462	1 405,7	8,0
Utah	3 085	36 377	28 061	1 079,1	0,7
Vermont	2 521	37 130	33 327	1 372,6	0,2
Virginie	2 728	46 613	38 390	1 608,6	2,9
Virginie occidentale	2 576	29 602	27 215	1 049,2	0,4
Washington	3 532	42 702	35 409	1 109,0	2,2
Wisconsin	3 135	39 294	33 565	1 153,4	1,8
Wyoming	4 003	53 843	36 778	1 245,1	0,2

* La première année disponible.

Source : *Statistical Abstract of the United States*, tableau 660, « Personal Income Per Capita in Current and Constant (2000) Dollars by State : 1980 to 2005 »,
<http://www.census.gov/compendia/statab/tables/07s0660.xls> ; tableau 11, « Population – States and Puerto Rico, 1960 to 1969 »,
<http://www2.census.gov/prod2/statcomp/documents/1970-02.pdf> ; *Bureau of Economic Analysis* « Per Capita Gross State Product in Current Dollars, 2005 »,
<http://www.bea.gov/scb/pdf/2006/07July/D-Pages/0706Dpgl.pdf> ; « Gross Domestic Product by State »,
<http://www.bea.gov/regional/gsp/default.cfm?series=SIC> et calculs des auteurs.

Examinons maintenant la taille relative des acteurs au sein de la fédération américaine et leur rôle respectif mesuré par les dépenses.

Le Tableau 3.2 nous permet de constater que la taille du gouvernement
aux États-Unis augmente quelque peu de 1960 à 1970, puis demeure relativement stable, autour de 30 % du PIB, de 1970 à nos jours. Au sein du
secteur gouvernemental, la part des dépenses fédérales diminue légèrement au profit de la part des dépenses étatiques-locales. Au sein du secteur
étatique-local, la part des gouvernements locaux tombe de 65 % à 55 %.
Dans les dépenses fédérales, la part des transferts fédéraux augmente
jusqu'en 1980, diminue en 1990, puis augmente de nouveau.

TABLEAU 3.2

**Dépenses totales et part relative des trois paliers de gouvernement, et
importance des transferts fédéraux dans le budget fédéral, États-Unis,
1960-2005**

Année	Dépenses totales (% du PIB)	Dépenses totales (milliards de dollars)	Part des dépenses fédérales (%)	Part des dépenses étatiques et locales (%)	Part des dépenses locales dans les dépenses étatiques et locales (%)	Part des transferts fédéraux dans les dépenses fédérales (%)
1960	26,2	135,8	67,9	32,1	65,3	4,3
1970	29,5	298,3	65,6	34,4	63,1	8,7
1980	31,3	853,5	69,2	30,8	60,2	12,0
1990	32,5	1 862,1	67,3	32,7	58,3	8,6
2000	29,2	2 834,0	63,1	36,9	55,2	13,6
2005	31,6	3 872,4	63,8	36,2	55,1	14,5

NOTA : toutes nos données sont en dollars courants.
SOURCE : *Historical Tables, Budget of the United States Government, Fiscal year 2008*,
<http://www.whitehouse.gov/omb/budget/fy2008/pdf/hist.pdf>, tableau 15.2,
« Total Government Expenditures : 1948-2005 » ; tableau 15.3, « Total Government Expenditures as
Percentages of GDP : 1948-2005 » ; *Bureau of Economic Analysis*, tableau 3.20,
« State Government Current Receipts and Expenditures » , <http://www.bea.gov/national/nipaweb/
TableView.asp?SelectedTable=353&FirstYear=2004&LastYear=2005&Freq=Year> ; tableau 3.21,
« Local Government Receipts and Expenditures », <http://www.bea.gov/national/nipaweb/
TableView.asp?SelectedTable=354&FirstYear=2004&LastYear=2005&Freq=Year> et
calculs des auteurs.

L'examen des données annuelles pour 1960-2005 (non présentées dans
ce texte) fait ressortir une tendance lourde soit celle de la croissance de la
part des transferts fédéraux dans les dépenses fédérales.

En 2005, les principales dépenses portent sur le soutien du revenu, la fourniture de services de santé et d'éducation et, si on néglige la catégorie fourre-tout de service public général, sur la défense nationale. Chaque palier de gouvernement joue un rôle différent. Ainsi, le gouvernement fédéral est responsable de 100 % des dépenses de défense, mais de seulement 4,8 % des dépenses d'éducation. L'examen des données annuelles 1960-2005 fait ressortir la nette diminution des dépenses de défense nationale sur la période et la croissance des dépenses en santé. Les Tableaux 3.A et 3.B en annexe présentent respectivement ces dépenses pour 1960 et 1980. Avec le Tableau 3.3, ils indiquent une nette croissance de 1960 à 2005 de la part du gouvernement fédéral en ce qui a trait aux dépenses de santé.

TABLEAU 3.3

Dépenses totales et part des dépenses des trois paliers gouvernementaux selon les fonctions majeures, États-Unis, 2005

Rubriques 2005	Dépenses totales (milliards de dollars)	Part dans les dépenses totales (%)	Part des dépenses fédérales (%)	Part des dépenses étatiques et locales (%)	Part des dépenses fédérales du total des fonctions (%)
Service public général	569,4	14,6	15,1	14	58,1
Défense nationale	516,9	13,3	23,6	—	100,0
Ordre public et sécurité	249,1	6,4	1,6	12,6	13,8
Affaires économiques	248,1	6,4	5,2	7,9	46,0
Transport	124,5	3,2	1,4	5,5	24,3
Santé	751,9	19,3	18,3	20,6	53,4
Éducation	623,4	16,0	1,4	34,8	4,8
Sécurité du revenu	870,0	22,3	33,3	8,2	84,0

Note : La somme des rubriques n'est pas égale à 100 % car nous n'avons choisi que quelques fonctions majeures (dépenses importantes) des gouvernements.

Source : Bureau of Economic Analysis, tableau 3.16, « Government Current Expenditures by Function », <http://www.bea.gov/national/nipaweb/TableView.asp#Mid> et calculs des auteurs.

Le Tableau 3.4 présente les recettes. Son examen révèle une certaine croissance des recettes étatiques entre 1960 et 1970, puis de 2000 à 2005, accompagnée de la décroissance marquée des recettes fédérales. Ceci résulte en partie de la présence sur le plan étatique de l'exigence d'un budget équilibré, une exigence qui ne s'applique pas au palier fédéral.

TABLEAU 3.4

Recettes totales et part des trois paliers de gouvernement, États-Unis, 1960-2005

Année	Recettes propres totales (% du PIB)	Recettes propres totales (milliards de dollars)	Part des recettes fédérales (%)	Part des recettes étatiques et locales (%)	Part des recettes locales dans les recettes étatiques et locales (%)
1960	25,2	130,7	70,8	29,2	51,1
1970	28,3	286,5	67,3	32,7	47,1
1980	27,8	756,7	68,3	31,7	38,8
1990	27,6	1 585,7	65,1	34,9	41,5
2000	31,0	3 006,2	67,4	32,6	39,8
2005	27,8	3 415,5	63,1	36,9	40,0

SOURCE : *Historical Tables, Budget of the United States Government, Fiscal year 2008*, <http://www.whitehouse.gov/omb/budget/fy2008/pdf/hist.pdf>, tableau 15.1, « Total Government Receipts in Absolute Amounts and as Percentage of GDP : 1948-2005 » ; *Bureau of Economic Analysis*, tableau 3.20, « State Government Current Receipts and Expenditures », <http ://www.bea.gov/national/nipaweb/TableView.asp?SelectedTable=353&FirstYear=2004& LastYear=2005&Freq=Year> ; tableau 3.21, « Local Government Receipts and Expenditures », <http://www.bea.gov/national/nipaweb/TableView.asp?SelectedTable=354&FirstYear=2004& LastYear=2005&Freq=Year> et calculs des auteurs.

Le Tableau 3.5 présente les recettes par principaux types de recettes. À son examen, on constate l'importance des impôts sur les revenus des particuliers et des entreprises comme source de financement du gouvernement fédéral, des impôts sur la consommation (taxe de vente au détail) pour les États et de l'impôt foncier comme source de financement des gouvernements étatiques et en particulier locaux. On retrouve la même information pour 1960 et 1980 aux Tableaux 3.C et 3.D. L'examen des données annuelles 1960-2005 fait ressortir l'importante croissance des contributions au financement de la sécurité sociale dans les recettes totales.

TABLEAU 3.5

Recettes totales et part des recettes des trois paliers gouvernementaux selon les sources majeures, États-Unis, 2005

Rubriques 2005	Recettes propres totales (milliards de dollars)	Part dans les recettes totales (%)	Part des recettes fédérales (%)	Part des recettes étatiques et locales (%)	Part des recettes fédérales pour chacune des sources (%)
Impôts et taxes	2 520,7	70,0	60,7	85,5	62,9
sur le revenu des individus	1 203,1	33,4	41,2	20,4	77,1
sur la consommation	572,0	15,9	4,5	34,9	17,7
sur les revenus d'entreprise	384,4	10,7	14,5	4,3	84,9
Taxes sur la propriété	350,4	9,7	—	25,9	—
Contributions à l'assurance sociale du gouvernement	880,6	24,5	38,0	1,9	97,1
Autres revenus	200,4	5,5	1,3	12,6	15,0

Note : La catégorie « autres revenus » regroupe les taxes sur le revenu des biens et les revenus de transferts des entreprises et individus. La somme des sous-catégories des taxes pour la part des recettes totales et des recettes fédérales n'égale pas le total de la rubrique taxes, car il manque les « taxes du reste du monde ». Ces données ont été prises en juin 2007.

Source : *Bureau of Economic Analysis*, tableau 3.1- « Government Current Receipts and Expenditures », <http://www.bea.gov/national/nipawebTableView.asp?SelectedTable=84&FirstYear=2005&LastYear=2007&Freq=Qtr> ; tableau 3.2, « Federal Government Current Receipts and Expenditures », <http://www.bea.gov/national/nipaweb/Table View.asp?SelectedTable=85&FirstYear=2005&LastYear=2007&Freq=Qtr> ; tableau 3.3, « State and Local Government Current Receipts and Expenditures », <http://www.bea.gov/national/nipaweb/TableView.asp?SelectedTable=86&FirstYear=2005&LastYear=2007&Freq=Qtr> et calculs des auteurs.

Les transferts fédéraux aux États constituent une des sources importantes des dépenses fédérales et donc des recettes étatiques. Le Graphique 3.1 présente l'importance de ces transferts dans les revenus des États. Bien qu'elle ait évolué en dents de scie entre 1960 et 2005, elle a doublé au cours de cette période. Le Tableau 3.6 présente la composition de ces transferts en 1990 et 2005. À son examen, on note l'importance des transferts à des fins sociales (éducation, santé et sécurité du revenu) pour les deux années et la croissance des transferts aux fins de la santé.

TABLEAU 3.6

Principaux transferts fédéraux aux gouvernements étatiques et locaux, États-Unis, 1990 et 2005

Rubriques	Principaux transferts fédéraux (millions de dollars), 1990	Part dans le total des transferts fédéraux (%), 1990	Principaux transferts fédéraux (millions de dollars), 2005	Part dans le total des transferts fédéraux (%), 2005
Énergie	461	0,3	636	0,1
Ressources naturelles et environnement	3 745	2,8	5 858	1,4
Agriculture	1 285	0,9	933	0,2
Transport	19 174	14,2	43 370	10,2
Développement communautaire et régional	4 965	3,7	20 167	4,7
Éducation, emploi et services sociaux	23 359	17,3	57 247	13,4
Santé	43 890	32,4	197 848	46,4
Sécurité du revenu	35 189	26,0	90 885	21,3

NOTE : La somme des rubriques n'est pas égale à 100 % car nous n'avons choisi que quelques fonctions majeures (dépenses importantes en transfert) du gouvernement.

SOURCE : *Statistical Abstract of the United States*, tableau 422, « Total Outlays for Grants to State and Local Governments-Selected Agencies and Programs : 1990 to 2006 », <http://www.census.gov/prod/2006pubs/07statab/stlocgov.pdf> et calculs des auteurs.

Finalement, il est pertinent de constater l'évolution de la dette publique américaine de 1960 à 2005, telle qu'elle est présentée au Tableau 3.7.

TABLEAU 3.7

Dette totale et part des trois paliers de gouvernement, États-Unis, par décennie de 1960 à 2000, et en 2005

	Dette totale (% du PIB)	Dette totale (milliards de dollars)	Part du gouvernement fédéral (%)	Part du gouvernement étatique (%)	Part du gouvernement local (%)
1960	67,5	356	80,4	5,3	14,3
1970	49,4	514	72,1	8,2	19,8
1980	44,7	1 250	73,2	9,8	17,1
1990	71,1	4 127	79,2	7,7	13,1
2000	72,1	7 080	79,5	7,7	12,8
2005	80,1	9 972	79,3	8,0	12,7

Source : *Statistical Abstract of the United States*, tableau 472, « All Governments - Revenue Expenditure, and Debt : 1950 to 1977 », <http://www2.census.gov/prod2/statcomp/documents/1979-06.pdf> ; tableau 463, « All Governments - Revenue, Expenditure, and Debt : 1980 to 1992 », <http://www2.census.gov/prod2/statcomp/documents/1994-04.pdf> ; tableau 459, « Federal Budget Debt : 1960 to 2006 » ; <http://www.census.gov/compendia/statab/tables/07s0459.xls> ; tableau 1, « State and Local Government Finances by Level of Government and by State : 1999-2000 », <http://ftp2.census.gov/govs/estimate/00slss1.xls> et « State and Local Government Finances by Level of Government and by State : 2004-05 » ; <http://ftp2.census.gov/govs/estimate/05slsstab1a.xls> ; tableau HS-32, « Gross Domestic Product in Current and Real (1996) Dollars : 1929-2002 », <http://www.census.gov/statab/hist/02HS0032.xls> ; « USA Statistics in Brief », 2007, <http://www.census.gov/compendia/statab/files/income.xls> et calculs des auteurs.

GRAPHIQUE 3.1

La part des transferts fédéraux dans le revenu total des gouvernements étatiques et locaux

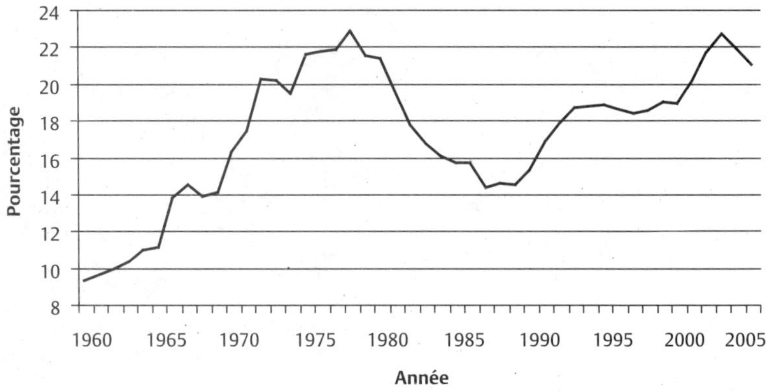

NOTE : Ces données ont été prises le 7 août 2007.

SOURCE : *Bureau of Economic Analysis*, tableau 3.3, « State and Local Government Current Receipts and Expenditures », <http://www.bea.gov/national/nipaweb/TableView.asp?SelectedTable=86&FirstYear=2005&LastYear=2007&Freq=Qtr> et calculs des auteurs.

◆

Le fédéralisme américain est virtuellement incontesté dans le paysage politique, même si la gauche est moins enthousiasmée par les *States' Rights* que la droite. Historiquement, il a permis à la nation de se construire, et a permis aux États du Sud de faire coexister leur (très discutable) mode de vie distinctif avec leur appartenance à l'Union. Il n'a pas empêché le gouvernement fédéral d'assurer des tâches de coordination indispensables, comme le réseau autoroutier, la défense du pays, la création d'un filet de sécurité sociale. Aujourd'hui encore, il justifie des institutions qu'on peut trouver contestables, comme le collège électoral. Au total, il cadre très bien avec la culture politique américaine dominante, obsédée par la nécessaire division du pouvoir politique, perçu comme une menace permanente à la liberté des citoyens. La dimension financière de ce fédéralisme a évolué depuis les années 1960 vers une réduction de l'autonomie financière des États, et ce, malgré les réformes proposées par plusieurs présidents. Tel est le résultat de la création ou de l'accroissement de transferts conditionnels de l'État fédéral dans des domaines comme l'éducation, la santé et le soutien du revenu, et non pas celui d'une croissance des transferts inconditionnels comme la péréquation. Bien que l'endettement au palier fédéral puisse constituer un frein, la vigueur de ce fédéralisme pourrait éventuellement en être érodée.

ANNEXE

TABLEAU 3.A

Dépenses totales et part des dépenses des trois paliers gouvernementaux selon les fonctions majeures, États-Unis, 1960

Rubriques 1960	Dépenses totales (milliards de dollars)	Part dans les dépenses totales (%)	Part des dépenses fédérales (%)	Part des dépenses étatiques et locales (%)	Part des dépenses fédérales dans le total des fonctions (%)
Service public général	17,3	14,1	14,6	12,9	70,0
Défense nationale	42,7	34,7	51,6	–	100,0
Ordre public et sécurité	4,4	3,6	1,2	10,2	6,8
Affaires économiques	11,9	9,7	6,8	15,7	47,1
Transport	6,1	5,0	1,6	11,7	21,3
Santé	5,5	4,5	2,7	8,2	40,0
Éducation	16,1	13,1	0,6	38,8	3,1
Sécurité du revenu	23,5	19,1	23,0	11,2	80,9

NOTE : La somme des rubriques n'est pas égale à 100 % car nous n'avons choisi que quelques fonctions majeures (dépenses importantes) des gouvernements. Ces données ont été prises en juin 2007.

SOURCE : *Bureau of Economic Analysis*, tableau 3.16, « Government Current Expenditures by Function », <http://www.bea.gov/national/nipaweb/TableView.asp#Mid> et calculs des auteurs.

TABLEAU 3.B

Dépenses totales et part des dépenses des trois paliers gouvernementaux selon les fonctions majeures, États-Unis, 1980

Rubriques 1980	Dépenses totales (milliards de dollars)	Part dans les dépenses totales (%)	Part des dépenses fédérales (%)	Part des dépenses étatiques et locales (%)	Part des dépenses fédérales dans le total des fonctions (%)
Service public général	136,6	16,2	16,9	15,2	63,4
Défense nationale	144,5	17,1	28,1	—	100,0
Ordre public et sécurité	35,7	4,2	0,6	9,9	8,7
Affaires économiques	71,8	8,5	6,8	11,2	48,6
Transport	34,4	0,4	1,8	7,7	26,2
Santé	92,8	11,0	10,1	12,4	56,0
Éducation	137,5	16,3	1,6	39,3	5,8
Sécurité du revenu	209,9	24,9	34,5	10,0	84,3

NOTE : La somme des rubriques n'est pas égale à 100 % car nous n'avons choisi que quelques fonctions majeures (dépenses importantes) des gouvernements. Ces données ont été prises en juin 2007.
SOURCE : *Bureau of Economic Analysis*, tableau 3.16, « Government Current Expenditures by Function », <http://www.bea.gov/national/nipaweb/TableView.asp#Mid> et calculs des auteurs.

TABLEAU 3.C

Recettes totales et part des recettes des trois paliers gouvernementaux selon les sources majeures, États-Unis, 1960

Rubriques 1960	Recettes totales (milliards de dollars)	Part dans les recettes totales (%)	Part des recettes fédérales (%)	Part des recettes étatiques et locales (%)	Part des recettes fédérales pour chacune des sources (%)
Impôts et taxes	113,4	84,9	81,2	94,1	78,7
sur le revenu des individus	46,1	34,5	44,4	10,7	90,7
sur la consommation	28,4	21,3	13,9	38,9	46,1
sur les revenus d'entreprise	22,7	17,0	22,7	3,1	94,3
sur la propriété	16,2	12,1	—	41,2	—
Contributions à l'assurance sociale du gouvernement	16,4	12,3	16,9	1,3	97,6
Autres revenus	3,6	2,7	1,9	4,6	50,0

NOTE : La catégorie « autres revenus » regroupe les taxes sur le revenu des biens et les revenus de transferts des entreprises et individus. La somme des sous-catégories des taxes pour la part des recettes totales et des recettes fédérales n'égale pas le total de la rubrique taxes, car il manque les « taxes du reste du monde ». Ces données ont été prises en juin 2007.

SOURCE : *Bureau of Economic Analysis*, tableau 3.1, « Government Current Receipts and Expenditures », <http://www.bea.gov/national/nipaweb/TableView.asp?SelectedTable=84&FirstYear=2005& LastYear=2007&Freq=Qtr> ; tableau 3.2, « Federal Government Current Receipts and Expenditures », <http://www.bea.gov/national/nipaweb/TableView.asp?SelectedTable=85&FirstYear=2005&LastYear =2007&Freq=Qtr> ; tableau 3.3, « State and Local Government Current Receipts and Expenditures », <http://www.bea.gov/national/nipaweb/TableView.asp?SelectedTable=86&FirstYear=2005&Last Year=2007&Freq=Qtr> et calculs des auteurs.

TABLEAU 3.D

Recettes totales et part des recettes des trois paliers gouvernementaux selon les sources majeures, États-Unis, 1980

Rubriques 1980	Recettes totales (milliards de dollars)	Part dans les recettes totales (%)	Part des recettes fédérales (%)	Part des recettes étatiques et locales (%)	Part des recettes fédérales pour chacune des sources (%)
Impôts et taxes	586,0	73,0	66,4	86,2	68,8
sur le revenu des individus	298,9	37,2	46,7	18,3	83,6
sur la consommation	131,9	16,4	6,3	36,7	25,8
sur les revenus d'entreprise	84,8	10,6	13,1	5,4	82,9
sur la propriété	68,8	8,6	–	25,8	–
Contributions à l'assurance sociale du gouvernement	166,2	20,7	30,4	1,3	97,8
Autres revenus	50,6	6,3	3,2	12,5	34,0

NOTE : La catégorie « autres revenus » regroupe les taxes sur le revenu des biens et les revenus de transferts des entreprises et individus. La somme des sous-catégories des taxes pour la part des recettes totales et des recettes fédérales n'égale pas le total de la rubrique taxes, car il manque les « taxes du reste du monde ». Ces données ont été prises en juin 2007.

SOURCE : *Bureau of Economic Analysis*, tableau 3.1, « Government Current Receipts and Expenditures » <http://www.bea.gov/national/nipaweb/TableView.asp?SelectedTable=84&FirstYear=2005& LastYear=2007&Freq=Qtr> ; tableau 3.2, « Federal Government Current Receipts and Expenditures » ; <http://www.bea.gov/national/nipaweb/TableView.asp?SelectedTable=85&FirstYear=2005&LastYear =2007&Freq=Qtr> ; tableau 3.3, « State and Local Government Current Receipts and Expenditures » ; <http://www.bea.gov/national/nipaweb/TableView.asp?SelectedTable=86&FirstYear=2005&Last Year=2007&Freq=Qtr> et calculs des auteurs.

NOTES

1. Nous remercions Cristina Vochin pour son assistance de recherche et la Chaire d'études politiques et économiques américaines de l'Université de Montréal pour son appui financier.

2. *Texas* c. *White*, 74 US 700 (1869).

3. Juridiquement parlant, Porto Rico fait partie du territoire américain. Toutefois, elle n'est ni un État, ni un territoire de l'Union. Elle possède sa propre Constitution et est liée aux États-Unis par un contrat (« *compact* ») auquel elle peut mettre fin pour devenir souveraine (l'Assemblée de Porto Rico peut décider la sécession, et le président des États-Unis a promis de recommander au Congrès d'accepter cette rupture). Les Portoricains sont exemptés de l'impôt fédéral américain tout en payant leurs impôts locaux, et ils peuvent entrer aux États-Unis sans difficulté. Ils ne votent pas lors des élections présidentielles, et le *resident commissioner* qu'ils élisent siège à la Chambre des représentants sans droit de vote. Il n'y a pas de droits de douane entre Porto Rico et les États-Unis, et du point de vue douanier, l'île fait partie des États-Unis, les tarifs douaniers américains s'appliquant à l'entrée de Porto Rico. Le système de sécurité sociale américain, à l'exception de l'assurance-chômage, est applicable à l'île. Les programmes à frais partagés sont ouverts à Porto Rico.

4. Guam et les îles Samoa américaines furent acquises à la même époque que Porto Rico. Les îles Vierges (*US Virgin Islands*) furent achetées du Danemark pour 25 000 000 $ en 1917. Le Commonwealth des îles Marianne du Nord est depuis 1978 un territoire non incorporé en partenariat avec les États-Unis.

5. Voir Ian BALDWIN et Frank BRYAN, « The once and future Republic of Vermont », *The Washington Post*, 1er avril 2007, p. B1.

6. Voir le site <www.us-english.org/inc/> pour une documentation plus complète à cet égard.

7. Durant les années 1990, les cinq entités les moins peuplées constituaient 1,14 % de la population américaine, mais avaient 2,79 % des votes au collège électoral (15 sur 538). La Californie et New York comptaient ensemble 19,2 % de la population, mais seulement 16,2 % des votes au collège.

8. U.S. Code, Title 1, Chapter 1, art. 2c.

9. Voir Robert L. MADDEX, *State Constitutions in the United States*, Washington, CQ Inc., 1998.

10. En 1947, un accident d'avion coûta la vie au gouverneur Snell de l'Oregon, ainsi qu'au secrétaire d'État Farrell et au président du Sénat Cornett. C'est le *speaker* de la Chambre des représentants, John Hall, qui lui succéda.

11. *The Book of the States 2006*, p. 165-166.

12. Pour plus de détails, voir Christopher REINHART, « Impeachment of State Officials », OLR Research Report 2004-R-018, document disponible sur le site <http://www.cga.ct.gov/2004/rpt/2004-R-0184.htm>.

13. Ces chiffres et ceux qui suivent ont été calculés par les auteurs à partir des données détaillées contenues dans The *Book of the States 2006*.

14. Les membres de la Chambre basse de l'Illinois ont longtemps (1870-1980) été élus au vote cumulatif dans des circonscriptions de trois sièges, ce qui permettait à la minorité d'obtenir une représentation.
15. Les sénateurs de l'Illinois sont divisés en trois tranches. La première est renouvelée successivement après quatre, quatre et deux ans ; la deuxième après quatre, deux et quatre ans ; la troisième après deux, quatre et quatre ans.
16. National Conference of State Legislatures, « Full- and Part-Time Legislatures », NCSL Backgrounder, janvier 2007, document disponible sur le site <www.ncsl.org/programs/press/2004/backgrounder_fullandpart.htm>.
17. Pour plus de détails, voir *The Book of the States 2006*, p. 105.
18. *The Book of the States 2006*, p. 13.
19. John G. Matsusaka, « 2005 Initiatives and Referendums », *The Book of the States 2006*, p. 300-303.
20. Voir le site de l'Initiative and Referendum Institute, <www.iandrinstitute.org/BW %202006-5 %20(Election %20results-update).pdf>.
21. Voir le site <www.cnn.com/ELECTION/2006/pages/results/ballot.measures>.
22. *The Book of the States 2006*, p. 325-326.
23. Dans l'histoire américaine, un seul autre gouverneur d'État a été révoqué de la même façon, celui du Dakota du Nord, Lynn Frazier, en 1921.
24. Voir John A. Ferejohn et Barry R. Weingast, « Can the States be Trusted ? » dans John A. Ferejohn et Barry R. Weingast (dir.), *The New Federalism : Can the States be Trusted ?*, Stanford : Hoover Institution Press, 1997, p VII-XIV.
25. François Vergniolle de Chantal, *Le fédéralisme américain en question : de 1964 à nos jours* Dijon, Éditons universitaires de Dijon, 2006.
26. *Op. cit.*, p. 88.
27. Chris Edwards, « Spending Control Strategy », *Washington Times*, 22 mars 2004, cité dans le site du Cato Institute, <http://www. cato.org/research/articles/edwards-040322.html>.
28. Pour un historique détaillé des diverses lois envisagées, voir <http://www. aphsa.org/Policy/IssuePolicy-history.asp>.
29. Craig Volden, « Entrusting the States with Welfare Reform » dans John A. Ferejohn et Barry R. Weingast (dir.), *op. cit.*, p 65-96.
30. Stacy Anderson et Russell Constantine, *Unfunded Mandates,* Harvard Law School, 2005 <http://www.law.harvard.edu/faculty/hjackson/UnfundedMandatès_7.pdf >.
31. <http://www.library.unt.edu/gpo/acir/mandates.html>.
32. *Unfunded Mandates: Analysis of Reform Act Coverage* GAO mai 2004, <http://www. gao.gov/new.items/d04637.pdf>.
33. Public Law 104-4 22 mars 1995, <http://www.sba.gov/advo/laws/unfund.pdf>.

POUR EN SAVOIR PLUS

BIBLIOGRAPHIE ET LECTURES RECOMMANDÉES

BEER, Samuel H., *To Make a Nation: The Rediscovery of American Federalism*, Cambridge, The Belknap Press of Harvard University Press, 1993.

BENSEL, Richard, *Sectionalism and American Political Development: 1880-1980*, Madison, University of Wisconsin Press.

DERTHICK, Martha, *Keeping the Compound Republic: Essays on American Federalism*, Washington, Brookings Institution, 2001.

ORBAN, Edmond, *Fédéralisme et cours suprêmes/Federalism and Supreme Courts*, Montréal, Presses de l'Université de Montréal, 1991.

POSNER, Paul L. et Timothy J. CONLAN (dir.), *Intergovernmental Management for the 21st Century*, Washington, Brookings Institution Press, 2007.

VERGNIOLLE DE CHANTAL, François, *Le fédéralisme américain en question: de 1964 à nos jours*, Dijon, Éditions universitaires de Dijon, 2006.

WALLIN, Bruce A., « Les forces centralisatrices et décentralisatrices à l'œuvre aux États-Unis », étude préparée pour le symposium international sur le déséquilibre fiscal, Commission sur le déséquilibre fiscal, gouvernement du Québec, septembre 2001 (www.desequilibrefiscal.gouv.qc.ca/fr/pdf/Wallin.pdf).

SITES INTERNET

Council of State Governments : www.csg.org

National Conference of State Legislatures : www.ncsl.org

National Governors Association : www.nga.org

Pew Center on the States (étude des politiques publiques dans les États) : www.pewcenteronthestates.org

Publius: The Journal of Federalism (revue spécialisée sur le fédéralisme et les relations intergouvernementales) : http://publius.oxfordjournals.org

State and Local Governments on the Net (portail d'accès à tous les gouvernements étatiques et locaux) : www.statelocalgov.net

DEUXIÈME PARTIE

PROCESSUS POLITIQUES

LES GROUPES D'INTÉRÊT

Raymond Hudon

Les Américains de tous les âges, de toutes les conditions, de tous les esprits, s'unissent sans cesse. Non seulement ils ont des associations commerciales et industrielles auxquelles tous prennent part, mais ils en ont encore de mille autres espèces : de religieuses, de morales, de graves, de futiles, de fort générales et de très particulières, d'immenses et de fort petites ; les Américains s'associent pour donner des fêtes, fonder des séminaires, bâtir des auberges, élever des églises, répandre des livres, envoyer des missionnaires aux antipodes ; ils créent de cette manière des hôpitaux, des prisons, des écoles. S'agit-il enfin de mettre en lumière une vérité ou de développer un sentiment par l'appui d'un grand exemple, ils s'associent.

Alexis de TOCQUEVILLE
De la démocratie en Amérique

Tirée du deuxième livre du célèbre compte rendu que Tocqueville faisait de son séjour en Amérique et publiait en 1840, cinq ans après la parution du premier livre, l'épigraphe qui ouvre ce chapitre se révèle encore très pertinente. Il n'est pas rare, en effet, que les États-Unis contemporains soient perçus comme le paradis des groupes d'intérêt et qu'on croie que la vie politique y est réduite à des jeux de pression et de contre-pression. Des sensibilités démocratiques peuvent s'en trouver écorchées, au point d'inspirer le diagnostic d'une « démocratie contrariée », pour reprendre le titre d'un ouvrage[1] consacré aux lobbies et aux jeux de pouvoir dans la société américaine. Par contre, les visions catastrophistes du fonctionnement de la démocratie n'empêchent pas une bonne partie des Américains de se percevoir comme les dépositaires d'un modèle qu'ils auraient mission de promouvoir et défendre jusqu'à parfois se sentir justifiés de l'imposer par la force. Un des candidats à la présidence lors des élections de novembre 2000 et 2004, Ralph Nader, n'exprimait pas autre chose quand il écrivait en 1972 que c'était « la première fois que les Américains [avaient] la possibilité de faire tant pour l'humanité entière, en se privant de si peu de chose. Après deux siècles de pouvoir délégué, il est grand temps de se consacrer à l'exercice quotidien de sa fonction de citoyen, et d'assumer réellement la responsabilité du gouvernement[2].» Bien sûr, certains s'inquiètent, mais, comme le souligne Jonathan Rauch[3], ils sont tellement nombreux à tirer avantage du « système » que personne ne parvient à réellement l'ébranler. Ronald Reagan lui-même s'y est buté, après avoir meublé une partie de sa campagne de 1980 avec la promesse de mettre fin justement au gouvernement des groupes d'intérêt.

Ce chapitre a précisément pour objet ce **système de représentation des intérêts** des acteurs sociaux et économiques au sein du système politique américain. Toutefois, tirons d'abord une question au clair : au-delà de l'idée d'un certain « exceptionnalisme » américain en partie appuyée sur les conclusions de Tocqueville qui, en son temps, et par contraste avec la tradition aristocratique, y voyait un trait distinctif de ce Nouveau Monde démocratique, l'importance de la place et du rôle des groupes d'intérêt n'est plus une caractéristique propre aux États-Unis. Aujourd'hui, il est beaucoup moins évident qu'un « étranger » noterait la même distance entre les réalités nord-américaines et européennes. Dans le cadre d'une compétition fictive, Washington et Bruxelles constitueraient effectivement deux candidats de calibre comparable au titre de capitale championne du lobbying. Même la France, centre de la primauté de l'intérêt général, doit composer avec les lobbies dans la conduite des affaires publiques. Autre manifestation, selon quelques-uns, après l'invasion des McDonald's, d'une présence « américaine » irrépressible ! Pourtant, les moyens d'action privilégiés par les groupes d'intérêt ne révèlent rien de spécialement américain, bien que le niveau et les formes de reconnaissance accordés aux pratiques de représentation par les groupes marquent des particularités dont, encore une fois, le caractère unique n'est pas à exagérer.

Les divers aspects abordés dans ce chapitre s'articulent à une question qui, avec des intensités variables, structure plus ou moins explicitement tout examen de la réalité des groupes d'intérêt : contribuent-ils à l'épanouissement de l'idéal démocratique ou ne viennent-ils pas le pervertir ? Pour réduire les sources d'ambiguïté, il convient tout d'abord d'établir sommairement le sens et la portée des termes utilisés. Dans un deuxième temps, il apparaît pertinent d'examiner le statut théorique atteint par les études des groupes d'intérêt aux États-Unis, aspect sous lequel, probablement, l'exceptionnalisme américain a durant longtemps trouvé sa manifestation la plus notable. Par la suite, nous présentons cette réalité dans ses différentes dimensions sociales, économiques et politiques. En quatrième lieu, les pratiques des groupes d'intérêt sont examinées tant du point de vue des cibles visées que des moyens utilisés ; observation sans doute assez inattendue pour plusieurs, il est permis de constater que le degré de transparence de ces pratiques est en général beaucoup plus élevé que ne le laissent croire les fantasmagories couramment associées à des jeux de coulisses de caractère occulte. Bien qu'imparfaite, cette transparence a d'ailleurs connu une accentuation sous la pression de promoteurs des idéaux démocratiques d'égalité et, justement, de transparence. En résulte un consensus qui « impose » la poursuite de ces deux idéaux, à agencer à d'autres dimensions non moins importantes de la pratique démocratique : la liberté et les droits de représentation et de participation des citoyens concernés par les décisions qui touchent leurs intérêts. De ces développements successifs, il paraît découler, finalement, que l'existence et les pratiques des groupes d'intérêt méritent un traitement autre que celui que leur réservent couramment des évaluations trop portées à les diaboliser ou encore à les sacraliser.

Groupes de pression ou groupes d'intérêt ?

Depuis le début de ce chapitre, y compris dans son titre, il est question de groupes d'intérêt. Ce choix de terminologie ne relève pas de l'aléatoire.

Étant une abstraction et renvoyant, de ce fait, à une opération discriminante des traits et caractères d'un objet ou d'un phénomène, une appellation met en lumière certains aspects tout comme elle en occulte d'autres. Dès lors, il n'est pas tout à fait indifférent que l'on parle de groupes d'intérêt ou de groupes de pression. Bien que la ligne de démarcation entre les deux notions soit assez mince, on peut tout de même comprendre que, dans le premier cas, l'accent se trouve placé sur la **fonction de représentation** des intérêts, alors que, dans le second, c'est l'**action de pression** qui est mise au premier plan, à travers les interventions auprès des décideurs avec comme objectif d'amener ces derniers à des choix favorables aux intérêts du groupe.

Bien sûr, les fonctions de représentation et de pression caractérisent toutes deux les groupes, qu'ils soient d'intérêt ou de pression ! Mais l'attention portée à l'une ou à l'autre n'est pas neutre du fait qu'elles comportent respectivement une connotation normative, étroitement liée à l'idée que l'on se fait de l'organisation démocratique idéale. Par exemple, si la réalisation des intérêts particuliers des diverses composantes de la société est perçue comme incompatible avec la poursuite d'un intérêt général dont les fondements demeurent par contre vaporeux, les activités de pression des groupes sont vues comme sources de distorsions quasi automatiques de la bonne pratique démocratique. Répétons que la frontière entre pression et représentation s'avère assez poreuse. C'est particulièrement le cas aux États-Unis, et plus généralement dans le monde anglo-saxon, où la notion de *pressure politics* ne provoque pas de grandes angoisses. Bien qu'une évolution se dessine qui tende à marquer une différence, *pressure politics* et *politics of interests* renvoient à des réalités politiques très proches les unes des autres dans le contexte américain, au point que la distinction peut paraître byzantine.

Il arrive aussi que les groupes d'intérêt soient présentés comme **corps intermédiaires** entre la société civile et le pouvoir politique. Dans son monumental *Société et politique*[4], Léon Dion accordait une place de choix à cette fonction d'intermédiation des groupes qu'il voyait proprement comme un mécanisme d'interaction entre le système social et le système politique. Plutôt réservée à un ensemble de groupes assez fortement institutionnalisés et mettant justement l'accent sur le rôle d'intermédiation exercé par les groupes, cette appellation a toutefois peu cours aux États-Unis et est en train de tomber en désuétude. Par ailleurs, un autre mode de désignation des groupes d'intérêt découle d'une insistance sur une de leurs façons d'agir sur les centres de décision publique, le lobbying. Quoique plus problématique dans la perspective d'une éthique démocratique, la notion de **lobby** n'est pas, dans la culture politique américaine, l'écho d'un malaise aussi prononcé que celui observable, dans la société française. Néanmoins, tout le monde s'entend pour reconnaître l'étendue de ces pratiques, indépendamment du lieu où elles s'observent.

Au-delà des querelles et débats greffés à des orientations normatives et des spécificités culturelles, la notion de groupe d'intérêt compte couramment comme premier trait distinctif qu'à la différence des partis politiques, la conquête du pouvoir n'est pas au rang de leurs objectifs. Leur but est, au nom des intérêts qu'ils ont vocation ou prétention à représenter, d'influencer les décideurs de manière à ce que les positions adoptées ne se révèlent pas préjudiciables ou qu'elles se révèlent, encore mieux, bénéfiques pour lesdits intérêts. En somme, les groupes d'intérêt se définissent essentiellement par leur fonction de représentation d'intérêts identifiés et par leur objectif d'infléchir en leur faveur les décisions de caractère public. D'autres traits souvent rattachés aux groupes d'intérêt ne rendent pas compte adéquatement de l'ensemble de ces groupes. Ainsi, définir les groupes d'intérêt par la cohésion instaurée entre les membres autour d'intérêts communs aurait pour effet d'écarter une fraction importante des groupes qui, parfois, tirent leur légitimité et assoient leur prétention à la représentation sur des sympathisants bien plus que sur des membres réels. Animés, du moins à leur origine, par des entrepreneurs politiques à la Ralph Nader, ces groupes ont régulièrement pour vocation de défendre et promouvoir des intérêts dits généraux comme l'environnement ou ceux des consommateurs. Ces groupes, que l'on visait à démarquer des *special interest groups*, ont occupé une grande place dans la littérature des décennies récentes. Ce développement a d'ailleurs contribué à relancer l'étude des groupes d'intérêt.

En quelques mots, d'une définition à l'autre, des éléments communs permettent de finalement présenter les groupes d'intérêt comme des *organisations soucieuses d'influencer les décisions publiques touchant plus ou moins immédiatement les intérêts qu'elles ont vocation ou prétention à représenter*[5]. Dernière précision, toutefois : l'activité d'influence n'est pas forcément directe et immédiate, même que dans certains cas, elle prend étonnamment la forme d'un leurre destiné à « convaincre » les membres du groupe que l'on s'active bien à la défense ou la promotion de leurs intérêts[6]. Elle emprunte assez couramment la forme douce d'une veille relativement active (*monitoring*), soit la surveillance des développements législatifs et réglementaires ou des projets qui auraient une incidence sur les intérêts du groupe. Elle peut aussi demeurer latente, la mobilisation ne se produisant qu'autour d'une intervention ou d'un projet qui met de plus ou moins près en cause les intérêts du groupe. Ces précisions sémantiques et conceptuelles apportées, il apparaît pertinent de rapporter brièvement des considérations théoriques qui ont accompagné les études sur les groupes d'intérêt.

Statut théorique de l'étude des lobbies

L'impression d'un exceptionnalisme américain tient en grande partie à l'importance de l'attention portée par les universitaires ou intellectuels à l'étude des groupes et de leurs interventions. Les nombreuses observations ainsi permises furent aussi accompagnées d'élaborations théoriques dont la respectabilité et la fortune ont évolué au gré des contextes socio-économiques. G. David Garson[7] rend bien compte de ce statut fluctuant des théories sur les groupes d'intérêt ; les perceptions profanes concernant l'état de « déconnexion » des théories et des phénomènes concrets voilent parfois le conditionnement social et politique que subit l'ensemble des constructions théoriques qui structurent l'activité scientifique. Ainsi, il n'est pas étonnant que les observations d'un Tocqueville aient inspiré un échafaudage théorique destiné à traduire dans un langage rationnel l'existence des groupes d'intérêt et de leurs éléments constitutifs. Par ailleurs, il n'est sans doute pas accidentel qu'une élaboration plus poussée ait été proposée au moment où le système de représentation connaissait une profonde transformation au tournant des XIXᵉ et XXᵉ siècles[8].

C'est vraisemblablement ainsi inspiré que *The Process of Governement*[9], publié en 1908 et signé par **Arthur Bentley**, jeta les bases de cet échafaudage. Bentley proposa une théorie qui avait prétention d'en rendre compte adéquatement. Ainsi devait naître la théorie des groupes. Quelques expressions excessives de cette théorie devaient malheureusement occulter les nombreuses influences qui puisaient à plusieurs courants intellectuels et sociologiques, européens comme américains, et qui avaient mené Bentley à sa proposition. Suivie d'une abondante production intellectuelle qui s'échelonna jusqu'au milieu des années 1950 et s'articula au positivisme logique tout en abordant, entre autres sujets, la théorie de la relativité appliquée à la société, cette proposition se révéla extrêmement originale pour son temps. Rejetant l'explication causale tout en faisant la promotion d'une démarche scientifique appuyée sur la mathématique, réclamant que l'étude de la société se concentre sur l'observation des comportements tout en écartant les analyses de nature psychologique, Bentley marquait une rupture avec les approches qui avaient jusque-là marqué l'étude des phénomènes sociopolitiques, le juridisme et l'institutionnalisme, entre autres. Pour lui, la vie en société se réduit à l'action des groupes qui se forment et se défont au fil de l'émergence et de la disparition des intérêts qui les fondent. Dans la foulée, l'étude de l'action gouvernementale se résume à l'examen des pressions exercées par les groupes, examen qui seul permet d'accéder à une connaissance satisfaisante des phénomènes de gouvernement. Ces positions réductrices devaient être utilisées pour discréditer la contribution de Bentley, sans noter toutefois les emprunts de cette logique à celle de l'analyse marxiste des classes sociales ; Bentley admettait d'ailleurs cet emprunt, mais il se dissociait de Marx, à qui il reprochait une fixation psychologique sur la conscience. Pour Bentley, seule l'action, non les intentions, constituait la matière de base du social.

En réalité, le schème théorique de Bentley devait connaître une certaine éclipse — sans sombrer dans l'oubli total — avant de redevenir en vogue durant les années 1950 et 1960, âge d'or de l'étude des groupes d'intérêt. Son ouvrage fut réimprimé à diverses reprises jusqu'en 1995, chez Transaction Publishers. De son côté, **David Truman**[10] a pu recenser plusieurs études qui, depuis les années 1920, s'intéressaient notamment aux groupes d'affaires ou patronaux, aux groupes professionnels comme les médecins et les avocats, aux groupes syndicaux, et examinaient le fonctionnement des institutions politiques dans leurs rapports avec ces groupes. La très grande majorité de ces études n'ont en somme que de faibles ambitions théoriques et demeurent généralement de niveau descriptif, faisant en cela écho au parti pris empirique de Bentley. Truman remit en quelque sorte au goût du jour, en les raffinant, les principaux postulats théoriques posés un peu après le début du xxᵉ siècle. Il reconnut toutefois une plus grande place aux arrangements institutionnels et cadres légaux dans le conditionnement de l'action des groupes agissant sur les instances étatiques et gouvernementales. Il précisa par ailleurs un point qui s'accordait assez bien avec la naissance et l'éclosion des études systémiques et qui allait marquer l'expansion des études sur les groupes d'intérêt. Tout comme Bentley, Truman affirmait que le mouvement des sociétés découlait de l'action des groupes, mais il précisait que le résultat global de cette action équivalait à la production d'équilibres successifs entrecoupés de changements et turbulences limités et temporaires. Sur cette base, l'association s'est profilée avec une justesse bien relative entre les analyses centrées sur les groupes d'intérêt et les présupposés pluralistes qui leur servaient couramment d'appui, d'une part, et les courants conservateurs qui continuaient à exercer leur emprise sur la société américaine, d'autre part. Comme domaine d'étude, les recherches et les enseignements sur les groupes d'intérêt allaient tout de même continuer à occuper une très grande place jusqu'à l'éclosion spectaculaire, à la fin des années 1960 et au cours des années 1970, des mouvements de revendication de droits, définis en référence ou bien à des catégories spécifiques comme les Noirs, les femmes et beaucoup d'autres encore, ou bien à des questions ou enjeux comme l'environnement, la paix, etc.

Ces derniers développements allaient rendre momentanément moins attrayantes les études sur les groupes d'intérêt. L'époque se prêtait plutôt à l'étude des **mouvements sociaux**, en particulier des mouvements sociaux dits nouveaux. Pour un moment, nous nous retrouvions plongés dans une ère postpolitique. Marquant quasi paradoxalement la consécration de Bentley qui plaçait la société à l'origine des principaux phénomènes politiques, cette ébullition sociale contribuait du même coup à rendre au moins partiellement obsolètes les orientations théoriques dont il avait été l'origine principale. Les groupes d'intérêt traditionnels ne constituaient plus forcément le maillon fort des échanges entre les autorités politiques et les forces sociales. Cependant, la contre-attaque des forces conservatrices, symbolisée par l'élection de Ronald Reagan en 1980, devait une fois de plus bouleverser graduellement les analyses des dynamiques caractéristiques de la société américaine. La conjugaison d'un questionnement sur la nouveauté des mouvements sociaux avec une présomption, répandue, du déclin des partis politiques a ramené à la surface un intérêt pour l'action des groupes. Deux contributions méritent d'être soulignées en ce sens. Tout d'abord, en 1992, un collectif publié sous la direction de Mark Petracca, *The Politics of Interests*[11], faisait bien ressortir l'immense place occupée par les groupes d'intérêt dans la société américaine et proposait un renouvellement des analyses consacrées à ce sujet; le sous-titre de l'ouvrage, *Interest Groups Transformed*, offrait par lui-même une indication claire des observations rapportées dans le recueil. À la même époque, en 1993, Jeffrey Berry publiait dans *The Annals* un article où il soutenait que l'action renouvelée des groupes de citoyens contribuait à un élargissement des pratiques démocratiques et offrait un contrepoids efficace aux interventions des groupes d'affaires et des entreprises auprès des décideurs politiques. Cet article prolongeait la thèse qu'il avait défendue dès 1984 dans *The Interest Group Society*[12], selon laquelle on assistait à une progression explosive des revendications citoyennes. En 1999, il appuyait empiriquement ses propositions de 1993 dans un ouvrage, *The New Liberalism*[13], où il constatait la présence accrue de groupes citoyens qui tendait à contrebalancer partiellement les tendances conservatrices que l'on croyait remarquer sur le plan des instances politiques.

À travers ces derniers développements, Berry propose encore de renouveler le vocabulaire touchant les groupes d'intérêt. À la dichotomie qu'il avait lui-même, avec *Lobbying for the People*[14], contribué à diffuser et à établir entre les groupes poursuivant des intérêts non matériels et non réservés aux seuls membres (*public interest groups*) et les autres dispensateurs de bénéfices distribués de manière sélective (*special interest groups*), il proposait de substituer une opposition jugée plus éclairante et plus prometteuse entre les groupes à vocation économique et professionnelle (*occupational groups*) et tous les autres groupes citoyens (*citizen groups* proprement dits) à vocations plus diverses, sans exclure que ces derniers défendent des programmes comportant des volets économiques. En bref, la nature matérielle des biens «produits» par le groupe ne constitue plus pour Berry un trait vraiment distinctif des groupes entre eux. De cette façon, les positions que **Mancur Olson** avait mises de l'avant avec succès depuis la parution en 1966 du célèbre *Logique de l'action collective*[15] apparaissent potentiellement mises à mal : les individus engagés dans l'action collective n'agiraient pas que pour des fins égoïstes et ils ne se mobiliseraient plus seulement pour des avantages matériels dont la jouissance leur serait réservée. En prétendant que l'action des groupes citoyens amène une amélioration des processus démocratiques, Berry renverse aussi la perspective en vertu de laquelle l'action des groupes introduit des distorsions dans la poursuite des idéaux démocratiques.

Le renouveau dont semble bénéficier l'étude des groupes d'intérêt n'est sans doute pas étranger au déclin présumé des partis politiques[16]. Il est en effet vraisemblable que les insuffisances de ces derniers poussent les citoyens à s'en remettre aux divers groupes qui sollicitent leur appui ou qui leur «offrent» de prendre en charge leurs intérêts pour mieux en faire la promotion ou en assurer la défense auprès des diverses autorités ou institutions susceptibles d'en affecter le sort. Cette situation n'est d'ailleurs pas complètement inédite, comme en témoignent les analyses menées par Elisabeth Clemens.

Une pratique répandue... et protégée

Le questionnement théorique qu'a suscité le phénomène des groupes d'intérêt découle en partie de l'importance des pratiques qui s'y greffent. Ainsi, au tout début des années 1980, un sondage Gallup établissait que pas moins de 26 % des Américains participaient à des groupes, soit, pour environ 20 000 000 d'entre eux, à titre de membres en bonne et due forme, soit, pour une tranche additionnelle de 20 000 000, à titre de sympathisants y allant concrètement d'une contribution pécuniaire. D'un répertoire à l'autre, on recense entre 20 000 et 25 000 associations à l'échelle nationale aux États-Unis. Participation pour le moins significative à l'animation de la société à une époque où il est plus couramment question de désintérêt ! Les Américains font néanmoins preuve d'ambivalence à l'égard des groupes d'intérêt qu'ils se privent rarement de dédaigner alors même qu'ils ont presque sans retenue recours à eux. Situation paradoxale notée par William Browne, dans *Groups, Interests, and U.S. Public Policy*[17], qui rappelle aussi avec pertinence que cette attitude n'est pas sans correspondance avec le sentiment trouble qu'une grande partie de la population entretient à l'égard de la politique et des politiciens auxquels, au-delà d'un mépris de bon ton, on se prive rarement de faire appel !

En dépit des critiques qu'ils peuvent formuler à l'égard des pratiques des « autres », les Américains reconnaissent toutefois sans réserve la légitimité politique de leurs actions. Socialement répandue, la pratique de la vie associative est en effet protégée par la Constitution. Quiconque ose remettre en cause le droit de s'associer se voit rappeler le 1er amendement qui garantit la liberté de parole et d'association de tout citoyen : « Le Congrès ne fera aucune loi qui touche l'établissement ou interdise le libre exercice d'une religion, ni qui restreigne la liberté de la parole ou de la presse, ou le droit qu'a le peuple de s'assembler paisiblement ou d'adresser des pétitions au gouvernement pour la réparation des torts dont il a à se plaindre[18]. » Les recours judiciaires (*judicial litigation*) qu'il autorise peuvent être extrêmement efficaces, notamment dans des opérations de blocage de projets gouvernementaux, que ceux-ci soient issus ou non, directement ou indirectement, de revendications de groupes concurrents. Ainsi la National Rifle Association (NRA) a-t-elle plusieurs fois trouvé dans ces recours une prise institutionnelle pour bloquer ou retarder les interventions visant à encadrer la circulation des armes à feu. Par ailleurs, cette protection constitutionnelle comporte des limites. En témoigne un cas rapporté par Amy Gutmann, dans *Freedom of Association*[19]. Dans un jugement rendu en 1983, la Cour suprême déniait à la Bob Jones University le statut d'organisation à but non lucratif et, par conséquent, le droit d'émettre des reçus pour déductions fiscales. Cet accroc apparent à la liberté d'association tenait aux pratiques discriminatoires de l'institution. La discussion poursuivie par Gutmann délimite bien la portée du 1er amendement. Si la Bob Jones University avait été plutôt une organisation religieuse, aurait-elle pu obtenir la reconnaissance recherchée ? La réponse est à double volet. Un regroupement religieux « a le droit » de prôner la discrimination, dans la mesure où les opinions exprimées ne débordent pas le champ de la pratique proprement religieuse. Par contre, les tenants d'une religion ne peuvent en aucune manière adopter des positions discriminatoires dans l'exercice de fonctions de nature civile comme l'embauche d'employés.

Donnant lieu à une pratique sociale protégée par voie constitutionnelle, le droit d'association ainsi que le droit de pétition qui s'y rattache conduisent à des réalités politiques qui ne sont pas l'objet de jugements unanimes. Les divergences d'opinions traduisent principalement des divergences idéologiques. Dans les milieux progressistes, on dénonce la domination présumée des groupes d'affaires et des entreprises, que favoriserait l'insuffisance des contrôles sur les activités de pression des groupes, qui donnent des rapports d'inégalité prononcée et une capacité d'influence extrêmement variable. Ainsi, dans *Business Lobbies and the Power Structure in America*[20], David Jacobs montre, une fois de plus, que les associations d'affaires s'en tiennent généralement à la ligne dure dans leurs rapports avec les organisations syndicales et autres groupes progressistes, et se présentent comme un rempart de la liberté d'entreprise et de commerce. Il n'en demeure pas moins que des gens d'affaires, individuellement, mettent de l'avant des attitudes plus conciliantes et des positions moins radicales qui, bien que très nettement minoritaires, n'en produisent pas moins leurs petits effets. Par exemple, l'American Small Business Association (ASBA) regroupe des dirigeants d'entreprises qui affichent leur attachement à la protection de l'environnement, à l'instauration d'un salaire minimum décent et à l'intervention gouvernementale. Il est aussi révélateur que la Chambre de commerce des États-Unis participe, conjointement avec des dirigeants syndicaux, à la National Policy Association (NPA, autrefois National Planning Association), même si les positions de cette dernière ne correspondent pas précisément aux orientations de la Chambre ; la quasi-philanthropie ainsi consentie par la Chambre contribue à sa bonne image ! Par contre, l'intransigeance générale de la Chambre ne se révèle apparemment pas « suffisante » aux yeux de certains acteurs politiques. Ainsi, des représentants républicains ont déjà reproché à la direction de la Chambre de se constituer en cheval de Troie libéral et de manquer de détermination dans sa critique des politiques du président Clinton ! La direction de la Chambre devait, à bon droit, trouver offensantes de telles critiques…

Les orientations conservatrices des politiques publiques américaines sont mises en relief à répétition : les services sociaux demeurent insuffisants, l'accès aux soins de santé se révèle déficient, les inégalités économiques et sociales sont tolérées, etc. Ainsi, dans une démarche plus analytique que celle des pamphlets d'un Michael Moore, Martin Gilens (*Why Americans Hate Welfare*[21]) se demande pourquoi les Américains ont les politiques sociales en horreur ! C'est souvent dit sans discernement, les Américains favorisent la responsabilité individuelle et se montrent plutôt réfractaires à l'expansion d'un État régulièrement jugé envahisseur. Toujours avec aussi peu de nuances, on laisse encore entendre que les orientations conservatrices qui caractérisent les politiques américaines tiennent à une colonisation des processus décisionnels par les intérêts particuliers organisés, au sein desquels les représentants des intérêts dominants (milieu des affaires, groupements professionnels et patronaux, entre autres) parviennent à écarter ou à discréditer les forces et les positions qui pourraient leur faire ombrage. Ces visions, qui fondaient en partie les perspectives d'un Bentley ou d'un Truman, apparaissent réductrices à plusieurs points de vue. Tout d'abord, elles atténuent abusivement le rôle des politiciens. De plus, elles ravalent la décision publique à une simple résultante de jeux de forces prédéterminés. Finalement, elles rendent compte de conceptions manichéennes des rapports en société. En général, les décisions concrètes résultent de processus plus complexes et, surtout, moins unilatéraux.

Par exemple, l'échec du projet mis de l'avant en 1992 par le candidat Bill Clinton d'instaurer un régime d'assurance-maladie universel est principalement attribué à l'opposition des groupes médicaux et des représentants des assureurs, les uns comme les autres considérant l'instauration de la médecine collectiviste et étatique comme une mesure socialiste. Une analyse plus fine, telle celle menée par Theodore Marmor dans *The Politics of Medicare*[22], fait tout d'abord ressortir que l'un des premiers soucis de Clinton, devenu président, était justement de ne pas donner cette impression d'une volonté interventionniste, lui qui avait mis tant de soin à se présenter comme un démocrate nouveau genre, moins antagonique aux positions républicaines. Mais encore devait-il réaliser, comme bien d'autres avant et avec lui, qu'un consensus sur l'existence d'un problème n'entraîne en aucune façon une entente automatique sur les solutions à retenir. L'enjeu central fut d'abord de nature fiscale, et il devait prendre la coloration particulière de tensions intergénérationnelles. Il était communément reconnu à l'époque que les programmes Medicare et Medicaid, instaurés depuis le milieu des années 1960, devaient être réformés de façon à prévenir leur dérive budgétaire et à empêcher l'inflation fiscale qu'entraînerait leur maintien en l'état. Dans ces conditions, tout projet d'expansion des programmes publics de santé faisait surgir le spectre de ponctions fiscales accrues dont les générations plus jeunes se voyaient les premières victimes, dans la perspective d'un vieillissement « accéléré » de la population. Cette crainte se doublait d'un certain ressentiment du fait que les gouvernements Reagan et Bush avaient durement attaqué, dans les 12 années précédentes, les programmes qui profitaient aux générations plus jeunes. Dans ces conditions, les Americans for Generational Equity (AGE) se mobilisèrent avec succès et trouvèrent un écho assez favorable pour provoquer l'abandon du projet. Pourtant, tous admettaient que le système de santé américain, même s'il relevait en grande partie du domaine privé, coûtait beaucoup trop cher, de fait beaucoup plus cher que le système public canadien tout en demeurant beaucoup moins performant. Une exagération sur l'ampleur des déficits des programmes existants et la surenchère provoquée par les oppositions partisanes, elles-mêmes exacerbées par la domination des républicains au Congrès, ont mené à l'échec que l'on connaît et ont même retardé l'adoption d'une réforme des programmes Medicare et Medicaid jusqu'en 1998-1999, à la faveur d'une série de retournements importants. Ainsi, lors de la campagne présidentielle de 1996, les démocrates furent contraints de tenir compte de la domination républicaine au Congrès de même que d'un rapport issu d'un comité bipartisan et conjoint de la Chambre et du Sénat, qui proposait l'instauration d'un système au sein duquel les secteurs privé et public interviendraient concurremment. Un système de coupons fut finalement mis en place du fait, en particulier, que l'American Medical Association (AMA) y avait vu depuis déjà quelques années un moyen de stabiliser les revenus des médecins. De plus, la Federation of American Health Systems (FAHS), regroupant quelque 1 400 hôpitaux privés, a cru que la gestion révisée du régime permettrait effectivement de réduire les coûts des soins de santé en en transférant partiellement la responsabilité aux patients. Cet épisode nous rappelle en fin de compte que les analyses qui négligent les contextures d'éléments divers risquent d'être excessivement simplificatrices. De même en est-il potentiellement des opinions qui associent l'action des groupes d'intérêt à la domination des intérêts économiques dans une société.

Une société est avant tout une structure de domination ; les diverses sociétés se distinguent entre elles par l'importance des inégalités qu'on y observe et par la nature des mécanismes mis en œuvre pour les institutionnaliser ou les aplanir. Nulle société ne peut cependant être articulée sur le seul mode de la domination imposée d'autorité ; du moins un tel fonctionnement ne peut pas être reproduit indéfiniment. Les sociétés ouvertes se démarquent précisément des régimes autoritaires par cette capacité d'intégration des groupes et des catégories non liées aux classes dominantes. Dans cette optique, la société américaine se distingue comme société pluraliste au sein de laquelle les groupes minoritaires trouvent des voies d'expression de leurs opinions et intérêts. Sous cet aspect, la société américaine n'est pas en réel déficit par rapport à la très grande majorité des sociétés occidentales. L'égalité de fait n'est évidemment pas la première caractéristique de la société américaine contemporaine ; même l'égalité de droit ne constituait pas une donnée d'origine. Les gains en ce sens ont généralement résulté de hautes luttes historiques, et d'arrangements institutionnels qui autorisent la pénétration des sphères décisionnelles par des groupes moins favorisés qui disposent de divers moyens pour y parvenir.

C'est ce que suggèrent les analyses récentes de Jeffrey Berry qui soutient, comme nous l'avons déjà signalé, que le programme politique du Congrès a sensiblement évolué depuis la fin des années 1960 en faisant une place croissante à ces questions que l'on dit caractéristiques de la postmodernité au détriment des valeurs de nature plus étroitement matérielle. Ce changement est spécialement attribué à l'augmentation des activités de lobbying des groupes citoyens progressistes, même si les groupes conservateurs sont eux aussi intervenus avec force auprès des décideurs sur des questions de même type, comme l'avortement, les valeurs familiales, etc. Témoigne de cette réorientation l'attention que les candidats aux élections de l'automne 2000 ont dû consacrer aux droits des minorités sexuelles consécutivement, par exemple, à des manifestations comme celle du 30 avril 2000 qui rassemblait plus de 300 000 gais et lesbiennes à Washington. Avec la fixation de la sécurité, provoquée par les événements du 11 septembre 2001, le programme de la campagne de 2004 fut d'une tout autre nature. Il est par contre pertinent de souligner qu'au-delà des mythes populaires qui font de George W. Bush leur propre agent, les groupes religieux conservateurs qui avaient placé tous leurs espoirs dans sa présidence s'en retrouvent finalement fort déçus !

Les préoccupations économiques n'ont pas été complètement évacuées du monde contemporain, tant s'en faut. Sous la « pression » des nouveaux mouvements de protestation, non seulement les politiciens, mais aussi les commerçants et les entrepreneurs ont été amenés, par exemple, à intégrer des préoccupations environnementales à leur « image de marque », ou afficher leur tolérance (et acceptation) à l'égard de conduites qui sont encore objets de réprobation et même de répression dans certains milieux. En contrepartie, et en apparence paradoxalement, les valeurs associées à la consommation ont pris assez d'ampleur pour travestir les conduites des citoyens en conduites consuméristes en ce qui a trait aux biens et services publics[23].

Le choix des cibles et des formes d'action

L'exercice d'influence sur les décisions publiques exige une connaissance particulière des structures et mécanismes institutionnels pour identifier les cibles appropriées de ses interventions qui, elles, peuvent emprunter des formes extrêmement diversifiées. L'étude de cette dimension de l'action des groupes d'intérêt est le plus souvent caractérisée par une cascade de préconçus qui voilent des évolutions marquantes du dernier quart de siècle. Avant de procéder à un examen sommaire des moyens dont disposent désormais les groupes d'intérêt et qu'ils utilisent de manière différenciée selon les enjeux et les contextes, prêtons brièvement attention aux cibles visées par ces mêmes groupes pour assurer la promotion ou la défense des intérêts de leurs « membres ».

Les présentations les plus classiques des groupes d'intérêt suivent typiquement un plan qui comprend, au moins pour une part importante et avec quelques petites variations, une succession de chapitres portant respectivement sur les interventions des groupes auprès des membres du Congrès, auprès de la présidence et son entourage, auprès de l'administration et auprès du judiciaire. Assez couramment sont aussi scrutés les relations avec les partis politiques et les appels à l'opinion publique. David Truman avait somme toute emprunté ce mode d'exposition pour son *The Governmental Process*. En 1965, dans *Les groupes et le pouvoir politique aux États-Unis*[24], Léon Dion avait retenu un plan similaire.

Des **changements institutionnels** importants rendent quelque peu caduque cette façon d'identifier les destinataires des pressions et interventions des groupes d'intérêt et leurs représentants. Malgré le rôle toujours déterminant des législateurs, les représentants d'intérêts sont bien conscients de l'importance des administrations dans les processus d'élaboration et de mise en œuvre des politiques publiques. Pensons également à l'Accord de libre-échange nord-américain (ALENA) qui, en ajoutant aux paliers existants des décisions politiques, provoque une réorientation partielle, éventuellement importante, de l'action des groupes[25]. De plus, l'engagement d'un nombre toujours croissant de groupes a, depuis près d'un demi-siècle[26], favorisé des démarches qui font appel à une plus large participation et empruntent dès lors des accents plus populistes. Graham Wilson signalait déjà cette transformation dans *Interest Groups in the United States*[27]. Dans *The New Liberalism*, Jeffrey Berry documente ce virage d'un autre point de vue, par l'examen de l'attention accrue dont jouissent les *citizen groups*. Cela laisse soupçonner la place désormais occupée par l'**opinion publique** dans tout plan stratégique d'intervention autour d'une décision publique, souvent de manière plus ou moins diffuse. Finalement, la progression phénoménale des **nouvelles technologies de l'information** recèle un possible bouleversement des modes d'intervention des groupes auprès des décideurs. Ces trois changements nécessitent quelques commentaires touchant la nature à la fois des acteurs impliqués et des moyens utilisés.

Les institutions supranationales qui accompagnent la mondialisation des échanges économiques contraignent les groupes d'intérêt à réviser leurs stratégies. Nous avons déjà signalé en termes généraux les nouvelles logistiques qui doivent alors être pensées. Par exemple, il ne suffit plus toujours de convaincre les autorités nationales du bien-fondé de ses positions, quoique la nécessité d'élargir son champ d'action se fasse sans doute moins pressante quand son pays constitue la première puissance mondiale! Le monde ne peut quand même plus être pensé en vase clos et les politiques sont de moins en moins décidées sur le mode «isolationniste». Tout autant que les acteurs de la société civile, les acteurs gouvernementaux sont touchés par cette évolution du monde contemporain. Il se passe en plus que les autorités d'un pays voient assez souvent s'ajouter à leur mandat de défense et de promotion de l'intérêt national la tâche de veiller à la promotion et à la défense des intérêts des membres de la collectivité nationale, notamment de ses acteurs économiques. Sans être absolument inédites, ces fonctions d'État-promoteur ont pour effet d'accentuer la conversion des représentations diplomatiques à l'étranger en agences de lobbying. Ce point est spécialement pertinent dans la capitale américaine où, dès 1938, à la veille de la Deuxième Guerre mondiale, le *Foreign Agents Registration Act* obligea tout représentant d'intérêts étrangers à déclarer ses activités auprès du secrétariat d'État. À l'époque, l'exercice libre du lobbying était consenti aux seuls sujets américains! Cette tendance à un lobbying intergouvernemental à une échelle internationale constitue en quelque sorte une réplique d'un type de relations qui ont cours depuis belle lurette entre les dirigeants des États fédérés (et du monde municipal) et ceux des instances fédérales. Bref, les activités de représentation se constituent traditionnellement de contacts avec des acteurs de l'une ou l'autre branche de l'activité gouvernementale, du Congrès à la présidence sans négliger les fonctionnaires. Le cas du judiciaire se révèle plus délicat.

Pour le profane, les jeux d'influence se jouent entre gens qui se connaissent bien : vous êtes proche du ministre ou du législateur qui se montre attentif à vos supplications et qui s'arrange pour vous donner satisfaction sans trop qu'il y paraisse! Ces projections «romancées» alimentent les récits folkloriques touchant la vie politique américaine, et elles oblitèrent une dimension essentielle de la pratique de l'influence : celle-ci est effectivement **affaire de connaissances** ou, si l'on préfère, d'informations. Les critiques les moins complaisants vont le reconnaître sans trop de peine, comme le fait Jeffrey Birnbaum, correspondant du *Wall Street Journal* à la Maison-Blanche, dans *The Lobbyists*[28]. Les lobbyistes et politiciens qui acceptent d'en parler ouvertement signalent bien qu'en l'absence d'**information inédite**, la relation entre un décideur et un représentant d'intérêts risque de tourner court. Et cette règle vaut de part et d'autre. Le décideur qui a déjà fait un choix doit être convaincu qu'une révision est justifiée au vu de nouvelles données ; quand la décision n'est pas arrêtée, les informations les plus pertinentes contribuent à l'orienter... ou à le conforter dans ses intentions[29]. Par contre, le représentant d'un groupe ne peut admettre la légitimité d'une décision ou d'un projet que si le point de vue du décideur est présenté en toute franchise et simplicité. L'information transmise doit se révéler non seulement pertinente et éclairante, mais vraie et attestée. Autrement, le lien de confiance est rompu ; miner sa crédibilité future pour réaliser un gain momentanément représente un risque dont la rationalité paraît pour le moins discutable dans le plus long terme.

Même en acceptant que les jeux d'influence se réduisent à des marchandages entre « intéressés », des précisions s'imposent encore. Comme un ex-lobbyiste, devenu chef de cabinet d'un représentant, nous le racontait : c'est bien d'avoir des connaissances en haut lieu, mais face aux exigences qui marquent actuellement l'élaboration des lois et règlements, le personnage public doit la plupart du temps s'en remettre à ses experts responsables des briefings conçus pour le préparer à une bonne défense des décisions et projets qu'il parraine. Dans ces conditions, il devient tout aussi important de connaître le fonctionnaire qui est chargé d'élaborer le projet, la loi ou le règlement et qui, normalement, sera avide d'informations conduisant à une proposition solide. Bien sûr, les bons contacts politiques se révèlent rarement nuisibles, mais les « trahisons » politiciennes viendront avec l'impossibilité de présenter le point de vue de l'ami avec crédibilité[30]. Dans *Networks of Champions*[31], Christine DeGregorio met d'ailleurs bien en lumière la dynamique des échanges qui profitent tant aux législateurs qu'aux représentants de groupes d'intérêt, ceux-ci pouvant même contribuer à l'atteinte des objectifs du législateur.

Avec la démocratisation des activités de représentation des intérêts, les titulaires de charges publiques (TCP) sont l'objet d'une surveillance accrue. Les investigations des médias et les appels à l'opinion publique peuvent se révéler dévastateurs. Selon le point de vue des groupes d'intérêt, le changement se traduit par l'exercice d'une influence qui tend de plus en plus à emprunter des voies obliques. Dans l'exercice de l'influence, l'opinion publique n'a toutefois de sens que dans des formes concrètes. Bien que très souvent évoquée et invoquée, celle qui est créée par voie statistique a peu de poids politique quand il s'agit de décider de politiques spécifiques. Elle ne compte que si elle est mobilisée pour appuyer des positions d'acteurs qui la dépassent radicalement; c'est alors qu'elle se révèle atout ou élément de pouvoir et d'influence[32]. En s'étendant à des groupes moins institutionnalisés et en couvrant des enjeux de portée plus large, les jeux d'influence se sont démocratisés. En ce qui concerne l'action, l'influence traditionnellement exercée par accès direct aux décideurs de divers paliers a évolué pour inclure des formes indirectes. Dans son *Outside Lobbying*[33], Ken Kollman cerne bien le sens et la signification de ces stratégies privilégiées par les groupes d'intérêt et rappelle ainsi que les courants d'opinion relèvent rarement de la spontanéité; les groupes mettent en mouvement les prédispositions repérables au sein de la population. Les échanges entre représentants des groupes et membres du Congrès ne sont pas pour autant dépassés.

Les relations plus «intimes» rappellent le temps où la représentation des intérêts constituait la prérogative quasi exclusive des groupes fortement institutionnalisés, liés aux secteurs professionnels, syndicaux, patronaux et d'affaires. Les rapports avec le pouvoir paraissaient alors marqués d'une inégalité jouant nettement en faveur des organisations représentant les entreprises et les commerces, ou encore de celles qui sont structurées autour des professions libérales; un équilibre bien relatif était parfois rétabli sous des gouvernements démocrates. Pour les partisans d'une pratique démocratique ouverte, ce caractère relativement occulte agaçait. Doublé de quelques écarts de conduite tristement célèbres, ce trait du secret éveillait la suspicion. La candeur est évidemment mauvaise conseillère dans l'évaluation des activités de représentation des intérêts. La corruption et les malversations demeurent des tentations réelles et certaines histoires n'appartiennent pas au seul genre de la fiction. Sur ces bases, on réclama l'encadrement de la pratique du lobbying, de manière à assurer l'éradication de pratiques douteuses et à assurer le plein respect des principes d'une démocratie saine.

De la liberté d'action à la probité de l'intervention

Comme le rappellent Norman Ornstein et Shirley Elder dans *Interest Groups, Lobbying and Policymaking*[34], il fallut attendre 1946 pour obtenir une mesure législative, le *Federal Regulation of Lobbying Act*, qui, comme partie du *Legislative Reorganization Act*, visait à freiner et réfréner les abus dénoncés avec véhémence depuis déjà longtemps[35].

Stigmatisée dès les années 1830, la pratique du lobbying connut tout de même une progression accélérée au cours des années 1850. Avec cette croissance vint la multiplication des scandales. La fréquentation des lobbyistes signifiait souvent la compagnie de professionnels du jeu et de dames, qui voyaient à satisfaire les appétits de certains membres du Congrès. Des enquêtes furent déclenchées à partir des années 1870. La première enquête de portée générale devait cependant être menée seulement en 1913. Dans la foulée, un projet de loi fut déposé pour exiger que toute relation de lobbying soit déclarée; la vigueur de l'opposition des représentants des secteurs agricoles et du travail empêcha son adoption. Diverses autres tentatives se soldèrent par des échecs. En 1928, une «loi» adoptée par le Sénat devait mourir au feuilleton de la Chambre des représentants. En 1934, le Congrès révisa le *Revenue Act* et leva les exemptions d'impôt dont jouissaient les groupes dont une part substantielle des activités visait, par voie de propagande ou autrement, à influencer le cours de la législation. Avant l'adoption de la loi de 1946, seules des mesures ponctuelles allaient être adoptées. Par la révision du *Public Utility Holding Company Act* en 1935 et du *Merchant Marine Act* en 1936, les lobbyistes travaillant pour des entreprises de service public et de la marine marchande furent contraints à l'enregistrement. Finalement, comme on l'a déjà signalé, l'adoption du *Foreign Agents Registration Act* survint en 1938.

Ce n'est donc qu'en 1946 que l'on parvint finalement à adopter une mesure législative de portée générale. La loi adoptée fut critiquée de toute part; les uns la trouvaient nettement insuffisante du fait qu'elle imposait une simple déclaration sans poser de limites, les autres y voyaient une entorse au principe constitutionnel de la liberté d'association et du droit de pétition. Dans la cause *U.S. c. Harriss*, la Cour suprême devait cependant confirmer en 1954 la constitutionnalité de la loi, non sans en avoir considérablement réduit la portée. S'ensuivit une longue série de plus d'une quinzaine de tentatives de « rétablissement » d'un encadrement qui devait connaître un aboutissement quelque 40 ans plus tard. Qu'il suffise ici d'en rappeler quelques épisodes, provoqués par de nouveaux scandales qui avaient soulevé la controverse et entraîné de nouvelles enquêtes. Des projets de loi furent proposés par le sénateur John Kennedy en 1954 et 1955, de même que par le sénateur John McClellan en 1957 ; ce dernier projet aurait resserré sensiblement la loi de 1946, mais il mourut au feuilleton du 85ᵉ Congrès. En 1966, le *Foreign Agents Registration Act* de 1938 fut amendé de sorte que la portée en fut réduite, même si l'on mit l'accent sur les influences dans les processus de décision plutôt que sur la nature subversive des interventions. Quant à la loi de 1946, elle faillit être amendée à quelques reprises ! Ainsi, en 1967, le Sénat adopta un projet qui avait l'appui du président Lyndon Johnson : les règles relatives à l'enregistrement et à la divulgation y étaient élargies et précisées, mais le texte ne fut jamais voté par la Chambre des représentants. En 1970-1971, un comité de cette même Chambre proposa un nouveau projet qui se buta à l'opposition de groupes d'intérêt. Alors que divers États membres de la fédération, la Californie en tête et par voie référendaire, adoptaient de nouvelles lois dans les années 1974-1975, l'impasse semblait impossible à dénouer au palier fédéral. Le 94ᵉ Congrès fut la scène d'une histoire quasi rocambolesque. C'était après le scandale du Watergate. Un projet préparé par le Sénat étendait la notion de lobbyiste aux organisations qui comptaient au moins un lobbyiste rémunéré ; il est intéressant de souligner que ce projet, qui jouissait de l'appui bien senti du groupe Common Cause, se heurtait à l'opposition de Ralph Nader ! Concurremment aux discussions menées au Sénat, la Chambre des représentants prépara deux projets différents qui, en bout de course et entre autres, soumettaient à l'obligation de déclaration les relations avec des membres de l'exécutif. On ne parvint pas à concilier les textes issus respectivement de la Chambre et du Sénat, et ils avortèrent tous deux. Le 95ᵉ Congrès revint à la charge. Le résultat devait être le même… jusqu'à l'adoption en décembre 1995 du *Lobbying Disclosure Act*. Mais un effort de réforme de cette dernière loi par le 109ᵉ Congrès connut l'échec en 2006 face à l'impossibilité de concilier les deux textes de loi adoptés respectivement pas le Sénat et la Chambre des représentants[36].

La nouvelle loi, appliquée à compter de 1996 et objet de modifications techniques en 1998 avec le *Lobbying Disclosure Technical Amendments Act*, se faisait plus contraignante et était d'application beaucoup plus large. Par contre, les «agents étrangers» pouvaient désormais s'enregistrer sous l'empire de cette dernière loi, qui, dans son ensemble, leur impose moins d'exigences que celle de 1938. Les principaux autres changements introduits par la loi de 1995-1996 marquent un renforcement indéniable de l'encadrement de la pratique du lobbying. Le domaine de l'ancienne loi, confiné aux démarches auprès de parlementaires sur des matières de législation, est considérablement élargi pour inclure les démarches auprès des fonctionnaires du Congrès et auprès de membres de l'exécutif et pour comprendre des démarches qui débordent les matières législatives. Finalement, la nouvelle loi ajoute une dimension importante en introduisant une distinction entre *lobbying contact* et *lobbying activity*, cette dernière notion comprenant les étapes préparatoires à l'échange entre un lobbyiste et un TCP. Par ailleurs, l'application de la loi est assouplie du fait que les lobbyistes ne sont plus tenus de s'enregistrer individuellement, une seule déclaration par organisme étant exigée; cependant, toutes les organisations s'adonnant à des pratiques de lobbying sont désormais tenues de s'enregistrer. De plus, toute déclaration doit être faite auprès du greffier de la Chambre et du secrétaire du Sénat. Le résultat ne fut pas négligeable. Ainsi, un sénateur démocrate du Michigan rapportait en 1998: «Il y avait 6078 lobbyistes inscrits ou identifiés en 1995, dernière année de l'ancienne loi, et 14 912 en 1996, première année d'application de la nouvelle loi; il y a également 10 612 organisations et particuliers inscrits conformément à la loi de 1995, qui ne l'étaient pas sous l'ancien régime»[37]. Quand 1997 devient l'année de référence, la progression apparaît encore plus spectaculaire: selon les données disponibles au Sénat, le nombre de lobbyistes enregistrés a bondi de 14 946 au 30 septembre 1997 à 20 512 au 15 juin 1999, pour marquer une augmentation de 37 %. Dans les États fédérés, selon les données compilées par le Center for Public Integrity, le total des inscriptions atteignait 39 186 en 2005...

Ces dernières données fournissent une indication de l'importance de la pratique du lobbying à Washington... et dans les États fédérés. Selon un représentant démocrate de l'Indiana (source tout juste identifiée), «le lobbying est le troisième secteur d'activités de la capitale fédérale des États-Unis, dépassé seulement par le gouvernement et le tourisme ». Pour dire le moins, K Street, le cœur de l'activité du lobbying à Washington, ne vit pas à l'heure de la récession ! Selon les compilations rapportées par le Center for Responsive Politics dans l'édition 1999 d'*Influence Inc.*, où on note la plus grande disponibilité d'informations comme résultat de la loi de 1995, la tendance est plutôt à la croissance… Ainsi, les dépenses en lobbying au palier fédéral sont passées de 1,26 milliard à 1,42 milliard de dollars entre 1997 et 1998, soit une augmentation de 13 % en un an. La croissance ne devait par la suite aucunement se démentir, permettant d'atteindre le total de 2,6 milliards de dollars en 2006, auquel montant il faut additionner 1,16 milliard de dollars investis en lobbying durant l'année 2005 dans les 42 États où les données sont disponibles.

Bien d'autres mesures pourraient être citées. Limitons-nous à faire brièvement mention d'une dernière qui ne manque pas de faire impression : en 1998-1999, chaque membre du Congrès pouvait, en moyenne, compter près de 40 lobbyistes à ses trousses[38] et estimer valoir 2,7 millions de dollars de dépenses en lobbying !

Les observations qui précèdent sont souvent avancées pour illustrer l'exceptionnalisme américain. Le sujet mériterait un examen approfondi, impossible à faire ici. La question se pose tout de même : cet exceptionnalisme tient-il à une différence réelle sur le plan des pratiques ? La plus grande différence vient peut-être du traitement et de l'accueil que l'on réserve au phénomène. En le prenant autrement que dans un sens péjoratif et après avoir réussi à le débarrasser de plusieurs de ses excès, les Américains considèrent le lobbying comme une activité légitime et, de ce fait, le phénomène apparaît avec plus de transparence. Ce qui n'amène pas à évacuer toute réflexion et, parfois, toute expression d'inquiétude sur cette pratique et celle, plus générale, de l'intervention des intérêts dans l'élaboration et l'application des politiques publiques[39].

La démocratie en péril ?

Dès l'origine, avant même l'adoption de la Constitution, la question du fonctionnement de la démocratie aux États-Unis s'était posée. Dans les

Federalist Papers, Madison s'était demandé si l'action des groupes devait être limitée, et il avait fait le pari de la liberté. Comme le rapporte James Thurber dans *Démocratie et droits de l'homme*[40], il crut plutôt que la solution «viendrait de la diversité de la population et de la structure du nouveau gouvernement». La mécanique des contre-pouvoirs qui caractérise le système politique américain a été abordée ailleurs dans cet ouvrage. Le présent chapitre a permis de constater la tendance à une plus grande diversité dans les pratiques de représentation des intérêts multiples qui composent la société américaine, comme toute société d'ailleurs. Les analyses de Jeffrey Berry en témoignent, et les données sur la pratique du lobbying en fournissent une indication additionnelle. De plus, on estime qu'entre 1970 et 1990, il se créait pas moins de 10 nouvelles associations par semaine. S'il devait entreprendre une nouvelle tournée américaine quelque 165-170 ans après la publication de son fameux compte rendu, Tocqueville n'aurait pas à renier ses observations d'alors. Il subsiste tout de même un doute quant à l'effet de ces pratiques sur l'actualisation de l'idéal démocratique qui inspirait les concepteurs de la Constitution américaine.

Jonathan Rauch est d'avis que cette prolifération des pratiques de représentation des intérêts mène à la paralysie gouvernementale[41]. Mais il suggère immédiatement qu'il faut traiter cette sclérose du gouvernement et de la démocratie en nous comportant un peu comme nous le faisons face au vieillissement: comme il s'agit d'une évolution inévitable, il vaut mieux apprendre à la gérer que de se rassurer faussement en l'occultant ou de s'époumoner à la dénoncer sans résultat. La démocratie électorale américaine n'est pas actuellement dans son meilleur état: l'élection présidentielle de 1996 a enregistré à 48,9 % le plus bas taux de participation à une telle élection depuis 1924, et les élections de mi-mandat de 1998 ont suscité la plus faible participation depuis 1942, une élection tenue en temps de guerre. Depuis, la situation n'a pas sensiblement changé. Dans *The Paradox of American Democracy*[42], John Judis attribue cette démobilisation, et le cynisme qui s'y greffe insidieusement, à la progression phénoménale de K Street. Néanmoins, il ne s'abandonne pas au défaitisme. Après avoir noté, tout comme Jeffrey Berry, la «réaction» des mouvements de diverses orientations qui ont accru leurs recours aux pratiques développées par les groupes conservateurs et les plus puissants, il doute cependant de leur capacité à contrebalancer le pouvoir de ces derniers. Il exprime par contre sa conviction que les Américains vont parvenir, comme après les années 1920, à rétablir un certain équilibre entre les secteurs moins favorisés de la société et ceux qui sont beaucoup mieux nantis. Il fonde son pari sur une prospérité économique retrouvée, comparable à celle des années 1920, qui devrait contribuer au rétablissement d'une certaine confiance dans les processus politiques et à la reconnaissance d'une légitimité nouvelle pour des programmes sociaux plus élaborés.

Cette projection généreuse et optimiste ne convainc pas tout à fait. Elle ne rallierait probablement pas Jonathan Rauch qui juge que l'extrême prolifération des groupes découle justement de l'expansion de cet État-providence qui distribue des avantages à tous les groupes, dans le besoin ou pas. D'une façon différente, Iris M. Young pose un diagnostic comparable dans *Justice and the Politics of Difference*[43] : l'État-providence a perverti le citoyen en consommateur de biens publics. Il y a un siècle, Arthur Bentley concevait le rapport des citoyens à l'État en des termes qui n'empruntaient pas à des logiques radicalement différentes.

Pour plusieurs, la démocratie électorale n'assure plus une représentation vraiment adéquate ; on juge préférable de s'organiser pour faire avancer sa cause ou ses intérêts et faire contrepoids. Sans organisation, en vient-on à croire, la partie serait jouée d'avance. Il se révélerait un peu simplificateur de voir en Goliath l'éternel gagnant, comme seule une bonne part de naïveté pourrait inspirer le scénario de victoires répétées de David. Cependant, la mobilisation des groupes peut parfois donner des résultats surprenants contre des machines technocratiques bien rodées, parfois même lubrifiées de discours démocratiques. Ainsi, comme le montre l'analyse de Gregory McAvoy[44], les citoyens mobilisés peuvent annuler des décisions qui semblaient pourtant extrêmement solides, même quand on cherche à faire passer leurs positions pour rétrogrades en les assimilant, par exemple, au syndrome « pas dans ma cour ». Plus important encore, le monde ne fonctionne pas toujours sur le mode manichéen qui oppose les bons et les méchants, ou les plus puissants aux plus faibles. Ainsi peut-on observer de plus en plus couramment avec Kevin Hula, qui signale cette tendance dans son *Lobbying Together*[45], la formation de coalitions d'intérêts organisés qui ont mené des batailles marquantes au cours des récentes années, des interventions sur la qualité de l'air aux législations antitabac. Cette tendance forte à l'établissement de coalitions, dans le but d'accroître l'efficacité de ses pratiques de représentation[46], peut sous un autre aspect se révéler rassurante quant au nécessaire dosage du respect de l'intérêt collectif et de la satisfaction des intérêts particuliers. C'est ce que pourrait suggérer le «besoin» des groupes de dissimuler la poursuite d'intérêts spécifiques derrière des consensus – illusoires ou pas – affichés sur un paravent d'intérêts partagés.

Une démocratie animée par les groupes d'intérêt ne représente sûrement pas un système idéal. Par contre, la démocratie électorale n'obtient pas non plus la note parfaite. Chercher à déterminer quel système est le plus désirable par rapport à l'autre donnerait sans doute lieu à d'interminables débats. Semblables discussions n'ont vraiment de sens que si l'on se demande de quelle façon l'intérêt du citoyen est le mieux servi. Elle ne peut être menée ici. Toutefois, une hypothèse de réponse raisonnable partirait sans doute de l'idée d'une coexistence complémentaire des processus électoraux et des processus de représentation par les groupes.

Notes

1. Georges-Albert Astre et Pierre Lépinasse, *La démocratie contrariée*, Paris, La Découverte, 1985.
2. Ralph Nader, *Main basse sur le pouvoir*, Paris, J.-C. Lattès, édition spéciale, 1973, p. 16-17.
3. Jonathan Rauch, *Demosclerosis. The Silent Killer of American Government*, New York, Times Books, 1994.
4. Léon Dion, *Société et politique. La vie des groupes*, Québec, Presses de l'Université Laval, t. 1, 1971 ; t. 2, 1972.
5. Définition tirée de Raymond Hudon, « Les groupes d'intérêt... au cœur de mutations démocratiques », dans Réjean Pelletier et Manon Tremblay (dir.), *Le parlementarisme canadien*, 3e édition revue et augmentée, Québec, Les Presses de l'Université Laval, 2005, p. 206.
6. À ce sujet, voir David Lowery, « Why Do Organized Interests Lobby ? A Multi-Goal, Multi-Context Theory of Lobbying », *Polity*, vol. 39, n° 1, 2007, p. 29-54. Par ailleurs, précisons que la notion de « membres » est ici entendue de manière à inclure non seulement des personnes qui adhèrent et participent à la vie d'une organisation, mais aussi d'autres qui contribuent à la vie d'une organisation sous forme de financement. La dynamique à laquelle il est ici fait référence pourrait aussi renvoyer aux actionnaires d'une entreprise ou institution financière.

7. G. David GARSON, *Group Theories of Politics*, Beverly Hills, Sage Publications, 1978.

8. À ce sujet, voir Elisabeth CLEMENS, *The People's Lobby. Organizational Innovation and the Rise of Interest Group Politics in the United States, 1890-1925*, Chicago, University of Chicago Press, 1997.

9. Arthur F. BENTLEY, *The Process of Government. A Study of Social Pressures*, Chicago, University of Chicago Press, 1908.

10. David B. TRUMAN, *The Governmental Process. Political Interests and Public Opinion*, New York, Knopf, 1951.

11. Mark P. PETRACCA (dir.), *The Politics of Interest. Interest Groups Transformed*, Boulder, Westview Press, coll. « Transforming American Politics », 1992.

12. Jeffrey BERRY, *The Interest Group Society*, Boston, Little, Brown, 1984 ; 2ᵉ éd., Glenview, Scott, Foresman, 1989 ; 3ᵉ éd., New York, Longman, 1997.

13. Jeffrey BERRY, *The New Liberalism. The Rising Power of Citizen Groups*, Washington, Brookings Institution Press, 1999.

14. Jeffrey BERRY, *Lobbying for the People. The Political Behavior of Public Interest Groups*, Princeton, Princeton University Press, 1977.

15. Mancur OLSON Jr., *The Logic of Collective Action. Public Goods and the Theory of Groups*, Cambridge, Harvard University Press, 1965 ; traduction française, *Logique de l'action collective*, Paris, Presses universitaires de France, coll. « Sociologies », 1978 ; 2ᵉ éd., 1987.

16. Sur ce sujet, voir Raymond HUDON, « Médiation, représentation et démocratie. Changements d'itinéraires entre la société civile et les institutions politiques », dans Jean CRÊTE (dir.), *La science politique au Québec. Le dernier des maîtres fondateurs, Hommage à Vincent Lemieux*, Québec, Les Presses de l'Université Laval, 2003, p. 219-245.

17. William P. BROWNE, *Groups, Interests, and U.S. Public Policy*, Washington, Georgetown University Press, 1998.

18. « *Congress shall make no law respecting an establishment of religion, or prohibiting the free exercise thereof ; or abridging the freedom of speech, or of the press ; or the right of the people peaceably to assemble, and to petition the government for a redress of grievances.* »

19. Amy GUTMANN (dir.), *Freedom of Association*, Princeton, Princeton University Press, coll. « University Center of Human Values », 1998.

20. David C. D. JACOBS, *Business Lobbies and the Power Structure in America. Evidence and Arguments*, Westport, Quorum Books, 1999.

21. Martin GILENS, *Why Americans Hate Welfare. Race, Media, and the Politics of Antipoverty Policy*, Chicago, University of Chicago Press, 1999.

22. Theodore R. MARMOR, *The Politics of Medicare*, Londres, Routeledge & K. Paul, 1970 ; 2ᵉ éd., Chicago, Adline Publications, 1973 ; 3ᵉ éd., New York, Aldine de Gruyter, coll. « Social Institutions and Social Change », 2000.

23. Sur ce phénomène du citoyen consommateur, voir tout d'abord Margaret SCAMMELL, « Citizen Consumers. Towards a New Marketing of Politics ? », dans John CORNER et Dick PETS (dir.), *Media and the Restyling of Politics. Consumerism, Celebrity and Cynicism*, Thousand Oaks, Sage Publications, 2003, p. 117-136. Il en découle un effet de personnalisation de la démocratie discuté par Matthew CRENSON et Benjamin

GINSBERG, *Downsizing Democracy. How America Sidelined Its Citizens and Privatized Its Public*, Baltimore, The Johns Hopkins University Press, 2004.

24. Léon DION, *Les groupes et le pouvoir politique aux États-Unis*, Québec/Paris, Presses de l'Université Laval/Armand Colin, 1965.

25. Les études sur le sujet font encore plus ou moins défaut pour le contexte nord-américain. Par ailleurs, pour les effets des institutions européennes sur la structuration de l'action des groupes, qui « forcent » la création de groupes proprement européens ou amènent les groupes nationaux et régionaux à repenser leurs modes d'intervention, les études pullulent. Pour un exemple de ce dernier type d'études, voir Wyn GRANT, *Presure Groups and British Politics*, New York, St. Martin's Press, 2000.

26. Le nombre d'associations inscrites dans *Encyclopedia of Associations* témoigne bien de cette progression : le nombre de 5843 inscriptions en 1959 bondit littéralement pour atteindre, par la suite, 23 298 en 1995 et apparemment se stabiliser à 22 366 en 2005. Pour les années 1959 et 1995, une ventilation par types d'associations a été menée par Frank M. BAUMGARTNER et Beth L. LEECH et présentée schématiquement dans *Basic Interests. The Importance of Groups in Politics and Political Science*, Princeton, Princeton University Press, 1998, p. 109. Pour l'année 2005, la même opération fut reprise par Raymond HUDON et présentée dans *Dura lex sed lex et Rules are made to be broken, Éclairages sur la Loi sur la transparence et l'éthique en matière de lobbyisme*, Québec, Rapport préparé pour le Commissaire au lobbyisme du Québec, mai 2007, p. 21.

27. Graham WILSON, *Interest Groups in the United States*, Oxford/New York, Clarendon Press/Oxford University Press, 1981.

28. Jeffrey BIRNBAUM, *The Lobbyists. How Influence Peddlers Get Their Way in Washington*, New York, Times Books, 1992.

29. Il est désormais connu que les titulaires de charges publiques (TCP) prêtent plus attention aux « lobbyistes » qui les alimentent en informations qui vont dans le sens de leurs propres perceptions et analyses, ces derniers choisissant par ailleurs souvent de concentrer leurs interventions auprès des TCP qui semblent déjà commis en faveur de leurs positions et intérêts. Voir Richard L. HALL et Alan V. DEARDORFF, « Lobbying as Legislative Subsidy », *American Political Science Review*, vol. 100, n° 1, 2006, p. 69-84.

30. Les entrepreneurs qui président souvent à l'apparition de nouveaux groupes et qui tiennent à la pérennité de leur « créature » prennent d'ailleurs soin de ne pas mettre tous leurs œufs dans le panier politique, même dans leurs relations avec les « philanthropes » qui ont permis de réaliser leur projet mais qui demeurent sensibles aux conjonctures politiques. À ce sujet, il faut lire Anthony J. NOWNES et Allan J. CIGLER, « Public Interest Groups and the Road to Survival » *Polity*, vol. 27, n° 3, 1995, p. 379-404.

31. Christine A. DeGREGORIO, *Networks of Champions. Leadership, Access, and Advocacy in the U.S. House of Representatives*, Ann Arbor, University of Michigan Press, 1997.

32. Susan HERBST (*Reading Public Opinion : How Political Actors View the Democratic Process*, Chicago, The University of Chicago Press, 1998) rend compte de cette réalité en soutenant que l'opinion qui compte pour les attachés politiques près des décideurs est celle qui est révélée par l'action des groupes et relayée dans les médias.

33. Ken KOLLMAN, *Outside Lobbying. Public Opinion and Interest Group Strategies*, Princeton, Princeton University Press, 1998.

34. Norman ORNSTEIN et Shirley ELDER, *Interest Groups, Lobbying and Policymaking*, Washington, Congressional Quarterly Press, 1973.

35. Jusqu'à présent, les États-Unis demeurent le seul pays, avec le Canada (et la Pologne !), à encadrer la pratique du lobbying par voie législative. Toutes les législatures des États fédérés et un certain nombre de grandes villes et agglomérations urbaines importantes ont emboîté le pas, avec des législations et réglementations qui montrent des écarts importants.

36. Pour le récit commenté de cet échec, voir James A. THURBER, « Lobbying, Ethics, and Procedural Reforms : The Do-Nothing 109th Congress Does Nothing about Reforming Itself », *Extensions* (revue électronique du Carl Albert Congressional Research and Studies Center), automne 2006.

37. Numéro spécial de la revue électronique *Démocratie et droits de l'homme*, vol. 3, n° 2, juin 1998, sur *Les groupes de pression aux États-Unis*, section intitulée « Le point de vue de deux parlementaires ».

38. Dans les États fédérés, en 2005, la moyenne s'établissait plus modestement à un niveau de plus de 5 lobbyistes par législateur, avec un sommet de tout juste un peu moins de 20 dans l'État de New York.

39. Nous aurions pu aborder d'autres questions cruciales comme celle du financement des partis politiques par les groupes. Ainsi, la législation et la réglementation touchant les Political Action Committees (PAC) sont liées de très près à l'objet du présent chapitre. Cependant, compte tenu de l'espace limité dont nous disposons, nous avons estimé que le sujet trouvait aussi bien sa place dans un chapitre consacré aux partis politiques.

40. James THURBER, « La prolifération des groupes de pression aux États-Unis », *Démocratie et droits de l'homme, op. cit.*

41. Jonathan RAUCH, *Government's End. Why Washington Stopped Working*, New York, Public Affairs, 1999.

42. John B. JUDIS, *The Paradox of American Democracy. Elites, Special Interests, and the Betrayal of Public Trust*, New York, Pantheon Books, 2000 ; 2ᵉ éd., New York, Routledge, 2001.

43. Iris M. YOUNG, *Justice and the Politics of Difference*, Princeton, Princeton University Press, 1990.

44. Gregory E. McAVOY, *Controlling Democracy. Citizen Rationality and the Nimby Syndrome*, Washington, Georgetown University Press, 1999.

45. Kevin W. HULA, *Lobbying Together. Interest Group Coalitions in Legislative Politics*, Washington, Georgetown University Press, coll. « American Governance and Public Policy », 1999.

46. La mesure de cette évolution est bien documentée dans Scott R. FURLONG et Cornelius M. KERWIN, « Interest Group Participation in Rule Making : A Decade of Change », *Journal of Public Administration Research and Theory*, vol. 15, n° 3, 2005, p. 353-370.

POUR EN SAVOIR PLUS

BIBLIOGRAPHIE ET LECTURES RECOMMANDÉES

BAUMGARTNER, Frank R. et Beth L. LEECH, *Basic Interests. The Importance of Groups in Politics and Political Science*. Princeton, Princeton University Press, 1998.

BERRY, Jeffrey M., *The New Liberalism, The Rising Power of Citizen Groups*, Washington, Brookings Institution, 1999.

BERRY, Jeffrey M. et Clyde WILCOX, *The Interest Group Society* (4ᵉ edition), New York, Longman, 2006.

BROWNE, William P., *Groups, Interests, and U.S. Public Policy*, Washington, Georgetown University Press, 1998.

CLEMENS, Elisabeth S., *The People's Lobby. Organizational Innovation and the Rise of Interest Group Politics in the United States, 1890-1925*, Chicago, University of Chicago Press, 1997.

DEGREGORIO, Christine A., *Networks of Champions. Leadership, Access, and Advocacy in the U.S. House of Representatives*, Ann Arbor, University of Michigan Press, 1997.

HULA, Kevin W., *Lobbying Together. Interest Group Coalitions in Legislative Politics*, Washington, Georgetown University Press, coll. « American Governance and Public Policy », 1999.

JUDIS, John B., *The Paradox of American Democracy. Elites, Special Interests, and the Betrayal of Public Trust*, New York, Pantheon Books, 2000 ; 2E éd., New York, Routledge, 2001.

KOLLMAN, Ken, *Outside Lobbying. Public Opinion and Interest Group Strategies*, Princeton, Princeton University Press, 1998.

MARMOR, Theodore R., *The Politics of Medicare*, Londres, Routledge & K. Paul, 1970 ; 2ᵉ éd., Chicago, Aldine Publications, 1973 ; 3ᵉ éd., New York, Aldine de Gruyter, 2000.

PETRACCA, Mark P. (dir.), *The Politics of Interests. Interest Groups Transformed*, Boulder, Westview Press, 1992.

WRIGHT, John R., *Interest Groups and Congress. Lobbying, Contributions, and Influence*, New York, Longman, 2003.

SITES INTERNET

American League of Lobbyists : www.alldc.org

Association for the Advancement of Retired Persons (retraités) : www.aarp.org

Center for Responsive Politics (surveillance des contributions financières aux partis politiques par les groupes d'intérêt) : www.opensecrets.org

Center for Public Integrity (pratique du lobbying aux États-Unis) : www.publicintegrity.org

Common Cause (groupe de surveillance de l'éthique du personnel politique) : www.commoncause.org

National Organization for Women (promotion des droits des femmes) : www.now.org

National Rifle Association (armes à feu) : www.nra.org

Political Advocacy Groups (un répertoire des groupes d'intérêt) : www.csuchico.edu/ ~kfountain

Sierra Club (environnement) : www.sierraclub.org

LES PARTIS POLITIQUES AUX ÉTATS-UNIS

Claude Corbo

Le bipartisme est certainement la caractéristique dominante du système des partis politiques aux États-Unis. Mais on en remarque d'autres : traditionnelle décentralisation capable de rassembler des groupes et des clientèles aux intérêts fort disparates, sinon antagonistes ; densité idéologique moins marquée que dans d'autres systèmes de partis ; degré parfois élevé de personnalisation ; coexistence de pratiques tantôt archaïques (on pense aux célèbres *conventions* ou assemblées quadriennales), tantôt hautement sophistiquées (en matière de collecte de fonds, de sondage et de marketing des candidats) ; coexistence, aussi, du palier national et des organisations d'État, d'une aile parlementaire et de composantes extraparlementaires. Une observation attentive révèle que les choses sont plus complexes : ainsi, les instances centrales des partis ont développé leurs ressources et leur autorité sur les partis d'État ; ainsi, encore, le discours idéologique différencie de façon marquée républicains et démocrates, chaque parti ayant connu, depuis la fin des années 1960, une certaine homogénéisation de ses effectifs.

Le bipartisme et ses bases historiques, institutionnelles et sociales

Depuis un siècle et demi, les institutions fédérales sont alternativement contrôlées par les démocrates et les républicains. Tous les présidents depuis

Abraham Lincoln, comme la majorité au Sénat et à la Chambre des représentants, ont été tantôt républicains, tantôt démocrates. Sauf exceptions particulières, les législatures des États se composent d'élus démocrates ou républicains. Et ces formations politiques font aussi souvent sentir leur présence dans les administrations locales ou régionales. Le bipartisme apparaît donc comme une réalité fondamentale de la vie politique américaine depuis les origines mêmes de la République.

Mais ce bipartisme n'est pas absolu. D'une part, à plusieurs reprises, des tiers partis ont eu un impact significatif sur les élections présidentielles. D'autre part, le bipartisme ne se répercute pas nécessairement à l'échelle des États : ainsi, pendant le siècle qui suit la fin de la guerre de Sécession, les démocrates dominent si massivement le Sud que l'on a pu parler de régimes à parti unique ; de même, le Midwest ou la Nouvelle-Angleterre ont connu une longue hégémonie du Parti républicain. Plusieurs facteurs renforcent le bipartisme et inhibent l'affirmation de tiers partis.

Des partis politiques nationaux existent aux États-Unis depuis la fin du XVIIIe siècle, même si les Pères fondateurs se méfiaient des « factions ». L'évolution historique des partis américains, par moments très enchevêtrée, a donné lieu périodiquement à des réajustements structurels majeurs ; de façon récurrente, les partis dominants ont tantôt connu des scissions, tantôt réussi à absorber des courants de protestation et de renouvellement véhiculés par des tiers partis.

Pour simplifier, on peut éclairer l'histoire des partis politiques américains en distinguant deux grandes périodes, avant et après la guerre de Sécession (voir le Tableau 6.1).

Des débuts de la République à la guerre de Sécession

Très tôt après l'élection du président Washington, qui s'était présenté sans étiquette partisane, des membres de son gouvernement, Alexander Hamilton et John Adams, regroupent les partisans d'un État fédéral fort dans le Parti fédéraliste reflétant les intérêts des classes dominantes (milieux commerçants et financiers, grands propriétaires, manufacturiers). Autour de Thomas Jefferson, qui quitte le gouvernement en désaccord avec la politique économique de Hamilton, se forme le Parti républicain (petits agriculteurs, artisans, milieux modestes du Sud, de l'Ouest, de la frontière) privilégiant les pouvoirs locaux, l'agriculture et la petite entreprise. Jefferson accède à la présidence en 1800 ; ses successeurs seront du même parti, désigné « démocrate-républicain » par ses opposants voulant dénoncer par là une sympathie pour la Révolution française qui les horrifie. Ces « démocrates-républicains » prolongeront leur hégémonie jusqu'à la fin de la présidence d'Andrew Jackson (1829-1837). Ce dernier, héros militaire et homme de la frontière, rassemble une coalition populiste d'agriculteurs, de petits commerçants et entrepreneurs et d'ouvriers attachés à l'égalité et à la promotion du citoyen ordinaire. L'ère de Jackson voit apparaître le recours à la *convention* nationale pour le choix des candidats à la présidence et l'organisation plus méthodique des campagnes électorales auprès d'un électorat en forte croissance démographique.

Après 1816, les fédéralistes ne briguent plus la présidence. En 1824, une faction des démocrates-républicains (« *National Republicans* ») bloque l'accès de Jackson à la présidence ; son propre candidat, John Quincy Adams, applique des politiques rappelant celles des fédéralistes. Jackson, élu en 1828, affronte les whigs, où se retrouvent à la fois les intérêts commerciaux, financiers et manufacturiers du Nord et des planteurs du Sud. De l'époque de Jackson à la guerre de Sécession, le bipartisme demeure instable et plusieurs partis voient le jour face à des enjeux nouveaux. Ainsi, pendant les années 1840-1850, le Native American Party (ou « *Know Nothing Party* ») s'oppose à l'immigration trop massive, notamment catholique et irlandaise, et veut porter à 21 ans le délai d'acquisition de la citoyenneté. L'esclavage divise encore davantage. Le Liberty Party s'y oppose dès 1840. Le Free Soil Party, rassemblant des éléments de ce parti et des opposants whigs et démocrates à l'esclavage, formule un programme antiesclavagiste et préconise l'accès gratuit à la terre pour les colons. Chez les whigs et chez les démocrates, l'esclavage crée des tensions et des divisions de plus en plus insurmontables.

La décennie précédant la guerre de Sécession accentue la crise de l'esclavage, oppose le Nord et le Sud du pays et déchire les partis, situation de laquelle naîtra le Parti républicain. Celui-ci regroupe à compter de 1854 des opposants à l'esclavage et à son extension, issus des rangs démocrates et whigs. En 1856, le Parti républicain propose un candidat présidentiel et se prononce contre l'extension de l'esclavage. Les présidentielles de 1860 seront décisives. Alors que les démocrates, incapables de trouver un candidat de compromis acceptable à leurs ailes sudiste et nordiste, se divisent entre deux candidats, les républicains, unis autour d'Abraham Lincoln, contre l'extension de l'esclavage et pour une politique protectionniste, conquièrent tant la présidence que la majorité dans les deux chambres du Congrès. La victoire républicaine, à plus long terme, restructure le système des partis.

De la guerre de Sécession à nos jours

Depuis la guerre de Sécession, le contrôle des institutions fédérales appartient, en alternance, aux républicains et aux démocrates.

Une longue hégémonie républicaine (1860-1932)

Pendant cette période, les républicains contrôlent la présidence, sauf pour les mandats de Grover Cleveland (1885-1889 et 1893-1897) et de Woodrow Wilson (1913-1921), et aussi le Congrès, à l'exception de brefs intermèdes. Seuls les États du Sud leur échappent ; en fait, pendant le siècle qui suit la guerre de Sécession, le Sud sera monolithiquement démocrate. L'hégémonie républicaine, à l'échelle nationale, n'est pas absolue : certaines élections présidentielles sont très serrées ; les majorités au Sénat et à la Chambre des représentants ne sont pas toujours très fortes, et le Sud rejette les républicains.

Le Parti républicain tire sa force électorale de milieux très divers qu'il rassemble durant le dernier tiers du XIXᵉ siècle : grandes et petites entreprises, agriculteurs, petites villes et milieux ruraux, protestants blancs et aussi une partie de la population noire. Cependant, ce large éventail d'appuis ne prévient pas l'émergence de mouvements de protestation économique et sociale et de tiers partis. Au cours des années 1870 et 1880, les milieux agricoles du Middle West et de l'Ouest souffrent d'une baisse tendancielle des prix de leurs productions, du coût élevé des transports et des fournitures, et du poids de politiques favorisant l'industrialisation. Il en résulte des mouvements de protestation. Le Greenback Party rejoint certains milieux ouvriers et présente des candidats présidentiels en 1880 et 1884. Le Populist Party exprime la colère de l'Ouest agraire contre l'Est industriel et financier et recueille un million de votes et cinq États aux présidentielles de 1892, avant de fusionner avec les démocrates et leur candidat présidentiel W. J. Bryan en 1896. Le Progressive Party exprime aussi une protestation urbaine contre les excès du capitalisme sauvage, les monopoles et les trusts, et l'exploitation féroce de la classe ouvrière. Inspirant des réformes, il trouvera une écoute sympathique chez les intellectuels, les classes urbaines et les milieux ouvriers. En 1912, il appuie la candidature présidentielle indépendante de Théodore Roosevelt et facilite l'élection du démocrate Wilson qui mettra en application certaines de ses idées.

Face aux républicains qui, jusqu'à la grande dépression de 1929, chercheront à se draper de l'« américanisme » le plus pur, le Parti démocrate conserve son emprise sur le Sud et s'assure des clientèles dans les milieux immigrants du Nord-Est, avec ses « machines » politiques, et auprès des minorités religieuses (catholiques, juifs) des grandes villes.

L'hégémonie démocrate (1932-1968)

Devant la grande dépression de 1929, le gouvernement républicain de Herbert Hoover apparaît impuissant. Sous le leadership de Franklin Delano Roosevelt, le Parti démocrate forme une « grande coalition » qui réaligne l'électorat américain : Blancs du Sud, petits agriculteurs, minorités ethniques et religieuses, grandes villes, classe ouvrière et milieux défavorisés, mais aussi libéraux et élites du Nord-Est et intellectuels, et une proportion toujours croissante de la population noire. Dominant les institutions fédérales, le Parti démocrate met en œuvre les réformes d'inspiration keynésienne et socialement progressistes : *New Deal* de Roosevelt, *Fair Deal* de Truman (1945-1953), *New Frontier* de Kennedy (1961-1963) et *Great Society* de L. B. Johnson (1963-1969). Les démocrates dirigent les États-Unis pendant la Deuxième Guerre mondiale, et les guerres de Corée et du Viêt-nam, installant résolument les États-Unis comme puissance mondiale interventionniste et liée par d'innombrables alliances étrangères.

L'hégémonie démocrate amène d'abord une différenciation accrue des deux grands partis. Les démocrates sont interventionnistes à l'intérieur et à l'extérieur et attentifs aux problèmes des minorités, notamment la population noire engagée dans la conquête des droits civiques durant les années 1950 et 1960. Les républicains préconisent le conservatisme fiscal et contestent le *Big Government*. Si, durant la présidence républicaine d'Eisenhower (1953-1961), les partis tendent vers le centre, si les républicains sont contraints, par la majorité démocrate au Congrès, à conserver nombre de réformes sociales du *New Deal*, les années 1960 préparent une renaissance républicaine. En effet, l'appui des démocrates aux revendications de la population noire contre le racisme et la discrimination, qui se traduit par de grandes législations telles que le *Civil Rights Act* de 1964 et le *Voting Rights Act* de 1965, a pour effet de détacher le Sud de ce parti. En 1964, le Sud appuie le candidat présidentiel républicain Goldwater ; en 1968, l'indépendant George Wallace facilite l'élection du républicain Richard Nixon. Parallèlement, l'embourbement dans la guerre du Viêt-Nam, l'instabilité sociale dans les grandes villes, le déplacement vers les banlieues, la prospérité, tous ces facteurs amènent un désenchantement de divers milieux qui achève de disloquer, au profit des républicains, la grande coalition démocrate en quelque sorte victime de ses réussites sociales.

Une prédominance républicaine mitigée depuis 1968

Le dernier tiers du xxᵉ siècle se caractérise par une prédominance républicaine mitigée. La présidence est acquise aux républicains (1969-1977, 1981-1993, 2001-2009) plus qu'aux démocrates ; ceux-ci maintiennent toutefois leur majorité au Congrès jusqu'aux élections de 1994 et, jusqu'en 2007, la majorité des deux Chambres est républicaine. Les partis se transforment. D'une part, à l'occasion de candidatures présidentielles « radicales » (Goldwater chez les républicains en 1964, McGovern chez les démocrates en 1972), les tendances minoritaires de chaque parti (libéraux républicains et conservateurs démocrates) ont éprouvé un malaise aigu. D'autre part, la montée de la Nouvelle Droite d'inspiration chrétienne fondamentaliste a eu un impact sur l'échiquier politique et a accentué les spécificités des deux grands partis. La forte personnalité politique de Ronald Reagan a facilité une coalition de la droite religieuse et des conservateurs économiques qui a entraîné vers des positions plus conservatrices les démocrates eux-mêmes, comme en témoigne le gouvernement de Bill Clinton fortement secoué par la nouvelle majorité républicaine au Congrès issue des élections de 1994. En toile de fond à cette évolution, on observe une croissance tendancielle de la proportion des électeurs qui se déclarent « indépendants ». Depuis 1992, des tiers partis ou des candidatures indépendantes ont influé sur les résultats des présidentielles (Ross Perot a obtenu 20 % du vote en 1992 et 9 % en 1996, et Ralph Nader, avec 2,7 % du vote lors du scrutin très serré de 2000, a nui au candidat démocrate Al Gore).

Le dernier tiers du XXe siècle est donc marqué de changements. D'une part, les deux partis se repositionnent dans l'électorat pour consolider des clientèles anciennes et en conquérir de nouvelles ; cela frappe davantage les démocrates dont la « grande coalition » est à reconstruire ; mais les républicains n'ont pu demeurer insensibles à des composantes significatives de l'électorat (femmes, Noirs, Hispano-Américains, minorités). D'autre part, à titre de parti traditionnellement minoritaire dans l'électorat, les républicains ont développé, dès le début des années 1970, de nouvelles techniques de collecte de fonds, de publicité électorale et de marketing politique. En outre, chaque parti a connu une certaine « épuration » de ses rangs, les « libéraux » quittant les républicains, comme les « conservateurs » (notamment les Blancs du Sud) avaient déjà abandonné les démocrates. Cela amène aussi une différenciation idéologique plus marquée. L'enracinement ancien des deux partis dominants rend difficile l'émergence de nouveaux partis et consolide le bipartisme.

Le système électoral. Le scrutin uninominal à un tour où la simple pluralité des votes donne la victoire, le découpage de la carte électorale où il n'y a qu'un élu par circonscription (ou à l'échelle de l'État pour le Sénat ou nationale pour la présidence), l'absence quasi totale de tout recours à la proportionnalité, aux États-Unis comme ailleurs, consolident le bipartisme. Dans le cas de l'élection à la présidence, le candidat qui obtient la simple pluralité des voix dans un État, même si ce total est inférieur à la moitié lorsqu'il y a une candidature d'un tiers parti, obtient la totalité des votes de cet État au collège électoral (sauf dans le Maine et au Nebraska). En outre, la législation électorale qui, pour l'essentiel, relève de la compétence des États ne fait rien pour faciliter les choses aux tiers partis, par exemple pour l'inscription aux primaires. De plus, le financement fédéral public pour les candidats présidentiels est accessible à certaines conditions aux tiers partis, mais de façon différée dans le temps et pour ceux qui ont obtenu au moins 5 % du vote. Les partis dominants ont pris et prennent les moyens, par la législation électorale, pour préserver l'hégémonie du bipartisme.

Les institutions gouvernementales. Ainsi, la fonction présidentielle, exercée par un individu seul, exclut tout partage du pouvoir entre plusieurs partis. De plus, dans un pays où rivalisent d'innombrables intérêts économiques et groupes sociaux, le parti le plus uni, le mieux représenté dans l'ensemble du pays, le plus rassembleur, a le plus de chances de remporter la présidence. Cela pousse à la constitution de partis capables de rejoindre une grande proportion de l'électorat. Des candidatures des grands partis qui s'éloignent trop du centre vont au désastre électoral, *a fortiori* pour les candidats de tiers partis qui ciblent des clientèles trop étroites. Par ailleurs, si la séparation des pouvoirs entre présidence et Congrès donne à chaque institution des moyens d'exercer ses responsabilités sans s'engager plus loin que par des alliances conjoncturelles autour de projets particuliers (lois, budget, politiques), l'efficacité du fonctionnement des institutions souffrirait gravement de la multiplication de formations politiques concurrentes. Ainsi, les institutions établies par la Constitution consolident les partis majeurs et font très peu de place aux tiers partis.

Des facteurs sociologiques

Périodiquement de grands enjeux de société ont polarisé la population et les leaders politiques en camps opposés : partisans et adversaires de l'indépendance, de la Constitution de 1787, de l'esclavage, de l'intervention de l'État (fédéral notamment) dans l'économie et les affaires sociales, de conceptions morales précises (pour ou contre l'avortement), etc. Le bipartisme a donc été facilité tant par l'apparition d'enjeux collectifs polarisant la population que par l'existence de consensus profonds sur beaucoup d'éléments fondamentaux de l'économie, des institutions. De même, la faiblesse de la conscience de classe laisse peu de place aux options politiques radicales. La flexibilité idéologique même des partis (capacité d'accueillir des groupes et des intérêts nouveaux, disponibilité à assumer des projets d'abord exprimés et portés par des tiers partis) consolide le bipartisme. Par ailleurs, la croissance fulgurante des coûts des campagnes électorales incite les individus et les groupes à miser sur les partis ayant le plus de chances de l'emporter ; on veut voter « utile » et on veut que les dons rapportent. La propension à voter pour des formations politiques peu susceptibles de gagner et à les aider financièrement n'est pas très grande et contribue à fortifier les deux partis dominants.

Le bipartisme repose donc sur des assises historiques, électorales, institutionnelles et sociologiques solides. L'émergence périodique de tiers partis, qui peut être liée à des scissions conjoncturelles dans les partis dominants, signale que les partis se sont aliéné une fraction importante de la population ou tardent à faire face à certains enjeux importants. Mais ce genre de signal d'alarme conduit les partis à s'ajuster rapidement.

Les fonctions des partis

Les partis américains, comme ceux d'autres pays, assument pour l'essentiel trois grandes fonctions. Ce qui les distingue de partis d'autres pays, c'est le poids relatif accordé aux fonctions. Ainsi, aux États-Unis, la fonction électorale occupe une place très considérable.

Fonction électorale

Les 87 900 unités de gouvernement des États-Unis comptent un très grand nombre de fonctions électives. Les partis politiques assument donc une fonction électorale. Ils réunissent individus et groupes hétérogènes pour conquérir et exercer le pouvoir par l'élection. Sauf dans certains cas particuliers et très rares, on ne peut être élu qu'en s'identifiant comme démocrate ou républicain.

La fonction électorale des partis passe d'abord par le choix des candidats. Aux origines de la République, ce choix relevait du *caucus* par le biais d'une cooptation par les élus en place, les permanents et la machine du parti. À compter des années 1820 et 1830, la *convention* (à l'échelle de l'État ou, pour la présidence, du pays) s'impose pour élargir le nombre des participants au choix et elle se pratique encore. La convention est essentiellement une assemblée de délégués élus par la base militante dans chaque État qui choisit les candidats. Au palier présidentiel, une proportion croissante des délégués à la convention nationale est sélectionnée par les primaires. Caucus ou convention, le choix des candidats s'effectue toujours dans le cadre du parti.

La généralisation des primaires affaiblit l'emprise de l'appareil des partis sur le choix des candidats puisque le succès d'un candidat auprès de l'électorat dans les primaires peut surmonter les réticences ou l'opposition de l'establishment du parti. Les primaires ont favorisé l'émergence de candidats présidentiels « *outsiders* » chez les démocrates : Carter en 1976 ou Clinton en 1992 (ex-gouverneurs d'États marginaux). Mais l'indépendance des candidats se paie d'une dépendance accrue envers les *Political Action Committees* (*PAC*) et les groupes d'intérêt.

La deuxième composante de cette fonction électorale est l'organisation des élections. Entre les élections, les partis s'emploient à préparer leur programme, diffuser leur propagande, garnir leurs coffres, former les candidats et préparer l'affrontement. En période électorale, tout l'appareil du parti se met à l'œuvre pour maximiser le nombre d'élus. Des *precincts* (ou sections de vote) locaux au comité national, l'effort de chaque parti est optimisé par deux phénomènes. D'une part, les élections sont de plus en plus personnalisées : les candidats peuvent adoucir leur référence partisane pour exploiter leur image ou leur programme propres en tablant sur leur organisation, mais l'étiquette partisane demeure nécessaire ; d'autre part, les spécialistes, professionnels et consultants en tous genres s'imposent comme troupes d'élite, moteurs et stratèges d'ensemble de l'effort électoral du parti, réduisant les organisations locales et les militants à exécuter des tâches plus modestes, quoique essentielles : assurer l'inscription sur les listes électorales et « faire sortir le vote » le jour de l'élection. Comme les élections sont souvent fragmentées en de multiples luttes locales et personnalisées, l'organisation nationale s'attache à la promotion de l'image du parti, à la collecte et la distribution de fonds, à l'aide technique et à la coordination d'ensemble, et aussi à certaines luttes électorales qui ont une importance particulière.

Dans leur fonction électorale, les partis doivent composer avec les médias écrits et électroniques, dont Internet, comme canaux de communication privilégiés avec les électeurs et aussi de collecte de fonds. Mais la couverture des campagnes comporte une part d'initiative des médias dans la mise en lumière des enjeux et dans l'éclairage variable projeté sur les candidats et les programmes. Les groupes d'intérêt, pour leur part, interviennent volontiers par leur aide financière, leur discours et la mobilisation de leurs membres, pour influencer le choix des candidats, l'orientation de leur programme et la promotion de leurs propres enjeux.

Fonction idéologique et programmatique

À certaines périodes de l'histoire, des observateurs ont évoqué un « unanimisme » idéologique qui caractériserait les partis américains. Mais il faut être prudent à cet égard. Certes, les partis partagent des terrains d'accord. La nécessité, pour conquérir la présidence, de constituer une grande coalition aussi diversifiée que possible d'électeurs, de groupes d'intérêt et de régions, tempère l'ardeur idéologique. De même, c'est souvent dans les partis que se trouvent des tensions idéologiques. Cependant, les partis ont des clientèles caractérisées et différentes et ils doivent les conserver en répondant, par leur idéologie et leur programme, aux soucis, aux besoins et aux attentes de ces milieux.

On relève dans l'histoire des clivages idéologiques importants entre les partis majeurs : par exemple pendant la grande dépression des années 1930. Les années 1950 ont atténué les divergences. Cependant, depuis une génération, l'orientation idéologique et les programmes des partis se sont différenciés. Des candidatures présidentielles plus « radicales » (Goldwater chez les républicains en 1964, McGovern chez les démocrates en 1972) de même que des changements dans la base sociologique des partis (par exemple la montée des républicains dans le Sud et l'influence, chez eux, de la nouvelle droite chrétienne et fondamentaliste) ont amené dans les partis une certaine « épuration » (des « libéraux » chez les républicains et des conservateurs blancs sudistes chez les démocrates) propice à un discours idéologique plus tranché et à des programmes mieux démarqués. La présidence de Ronald Reagan a aussi influencé un tassement à droite durant les années 1980 qui s'est prolongé pendant l'administration Clinton, forcée de composer avec un Congrès dominé par les républicains, et celle de G. W. Bush. Mais il se trouve aussi que le bipartisme accroît les débats idéologiques *au sein même* des partis.

Cela dit, il est généralement juste d'ajouter que les démocrates se situent à la gauche des républicains pour la grande majorité des enjeux, une fois constatés les accords sur les cadres fondamentaux du système économique et politique du pays. Sur le rôle de l'État, les démocrates sont plus interventionnistes et centralisateurs que les républicains et ils croient que l'État fédéral peut intervenir efficacement dans des questions comme la lutte à la pauvreté, la protection financière contre la maladie, l'accès au logement, la protection des droits civiques, donc des enjeux qui touchent les moins favorisés et la partie la plus économiquement vulnérable de la classe moyenne. Les républicains font confiance à la société civile et à l'enrichissement de la société dans son ensemble ainsi qu'à l'action des États et des gouvernements locaux pour résoudre des problèmes sociaux en évitant les solutions uniformes imposées depuis Washington qui conduisent aussi au gigantisme de l'État fédéral et à la bureaucratisation de son action. Les démocrates et les républicains aspirent à un budget équilibré ; les premiers ont été plus volontiers keynésiens que les seconds. Sous le gouvernement Reagan, les républicains ont consenti des baisses d'impôts considérables, avantageant surtout les plus riches et qui ont produit des déficits très importants ; cela caractérise aussi l'action de G. W. Bush. Les démocrates tiennent à un partage plus équitable du fardeau fiscal et, comme l'a montré l'administration Clinton, demeurent très attachés aux grands programmes sociaux fédéraux. À l'égard de l'économie en général, les deux partis sont foncièrement capitalistes, adeptes de l'entreprise privée et du marché comme régulateur ; cependant, en matière de formation de la main-d'œuvre, de politiques économiques conjoncturelles favorisant le fonctionnement harmonieux de l'économie, de protection du consommateur et de l'environnement, les démocrates reconnaissent plus que les républicains un rôle utile et efficace à l'intervention étatique. Les républicains ont favorisé le libre-échange, la privatisation et la déréglementation à un degré sensiblement plus marqué que les démocrates. Il y a chez ces derniers un sentiment durable que l'État doit contribuer à corriger les dérapages de l'économie de marché et déployer des actions susceptibles d'aider les moins avantagés et de redresser les torts. Chez les républicains, il y a un sentiment tout aussi durable qu'une économie de marché est à long terme plus efficace comme correctif aux problèmes économiques et même sociaux que des interventions étatiques trop poussées et trop tatillonnes. Les démocrates ont choisi l'action gouvernementale pour combattre l'inégalité (des races ou des sexes); ils ont favorisé, par exemple, l'«*affirmative action*» et l'*Equal Rights amendement*; les républicains ont exprimé des réserves à l'égard d'interventions gouvernementales prétendant faire mieux que ce qui résulterait d'un retour aux «valeurs sociales traditionnelles». En substance, ils professent une adhésion très marquée à l'individualisme et aux capacités du marché de satisfaire les besoins humains, confinant l'État dans un rôle subsidiaire; les démocrates apparaissent plus pressés de mobiliser les efforts de l'État pour guérir rapidement les maux sociaux. En matière de politique étrangère, les démocrates ont déployé au cours du xxᵉ siècle une conception plus interventionniste et, avec la Guerre froide, ont cherché la sécurité du pays non seulement par un puissant appareil militaire, mais par des ententes multilatérales. Les républicains, longtemps isolationnistes, ont adouci cette position, mais insistent toujours sur la nécessité d'une suprématie militaire certaine. Leur politique étrangère a parfois été paradoxale: le même président Reagan a pu proposer l'initiative très déstabilisatrice de la «Guerre des étoiles» et des hypothèses audacieuses de la réduction des arsenaux militaires. C'est le républicain Bush qui a entrepris la guerre du Golfe pour libérer le Koweït en y risquant des troupes terrestres, alors que le démocrate Clinton a été très prudent dans ses interventions au Kosovo en 1999. Le deuxième président Bush a mis de l'avant une doctrine de l'intervention préventive (d'où l'invasion de l'Irak en 2003).

Des différences idéologiques appréciables distinguent donc les deux partis, mais *à l'intérieur de consensus fondamentaux* sur le maintien du système économique et politique dans ses grandes caractéristiques et sur la préservation de la suprématie mondiale du pays. Les divergences se manifestent quant au degré d'intervention de l'État dans la vie de la société; sur ce point, les démocrates sont plus actifs, les républicains plus réservés. Il est aussi visible que le Parti républicain est davantage influencé par la droite chrétienne fondamentaliste que les démocrates ne le sont par les éléments les plus progressistes de la société. Pour certains observateurs, le fossé idéologique et politique entre les deux partis irait en croissant. Mais l'électorat force les partis à la modération.

Cela dit, les élus des deux partis conservent une autonomie importante. La discipline idéologique est bien limitée et le pragmatisme ainsi que les intérêts des commettants et des clientèles influent beaucoup sur les actions et les votes des élus dans les travaux parlementaires. La contestation idéologique en profondeur de l'ordre économique et politique vient de l'extérieur des grands partis, c'est-à-dire des tiers partis ou de certains groupes sociaux, parmi lesquels les groupes d'intérêt.

Fonction de participation politique et d'animation des institutions

Les partis politiques assument aussi une fonction de participation politique et d'animation des institutions. Les partis fournissent aux citoyens un milieu d'engagement personnel dans la vie politique. Les élus assurent les liens entre les citoyens et l'énorme appareil gouvernemental fédéral. Les représentants et les sénateurs forment une élite gouvernante, mais sont aussi les porte-parole et les défenseurs de leurs commettants, soit les citoyens qui votent et les groupes d'intérêt qui les appuient et les financent. Les élus mettent beaucoup de soin à défendre les intérêts de leurs électeurs et de la partie du territoire qu'ils représentent, car ils savent que leur réélection en dépend. Quand un élu doit choisir entre la solidarité envers son parti et la solidarité envers ses électeurs, c'est celle-ci qu'il favorisera. Dans ce contexte, la force de la discipline et de la ligne du parti est bien différente de ce que l'on trouve dans le système parlementaire : d'une part, il arrive régulièrement que le parti dominant le Congrès ne contrôle pas la Maison-Blanche, ce qui complique les relations entre les institutions et ce qui amollit la ligne du parti ; d'autre part, les factions dans les partis et l'indépendance qui vient aux élus du fait qu'ils jouissent de mandats fixes font que, même dans les groupes parlementaires de l'un et l'autre partis, les dirigeants n'ont pas une autorité complète sur leurs collègues.

Les partis au Congrès

Les partis jouent un rôle capital dans l'organisation de chaque Chambre et des travaux parlementaires. À la Chambre des représentants, le *speaker* (président), s'il est théoriquement élu par l'ensemble des représentants, provient toujours du parti majoritaire comme choix du caucus de ce parti. De même, toutes les commissions et sous-commissions de la Chambre sont présidées par des membres du parti majoritaire et le partage des sièges y reflète la position des partis dans la Chambre. De plus, le *speaker* (Commission de règlement) dispose d'une autorité réelle, notamment en raison du Rules Committee, qui traite de l'organisation et du fonctionnement des travaux parlementaires. Et l'histoire de la Chambre a été marquée par des *speakers* exerçant une forte autorité sur leurs pairs. Au Sénat, la présidence est beaucoup moins forte qu'à la Chambre ; cependant, là aussi, le parti majoritaire occupe la présidence des commissions et sous-commissions et la majorité des sièges. Par ailleurs, chaque parti dans chaque Chambre s'est doté d'une organisation complexe de comités ayant pour mandat d'organiser le leadership du parti (choix du leader parlementaire et des whips, assignation des membres aux commissions, etc.), de coordonner les travaux de ses membres et de promouvoir le programme du parti. Ainsi, davantage depuis les années 1970, la présence des partis se fait fortement sentir dans l'organisation du Congrès et le déroulement des travaux parlementaires.

Mais cela ne se traduit pas par une discipline constante dans les votes et la prise de décision. Selon les périodes, entre les deux tiers et les trois quarts des votes des parlementaires suivent la ligne du parti. Représentants et sénateurs n'hésitent pas à s'en éloigner lorsque la fidélité partisane pourrait compromettre leur position auprès de leurs électeurs ou de groupes puissants dont l'appui continu est nécessaire à leur réélection. Cela conduit à des résultats qui contrastent nettement avec la discipline de parti en système parlementaire. Un exemple : le 24 mai 2000, un projet de loi favorisant la libéralisation du commerce avec la Chine, vivement soutenu par le président Clinton, a été approuvé par une majorité de la Chambre des représentants composée aux deux tiers de républicains, alors que les deux tiers des représentants démocrates s'y opposaient.

La force de la ligne du parti dans les votes du Congrès est essentiellement fluctuante : pour l'organisation même des travaux parlementaires, par exemple le choix du *speaker* chez les représentants et les nominations aux commissions (présidence incluse), la ligne du parti est très forte. Il en va de même pour des enjeux où les dimensions partisanes prédominent :

ainsi, les votes des parlementaires dans la procédure de destitution du président Clinton furent très fortement influencés par l'appartenance partisane. Cependant, en matière économique et sociale et pour des enjeux de nature « morale », les votes sont dictés au moins autant et souvent davantage par ce que le parlementaire estime être l'intérêt de son électorat, même si cela devait l'opposer à la ligne de son parti. La colère de l'électorat ou l'opposition féroce de groupes d'intérêt apparaissent toujours plus menaçantes que les sanctions du parti. L'indépendance accrue des parlementaires au moment des campagnes électorales ne peut se traduire que par une indépendance accrue dans le cadre des travaux parlementaires. Inversement, la dépendance accrue au moment des primaires et des élections à l'égard des groupes d'intérêt et des Political Action Committees se traduit par une attention soutenue de ces parlementaires aux besoins de leurs commettants, au point de les éloigner de leur parti dans les travaux parlementaires.

Le président américain dispose d'une autorité et d'un leadership beaucoup moins assurés sur le Congrès ou même sur les élus de son parti que ceux d'un premier ministre parlementaire. Les présidents, devant souvent faire face à un Congrès dominé par le parti adverse, ne peuvent imposer leur programme qu'au prix de compromis et ils doivent régulièrement exercer leur veto ou menacer d'y recourir. Même quand le parti présidentiel contrôle aussi le Congrès, le président doit composer avec les factions de son propre parti et au besoin faire alliance avec une faction du parti adverse pour faire prévaloir ses projets. Quand, en plus, le président est un « *outsider* » ayant fait carrière hors des cercles du pouvoir de la capitale ou n'est pas un familier des arcanes du Congrès, il peut se heurter, comme ce fut le cas pour Jimmy Carter (1977-1981), à une longue résistance du Congrès et échouer à imposer son programme. L'incompatibilité entre le mandat législatif et tout mandat au sein de l'exécutif prive le président de cet instrument de discipline du parti qu'est, pour le premier ministre en système parlementaire, la possibilité de nommer des députés à des postes de ministres. De même, l'accord du président n'est nullement requis pour être candidat au Sénat ou à la Chambre. En plus, les parlementaires américains ont un mandat à durée fixe que le président ne peut abréger de sa propre autorité. Tous ces facteurs influent sur la dynamique des partis au Congrès et leurs rapports avec la présidence.

La présidence et les partis

À la différence du Congrès, un seul parti domine la présidence pour chaque mandat de quatre ans. Cela colore fortement l'organisation du pouvoir exécutif aux États-Unis. Il n'y a pas de coalition au sens européen du terme et le président et le vice-président sont du même parti. Les secrétaires dirigeant les départements du gouvernement (ministères) sont nommés par le président (avec l'accord du Sénat) et proviennent des rangs du parti présidentiel ou de sa mouvance (sauf certains spécialistes « neutres » et souvent au moins un secrétaire venant du parti adverse). Depuis l'installation du *spoils system* par Andrew Jackson dans les années 1830, la haute fonction publique, les dirigeants des organismes réglementaires et des sociétés d'État, de même que le personnel immédiat du président et la direction des services de la présidence (Executive Office of the President), etc., proviennent des rangs ou de la mouvance du parti présidentiel. Même les juges fédéraux nommés par le président (y compris ceux de la Cour suprême) ont une coloration partisane (plus ou moins marquée), car la nomination de juges est un moyen dont se servent volontiers les présidents pour marquer durablement de leur influence politique personnelle l'appareil gouvernemental.

Ainsi, la conquête de la présidence donne à un parti le contrôle de l'appareil gouvernemental ; il nomme ses membres et ses sympathisants (et fréquemment, comme dans le cas de certaines ambassades, des bailleurs de fonds individuels particulièrement généreux). La présidence et l'appareil exécutif sont organisés essentiellement sur une base partisane. À la différence du Congrès, on trouve généralement dans cet appareil exécutif une ligne de parti beaucoup plus ferme. Il y a, bien sûr, des rivalités et des conflits de juridiction au sein du pouvoir exécutif et même des reflets de tensions entre factions du parti occupant la Maison-Blanche. Les présidents habiles s'emploient à les utiliser à leur propre avantage. Cependant, les présidents n'hésitent habituellement pas à sacrifier ceux qui fléchissent trop dans leur zèle d'« hommes du président ».

Les présidents contemporains, depuis F. D. Roosevelt en particulier, gardent une certaine distance avec leur parti. Avec la généralisation des primaires, l'accession à la présidence requiert que les aspirants se dotent

d'une forte organisation personnelle, de sources de financement autonomes et d'une capacité de rejoindre et de séduire l'électorat qui repose
aussi sur l'image et le message personnel. Il faut beaucoup plus qu'une
simple étiquette partisane et l'appui de l'establishment du parti. Par
ailleurs, la majesté de l'institution elle-même, l'éclat et l'omniprésence que
lui confèrent les médias, fournissent au président des moyens supplémentaires pour se faire réélire et, souvent, pour amener un Congrès farouche-
ment indépendant à se rallier à ses priorités.

Dans le fonctionnement des institutions, cette intervention des partis
porte la marque des caractéristiques essentielles de ces derniers : bipartisme, mais avec, dans chaque parti, des factions et des courants divers ;
cohésion sur certains enjeux critiques, mais aussi indépendance importante des élus ; rassemblement de coalitions diversifiées et influence constante des groupes d'intérêt ; volonté de centralisation et de cohésion qui
tend à renforcer la ligne du parti.

Les caractéristiques majeures des partis politiques

Les partis américains se distinguent des partis des autres pays par six caractéristiques majeures.

Les membres

L'appartenance à un parti politique est « autoproclamée ». Le citoyen
s'inscrit sur la liste électorale de son État comme « démocrate », « républicain »
ou « indépendant » et le demeure tant qu'il ne modifie pas sa déclaration.
Ainsi, selon la législation électorale des États ou les statuts des partis à
l'échelle de l'État, l'appareil du parti n'a le plus souvent aucun contrôle sur
un statut de membre autoproclamé.

Complexité de l'organisation

Une deuxième caractéristique des partis américains tient à la complexité de
leur organisation, comme on le verra plus loin. Pour l'instant, il faut
signaler que, en raison du caractère fédéral du pays, chaque parti compte

une double organisation, sur le plan des États et sur le plan national, et que, à chaque palier, l'organisation se ramifie en plusieurs instances relativement autonomes les unes par rapport aux autres. Traditionnellement décentralisés, les partis se sont engagés, durant les années 1960, dans un processus de centralisation motivé par divers facteurs, dont la nécessité d'assurer une plus fidèle représentation de la population dans leurs instances, le coût croissant des campagnes électorales, notamment à la présidence, la nécessité de présenter une image cohérente et un discours unifié à l'électorat. Cependant, l'organisation demeure complexe.

Contrôle limité sur les candidatures

Une autre caractéristique des partis est le contrôle limité qu'ils exercent sur le choix de leurs candidats aux élections. Cela s'explique par le recours de plus en plus poussé aux primaires, lesquelles furent instituées précisément pour arracher le contrôle des candidatures à l'establishment des partis pour le confier aux membres. Certes, les leaders du parti au Congrès peuvent chercher à recruter des candidats prometteurs et à les aider, mais ceux-ci doivent réussir l'épreuve des primaires.

Leadership partagé et diffus

Le leadership démarque les partis américains de ceux d'autres pays, notamment à système parlementaire, par son caractère partagé et diffus. Quand un parti occupe la Maison-Blanche, le président exerce un indéniable ascendant sur son parti. Mais le président a un mandat limité et son ascendant s'amenuise au fur et à mesure qu'il s'approche de la fin de son mandat. Et il doit composer avec les dirigeants de son parti dans les deux chambres du Congrès. Par ailleurs, un candidat défait à la présidence perd, du fait de son insuccès, l'ascendant sur son parti que lui avait valu la conquête de l'investiture officielle. Aussi, pour le parti qui ne contrôle pas la présidence du pays, le leadership est particulièrement diffus.

Les partis comme coalitions

Même si, depuis les années 1960, les partis ont raffermi leur discours, précisé leur idéologie et épuré leurs rangs, chaque parti est en réalité une coalition de tendances diverses. Si plusieurs facteurs historiques, institutionnels et sociologiques imposent, en quelque sorte, le bipartisme, ces facteurs refoulent à *l'intérieur* des deux partis la variété des intérêts et des idéologies qui en d'autres systèmes politiques s'expriment par le multipartisme.

On peut ainsi déceler dans chacun des deux grands partis des courants idéologiques et des factions qui donnent à chacun le caractère d'une coalition. Le Parti républicain abrite trois types de conservatisme différents. Le conservatisme économique et politique, enraciné dans les milieux d'affaires (grandes entreprises et aussi PME), les professions libérales, les classes fortunées, des milieux ruraux et de petites villes, veut réduire le rôle de l'État et les taxes et impôts, déréglementer, décentraliser, privatiser. Le conservatisme social et culturel s'attache à la défense des « valeurs traditionnelles » et au redressement moral du pays. Ce courant rassemble les chrétiens fondamentalistes luttant contre l'avortement, la pornographie et autres « dérives morales », et des traditionalistes nostalgiques d'une époque où les États-Unis vivaient dans un « splendide isolement ». On trouve enfin chez les républicains le conservatisme « sécuritaire », personnalisé par les « néoconservateurs » et tous ceux qui, à la suite des attentats du 11 septembre 2001, veulent promouvoir activement à travers le monde, par la force si nécessaire, la démocratie libérale, l'économie de marché et les droits humains. Les démocrates comptent aussi de multiples factions. Il y a les traditionalistes de la grande coalition qui se réclament de l'héritage de F. D. Roosevelt, H. S. Truman, J. F. Kennedy et de L. B. Johnson. Ils prônent un meilleur partage de la richesse et du pouvoir dans la société américaine, une plus grande égalité des droits et ils voient dans l'interventionnisme de l'État le moyen nécessaire pour atteindre ces objectifs. Le mouvement syndical, les mouvements des communautés noire et hispano-américaine, les nostalgiques du *New Deal* en forment la base. À la gauche se trouvent des démocrates « progressistes » très critiques envers le *Big Business* et le pouvoir jugé excessif des grandes entreprises et bureaucraties, très inquiets de l'impérialisme du pays et soucieux que leur parti se démarque davantage des républicains. Il y a enfin des démocrates voulant moderniser les orientations de leur parti. Provenant de la classe moyenne, souvent engagés dans des industries fondées sur le savoir, ils veulent adapter le discours du parti aux réalités du XXIe siècle en donnant priorité à l'amélioration du système d'éducation, en acceptant le libre-échange (dont se méfient les autres courants) comme facteur-clé de la croissance économique et d'une richesse plus grande et mieux partagée, et en tablant sur les nouvelles technologies pour générer la richesse et résoudre les problèmes sociaux.

Chaque cycle électoral, et notamment celui des présidentielles, est l'occasion pour les factions et les courants que coalisent les partis de se positionner plus efficacement, de soutenir certains candidats et de chercher à influencer la « plate-forme » électorale du parti. Les composantes des partis sont aussi révélatrices de leurs électorats « naturels ».

Les partis et l'électorat

En effet, les partis se caractérisent par leur enracinement dans la société. Si, à tour de rôle, républicains et démocrates purent imposer leur hégémonie, c'est parce qu'ils surent constituer de grandes coalitions entre des composantes majeures de l'électorat et s'attacher des électorats « naturels ».

Selon les sondages menés des années 1930 aux années 1980, les démocrates ont historiquement bénéficié de l'appui de 40 à 45 % de l'électorat, laissant les républicains en position minoritaire (30 à 35 % de l'électorat). L'écart s'est resserré depuis une génération. Les sondages révèlent aussi qu'une portion importante de la population se considère « indépendante » et refuse toute étiquette partisane lors de l'inscription sur les listes électorales. L'hégémonie des deux grands partis s'est notamment traduite par le phénomène du *straight-ticket voting* (voter pour des candidats selon une stricte ligne de parti). Cependant, on observe à la fois une croissance des « indépendants » et une croissance du *split-ticket voting*, amenant l'électeur à partager ses préférences entre les partis selon les postes. À l'heure actuelle, l'avantage historique des démocrates s'est réduit à une marge d'environ 3 à 5 %. L'électorat est plus volatile et changeant dans ses préférences. Ces tendances lourdes obligent les partis à renforcer et raffiner leur organisation et leurs méthodes de travail auprès de l'électorat.

Par-delà la croissance des « indépendants », chaque parti conserve, dans l'électorat, sinon des bastions, du moins une base sociologique constituée de groupes d'électeurs plus particulièrement susceptibles de lui accorder leurs faveurs. Ainsi, même si des électeurs noirs votent pour le Parti républicain, une très forte majorité de la population noire soutient le Parti démocrate. On peut décrire comme suit (Tableau 5.1) les bases sociologiques des principaux partis, en précisant qu'il s'agit de tendances sujettes à des fluctuations conjoncturelles.

L'organisation des partis

En décrivant l'organisation des partis, il faut se souvenir que la législation des divers États peut imposer des modes d'organisation différents à l'échelle locale ou étatique, que chaque parti d'État a ses propres règlements d'organisation et que les partis nationaux formulent aussi des règles pouvant influencer l'organisation des partis. La description de l'organisation qui suit esquisse un *modèle très général* qui connaît nombre de variantes et de cas particuliers.

TABLEAU 5.1

Bases sociologiques des partis

	Démocrates	Républicains
Âge	Moyen	Jeunes, 3e âge
Sexe	Femmes (léger avantage)	Hommes (léger avantage)
Origine ethnique	Immigrants 1re, 2e génération Noirs, hispaniques	Blancs (WASP – White Anglo-Saxon Protestant, Sud)
Religion	Catholiques, juifs	Protestants, fondamentalistes
Scolarité	Primaire, secondaire	Secondaire, collégial, universitaire
Milieu de vie	Grandes villes, métropoles	Banlieues, régions rurales, petites villes rurales
Statut professionnel	Chômeurs, fonctionnaires, ouvriers syndiqués, universitaires	Gens d'affaires, dirigeants d'entreprises, cadres, agriculteurs, professions libérales
Niveau de revenu	Faible, moyen inférieur	Moyen supérieur, élevé
Régions	Est	Sud, Midwest, Ouest

Organisation locale et régionale

À la base se trouvent les membres. De façon générale, les règlements adoptés par les partis d'État statuent que sont membres toutes les personnes qui se sont inscrites sur la liste électorale de l'État en se définissant comme « démocrates » ou « républicaines ». Tous ces membres ainsi identifiés ne sont certes pas des militants. Ceux qui militent de façon active se rattachent à une première unité qui est le *precinct* (ou section de vote) et les partis cherchent à identifier dans ces unités des militants particulièrement actifs pour stimuler et animer les autres membres.

Les paliers local et régional d'organisation les plus importants sont, selon les États, le district électoral pour l'élection des membres à la législature de l'État ou encore le *county*. Dans beaucoup d'États, les membres du parti d'un même *county* s'assemblent pour élire leurs dirigeants locaux, et aussi leurs représentants aux instances du parti d'État ; il en va ainsi, à titre d'exemple, chez les démocrates du Wyoming qui se réunissent à cette fin annuellement au mois de mars. Ailleurs, par exemple chez les démocrates de l'État de New York, l'unité d'organisation pour la représentation auprès des instances du parti d'État est l'Assembly District, c'est-à-dire la circonscription pour l'élection des parlementaires de l'État ; mais pour ce parti dans cet État, il y a aussi le County Committee qui a son existence propre. Celui-ci tient des réunions régulières et assure le lien entre la base partisane et les instances supérieures du parti, particulièrement à des fins électorales. La vitalité et la force de l'organisation locale conditionnent la fortune électorale des partis aux divers paliers en fournissant les militants, en plus d'assurer le lien entre la population et les élus.

Le parti d'État

Le parti d'État est le deuxième palier de cristallisation de l'organisation. Chaque parti cherche à se doter d'une organisation solide et efficace dans chacun des 50 États. C'est une condition essentielle de succès électoral à tous les paliers. Mais la force des partis d'État varie considérablement selon les régions et les époques. Un State Central Committee formé de membres élus au palier des *counties* et de membres d'office (p. ex. gouverneur,

membres du Congrès ou de la législature d'État) dirige, avec son comité
exécutif, le parti d'État. Il y a aussi une présidence du parti d'État d'importance variable : elle peut être éclipsée par un gouverneur d'État ou un sénateur fédéral influent. Mais si le parti d'État ne compte pas de tels élus, la
présidence, outre les questions d'organisation et de financement, peut
exercer un rôle politique plus important. L'essentiel de l'activité du parti
d'État est électoral. Si le parti est au pouvoir dans l'État, l'organisation
s'intéresse aux questions de favoritisme (contrats, nominations) ; sinon, il
s'agit de préparer les prochaines élections. Le centre de gravité politique, au
palier des États, se situe chez les élus plus que dans l'organisation pour ce
qui tient aux programmes et aux orientations politiques ; l'organisation n'a
guère de rôle de coordination des élus (tant d'État que fédéraux) ; elle est
essentiellement électorale. Au comité directeur du parti d'État se greffent
des comités électoraux pour la législature d'État et pour le Congrès fédéral.
Il y a aussi des comités spécialisés : finances, affaires juridiques, élections,
etc. Le parti d'État peut aussi compter des organisations spécialisées (par
exemple : jeunes, femmes). Chez les représentants des *counties* ou des
districts et chez les dirigeants du parti, des règles assurent une représentation équitable des femmes. Ainsi, le parti d'État vise à avoir les moyens et
les modes d'organisation pour en faire une machine électorale efficace.

L'organisation nationale

L'organisation nationale, longtemps simple lien fédérateur des partis
d'État, s'est considérablement renforcée depuis la fin des années 1960.

La **convention nationale** quadriennale est en principe l'autorité
suprême dans chaque parti. Chaque année d'élection présidentielle, elle
assume quatre grandes fonctions : a) la nomination des candidats à la
présidence et à la vice-présidence (fonction de plus en plus formelle
puisque les primaires déterminent dans les faits le candidat présidentiel et
celui-ci choisit son colistier) ; b) l'approbation de la « plate-forme » ou
programme officiel du parti ; c) l'établissement des règlements du parti ; et
d) l'élection de dirigeants du parti. La convention permet aussi de refaire
l'unité du parti après les luttes des primaires et de le mobiliser pour les
élections nationales. De plus, la convention vise à saisir l'attention de

TABLEAU 5.2

Schéma général d'organisation des partis politiques aux États-Unis

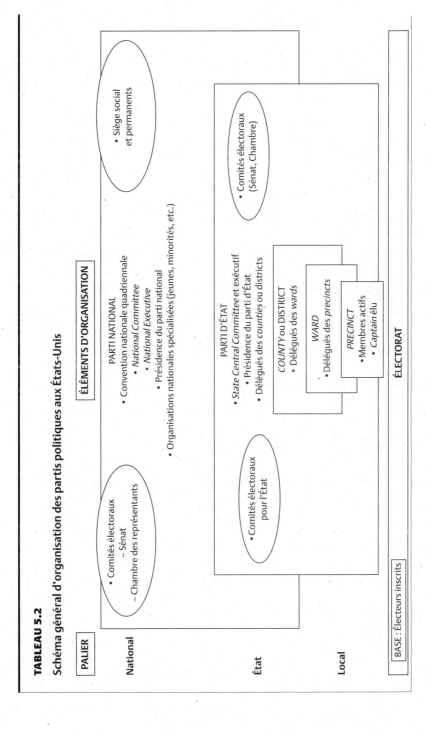

PALIER	ÉLÉMENTS D'ORGANISATION
National	**PARTI NATIONAL** • Convention nationale quadriennale • *National Committee* • *National Executive* • Présidence du parti national • Organisations nationales spécialisées (jeunes, minorités, etc.) • Siège social et permanents • Comités électoraux – Sénat – Chambre des représentants
État	**PARTI D'ÉTAT** • *State Central Committee* et exécutif • Présidence du parti d'État • Délégués des *counties* ou districts • Comités électoraux (Sénat, Chambre) • Comités électoraux pour l'État
Local	*COUNTY* ou DISTRICT • Délégués des *wards* *WARD* • Délégués des *precincts* *PRECINCT* • Membres actifs • *Captain* élu

ÉLECTORAT

BASE : Électeurs inscrits

l'électorat en vue des élections à venir. Les partis choisissent très soigneusement la ville où se tient la convention ; ce peut être l'occasion d'entreprendre la conquête ou la reconquête électorale d'une région. Depuis la fin des années 1960, chacun des deux partis a consacré des efforts considérables à peaufiner les règles de sélection des délégués pour en assurer la représentativité. Sauf les *super delegates* chez les démocrates qui représentent l'appareil du parti et ses élus, les délégués sont choisis à l'occasion des primaires ou de conventions tenues par les partis d'État. Chaque parti s'efforce donc de faire de sa convention un événement médiatique marquant pour séduire l'électorat.

Le **comité national**, composé selon des règles de représentativité de plus en plus détaillées et méticuleuses, dirige le parti entre les conventions. Longtemps cantonné dans des tâches administratives, le comité national joue un rôle politique et électoral de plus en plus important, contribuant à la centralisation et l'intégration des partis et à leur professionnalisation. Responsable de l'organisation de la convention quadriennale, le comité national applique la réglementation du parti, notamment pour la sélection des délégués, ce qui influence la vie des partis d'État, et il peut élaborer des projets de nouveaux règlements. La collecte de fonds est une activité permanente de plus en plus professionnalisée des partis ; l'efficacité en cette matière donne au comité national un levier d'influence sur les partis d'État. Par la recherche sur l'électorat et par la production et la diffusion de matériel publicitaire, le comité national s'emploie inlassablement à promouvoir l'image et la notoriété du parti. Ce type d'activité est aussi de plus en plus professionnalisé. Les comités nationaux offrent aux organisations d'État, aux candidats et aux élus de multiples services électoraux : formation technique des candidats et de leur équipe, orateurs itinérants, information sur la législation électorale ou sur la collecte de fonds, studios de production audiovisuelle, etc. Ces ressources et cette expertise renforcent l'ascendant des comités nationaux sur les partis d'État. Enfin, les comités nationaux contribuent à la réflexion du parti et à la préparation du programme officiel.

Les pouvoirs juridiques formels des comités nationaux comportent des limites : autonomie des partis d'État ; faible contrôle sur le choix des candidats, en raison des primaires ; gestion partielle des campagnes électorales des candidats qui, surtout à la présidence, comptent d'abord sur leur propre organisation et ont une influence considérable sur le programme. Les comités nationaux ne contrôlent ni ne coordonnent les élus. Cependant, de plus en plus, ces comités font sentir leur influence et leur poids politique par leur personnel permanent et leurs professionnels en matière de collecte de fonds, de publicité et d'organisation électorale, par leur capacité à recueillir des fonds et par le soin qu'ils mettent à façonner et diffuser l'image du parti. Le développement de la réglementation régissant les partis, à l'échelle nationale et dans les États (appuyée par les tribunaux), l'intensification de la rivalité des partis à la conquête d'un électorat de plus en plus indépendant et partagé, tendent aussi à renforcer l'influence des comités nationaux et favorisent la centralisation des partis.

Une **présidence** (par exemple : un homme et une femme chez les républicains) dirige le comité national. Si le parti contrôle la Maison-Blanche, la présidence du parti est occupée par une ou des personnes très liées au président ; sinon, elle est plus autonome et joue un rôle plus important tant en matière d'organisation que d'orientation politique. La présidence gère le siège social du parti et ses permanents, dirige l'organisation centrale du parti, entretient des relations avec les partis d'État, veille à la collecte de fonds et concourt à la préparation de l'appareil du parti en vue des élections. La rotation à la présidence du parti est assez rapide.

Des **organisations spécialisées** gravitent autour de l'organisation nationale du parti pour rejoindre et mobiliser des groupes particuliers : les femmes, les jeunes, les diverses minorités (Noirs, juifs, Hispaniques), ainsi que les gais et lesbiennes. Le comité national peut aussi se doter de multiples comités spécialisés, par exemple un comité sur les règlements ou le comité de la « plate-forme » responsable d'élaborer le programme du parti.

À tous ces éléments d'organisation, il faut ajouter les comités électoraux autonomes des partis au Congrès (républicains et démocrates du Sénat, républicains et démocrates de la Chambre des représentants). Ces comités ont un rôle essentiellement électoral au service des élus en place : assistance technique, collecte et partage de fonds. Ces comités se dirigent eux-mêmes et sont distincts à la fois du comité national et de l'organisation du parti dans chaque Chambre du Congrès responsable de la structuration des travaux parlementaires et de la désignation des dirigeants des partis en

Chambre. L'existence de tels comités électoraux manifeste la volonté des parlementaires de veiller eux-mêmes à leurs destinées électorales sans dépendre seulement de l'organisation centrale de leur parti. Les présidents ont aussi des préoccupations semblables. La centralisation des partis américains, si elle est réelle, demeure limitée, du moins comparativement à ce qui caractérise d'autres systèmes nationaux de partis politiques.

Une organisation en constante évolution

L'organisation des partis évolue. L'évolution est, à certains égards, para-doxale puisqu'elle renforce et relativise à la fois les partis comme acteurs politiques. Tout d'abord, l'organisation se centralise. La reconnaissance des droits civiques de la population noire, pendant les années 1950 et 1960, le mouvement féministe et les revendications d'autres groupes minoritaires ont accru le souci de représentativité. Les lois fédérales sur le financement des campagnes présidentielles poussent aussi à la centralisation.

Les partis se professionnalisent. L'influence de la télévision et mainte-nant d'Internet sur l'activité électorale et le coût croissant des campagnes électorales à tous les paliers obligent les partis à recourir aux services de spécialistes, comme en matière de sondages. La professionnalisation des partis n'est pas absolument nouvelle ; à leur manière, les patrons (*bosses*) des machines politiques d'antan étaient aussi des professionnels. Ceux d'aujourd'hui s'en distinguent par des compétences beaucoup plus poin-tues et une action menée à partir des instances nationales des partis. L'omniprésence de la télévision et la puissance des images qu'elle transmet et qui peuvent en un instant exalter ou torpiller une candidature, tout comme les coûts croissants des campagnes électorales, accroissent jusqu'à la démesure l'influence des consultants professionnels sur les partis et les candidats.

Mais cette organisation nationale, plus forte que jamais à l'égard des partis d'État, vit aussi des développements qui tendent à la relativiser. D'une part, le rêve progressiste du début du xxᵉ siècle de démocratiser le choix des candidats aux élections, en le confiant aux membres des partis par le mécanisme des primaires, a non seulement été en bonne partie réalisé par la généralisation des primaires, mais encore ce recours a-t-il pour effet de réduire considérablement l'influence de l'appareil des partis sur le choix des candidats et aussi d'amener ceux-ci, particulièrement les candidats présidentiels, à se doter de leur propre organisation, de leurs propres professionnels et consultants, et de leurs propres démarches de collecte de fonds. À cet égard, la centralisation nationale des partis n'empêche pas une baisse d'influence dans le choix des candidats.

Par ailleurs, l'allongement et l'intensification des campagnes électorales par la généralisation des primaires, de même que l'obligation où se trouvent les candidats de recourir de plus en plus massivement à la télévision et à Internet comme moyen de rejoindre un électorat nombreux et souvent distrait, augmentent de façon irrésistible le coût des campagnes. On assiste ainsi à la croissance du nombre de Political Action Committees (PAC), ces organismes de collecte et de distribution de fonds électoraux mis sur pied par les divers groupes d'intérêt pour financer les campagnes électorales. Selon des données de la Federal Election Commission, il y environ 4 500 PAC à l'œuvre et, pendant les années 2003-2004, ils disposaient de plus 600 millions de dollars. En finançant les candidats aux élections, les PAC exercent une influence rivalisant vivement avec celle des partis.

Le financement des partis politiques

La question du financement des partis se complique du fait que coexistent des législations fédérales et d'État et que le financement peut s'adresser aux partis nationaux, aux partis d'État et aux organisations multiples qu'ils mettent sur pied, et encore aux candidats eux-mêmes, et ce, au stade des primaires autant qu'à celui des élections officielles. Les lois régissant le financement des partis et des candidats n'ont guère fait preuve, à ce jour, d'une étanchéité très rigoureuse et ont comporté de multiples échappatoires. Par ailleurs, les volontés de légiférer sur le financement doivent composer avec un important jugement rendu en 1976 par la Cour suprême (*Buckley* c. *Valeo*). Selon ce jugement, la loi ne peut limiter les dépenses effectuées par un candidat ou sa famille ou par une personne ou un groupe pour ou contre un candidat si ces dépenses ne sont pas coordonnées avec un candidat; de plus, un candidat renonçant à tout financement public peut dépenser sans limites tous les fonds dont il dispose (fortune propre ou dons reçus). Cela dit, une approche historique permet de mieux saisir la problématique du financement des partis et des candidats à l'échelle fédérale.

La première période débute par une loi fédérale de 1907 interdisant les contributions directes des banques et entreprises aux campagnes électorales fédérales. D'autres législations introduiront ultérieurement l'obligation pour les élus de divulguer leurs sources de financement et appliqueront aux syndicats l'interdiction de financer directement les candidats. Plusieurs de ces lois sont l'objet de contestations devant les tribunaux et elles ne s'avèrent guère contraignantes : par exemple, si les entreprises ne peuvent financer des candidats, la loi n'empêche pas leurs dirigeants de le faire (notamment avec des fonds mis à leur disposition par l'entreprise) ; les syndicats créeront des comités parallèles assurant la distribution de leurs contributions aux candidats sympathiques aux intérêts syndicaux. Les candidats ne sont pas tenus de déclarer les dépenses faites par des personnes ou des groupes à leur bénéfice. Ainsi, le contrôle tant du financement que des dépenses des candidats et des partis est pour le moins limité.

L'adoption en 1971 du *Federal Elections Campaign Act* et d'une nouvelle version de la loi en 1974 marque une deuxième période. La loi de 1971 réitère les interdits antérieurs de financement direct par des entreprises ou des syndicats, établit des limites aux fonds qui peuvent être donnés par des individus ou des groupes aux candidats eux-mêmes (par opposition aux partis) pour les aider dans leur campagne électorale aux primaires ou aux élections officielles (ce que l'on appelle les *hard dollars*, l'argent affecté directement aux dépenses électorales, par opposition aux *soft dollars*, l'argent donné aux partis à des fins générales, ce qui offre une échappatoire considérable au contrôle du financement politique) et impose aux candidats des obligations de divulgation de leurs revenus et dépenses. La seule possibilité pour les entreprises, les syndicats, les groupes d'intérêt, de financer les candidats est donc de créer des entités distinctes, les PAC destinés à recueillir et à distribuer des fonds.

La nouvelle législation du Congrès, en 1974, crée un organisme régulateur bipartisan dans sa composition, la Federal Election Commission. En outre, cette législation met en place le financement public des candidats engagés dans les élections présidentielles. Ce financement public comporte trois volets : 1) les candidats aux primaires peuvent obtenir des fonds publics d'appariement (*matching funds*) dans la mesure où ils obtiennent des fonds d'individus ou de groupes selon des barèmes déterminés ; 2) les deux grands partis obtiennent des fonds fédéraux pour l'organisation de leur convention nationale quadriennale (environ 15 000 000 $) ; 3) les candidats officiels des partis obtiennent des fonds pour la campagne électorale proprement dite (en 2004, près de 75 000 000 $), mais ils ne peuvent recevoir ni dépenser d'autres fonds pour leur campagne ; seules demeurent permises les dépenses « indépendantes et non coordonnées » effectuées de façon autonome par des tiers au profit d'un candidat donné. Cependant, un candidat à la présidence qui renonce aux fonds fédéraux (lors des primaires ou lors de l'élection officielle) peut dépenser sans restrictions. C'est la stratégie choisie par les candidats Bush et Kerry en 2004.

Le financement public, selon ces lois adoptées depuis 1971, ne concerne que la présidence. Les candidats au Sénat et à la Chambre des représentants doivent pourvoir à leur propre financement. Leurs fonds viennent de sources multiples : 1) fortune personnelle du candidat ; 2) collecte de fonds auprès des militants du parti ou du grand public ; 3) aide financière du parti ; et 4) fonds venant des PAC. Ces PAC ne peuvent donner plus de 5 000 $ à un candidat. Cependant, cette restriction s'accompagne d'échappatoires multiples : prêt de locaux, d'équipements, réalisation de sondages, fourniture de bénévoles, etc., et surtout, les PAC peuvent dépenser de façon illimitée pour autant que ces dépenses s'effectuent indépendamment du candidat et de façon non coordonnée. Par ailleurs, les PAC favorisent dans une proportion de 6 ou 7 à 1 les élus sollicitant un renouvellement de mandat.

Si elles ont permis d'assainir quelque peu le financement des campagnes présidentielles, les législations des années 1970 n'ont pas réussi à endiguer le raz-de-marée d'argent privé déferlant, élection après élection, en provenance des PAC sur la scène politique américaine. Ce sont des centaines de millions de dollars qui inondent les candidats et les partis eux-mêmes. Jusqu'à la réforme de 2002, on assiste au triomphe du *soft money*. Il s'agit de toutes ces contributions, de toutes sources imaginables, qui échappent à la réglementation fédérale, notamment parce qu'elles se font souvent au bénéfice des partis d'État en vertu de législations d'État fort limitées ou même inexistantes. De multiples organisations partisanes peuvent re-cueillir des fonds : les comités nationaux, les comités électoraux du Sénat ou de la Chambre, les partis d'État, les organisations locales, les associa-tions spécialisées des partis nationaux, etc. Le plus souvent, de tels fonds n'ont pas de vocation directement électorale : ils servent aux fins générales des partis, au *party-building* ; cependant, comme la première fonction des partis est électorale, on comprend que ces fonds de *soft money* influencent significativement leurs activités électorales. Les partis d'État sont un domaine privilégié pour le financement non réglementé : ils peuvent dépenser pour l'organisation générale, pour l'inscription d'électeurs sur les listes électorales, pour la propagande, avec peu ou pas de restrictions selon les États, et peuvent recevoir, dans une proportion significative d'États, des fonds d'entreprises ou de syndicats. Leurs revenus et dépenses ne sont pas comptabilisés à l'échelle fédérale, notamment pour les élections présiden-tielles. Les partis nationaux peuvent aussi recevoir des fonds à l'intention des partis d'État ; mais beaucoup de ces fonds remis aux partis d'État peuvent intervenir dans les élections fédérales. L'origine et l'usage des fonds des grands partis peuvent être maquillés ou même occultés en exploitant les lacunes des lois fédérales ou en jouant sur les distinctions, auxquelles se prête la législation, entre partis et candidats, parti national et parti d'État, dépenses électorales et dépenses générales de fonctionnement et d'organisation. On comprend que les fonds des partis rejaillissent dans l'arène électorale par les services multiples que les partis accordent à leurs candidats.

C'est cet état de choses que veut corriger le *Bipartisan Campaign Reform Act* (*BCRA*) adopté à l'instigation du sénateur républicain (candidat défait à l'investiture présidentielle de son parti en 2000) John McCain et signé par le président Bush le 27 mars 2002. Applicable au lendemain des élections de novembre 2002, la loi vise à mieux encadrer le financement des partis et des candidats. Ainsi, la loi :

- limite à 95 000 $ (montant périodiquement indexable selon l'infla-tion) la contribution totale d'un individu sous toutes formes et pour tous les destinataires pendant un cycle électoral de deux ans ;

- limite les contributions des PAC sous toutes formes, mais élection par élection et candidat par candidat ;
- s'efforce de limiter les transferts de fonds entre partis nationaux et partis d'État (mais toutes les possibilités ne sont pas régies).

Cependant, le *BCRA* comporte encore des échappatoires multiples ; de plus, la loi n'a pas encore été complètement testée devant les tribunaux, ce qui ne manquera pas de survenir. Par ailleurs, ces dispositions n'empêchent pas les candidats et les partis d'imaginer des voies nouvelles de financement. Ainsi, le recours à Internet pour solliciter des contributions d'un très grand nombre de citoyens a déjà été tenté avec un succès surprenant par certains candidats à l'investiture démocrate (par exemple, Howard Dean en 2004, avant son retrait de la course). En outre, la multiplicité des composantes de l'organisation des partis (à l'échelle nationale, de l'État et locale), tout comme la possibilité pour les partis de créer des organisations autonomes, mais proches d'eux et qui ne sont pas nommément désignées par la nouvelle loi, offrent autant de façons d'exploiter des manières inédites, et présumément légales en raison des silences de la loi, de solliciter et de dépenser des fonds au bénéfice des candidats et des partis. À compter de 2004, les partis nationaux se sont dotés de procédures par lesquelles des donateurs potentiels sont invités à transmettre leur contribution à un parti d'État, ce qui soustrait les donateurs aux maxima admissibles de dons au parti national. Comme les législations des années 1970, le *Bipartisan Campaign Reform Act* de 2002 est une tentative louable et courageuse d'accroître la transparence, l'équité et l'encadrement du financement des partis et des candidats. Cependant, il ne faudrait pas se surprendre de ce que l'efficacité de la loi se heurte rapidement à des limites. Les caractéristiques du processus électoral, aussi bien que la férocité avec laquelle les groupes d'intérêt et les lobbies défendent leur cause et cherchent à influencer les élus ne pourront avoir pour effet que d'étirer la loi au maximum et, surtout, de faire imaginer et exploiter d'autres voies par lesquelles l'argent influencera les élections, les orientations des candidats et des partis et la prise de décision politique. L'influence de l'argent des groupes d'intérêt, une constante de la vie politique américaine, semble présentement atteindre de nouveaux sommets, compte tenu de l'effet conjugué de la médiatisation intense du processus électoral et du recours généralisé aux primaires, deux phénomènes accroissant de façon constante le besoin d'argent des candidats et des élus qui aspirent à le demeurer. Les groupes d'intérêt l'ont compris et leur influence croît à la mesure des fonds qu'ils distribuent à la classe politique en composant le mieux possible avec les lois en vigueur, en exploitant la complexité de l'organisation des partis, et aussi celle du processus électoral.

Les tiers partis

Le bipartisme durable qui caractérise le système politique américain ne doit pourtant pas occulter l'existence de tiers partis. Tout au long de l'histoire du pays et encore aujourd'hui, des tiers partis ont existé et joué des rôles variés dans la vie politique : expression de groupes minoritaires, manifestation de désaffection vis-à-vis des partis dominants de classes sociales ou de régions du pays, porteurs de nouveaux enjeux ou de nouvelles revendications, résultat de crises conjoncturelles dans un parti dominant. Souvent, les tiers partis ont été des incubateurs d'idées nouvelles, dont la cooptation par un parti dominant et la mise en œuvre ont privé ces partis de leur raison d'être.

Historiquement, on peut distinguer trois types de tiers partis. Il y a d'abord eu des partis « monomaniaques » (*single issue*) reposant sur une idée très étroitement ciblée : le Native American Party (*Know Nothing Party*) s'opposant dans les années 1840 à l'immigration, le Greenback Party demandant une réforme monétaire durant les années 1870, ou encore le Prohibition Party, fondé en 1872 et toujours actif, qui s'oppose aux boissons alcoolisées.

Ensuite, se construit, surtout au XXᵉ siècle, un deuxième type de parti, et ce, autour d'un personnage politique influent en rupture avec l'un des partis dominants, qui se porte candidat à la présidence en promouvant aussi un programme politique plus ou moins élaboré. Ainsi, en 1912, Théodore Roosevelt, président de 1901 à 1909, tente de reconquérir la présidence en faisant scission d'avec le Parti républicain (ce qui facilite l'élection du démocrate Woodrow Wilson). En 1948, le Parti démocrate et le président sortant Harry S. Truman doivent composer avec une double défection : la droite sudiste soutient la candidature présidentielle de Strom Thurmond, identifiée au States' Rights Party, rejetant toute forme de déségrégation des institutions (*Dixiecrats*), et la gauche appuie la candidature de Henry A. Wallace (qui avait été vice-président sous Roosevelt de 1941 à 1945) et utilise l'étiquette de « progressiste ». En 1968, un gouverneur démocrate, George Wallace, reprend le combat contre la ségrégation et exprime l'opposition du Sud aux législations consacrant les droits de la communauté noire, avec l'American Independent Party qui, avec 13 % du vote populaire et 45 votes au collège électoral, facilite l'élection du républicain Richard Nixon. Les républicains ont aussi eu des adversaires à droite. En 1992, avec près de 19 % du vote, l'indépendant et milliardaire Ross Perot prive le premier président Bush de la réélection, ce dont bénéficie Bill Clinton. Ainsi, des conjonctures tant internes qu'externes peuvent provoquer, dans un parti dominant, une scission qu'incarne une candidature présidentielle indépendante dotée d'un programme plus ou moins élaboré. Cependant, le plus souvent, cette variété de tiers partis, ne présentant pas de candidatures au Congrès, disparaît le plus souvent avec la défaite du personnage politique qui est son porte-étendard.

On trouve, en troisième lieu, des tiers partis que certains décrivent comme « idéologiques » (comme si les démocrates ou les républicains ne l'étaient pas eux-mêmes). Il s'agit de partis qui proposent un projet global et complet de gouvernement, une vision de société résolument en rupture avec l'ordre économique et politique en place ou avec le discours des partis dominants. Cette catégorie se caractérise aussi par la durée, par opposition aux partis souvent éphémères résultant d'une scission d'un parti dominant. Ces tiers partis se recrutent à gauche ou à droite de l'échiquier politique. Se perpétue, ainsi, une tradition ancienne d'inspiration socialiste : en 1874, apparaît le Socialist Labor Party, dont une partie se sépare en 1901 pour créer le Socialist Party. Le Parti communiste apparaît en 1919, acquiert une certaine influence durant la grande dépression et subit, pendant la Guerre froide, les brimades des lois anticommunistes et la « chasse aux sorcières ». Plus récemment (1979), se forme le Citizens' Party, d'inspiration plus sociale-démocrate. Ces divers partis ont régulièrement présenté des candidats présidentiels allant chercher une infime proportion du vote populaire. La droite radicale s'exprime aussi par des partis : par exemple, le

Libertarian Party. Fondé à Denver en 1972, ce parti rejette l'idée même d'État-providence et s'inspire d'une vision intransigeante de la liberté radicale de l'individu et de l'économie ; il véhicule une méfiance profonde à l'égard de toute intervention gouvernementale. Moins radical que les divers partis socialistes, il faut aussi signaler la durable tradition politique « progressiste ». En 1892, un parti enraciné dans le centre et l'ouest du pays, le People's Party, recueille un million de votes à la présidence en défendant les petits agriculteurs. En milieu urbain, un mouvement de réforme se développe au xxe siècle. Ces deux courants s'expriment ultérieurement avec T. Roosevelt en 1912, et avec la candidature progressiste de Robert M. La Follette qui recueille 17 % du vote populaire et 13 votes au collège électoral en 1924 en préconisant un programme de nationalisation des chemins de fer, d'abolition du recours aux injonctions lors de conflits de travail et de soutien aux agriculteurs. Cette tradition progressiste, qui a contribué à l'instauration et à la généralisation des primaires, se retrouve dans la candidature présidentielle de Ralph Nader en 2000 et 2004. Il faut aussi compter, désormais, sur un Green Party d'inspiration écologiste et environnementale.

Comme tout au long de l'histoire des États-Unis, les deux partis dominants paraissent aujourd'hui résolus à se maintenir et capables de le faire. Cependant, ces partis dominants ont été aiguillonnés par des tiers partis ou des mouvements politiques beaucoup plus radicaux – à droite ou à gauche. Certes, une aspiration à la stabilité soutient l'hégémonie des partis dominants et ceux-ci ont démontré une grande capacité d'adaptation aux changements vécus par le pays et aussi d'absorption d'idées neuves. Dans un avenir prévisible, les deux partis dominants demeureront des acteurs centraux du système politique et protégeront vigoureusement leur duopole:

POUR EN SAVOIR PLUS

BIBLIOGRAPHIE ET LECTURES RECOMMANDÉES

ALDRICH, John, *Why Parties? The Origin and Transformation of Political Parties in America*, Chicago, University of Chicago Press, 1995.

EPSTEIN, Léon, *Political Parties in the American Mold,* Madison, University of Wisconsin Press, 1989.

HERSHEY, Marjorie Randon et Paul Allen BECK, *Party Politics in America* (10ᵉ édition), New York, Longman, 2003.

LASSALE, Jean-Pierre, *Les partis politiques aux États-Unis*, Paris, Presses universitaires de France, « Que sais-je ? » 2350, 2ᵉ éd., 1996.

LUBLIN, David, *The Republican South : Democratization and Partisan Change*, Princeton, Princeton University Press, 2004.

RUTLAND, Robert Allen, *The Democrats : From Jefferson to Clinton*, Columbia, University of Missouri Press, 1995.

RUTLAND, Robert Allen, *The Republicans : From Lincoln to Bush*, Columbia, University of Missouri Press, 1996.

SCHATTSCHNEIDER, E.E., *Party Government*, New York, Holt, 1942.

SHEFTER, Martin, *Political Parties and the State : The American Historical Experience*, Princeton, Princeton University Press, 1994.

VALLET, Elisabeth et David GRONDIN (dir.), *Les élections présidentielles américaines*, Sainte-Foy, Presses de l'Université du Québec, 2004.

SITES INTERNET

Parti démocrate
    The Democratic National Committee (site principal) : www.democrats.org
    Democratic Congressional Campaign Committee : www.dccc.org
    The Democratic Leadership Council and the Progressive Policy Institute :
        www.dlcppi.org
    Democratic Senate Campaign Committee : www.dscc.org
Parti républicain
    Republican National Committee (site principal) : www.rnc.rg
    National Republican Congressional Committee : www.nrcc.org
    National Republican Senatorial Committee : www.nrsc.org
Parti de la Réforme (Reform Party) : www.reformparty.org
Parti vert : www.gp.org
Federal Election Commission (données électorales, données sur le financement des partis politiques, études sur la législation touchant les partis et leur financement) : www.fec.gov
Party Politics (revue spécialisée dans l'étude des partis politiques) : www.partypolitics.org
PoliTxts : United States Party Platforms and Political Analysis (comprend le texte complet de toutes les plates-formes électorales des partis depuis 1840) : http://janda.org/politxts/PartyPlatforms/index.html

LA DYNAMIQUE ÉLECTORALE : UN NOUVEL ÉQUILIBRE POLITIQUE AUX ÉTATS-UNIS ?

Richard Nadeau
Antoine Yoshinaka

Les États-Unis forment la plus ancienne fédération toujours existante au monde, et l'une des démocraties les plus durables qui soit sur la planète. Cette république constitutionnelle, dans laquelle les pouvoirs sont séparés de façon stricte entre différentes entités selon un système de *checks and balances* clairement défini par la Constitution américaine, ne saurait être comprise sans l'importance qu'y exercent les élections, particulièrement les élections fédérales.

Institutions électorales et évolution du vote aux États-Unis

Le système électoral américain

Le pouvoir exécutif, aux États-Unis, appartient au président, qui cumule les fonctions de chef de l'État et de chef du gouvernement, alors que le pouvoir législatif relève d'un Congrès bicaméral, composé du Sénat et de la Chambre des représentants. Les candidats aux élections présidentielles américaines sont habituellement désignés après une période d'élections « primaires », qui débute avec le New Hampshire en janvier et s'étend généralement jusqu'au mois de juin précédant l'élection présidentielle. Les électeurs enregistrés au sein de chaque État sont alors invités à choisir le candidat présidentiel qu'ils souhaitent voir représenter chaque parti. Selon les règles électorales en vigueur au sein de chaque État, les primaires peuvent être « ouvertes » (tous les électeurs peuvent choisir le candidat présidentiel d'un parti) ou « fermées » (seuls les électeurs indépendants ou enregistrés comme membres du parti peuvent désigner le candidat présidentiel pour ce même parti). Certains États expriment également leur préférence en faveur d'un candidat pour un parti par l'entremise des caucus, au sein desquels les partisans d'une formation politique se réunissent dans leur circonscription, expriment leur choix et discutent de la plate-forme du parti. Au cours de la saison estivale précédant l'élection présidentielle, chaque parti tient une convention politique qui ratifie les choix exprimés dans les primaires et les caucus et désigne une équipe, composée d'un candidat à la présidence et d'un candidat à la vice-présidence, qui représentera officiellement les couleurs du parti le jour de l'élection.

Le président (qui ne peut exercer plus de deux mandats présidentiels de quatre ans) et le vice-président sont choisis tous les quatre ans, le premier mardi suivant le premier lundi de novembre, par les citoyens américains. Ceux-ci votent indirectement pour une équipe présidentielle par l'entremise d'un collège électoral composé de « grands électeurs », répartis entre les 50 États américains ainsi que le District de Columbia et désignés selon les règles en vigueur au sein de chacun d'entre eux. Ces grands électeurs votent de façon quasi automatique pour le candidat présidentiel qui a obtenu une majorité du vote populaire au sein de l'État qu'ils représentent, bien que certains puissent parfois voter différemment de l'électorat. Ces grands électeurs, actuellement au nombre de 538, sont répartis proportionnellement en fonction du nombre de représentants et sénateurs élus au Congrès au sein de chaque État. Par exemple, la Californie, qui est l'État le plus peuplé des États-Unis avec plus de 36 000 000 d'habitants, compte 55 grands électeurs, alors que le Wyoming, avec ses 515 000 habitants, n'en possède que 3. Le nombre total et la répartition des grands électeurs sont revus tous les 10 ans après chaque recensement. Pour être élu, un candidat doit recueillir l'appui de plus de la moitié du collège électoral, ce qui représente 270 grands électeurs. En dépit du fait que les États moins peuplés bénéficient d'une prime de représentation au sein du collège électoral, les États comptant un plus grand nombre de grands électeurs exercent un impact plus significatif sur le résultat final, et sont de ce fait plus susceptibles d'être courtisés par les candidats et les partis en période de campagne présidentielle.

Le Congrès, pour sa part, est élu directement par l'électorat américain tous les deux ans, également le premier mardi suivant le premier lundi de novembre. Le mode de scrutin utilisé est le système majoritaire à un tour (aussi appelé *first-past-the-post* ou *winner-takes-all*), où le candidat ayant recueilli le plus de voix au sein d'une circonscription est déclaré élu, même s'il n'a pas obtenu une majorité de votes. La Chambre des représentants, qui compte 435 membres répartis proportionnellement en fonction de la population, est renouvelée tous les deux ans, alors que les membres du Sénat, au nombre de 100 (deux sénateurs par État, peu importe le nombre d'habitants), sont élus pour un mandat de six ans, le tiers des sièges étant renouvelé tous les deux ans. Les élections législatives peuvent donc parfois avoir lieu en même temps que les élections présidentielles et parfois se tenir au milieu d'un mandat présidentiel (on leur attribue alors le qualificatif de *midterm elections*). Ces dernières sont généralement considérées comme un bon indicateur du niveau de popularité du président au pouvoir à mi-mandat. Il est par ailleurs établi qu'un candidat sortant lors des élections législatives dispose généralement d'un avantage significatif sur son adversaire, les commissions chargées de réévaluer le paysage électoral d'un État étant souvent nommées de façon partisane, ce qui peut entraîner un redécoupage de la carte électorale qui favorise le candidat de l'un ou l'autre des partis (on parle alors d'un effet de *gerrymandering*).

L'évolution de l'électorat américain

Depuis le milieu du XIXᵉ siècle, deux grands partis dominent la politique américaine : le Parti démocrate, créé en 1824, et le Parti républicain, fondé en 1854. Alors que le premier est historiquement issu d'une coalition conservatrice antifédéraliste créée dès les premières années de la République américaine et que le second défendait à ses débuts des positions antiesclavagistes et progressistes, leur positionnement sur l'échiquier partisan a évolué tout au long du XXᵉ siècle. Aujourd'hui, les positions du Parti démocrate s'inscrivent davantage dans un certain libéralisme social et un positionnement économique centriste, alors que celles des républicains se rapprochent plutôt d'un conservatisme social et d'une conception libérale (au sens classique du terme) de l'économie. Chacun de ces deux partis compte une base électorale relativement stable. Ainsi, les démocrates recueillent davantage d'appuis auprès de certaines clientèles électorales, telles que les femmes, les jeunes, les ouvriers, les individus plus scolarisés, les gens issus des communautés culturelles, etc., alors que les républicains obtiennent plus de soutien auprès d'autres catégories d'électeurs (les individus mariés, les militaires, les protestants, les résidants du Sud et de l'Ouest, etc.).

La présence de solides assises pour les deux partis n'a pas empêché le comportement électoral des Américains d'évoluer de façon assez notable depuis le début du siècle dernier. Le Tableau 6.1 dresse le portrait de cette évolution. Il en ressort un certain équilibre pour l'ensemble des périodes. Sur la plan de la présidence, par exemple, on observe que, sur 27 élections présidentielles entre 1900 et 2004, 15 ont été remportées par des candidats républicains contre 12 en faveur des candidats démocrates, ce qui dénote la présence d'une alternance continuelle au palier de l'exécutif entre les deux partis (bien que légèrement favorable aux républicains) plutôt qu'une domination historique claire de l'une des deux formations politiques sur la présidence américaine. Ainsi en est-il au sein du Congrès : sur 54 élections à la Chambre des représentants, 33 donnèrent lieu à une majorité démocrate, alors que, sur 50 élections sénatoriales, 30 débouchèrent sur une majorité démocrate. Bien que les deux principaux partis aient bénéficié d'un avantage respectif à différents paliers du pouvoir, on constate que cet avantage s'avère très relatif, et qu'il ne constitue nullement un indicateur fiable de la victoire électorale d'un parti à une élection donnée, la politique américaine évoluant plutôt par cycles.

Outre une alternance perpétuelle des deux partis au pouvoir, on constate que l'usage du *split ticket* (le vote pour un certain parti aux élections présidentielles et pour un autre parti aux élections législatives) ne constitue

TABLEAU 6.1

Résultats des élections présidentielles et législatives aux États-Unis
(1900-2006)

Année	Présidence	Chambre des représentants (majorité)	Sénat (majorité)
1900	Républicain	Républicain	N/A[1]
1902		Républicain	N/A
1904	Républicain	Républicain	N/A
1906		Républicain	N/A
1908	Républicain	Républicain	Républicain
1910		Démocrate	Républicain
1912	Démocrate	Démocrate	Démocrate
1914		Démocrate	Démocrate
1916	Démocrate	Républicain	Démocrate
1918		Républicain	Républicain
1920	Républicain	Républicain	Républicain
1922		Républicain	Républicain
1924	Républicain	Républicain	Républicain
1926		Républicain	Républicain
1928	Républicain	Républicain	Républicain
1930		Républicain	Républicain
1932	Démocrate	Démocrate	Démocrate
1934		Démocrate	Démocrate
1936	Démocrate	Démocrate	Démocrate
1938		Démocrate	Démocrate
1940	Démocrate	Démocrate	Démocrate
1942		Démocrate	Démocrate
1944	Démocrate	Démocrate	Démocrate
1946		Républicain	Républicain
1948	Démocrate	Démocrate	Démocrate
1950		Démocrate	Démocrate
1952	Républicain	Républicain	Républicain
1954		Démocrate	Démocrate
1956	Républicain	Démocrate	Démocrate
1958		Démocrate	Démocrate
1960	Démocrate	Démocrate	Démocrate
1962		Démocrate	Démocrate
1964	Démocrate	Démocrate	Démocrate
1966		Démocrate	Démocrate
1968	Républicain	Démocrate	Démocrate
1970		Démocrate	Démocrate
1972	Républicain	Démocrate	Démocrate
1974		Démocrate	Démocrate
1976	Démocrate	Démocrate	Démocrate
1978		Démocrate	Démocrate
1980	Républicain	Démocrate	Républicain
1982		Démocrate	Républicain
1984	Républicain	Démocrate	Républicain
1986		Démocrate	Démocrate
1988	Républicain	Démocrate	Démocrate
1990		Démocrate	Démocrate
1992	Démocrate	Démocrate	Démocrate
1994		Républicain	Républicain
1996	Démocrate	Républicain	Républicain
1998		Républicain	Républicain
2000	Républicain	Républicain	Républicain[2]
2002		Républicain	Républicain
2004	Républicain	Républicain	Républicain
2006		Démocrate	Démocrate[3]

pas une anomalie dans l'histoire politique américaine, particulièrement depuis les dernières décennies. Ainsi, en ne retenant que les 27 élections de mi-mandat à la Chambre des représentants entre 1900 et 2006, on constate que 13 d'entre elles ont mené à l'élection ou à la réélection d'une Chambre de couleur différente de celle du président au pouvoir. Pour ce qui est du Sénat, on compte 11 cas similaires sur 25. Ces données semblent donc évacuer l'idée de la prédominance de l'un ou l'autre des partis et plutôt accréditer des thèses plus nuancées comme celle d'un «gouvernement divisé»[4].

À travers le temps, une alternance semble donc s'être installée dans le paysage politique américain, avec des périodes plus fastes pour les démocrates et d'autres pour les républicains. Ce tour d'horizon ne suggère donc pas la domination plus ou moins durable d'un parti sur l'autre. Pourtant, les analyses des élections américaines ont souvent eu recours au concept d'«ère de domination».

Domination partisane et stabilité électorale aux États-Unis

> *I think we have come to an ending point in a long transition that began in 1968... During that time, the old Roosevelt Democratic majority coalition has creaked and cracked away under various kinds of racial, religious, social and international forces, and [the 2004] election was the end point in that transition. I think we live in a country that is majority Republican now.*

Donald L. Fowler,
ancien président du Democratic National Committee,
à la suite de l'élection présidentielle de 2004[5]

> *The Republican Party is a permanent majority for the future of this country.*

Tom DeLay, ancien leader de la majorité à la Chambre
des représentants, à la suite des élections législatives et présidentielles de 2004[6]

> *[O]ur politics may drift either to the left or to the right... [b]ut this ideological drift won't translate into political dominance by one party or the other.*

Mickey Kaus, chroniqueur pour *Slate.com*[7]

Lors des élections de mi-mandat de 2006 aux États-Unis, le Parti démocrate a fait élire une majorité de ses candidats à la Chambre des représentants et au Sénat. Avec cette victoire, les démocrates mirent fin à ce que certains percevaient être une « domination » républicaine de la politique nationale. Comme l'indiquent les deux premières citations ci-dessus, certains observateurs des deux côtés du spectre politique crurent, à la suite de la réélection de George W. Bush en 2004, que les États-Unis étaient entrés dans une nouvelle ère de prédominance républicaine.

Cette interprétation est basée sur l'idée que la dynamique partisane aux États-Unis se caractérise par une succession de périodes de prédominance d'un parti par rapport à l'autre. Cette prédominance, affirme-t-on, perdure jusqu'à ce qu'une nouvelle ère de politique partisane lui succède. Les républicains, par exemple, auraient dominé les 30 premières années du XXe siècle avant de céder le pas pendant quelques décennies aux démocrates au moment de la crise des années 1930 et de la mise en place du *New Deal* par le président démocrate Roosevelt. Un autre renversement se serait produit durant les années 1960 lorsque les électeurs conservateurs du Sud ont cessé de soutenir le Parti démocrate comme ils l'avaient fait depuis la guerre de Sécession.

Bien que cette caractérisation cyclique paraisse décrire avec une certaine justesse l'évolution de la compétition partisane aux États-Unis, ce chapitre soutient qu'il serait préférable d'éviter les généralisations abusives à partir d'une élection avant de conclure à la prédominance de l'un ou l'autre des deux partis américains. Il paraît plus opportun de caractériser la situation politique aux États-Unis comme en étant une d'équilibre ou de « stabilité compétitive ». La dynamique politique américaine ne se caractérise donc pas aujourd'hui par la domination d'un parti, mais par l'équilibre des forces entre deux coalitions partisanes plus homogènes que dans le passé, mais de composition différente, relativement stables, et de taille très comparable. En ce sens, ni les démocrates ni les républicains ne disposent en ce moment d'un avantage réel sur leurs adversaires. Nous reprenons donc à notre compte les mots du chroniqueur de *Slate*, Mickey Kaus, ainsi que ceux de Michael Barone, qui estiment que les électorats des deux grands partis sont de taille pratiquement égale, d'où l'idée du « *49 % Nation* », que nous pourrions plus justement reformuler par l'expression

50/50 Nation[8]. Bien que les résultats des élections de mi-mandat de 2006 fournissent la preuve *prima facie* que les républicains ne sont plus un parti « dominant », il est tout de même important de réexaminer certaines des analyses qui, encore tout récemment, évoquaient l'avènement d'une « ère » politique républicaine et conservatrice aux États-Unis. Ce faisant, il sera possible de montrer pourquoi il serait tout aussi abusif de conclure, à partir des résultats des élections de mi-mandat en 2006, que le Parti démo-crate serait redevenu « dominant » à son tour.

L'exploration des fondements de cette « stabilité compétitive » entre les deux principaux partis permet de conclure que la dynamique de la poli-tique américaine est moins basée sur les partis et davantage sur les idéo-logies que par le passé[9]. La politique électorale, aux États-Unis, est en effet menée plus que jamais par l'opposition de deux coalitions idéologiques luttant sous des étiquettes partisanes, où les « modérés » se retrouvent dans le camp démocrate et les « conservateurs » se rallient sous la bannière répu-blicaine. À moins que les partis ne se distancient eux-mêmes des orienta-tions idéologiques de leurs propres partisans ou que la distribution des électeurs à travers le spectre idéologique ne change radicalement, ce qui est peu probable dans l'immédiat, le scénario de la « nation 50/50 » dans les résultats électoraux pourrait bien s'avérer durable.

La thèse de la majorité émergente

Les théories prétendant expliquer et prédire l'état de la situation pour les deux grands partis américains sont populaires auprès des médias, du public, et même de certains universitaires. La thèse mise de l'avant en 1969 par Kevin Phillips à propos d'une « majorité républicaine émergente » sembla cadrer plutôt bien avec le raz-de-marée électoral des élections légis-latives de 1966, la victoire de Nixon en 1968 et sa réélection subséquente en 1972. Cependant, deux ans plus tard, le président Nixon démissionnait à la suite du scandale du Watergate et les démocrates gagnaient 43 sièges à la Chambre des représentants. En 1976, le démocrate Jimmy Carter recon-quérait la présidence. Ce soudain revirement mena à l'énoncé d'une thèse similaire, celle d'une « majorité démocrate émergente »[10]. Cette thèse parut en voie de devenir la norme... jusqu'à l'élection de Ronald Reagan en 1980.

Avec l'élection d'un républicain conservateur comme président, sa réélection quatre ans plus tard, et l'accession de son vice-président à la présidence en 1988, les experts et les chercheurs en vinrent à penser que la politique américaine était peut-être entrée dans une ère de prédominance républicaine, du moins pour ce qui est des élections présidentielles. Horace Busby parla même, au vu des cinq victoires des républicains lors des élections présidentielles entre 1968 et 1988 (seule celle de 1976 leur échappa), de l'existence d'un « verrou » républicain (*deadlock*) sur le collège électoral, une idée qui fut reprise par plusieurs.

Cet apparent contrôle républicain sur le collège électoral ne s'est pas révélé suffisamment fort pour prévenir l'élection d'un président démocrate en 1992 et sa réélection relativement aisée quatre ans plus tard. À peu près au même moment (et peut-être en raison des deux premières années de la présidence de Bill Clinton), les décennies de prédominance démocrate au Congrès prirent brusquement fin en 1994. Pour ceux qui en étaient venus à croire que les républicains avaient fermé à clé le collège électoral et que les démocrates bénéficiaient d'un avantage naturel lors des élections législatives, ce qui advint au milieu des années 1990 offrit un total démenti. Le chroniqueur du *Washington Post* et auteur libéral E. J. Dionne, inspiré de son côté par les victoires de Bill Clinton, affirma en 1996 que les années 1990 avaient marqué l'avènement d'une « seconde ère progressiste ». Les élections de 2000 et de 2004 invalidèrent, encore une fois, cette thèse. Plutôt que de souligner la prédominance de l'un ou l'autre des deux partis, les deux dernières élections présidentielles furent extrêmement serrées, et en dépit de tout ce qui a été dit et fait, les résultats des deux courses révélèrent un niveau étonnant de stabilité. Le résultat de l'élection présidentielle en 2000 se décida finalement par un vote de la Cour suprême à 5 contre 4 dans l'arrêt *Bush* c. *Gore*. L'« élection du siècle » fut suivie par une autre course relativement serrée au cours de laquelle le candidat démocrate John Kerry reçut un peu plus de 48 % du vote populaire, contre George W. Bush qui en obtint 51 %.

Au même moment, la précarité de l'emprise des républicains sur le Congrès a été mise en évidence par la défection du sénateur James Jeffords, dont la décision de traverser l'allée centrale de la Chambre et de siéger comme indépendant a donné aux démocrates le contrôle du 107ᵉ Sénat des États-Unis.

Les républicains, peu ébranlés, mirent en place une solide campagne et reprirent le contrôle du Sénat en 2002. On peut difficilement parler d'une prédominance durable dans des circonstances aussi mouvantes.

Pourtant, en dépit de l'équilibre relatif entre les deux partis, Judis et Teixeira publièrent à cette époque leur propre thèse à propos de la « majorité démocrate émergente »[11]. Ils avancèrent l'argument selon lequel les changements démographiques mèneraient à une nouvelle ère de domination démocrate, alors que la coalition conservatrice républicaine se désintégrerait et deviendrait minoritaire.

Cependant, deux ans après la publication de la thèse de Judis et Teixeira, George W. Bush fut réélu avec un plus grand nombre de voix qu'en 2000, alors que les républicains consolidaient leur emprise sur le Congrès. En outre, le vote hispanique, l'un des plus importants blocs au sein de la nouvelle coalition démocrate émergente de Judis et Teixeira, favorisa en 2004 le candidat démocrate par une marge plus faible que lors des élections précédentes. Les résultats des élections de 2000, 2002 et 2004 semblèrent donner foi à certains des arguments avancés dans un ouvrage comme *One Party Country* de Hamburger et Wallsten qui évoquait la prédominance durable du Parti républicain.

Les élections législatives de 2006 renversèrent une fois de plus les perspectives. En dépit de plusieurs avantages structurels, comme le découpage des districts électoraux, qui auraient dû contribuer selon plusieurs à protéger la majorité républicaine, le Parti démocrate infligea une sévère défaite aux républicains, en regagnant la majorité des sièges à la Chambre des représentants et au Sénat.

Les 30 dernières années ont démontré la capacité de chaque parti perdant de rebondir après un revers électoral et d'offrir une sérieuse compétition lors de l'élection suivante[12]. À la lumière de ces fluctuations dans les résultats électoraux des deux grands partis, il est surprenant que plusieurs se risquent encore à des généralisations abusives à propos d'une prédominance partisane en se basant sur les résultats des plus récentes élections.

Une nouvelle « prédominance » partisane : les suites de l'élection de 2004

En dépit du caractère serré des deux dernières courses présidentielles, les républicains furent prompts à interpréter les résultats comme un « mandat » donné aux élus pour adopter des politiques conservatrices et nommer des juges conservateurs. Les médias emboîtèrent le pas. Le *Washington Post* parla d'un « mandat faible mais incontestable[13] », tandis que le journaliste David Westphal déclara que l'élection avait donné à Bush « le mandat de prolonger son programme conservateur[14] ». Le *USA Today* en rajouta en observant que « le président Bush [amorçait] sa seconde présidence avec un mandat plus clair et plus robuste que celui qu'il avait reçu lors de sa première[15] ».

Dans le camp adverse, les démocrates firent le *bilan* de l'élection. Le stratège politique James Carville, qui n'a généralement pas l'habitude de concéder du terrain aux républicains, admit que « nous avons à accepter le fait que nous sommes maintenant un parti d'opposition qui, de surcroît, n'est pas particulièrement efficace[16] ». Après l'élection de 2004, les démocrates s'engagèrent dans de sérieuses discussions au sujet de la direction de leur parti, alors qu'ils avaient élu le sénateur pro-vie Harry Reid comme leur leader au Sénat, et que la campagne pour élire le président du Comité national démocrate (CND) opposait des démocrates libéraux et des démocrates centristes identifiés au Democratic Leadership Council. Howard Dean, qui reçut le mandat de diriger le CND, démontra sa volonté de repositionner le parti vers le centre sur l'épineuse question de l'avortement : « Nous ne devrions pas nous mettre à dos les individus pro-vie, même si la majorité des gens dans ce parti sont pro-choix[17]. »

Les élections présidentielles et législatives de 2004 n'ont donc pas échappé à la tradition qui consiste à annoncer l'avènement d'un parti dominant. Bien qu'il soit juste de dire que les républicains ont consolidé leur emprise sur le Congrès et que George W. Bush est le premier candidat présidentiel à avoir obtenu une majorité du vote populaire depuis l'élection de son père en 1988, il est clair que les affirmations à propos d'une prédominance républicaine ou de la situation catastrophique du Parti démocrate en 2004 étaient exagérées. Des déclarations comme celles affirmant que le Parti démocrate était « destiné à l'inutilité[18] » n'étaient tout simplement pas fondées, et ce, indépendamment de la victoire électorale des démocrates en 2006.

Une nouvelle ère de « stabilité compétitive »

Les élections de 2004 ont été les plus coûteuses de l'histoire des États-Unis. Environ 4 milliards de dollars ont été dépensés pour les élections fédérales, dont plus de 1,2 milliard uniquement consacré à la course présidentielle. Malgré ces dépenses records, le niveau de stabilité dans les choix électoraux exprimés s'est avéré remarquablement élevé. Un seul sénateur sortant sur trente-trois (Tom Daschle dans le Dakota du Sud) a été battu, et seulement 7 membres de la Chambre des représentants (sur 435) ont échoué dans leur tentative de réélection. Quatre de ces sept candidats défaits étaient des démocrates du Texas dont les districts électoraux avaient été redécoupés par *gerrymandering* par Tom DeLay et les républicains du Texas avant l'élection de 2004, avec l'intention avouée de leur faire perdre leur siège[19]. Bref, au niveau du Congrès, en dépit de dépenses électorales totalisant près de 3 milliards de dollars, aucun parti n'a pu faire tomber les candidats sortants du parti adverse.

Les élections présidentielles serrées de 2000 et 2004 : une tendance émergente ?

Sur le plan présidentiel, bien que la campagne ait été chaudement disputée et que les groupes dits « 527 » y aient dépensé des sommes sans précédent, le résultat s'apparenta étroitement à celui de 2000. En fait, seuls trois États accordèrent leurs votes au collège électoral à un autre parti : le New Hampshire alla à Bush en 2000 et à Kerry en 2004 ; l'Iowa et le Nouveau-Mexique furent remportés par Gore en 2000 et par Bush en 2004. Trois États, 16 votes au collège électoral. Cela peut difficilement être interprété comme le signe d'une tendance vers une prédominance républicaine.

Bien que les changements de majorité sur le plan d'un État se révèlent instructifs, ils peuvent masquer une variation significative à l'intérieur des États restés fidèles à un parti. Afin de replacer la stabilité interélectorale de 2000-2004 dans une perspective historique, le Tableau 6.2 montre le pourcentage de variation moyen du vote présidentiel démocrate par État d'une élection à l'autre durant la période d'après-guerre.

Deux constats s'imposent. Premièrement, le changement moyen du vote démocrate entre 2000 et 2004 (-1,1 %) a été le plus faible depuis le changement observé entre les élections de 1952 et 1956. Deuxièmement, l'écart type du changement de vote par État entre 2000 et 2004 (2,4 %) a été le plus faible parmi toutes les élections d'après-guerre. Même les élections présidentielles de 1952-1956, remarquables pour leur stabilité, affichent un écart type plus élevé dans le changement du vote démocrate par État (5,2 %). La stabilité du vote en 2004 n'est pas exclusivement attribuable au fait qu'il s'agit d'un scrutin où le candidat sortant a été réélu. Lors des réélections de Nixon, de Reagan et de Clinton par exemple, les écarts types du changement interélectoral ont été respectivement de 7,6 %, 4,9 % et 3,3 % [20].

Un autre indicateur de la variabilité interélectorale est le changement maximum du vote par État (en termes absolus) entre deux élections consé-

TABLEAU 6.2

Variation moyenne du vote démocrate par État

Années	Variation moyenne du vote démocrate	Écart type de la variation moyenne du vote démocrate	Variation maximale du vote démocrate
1948-1952	−11,6 %	6,2 %	35,7 %
1952-1956	−0,9 %	5,2 %	13,6 %
1956-1960	6,2 %	7,2 %	21,9 %
1960-1964	9,5 %	13,1 %	46,6 %
1964-1968	−11,0 %	11,8 %	50,1 %
1968-1972	−12,0 %	7,6 %	43,0 %
1972-1976	13,9 %	9,0 %	42,2 %
1976-1980	−7,0 %	4,4 %	18,0 %
1980-1984	−4,0 %	4,9 %	17,8 %
1984-1988	6,1 %	3,0 %	10,7 %
1988-1992	6,9 %	3,9 %	17,2 %
1992-1996	1,2 %	3,3 %	8,3 %
1996-2000	−5,7 %	3,4 %	13,5 %
2000-2004	−1,1 %	2,4 %	5,4 %

cutives. En 2000-2004, Hawaï afficha le changement électoral le plus important avec 5,4 points de pourcentage en faveur du tandem Bush-Cheney. Il s'agit du plus faible changement par État pour toutes les élections d'après-guerre. Encore une fois, les élections historiquement stables de 1952-1956 fournissent une base de comparaison intéressante. Comparativement à 1952, le vote pour Eisenhower en 1956 a augmenté respectivement de 13,6 %, 10,9 % et 10,3 % en Caroline du Sud, dans le Dakota du Sud et en Louisiane. Le quart (12) de tous les États connut un plus grand changement interélectoral cette année-là que le changement de 5,4 points de pourcentage d'Hawaï en 2000-2004. Il est manifeste qu'aucune élection consécutive de l'après-guerre n'a enregistré, à l'intérieur de chaque État, si peu de mouvement que les élections présidentielles de 2000 et de 2004. Cela est encore plus frappant à la lumière des montants d'argent dépensés par les deux candidats en 2004[21].

Ces chiffres permettent de rejeter les généralisations abusives que certains observateurs ont cherché à tirer de l'élection de 2004 à propos de la prédominance des républicains ou du gouffre politique dans lequel se seraient trouvés les démocrates à ce moment-là. En fait, cette stabilité dans la répartition du vote entre les deux partis, combinée avec le fait que les deux dernières élections ont été remportées à l'arraché, laisse entendre au contraire que la dynamique électorale américaine se caractérise bien davantage par l'équilibre que par le déséquilibre des forces en présence.

Le niveau de cohésion idéologique de chaque bloc

Si l'emprise des républicains sur le pouvoir reste aussi incertaine, pourquoi ce parti a-t-il adopté une perspective aussi résolument conservatrice dans ses politiques, notamment lors des présidences de George W. Bush ? On peut trouver des éléments de réponse à ces questions en examinant la cohésion idéologique de chaque coalition partisane. Pendant une grande partie de la dernière moitié du siècle dernier, les partis démocrate et républicain étaient l'expression de coalitions disparates d'électeurs, en ce sens qu'ils comprenaient des factions qui n'étaient pas nécessairement en accord les unes avec les autres sur la direction à donner à leur parti. L'aile sudiste du Parti démocrate était beaucoup plus conservatrice que les autres groupes démocrates du pays. Les *Rockefeller Republicans*, d'allégeance libérale, ont été pendant longtemps une force avec laquelle les autres groupes devaient composer à l'intérieur du *Grand Old Party*. Ce n'est plus le cas maintenant. Les deux partis (surtout les républicains) sont devenus, depuis quelques décennies, plus homogènes en termes idéologiques, et on compte à l'intérieur de chacun d'eux moins de membres ayant des orientations idéologiques et partisanes radicalement différentes.

La cohésion idéologique des deux grands partis américains s'est donc accrue avec le temps. Le Tableau 6.3 montre les résultats d'une analyse examinant le lien entre l'idéologie, l'identification partisane et le vote présidentiel[22]. Pour mesurer ce lien, on a utilisé le Tau-b de Kendall, dont les scores varient de -1 à 1, et dont les valeurs se rapprochant de 1 (ou de -1) indiquent une relation forte et positive (ou négative). Les variables ont été codées de telle façon qu'une valeur positive indique une congruence plus élevée entre l'idéologie et l'identification partisane ou le vote (par exemple, être libéral, s'identifier au Parti démocrate ou appuyer le candidat présidentiel de ce parti).

Les résultats montrent que l'idéologie était plus fortement corrélée avec l'identification partisane et le vote présidentiel en 2004 qu'à n'importe quel autre moment depuis l'inclusion d'une mesure du positionnement idéolo-

TABLEAU 6.3

Corrélation entre l'idéologie et l'identification partisane et le vote lors des élections présidentielles

Année	Coefficient de corrélation Tau-b de Kendall entre l'idéologie et	
	l'identification partisane	le vote présidentiel
1972	0,248	0,427
1976	0,317	0,423
1980	0,295	0,372
1984	0,309	0,421
1988	0,307	0,442
1992	0,326	0,515
1996	0,426	0,562
2000	0,399	0,505
2004	0,472	0,581

gique des individus dans les sondages du National Election Studies (NES).
En 1972, par exemple, la corrélation entre l'idéologie et l'identification
partisane était seulement de 0,248 ; en 2004, cette corrélation a crû à un
sommet de 0,472. Le lien entre l'idéologie et le vote présidentiel est également devenu plus étroit (quoique de façon un peu moins marquée) depuis
une trentaine d'années. Alors qu'en 1972, la corrélation entre l'idéologie et
le vote était de 0,427, elle se situait à 0,581 en 2004, soit encore une fois le
niveau le plus élevé depuis 1972. Ainsi, il semble que le comportement des
électeurs devient avec le temps plus stable (voir le Tableau 6.2), mais aussi
plus cohérent sur le plan idéologique[23]. Les conservateurs s'identifient aux
républicains et votent de plus en plus pour eux alors que les libéraux
s'identifient aux démocrates et votent de plus en plus pour eux.

Cette polarisation idéologique pourrait être plus apparente que réelle
s'il s'avérait que chaque coalition partisane devenait aussi plus homogène
en termes de caractéristiques sociodémographiques et que celles-ci étaient
corrélées avec l'idéologie. Pour tenir compte de cette éventualité, il faut
recourir à l'analyse multivariée en contrôlant les différents facteurs sociodémographiques qui pourraient être liés aux choix partisans. À cette fin,
nous avons repris les analyses effectuées par Stanley et Niemi (voir bibliographie) qui cherchent à tracer le profil sociodémographique des électorats
démocrate et républicain en y ajoutant une variable mesurant l'orientation
idéologique des électeurs. Les variables de contrôle incluent la pratique
religieuse, l'appartenance à une dénomination religieuse en tant que telle,
l'âge, l'affiliation à un syndicat, le revenu, la profession, la race, le sexe et le
fait d'être un Blanc natif du Sud. Le Tableau 6.4 montre l'effet de l'idéologie sur l'identification partisane et le vote présidentiel lorsque l'effet de
ces variables a été pris en compte.

Les données du Tableau 6.4 représentent l'augmentation de la probabilité qu'un conservateur s'identifie au Parti républicain (colonne 1) ou vote
pour le candidat présidentiel républicain (colonne 2) par rapport à un
électeur libéral[24]. Les résultats sont clairs. Toutes choses étant égales par
ailleurs, c'est-à-dire en contrôlant les caractéristiques sociodémographiques des répondants, le lien entre l'idéologie et l'identification partisane (et
le vote) a augmenté de façon significative depuis 1972. Par exemple, en
2004, la probabilité de voter pour Bush était plus élevée de 81 points de

TABLEAU 6.4

Différences entre conservateurs et libéraux dans la probabilité de s'identifier au Parti républicain et de voter pour le candidat républicain lors des élections présidentielles

Année	Différence entre conservateurs et libéraux dans la probabilité de	
	s'identifier au GOP	voter pour le GOP
1972	0,346	0,454
1976	0,438	0,547
1980	0,370	0,459
1984	0,393	0,540
1988	0,332	0,564
1992	0,362	0,634
1996	0,502	0,672
2000	0,364	0,620
2004	0,550	0,810

Note : Ces probabilités ont été calculées à partir d'une série de modèles logistiques en contrôlant les caractéristiques sociodémographiques.

pourcentage chez les conservateurs que chez les libéraux ; en 1972, la différence était seulement de 45 points de pourcentage.

La cohérence idéologique de chaque coalition partisane s'est donc accrue. On trouve aujourd'hui beaucoup moins d'électeurs avec des orientations idéologiques et partisanes incompatibles qu'il y a quelques décennies. L'époque des démocrates conservateurs blancs du Sud ou des démocrates de Reagan est chose du passé. La très vaste majorité des conservateurs sont maintenant républicains alors que les libéraux sont massivement passés dans le camp démocrate.

La polarisation idéologique accrue aux États-Unis soulève la question de la taille des différents groupes idéologiques dans ce pays et de l'évolution de leur poids relatif au cours des dernières décennies. Une proportion élevée d'électeurs conservateurs, ou une augmentation de leur poids à travers le temps, combinée avec la polarisation idéologique croissante des choix partisans aux États-Unis, devrait en principe conférer un net avantage au Parti républicain. Il convient donc, aujourd'hui plus que jamais, d'examiner la taille des grands courants idéologiques aux États-Unis, pour tenter de mesurer la force relative des deux grands partis américains.

Le Graphique 6.1, qui montre la distribution des conservateurs, des modérés et des libéraux de 1972 à 2004, offre des résultats assez surprenants à propos de cette question.

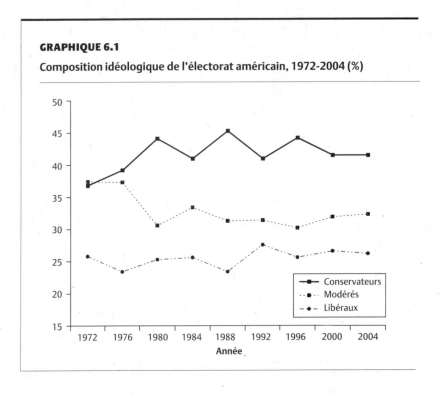

GRAPHIQUE 6.1

Composition idéologique de l'électorat américain, 1972-2004 (%)

Depuis 1980, la proportion d'Américains se définissant comme des conservateurs varie entre 41 % et 45 %, les modérés oscillent entre 30 % et 33 % de l'électorat, et 25 % à 27 % des électeurs s'affichent comme des libéraux. Contrairement à la thèse voulant que l'on ait assisté récemment à une poussée du conservatisme aux États-Unis, il ressort donc des données que ni les libéraux ni les conservateurs (ni d'ailleurs les modérés) n'ont gagné de terrain depuis un quart de siècle. Cela dit, le courant conservateur reste nettement dominant. Une question se pose alors. Comment se fait-il, dans un contexte où les conservateurs forment le groupe le plus nombreux et que les électeurs votent plus que jamais en fonction de leur idéologie, que les républicains ne parviennent pas à se démarquer de façon décisive des démocrates ? Comment se fait-il que l'on semble plutôt assister aux États-Unis à l'émergence d'un équilibre compétitif entre ces deux grands partis ?

Les conséquences électorales de l'idéologie

La polarisation idéologique accrue de l'identification partisane et du vote soulève un paradoxe évident. Le nombre élevé de conservateurs aux États-Unis (voir Graphique 6.1) devrait normalement procurer aux républicains un avantage électoral décisif, du moins à court terme. Comment concilier cette prédiction, qui paraît logique à première vue, avec le concept d'un équilibre compétitif entre les deux grands partis américains ? Les données fournies dans le Tableau 6.5, qui représente le pourcentage d'individus à l'intérieur de chaque catégorie idéologique ayant voté pour le candidat présidentiel républicain, fournissent des réponses intéressantes. Trois conclusions émergent de l'examen de la relation entre l'idéologie et le vote présidentiel. Premièrement, la composition idéologique des électorats démocrate et républicain depuis 30 ans est principalement liée aux déplacements des électeurs libéraux. Après une décennie d'inconfort (1972-1984), la vaste majorité des libéraux a trouvé refuge à l'intérieur du Parti démocrate. Deuxièmement, la loyauté des conservateurs envers les républicains est restée relativement constante pendant la même période, tout en étant maintenant un peu moins prononcée que l'attachement des libéraux au Parti démocrate. Enfin, la récente propension des modérés à voter pour les démocrates forme la troisième composante de l'équation.

La compétitivité des démocrates depuis 1992 repose ainsi sur trois facteurs : un solide appui de la part des libéraux, une position majoritaire auprès des modérés et la persistance d'un vote significatif chez les conservateurs. Lorsque le dosage lui est favorable, un candidat démocrate peut espérer obtenir plus de votes que son adversaire républicain lors des élections présidentielles. Lorsque les modérés penchent vers les républicains, les démocrates reculent légèrement, si ce n'est fortement, sous la barre des 50 %. Cette combinaison particulière pourrait se révéler durable. Les élections serrées pourraient devenir un trait caractéristique de la politique américaine dans les années à venir.

TABLEAU 6.5

Pourcentage de votes pour le candidat républicain lors des élections présidentielles

Année	Libéraux	Modérés	Conservateurs
1972	40,6	68,9	87,0
1976	21,2	47,4	77,0
1980	25,5	60,6	76,9
1984	28,0	55,0	81,6
1988	17,6	48,7	76,7
1992	8,5	38,8	73,1
1996	5,4	33,8	75,1
2000	15,0	37,9	78,6
2004	8,8	44,2	83,3
Moy. 1972-1988	26,6	56,1	79,8
Moy. 1992-2004	9,4	38,7	77,5

Cette avenue probable soulève de curieuses questions. Comment peut-on expliquer le décalage entre le penchant conservateur de l'électorat américain et les résultats des quatre dernières élections présidentielles (dans lesquelles le candidat démocrate a obtenu une majorité à trois occasions)? Comment peut-on concilier la fréquence de déclarations telles que « le conservatisme politique est au sommet de sa force électorale et intellectuelle en Amérique[25] » avec les performances relativement modestes des candidats présidentiels républicains depuis 1992 (appui moyen de 45 %; score le plus élevé: 51 %)?

La réponse réside dans la force relative de chacun des courants idéologiques à l'intérieur de chacune des deux coalitions partisanes. Il est possible d'estimer, à partir des informations contenues dans le Tableau 6.5 et le Graphique 6.1, le pourcentage de libéraux, de modérés et de conservateurs au sein de chaque coalition partisane[26]. Le Tableau 6.6 montre les résultats de cette analyse pour les deux partis.

Plusieurs résultats intéressants ressortent de ces données. Il est clair par exemple que les appuis du Parti républicain viennent massivement d'électeurs conservateurs depuis 1976. Cette situation explique que ce parti ait pu choisir des candidats à la présidence au conservatisme très appuyé (Ronald

TABLEAU 6.6

Distribution des groupes idéologiques à l'intérieur de chaque bloc partisan

Année	Coalition démocrate			Coalition républicaine		
	Libéraux	Modérés	Conservateurs	Libéraux	Modérés	Conservateurs
1972	48,3 %	36,7 %	15,1 %	15,3 %	37,8 %	46,9 %
1976	39,2 %	41,7 %	19,2 %	9,4 %	33,5 %	57,1 %
1980	45,9 %	29,3 %	24,8 %	11,0 %	31,5 %	57,6 %
1984	45,0 %	36,7 %	18,4 %	12,2 %	31,1 %	56,7 %
1988	42,0 %	35,0 %	23,0 %	7,6 %	28,2 %	64,2 %
1992	45,5 %	34,6 %	19,9 %	5,3 %	27,4 %	67,4 %
1996	43,9 %	36,2 %	19,9 %	3,1 %	22,8 %	74,1 %
2000	44,1 %	38,6 %	17,3 %	8,2 %	24,8 %	67,0 %
2004	48,9 %	36,9 %	14,2 %	4,5 %	27,9 %	67,6 %
Moy. 1972-1988	44,1 %	35,9 %	20,1 %	11,1 %	32,4 %	56,5 %
Moy. 1992-2004	45,6 %	36,6 %	17,8 %	5,3 %	25,7 %	69.0 %

Reagan et George W. Bush par exemple) sans risquer de s'aliéner les principales composantes de sa base électorale. La situation est autre pour le Parti démocrate. Les libéraux ont certes rallié ce parti en grand nombre. Mais leur poids, somme toute limité dans l'électorat américain, fait en sorte que les libéraux n'ont jamais formé, contrairement aux conservateurs chez les républicains, un courant clairement dominant au sein du Parti démocrate. En fait, les libéraux représentent moins de la moitié des électeurs démocrates. Cette situation montre bien que l'électorat démocrate est beaucoup moins homogène sur le plan idéologique que ne l'est celui du Parti républicain. La dynamique interne du Parti démocrate est donc fort différente de celle de son principal adversaire. Elle résulte de la coalition entre une aile libérale et une aile modérée, aussi importante sinon majoritaire au sein de ce parti. Il est aisé de comprendre, dans ce contexte, pourquoi les seuls candidats démocrates présidentiels viables (p. ex. Carter,

Clinton, Gore) au cours des dernières décennies ont été ceux qui ont pu rallier les modérés et les conservateurs au sein du parti, qui représentent en moyenne environ 55 % de la coalition démocrate depuis 1972. Il est aussi aisé de comprendre que la lutte électorale aux États-Unis n'oppose pas un parti « conservateur » et un parti « libéral », mais bien un parti largement conservateur, le Parti républicain, et une coalition, le Parti démocrate, qui ne peut maintenir sa cohésion et aspirer à la victoire qu'en proposant aux électeurs des politiques et des candidats « modérés ».

Cette évolution est fondamentale. Au cours des quatre dernières élections présidentielles par exemple, la propension croissante des libéraux, mais aussi, et peut-être de façon plus décisive, des modérés à voter pour le candidat démocrate a fait en sorte que plus des deux tiers de tous les électeurs républicains ont été des conservateurs. Ce double mouvement a contribué à renforcer l'homogénéité idéologique des républicains. Le même scénario ne s'est pas produit dans le Parti démocrate, qui reste un parti hétérogène sur le plan idéologique. C'est là un « heureux malheur » pour ce parti. La cohabitation des libéraux et des modérés rend plus délicats l'adoption de politiques consensuelles et le choix de candidats rassembleurs dans ce parti. Mais cette cohabitation, qui résulte du fait qu'une claire majorité de modérés appuie les démocrates depuis une quinzaine d'années, est en même temps essentielle pour permettre à ce parti de rallier une majorité d'électeurs sous sa bannière.

Deux conclusions découlent de cette situation. En dépit de tous les débats à propos de la polarisation idéologique des partis, la coalition électorale démocrate n'est pas plus libérale en 2004 qu'elle ne l'était en 1972. Les campagnes présidentielles tendent donc à opposer un candidat républicain appuyé par une *majorité* conservatrice à l'intérieur du GOP et un candidat démocrate soutenu par une coalition de libéraux et de modérés (et de certains conservateurs) à l'intérieur de la coalition démocrate. En conséquence, le point de gravité entre les deux candidats présidentiels se situe au centre droit de l'échiquier politique, sans que cela permette pour autant aux républicains de dominer la scène politique américaine[27].

Vers un nouvel équilibre politique aux États-Unis

Comme nous l'avons vu, le Parti républicain n'est pas en ce moment, et n'a pas été au cours des deux dernières décennies, «prédominant», au sens où l'ont entendu plusieurs observateurs. Il est certes plus facile d'avancer cette idée depuis les élections de mi-mandat de 2006 au cours desquelles les démocrates ont pris le contrôle des deux chambres du Congrès. Mais notre argument est plus général. Il consiste à soutenir qu'*aucun* parti, pas plus les républicains il y a quelques années que les démocrates depuis 2006, ne dispose d'un avantage décisif et durable par rapport à son principal adversaire. La majorité républicaine d'hier, devenue la minorité d'aujourd'hui, pourrait facilement redevenir la majorité de demain.

Nous ne croyons donc pas que le Parti républicain est entré dans une période de déclin, pas plus que nous ne croyons qu'il a dominé la scène politique au cours des dernières décennies. Pour que l'on puisse parler du déclin et de la résurgence d'un parti, il faut d'abord faire la preuve que celui-ci a connu une longue période d'insuccès électoraux. Il est clair que la chose n'est pas arrivée aux démocrates par le passé, et que les élections législatives de 2006 ont démontré que leur statut de parti minoritaire était tout sauf permanent. Nous ne croyons pas non plus qu'un pareil danger menace le Parti républicain dans l'avenir. Le format *winner-takes-all* de la politique américaine accentue les effets des résultats électoraux, ce qui peut-être explique pourquoi le concept d'ère de domination d'un parti sur l'autre a été si populaire aux États-Unis. Nous ne pensons pas que ce concept a été très utile pour comprendre la dynamique partisane dans le passé de ce pays. Et nous sommes persuadés que cette idée sera moins utile à l'avenir.

L'élection présidentielle de 2008, si elle tournait à l'avantage des démocrates, pourrait cependant redonner du lustre à l'idée de prédominance. Il suffirait que quelques États basculent dans le camp démocrate et que ce parti conserve sa majorité dans les deux chambres du Congrès pour que soit relancée l'idée d'une « nouvelle coalition démocrate émergente ». Une idée qui sera chassée à son tour dans quelques années lorsque les républicains reprendront le dessus. L'idée de prédominance paraît être à la politique américaine ce qu'est le concept d'alternance dans d'autres pays.

Les évolutions de fond dans la politique américaine suggèrent plutôt l'émergence d'un nouvel équilibre politique entre les deux partis. Le système politique des États-Unis se caractérise par une prédominance de l'idéologie conservatrice et un mode de scrutin uninominal majoritaire à un tour. Dans de telles circonstances, on peut s'attendre à l'émergence d'un système bipartite dans lequel chaque parti lutte pour obtenir le vote de l'électeur médian, qui se trouve au centre droit de l'échiquier politique. Ce portrait a émergé de façon très claire au cours des années 1990. Au même moment, le pays est entré dans une période politique caractérisée par des courses électorales serrées, tant sur le plan de la présidence que du Congrès. Certains ont supposé que cet état des choses rappelait l'« ère d'indécision » qui caractérisait la fin du XIXe siècle. Nous sommes en désaccord avec ce point de vue. La notion d'indécision présuppose que certains électeurs ne se reconnaissent plus dans les partis politiques existants, ce qui peut ouvrir la porte à l'émergence de nouveaux partis ou à la transformation profonde des partis existants. Nous pensons au contraire que l'offre politique aux États-Unis, c'est-à-dire la lutte entre un parti modéré et un parti conservateur, correspond assez bien aux préférences des électeurs. Et c'est la raison pour laquelle nous avançons l'hypothèse que le pays est entré dans une nouvelle ère, non pas d'indécision mais de stabilité.

Si cette interprétation est juste, il faudrait peut-être alors conclure que les bases du système politique américain sont appelées à devenir plus idéologiques et moins partisanes. Les batailles politiques, dans l'avenir, se livreront dans un espace idéologique relativement restreint, partagé entre modération et conservatisme. Aussi longtemps que les deux principaux partis politiques ne dévieront pas de leurs stratégies de maximisation des votes, ceux-ci resteront hautement compétitifs. Parce qu'il est raisonnable de penser que les partis se comporteront de cette façon, nous concluons que le concept de « prédominance » partisane est moins utile que jamais (s'il le fut déjà) pour comprendre la politique partisane aux États-Unis et que nous sommes désormais entrés dans une période de « stabilité compétitive » dans ce pays.

NOTES

1. Avant 1913, les sénateurs étaient désignés par les législatures de chaque État, et non par le vote des électeurs.

2. À la suite des élections de 2000, les républicains et les démocrates obtinrent un nombre égal de sénateurs (50), mais les républicains disposaient d'une majorité au Sénat grâce au vote du vice-président républicain Dick Cheney, prévu en cas d'égalité. Cependant, entre le moment de la nomination des sénateurs, le 3 janvier 2001, et celui de la nomination de Dick Cheney, le 20 janvier 2001, les démocrates étaient théoriquement majoritaires au Sénat, la vice-présidence du démocrate Al Gore étant en vigueur jusqu'au 19 janvier 2001. Le passage du sénateur Jim Jeffords du caucus républicain au caucus démocrate, le 24 mai 2001, permit aux démocrates de regagner une majorité au Sénat.

3. Le Parti démocrate et le Parti républicain firent élire un nombre égal de sénateurs (49), mais les démocrates obtinrent la majorité grâce à l'appui de deux sénateurs indépendants (Bernie Sanders et Joe Lieberman) qui faisaient partie du caucus démocrate.

4. Morris P. FIORINA, *Divided Government*, 2ᵉ édition, Boston, Allyn and Bacon, 1996.

5. Adam NAGOURNEY, « Kerry Advisers Point Fingers at Iraq and Social Issues », *New York Times*, 9 novembre 2004, p. 20.

6. Chuck McCUTCHEON, « Republicans in Congress call election a mandate ; Conservative agenda could get a boost », *Times-Picayune* [New Orleans], 4 novembre 2004, p. 9.

7. Mickey KAUS, « Fifty-Fifty Forever : Why we shouldn't expect America's political "tie" to be broken anytime soon », *Slate.com*, 29 novembre 2004, <http://www.slate.com/id/2073262/> (page consultée le 25 mars 2006).

8. Michael BARONE, Richard E. COHEN avec Charles E. COOK Jr., *The Almanac of American Politics 2002*, Washington, National Journal Group, 2001, p. 21.

9. Certains des arguments avancés dans ce chapitre sont similaires à ceux d'ABRAMSON, ALDRICH et ROHDE. Notre analyse diffère cependant de la leur en ce sens que nous croyons et démontrons que l'idéologie est une composante plus importante dans le processus de décision des électeurs que ne le soutiennent ces auteurs.

10. Lanny J. DAVIS, *The Emerging Democratic Majority : Lessons and Legacies from the New Politics*, New York, Stein and Day, 1974.

11. John B. JUDIS et Ruy TEIXEIRA, *The Emerging Democratic Majority*, New York, Scribner, 2002.

12. Cette capacité qu'ont les partis à s'« adapter » à des circonstances changeantes a été démontrée par d'autres auteurs (p. ex. SMIRNOV et FOWLER, 2007 ; voir bibliographie).

13. John F. HARRIS, « For Bush and GOP, A Validation », *Washington Post*, 3 novembre 2004, p. A01.

14. David WESTPHAL, « Bush's agenda validated », *Star Tribune* [Minneapolis], 3 novembre 2004, p. 1A.

15. Susan PAGE et Bill NICHOLS, « Clear mandate will boost Bush's authority », *USA Today*, 4 novembre 2004, p. A1.

16. Adam NAGOURNEY, « Kerry Advisers Point Fingers at Iraq and Social Issues », *New York Times*, 9 novembre 2004, p. 20.

17. Adam Nagourney, « Democrats Weigh De-emphasizing Abortion as an Issue », *New York Times*, 24 décembre 2004, p. 15.

18. Mark Dunkelman, « Arrogance : Not a Democratic value ; The party is doomed to irrelevance unless it connects to American without condescension », *Pittsburgh Post-Gazette*, 13 février 2005, p. J-3.

19. Deux de ces quatre candidats sortants défaits se mesuraient à un autre candidat sortant, une situation dans laquelle la défaite d'un candidat sortant était assurée.

20. Les mesures exprimées dans le texte doivent être comprises comme des unités de pourcentage. Un changement moyen de 1,1 % pour les élections de 2000 et 2004 signifie que la moyenne de l'écart entre le pourcentage de vote reçu par John Kerry en 2004 et Al Gore en 2000 a été d'un peu plus d'un point de pourcentage, ce qui est très peu. L'écart type mesure la variation de ces changements d'un État à l'autre. Cette mesure sera élevée si un parti gagne ou perd beaucoup d'appuis d'un État à l'autre entre deux élections. L'écart type observé pour les élections de 2000 et de 2004, 2,4 %, signale que les changements dans les niveaux d'appuis des candidats démocrates Gore et Kerry au cours de ces élections ont été très limités.

21. Lorsque les candidats utilisent leurs ressources de façon stratégique, leurs efforts peuvent s'annuler mutuellement, puisque tous deux réservent leurs ressources pour les États où la bataille s'annonce plus serrée. Le fait demeure, cependant, que ce niveau de stabilité est d'autant plus remarquable que les ressources déployées afin de contribuer à l'élection des candidats s'avèrent considérables.

22. Sauf indication contraire, les données proviennent du fichier cumulatif du National Election Study ou de sondages d'une élection spécifique du National Election Studies. L'idéologie est une variable à trois catégories distinguant les individus s'affichant en tant que libéraux, modérés et conservateurs. L'identification partisane est une variable à sept catégories allant de fermement démocrate à fermement républicain. Le vote présidentiel est une variable dichotomique qui exclut les répondants ayant l'intention de voter pour le candidat d'un tiers parti.

23. Toutes ces corrélations sont statistiquement différentes de zéro ($p < 0.05$). Nous avons également examiné d'autres mesures d'association (telles que le gamma ou le Tau-c de Kendall) et les résultats étaient cohérents avec ceux présentés dans le texte.

24. L'ensemble complet des coefficients logit à partir desquels ces probabilités ont été calculées peut être obtenu auprès des auteurs.

25. Oxford Analytica, « The strength and weakness of today's conservatism », *The Hill*, 26 juillet 2005, p. 23.

26. Nous avons multiplié, pour chacun des partis, l'appui d'un groupe idéologique (p. ex. les libéraux) pour le candidat présidentiel du parti (à partir du Tableau 6.4) par la taille relative de chaque groupe (à partir du Graphique 6.1) et divisé ce produit par l'appui total de ce parti chez les trois groupes.

27. Une hypothèse alternative pourrait s'attarder à l'importance politique de l'identification idéologique aux États-Unis. La popularité de l'étiquette conservatrice est évidente ; dans ce contexte, sortir de la majorité conservatrice pourrait constituer un coût plutôt élevé. Ce phénomène pourrait possiblement expliquer pourquoi un certain nombre de conservateurs sont en fait des modérés « avec un petit m ». L'existence de cet écart résiduel entre les étiquettes idéologiques sous lesquelles les individus s'affichent et leurs vraies attitudes peuvent expliquer pourquoi la corré-

lation entre l'idéologie et l'identification partisane, bien qu'en progression, est encore plus faible aux États-Unis que dans plusieurs pays européens. Cela pourrait expliquer pourquoi les campagnes présidentielles sont dominées par une rhétorique conservatrice, mais pas nécessairement par le Parti républicain.

POUR EN SAVOIR PLUS

BIBLIOGRAPHIE ET LECTURES RECOMMANDÉES

ABRAMOWITZ, Alan I. et Kyle L. SAUNDERS, « Ideological Realignment in the U.S. Electorate », *Journal of Politics*, vol. 60, 1998, p. 634-652.

ABRAMSON, Paul R., John H. ALDRICH et David W. ROHDE, « The 2004 Presidential Election : The Emergence of a Permanent Majority ? », *Political Science Quarterly*, vol. 120, 2005, p. 33-57.

BARONE, Michael, Richard E. COHEN avec Charles E. COOK Jr., *The Almanac of American Politics 2002*, Washington, National Journal Group, 2001.

CAMPBELL, Angus, Philip E. CONVERSE, Warren E. MILLER et Donald E. STOKES, *The American Voter*, Chicago, University of Chicago Press, 1980 (1960).

DIONNE, E. J. Jr., *They Only Look Dead : Why Progressives Will Dominate the Next Political Era*, New York, Simon & Schuster, 1996.

FIORINA, Morris P., avec Samuel J. ABRAMS et Jeremy C. POPE, *Culture War ? The Myth of a Polarized America* (2ᵉ édition), New York, Pearson Education, 2006.

HAMBURGER, Tom et Peter WALLSTEN, *One Party Country : The Republican Plan for Dominance in the 21st Century*, Hoboken, Wiley, 2006.

JACOBSON, Gary C., *A Divider, Not a Uniter : George W. Bush and the American People*, New York, Pearson Longman, v.

JACOBSON, Gary C., « Referendum : The 2006 Midterm Congressional Elections », *Political Science Quarterly*, vol. 122, 2007, p. 1-24.

JUDIS, John B. et Ruy TEIXEIRA, *The Emerging Democratic Majority*, New York, Scribner, 2002.

MICKLETHWAIT, John et Adrian WOOLRIDGE, *The Right Nation : Conservative Power in America*, New York, Penguin Press, 2004.

NOELLE-NEUMANN, Elisabeth, *The Spiral of Silence : Public Opinion, Our Social Skin*, Chicago, University of Chicago Press, 1984.

PHILLIPS, Kevin P., *The Emerging Republican Majority*, New Rochelle, Arlington House, 1969.

POPKIN, Samuel L., *The Reasoning Voter : Communication and Persuasion in Presidential Campaigns* (2ᵉ edition), Chicago, University of Chicago Press, 1994.

SMIRNOV, Oleg et James H. FOWLER, « Policy-Motivated Parties in Dynamic Political Competition », *Journal of Theoretical Politics*, vol. 19, 2007, p. 9-31.

SITES INTERNET

American National Election Studies (données brutes de sondages électoraux détaillés disponibles pour analyse) : www.electionstudies.org

Electoral-Vote.com (site consacré, entre autres, à la projection des résultats électoraux sur la base de sondages menés État par État) : www.electoral-vote.com

National Annenberg Election Survey (groupe d'étude des élections américaines), voir le site du Annenberg Public Policy Center : www.appcpenn.org

Pew Research Center for the People and the Press (opinion publique sur une foule d'enjeux politiques ; sondages électoraux ; données brutes disponibles pour analyse) : http://people-press.org

Pollingreport.com (suivi quotidien de l'évolution des sondages électoraux) : www.pollingreport.com

Public Opinion Quarterly (revue spécialisée dans l'analyse de l'opinion publique) : http://poq.oxfordjournals.org

TROISIÈME PARTIE

CENTRES DE DÉCISION

LE CONGRÈS

Harold M. Waller

Ce n'est pas un hasard si les Pères fondateurs ont consacré au Congrès le premier article de la Constitution. Ils considéraient en effet que le **pouvoir législatif** était véritablement celui qui définissait les politiques. Durant la période coloniale, les 13 colonies avaient toutes eu l'expérience d'une forme d'assemblée législative. Leur expérience du pouvoir exécutif s'avérait par contre plus limitée, de sorte qu'ils ont dû inventer la présidence, une institution tout à fait nouvelle et pour laquelle ils n'avaient aucun modèle. Il n'est donc pas étonnant que la Convention constitutionnelle de 1787 ait consacré la plus grande partie de son temps aux discussions sur les rapports du législatif et de l'exécutif, qui soulevaient les questions les plus importantes et les plus litigieuses. Les débats sur le Congrès concernaient surtout la représentation, et plus spécialement la représentation par État ou au prorata de la population. Finalement, le Compromis du Connecticut a fourni la solution : le Congrès comporterait deux chambres avec des pouvoirs législatifs égaux, le Sénat avec deux sièges par État et la Chambre des représentants avec un nombre de sièges proportionnel à la population de chaque État. Par comparaison avec d'autres systèmes, il est assez inhabituel d'avoir ainsi deux chambres égales, mais le bicaméralisme constitue désormais une caractéristique essentielle du système politique américain.

Le dessein des constituants était de diviser le pouvoir entre trois branches séparées et en principe égales, un aménagement fondé sur des arguments théoriques exposés dans les *Federalist Papers*, notamment aux numéros 47, 48 et 51. Le problème avec cet aménagement du pouvoir, c'est qu'à l'usage, avec le temps, il y a eu d'inévitables affrontements entre les trois branches, le Congrès et la présidence affirmant tour à tour leur prépondérance. Toute analyse du Congrès doit constamment tenir compte du caractère changeant des relations de l'exécutif avec le législatif, et des effets de cette compétition sur le fonctionnement d'ensemble du système.

À long terme, on peut dégager des tendances marquées dans la relation entre le président et le Congrès, reflétant les changements dans l'importance relative de ces deux branches. En simplifiant les choses, on peut dire que le renforcement de l'un se fait souvent aux dépens de l'autre. Comme il y a des avancées et des reculs dans cette relation, on ne peut dégager une tendance univoque. Ainsi, on peut déterminer des périodes au cours desquelles le Congrès a dominé (avant et après la guerre de Sécession, au tournant du xxᵉ siècle et, surtout, durant les années 1920). Cependant, depuis l'élection de Franklin Delano Roosevelt en 1932, on observe une tendance au renforcement de l'exécutif, surtout quand les démocrates contrôlent la présidence. Simultanément, le Congrès a perdu de son importance, notamment parce qu'il a permis à la Maison-Blanche de prendre l'initiative législative. Il y a eu des tentatives pour renverser cette tendance, spécialement après le scandale du Watergate dans les années 1970 et lorsque les républicains ont repris le contrôle des deux chambres en 1994[1]. Récemment, le Congrès a essayé à nouveau d'affirmer son autorité, alors que les démocrates reprenaient le contrôle des deux chambres. Forts de leurs nouvelles majorités, les démocrates ont essayé de forcer le gouvernement républicain à retirer ses troupes d'Irak, ce qui a suscité plusieurs affrontements avec le président George W. Bush en 2007. Mais, à l'automne, les démocrates n'avaient pas obtenu gain de cause. À ces occasions-là, le Congrès a réaffirmé l'étendue de ses pouvoirs et prérogatives, mais il n'a pas réussi de façon concluante à renverser cette tendance à long terme. Durant la dernière moitié du xxᵉ siècle, l'opposition entre la présidence et le Congrès a doublé celle qui existait déjà entre démocrates et républicains, les uns détenant la présidence tandis que les autres contrôlaient une ou deux chambres du Congrès. Cette situation, qui n'est pas sans précédent, a ajouté un autre niveau de complexité aux rapports entre les deux branches politiques, en plus d'être la source de controverses considérables dans les milieux universitaires et ailleurs[2]. Quelle que soit son efficacité actuelle, le Congrès continue incontestablement à jouer un rôle vital dans le système et mérite un examen approfondi.

Dispositions constitutionnelles

L'article I est le plus long et le plus élaboré des sept articles de la Constitution, ce qui reflète bien la conviction des Pères fondateurs que le processus législatif devait constituer le point central de la décision politique. On peut noter plusieurs éléments :

1) L'âge minimum requis des représentants a été fixé à 25 et 30 ans respectivement pour la Chambre et le Sénat.

2) Le nombre de sièges à la Chambre est déterminé sur la base du recensement décennal avec un minimum d'un siège par État.

3) L'élection se fait à date fixe, avec un terme plus long pour les sénateurs. Les représentants sont élus pour deux ans, les sénateurs pour six ans.

4) Les élections sont organisées par les États selon leurs propres lois.

5) Le Congrès n'a pas le droit d'évincer un président pour des raisons politiques, mais seulement pour trahison, corruption ou autres crimes ou délits.

6) À l'origine, les sénateurs étaient nommés par les législatures des États, mais ils sont élus directement depuis 1913.

7) Les pouvoirs du Congrès sont énumérés à la section 8 de l'article I, avec la liste des domaines dans lesquels il peut légiférer. La plus importante disposition réside dans le fait que le Congrès pourra « faire toutes les lois qui seront convenables et nécessaires pour mettre à exécution les pouvoirs ci-dessus mentionnés[3] ». Cette clause confère ainsi une grande flexibilité au système, spécialement à la lumière des interprétations qu'en donne la Cour suprême. Elle permet au pouvoir législatif de s'adapter au changement sans recourir à des amendements constitutionnels (voir le chapitre 2 : « La Constitution »).

Qui sert au Congrès ?

Malgré ses attributs d'assemblée représentative, le Congrès n'est pas nécessairement représentatif de la population en termes démographiques. Y
sont, par exemple, surreprésentés les hommes blancs d'âge mûr, avocats ou
entrepreneurs, appartenant à la classe moyenne supérieure (*upper middle
class*) ou moyenne (*middle middle class*) mais non à la classe moyenne dite
inférieure (*lower middle class*). Plus de la moitié sont protestants, environ
un quart catholiques. Il fut un temps où les petites villes et les régions
rurales étaient surreprésentées. Néanmoins, le Congrès est soumis à de
fortes pressions de la part des électeurs. À plusieurs occasions, il a dû, sous
la pression de la population, renoncer à faire adopter des lois impopulaires.
Quoi qu'il en soit, certains estiment que le Congrès devrait mieux refléter
la composition démographique du pays. En réalité, au cours des dernières
années, on a enregistré des progrès notables dans la représentation des
femmes, des Noirs, des « Hispaniques » et de tous ceux qui étaient sous-
représentés dans le passé. En 1951-1952, seulement 10 femmes siégeaient à la
Chambre et 1 au Sénat ; en 2007, on comptait 74 femmes à la Chambre et
16 au Sénat. Durant la même période, la représentation des Noirs est passée
de 2 élus à 44. Et l'on compte environ 26 Hispaniques.

Une fois élus au Congrès (surtout à la Chambre), les membres ont
tendance à être réélus à répétition, ce qui constitue un élément décisif
d'une carrière au Congrès[4]. Pour consolider leur position, les représentants
bénéficient en effet de la reconnaissance que leur apporte leur présence au
Congrès, ils accèdent plus facilement aux fonds électoraux et tirent parti
des autres privilèges de leur fonction. Le taux relativement bas de renouvellement de la représentation ne permet que des changements institutionnels plutôt graduels. Au cours des ans, la plupart des postes à la Chambre
sont devenus des « sièges sûrs », en ce sens que leur occupant l'emporte
souvent avec une marge confortable, dépassant les 60 %. Ainsi, bien que
des questions d'importance nationale puissent être l'enjeu d'une élection,
elles ne jouent pas nécessairement un rôle comparable sur le plan du
district. Par ailleurs, beaucoup de sénateurs n'ont pas la même « sécurité
d'emploi », un facteur souvent sous-estimé à cause de la longue durée de
leur terme (six ans). Environ la moitié d'entre eux font face à un véritable

défi électoral, contre un sur dix parmi les représentants à la Chambre. Avec les instruments d'analyse à leur disposition, les stratèges électoraux peuvent concentrer leurs ressources (surtout en temps et en argent) dans quelques districts ou États chaudement contestés.

De 1932 à 1994, les démocrates ont dominé le Congrès. Les républicains ont provoqué un retournement de situation en prenant le contrôle des deux chambres en 1994. À l'évidence, les gains obtenus par les républicains au Congrès après 1994 et les deux victoires présidentielles de George W. Bush n'ont pas débouché sur une période de domination électorale souhaitée par certains. Les démocrates ont regagné, comme nous l'avons mentionné plus haut, le contrôle du Congrès en 2006. Ils semblent aussi en bonne position pour les élections présidentielles et législatives de 2008. En général, le parti du président obtient de bons résultats aux élections du Congrès qui ont lieu en même temps que l'élection présidentielle (c'est l'effet d'entraînement qu'on appelle *coat-tail effect*), tandis que l'autre parti gagne presque invariablement des sièges aux élections de mi-mandat. Bien que les élections de 1998 et 2002 constituent des exceptions à cette règle, celles de 2006 semblent clairement confirmer l'argument précédent.

Représentativité des élus

La question du lien entre les électeurs et leurs représentants a toujours été d'actualité. Au XVIIIᵉ siècle, par exemple, Edmund Burke se demandait si l'élu était le représentant ou le fiduciaire de ses électeurs. La distinction est importante, car un représentant est lié par un mandat très précis de ses électeurs, tandis qu'un fiduciaire dispose de plus de liberté pour défendre leurs intérêts. Aux États-Unis, la majorité des élus, bien que sensibles aux vœux de leurs commettants, semblent plutôt se voir dans le rôle de fiduciaire, laissant aux électeurs le soin de juger s'ils ont bien rempli leur mandat. Évidemment, les avantages de la charge, surtout à la Chambre, sont tels qu'il est présomptueux d'interpréter une réélection comme une approbation des états de service du représentant. Il faut tenir compte aussi de la composition démographique et politique des circonscriptions, et de la façon dont elle affecte le sens des responsabilités de leurs représentants.

Tandis que le Sénat s'élargissait par l'ajout de nouveaux États au XIXᵉ siècle, la Chambre s'accrut encore plus vite parce qu'il était plus facile d'augmenter le nombre de sièges pour satisfaire les États que de redistribuer les sièges existants. C'est ainsi qu'on a atteint les limites physiques de la Chambre, qui ont été fixées à 435 sièges en 1912. Les sièges sont réalloués par le Bureau du recensement après chaque recensement et selon une formule mathématique inscrite dans la loi. Durant la seconde moitié du XXᵉ siècle, la population relative des États de l'Ouest et du Sud a varié notablement. Comme le nombre de sièges doit suivre les mouvements de population, un déplacement du pouvoir politique s'est fait aux dépens du Nord-Est et du Midwest, et à l'avantage des États du Sud et de l'Ouest (*Sun Belt*).

Les membres de la Chambre ont compris depuis longtemps que la composition des districts électoraux pouvait être déterminante pour l'élection de leurs représentants et, en conséquence, pour la nature des politiques adoptées par le Congrès. Pendant plusieurs décennies, les districts ruraux ont dominé la carte électorale. Il a fallu l'intervention de la Cour suprême pour remédier à cette situation, si bien que la composition du corps législatif reflète maintenant plus fidèlement l'équilibre démographique de la population. Un autre aspect de la carte électorale concerne la capacité qu'ont les législatures des États de créer des *gerrymanders*, c'est-à-dire des districts aux formes particulières, délimités de façon à avantager un parti plutôt qu'un autre. Une variante à la limite de l'inconstitutionnalité de cette pratique consiste à modeler délibérément les districts pour assurer l'élection d'un membre issu d'un groupe minoritaire, tels les Noirs ou les Hispaniques.

Les élections primaires sont un autre facteur qui influence la représentativité des élus. Presque toutes les élections américaines sont organisées en deux étapes, l'élection primaire et l'élection générale, une pratique que l'on ne retrouve guère ailleurs. Le but de la primaire, tenue souvent plusieurs mois avant l'autre, est de choisir le candidat officiel du parti pour l'élection générale. Les élections primaires se caractérisent par une participation généralement très faible, normalement moins de 40 %, souvent moins de 30 %, de tous ceux qui ont le droit de vote. Les dirigeants du parti à l'échelle nationale n'exercent aucun contrôle sur les primaires, non plus que les organisations du parti au niveau des États et des gouvernements locaux. Ainsi, le candidat ou la candidate du parti est d'abord redevable de sa nomination à ceux qui lui ont fourni les fonds nécessaires ainsi qu'aux électeurs les plus militants, et souvent les plus marqués idéologiquement, qui se sont donné la peine d'aller voter aux primaires. Cela tend à encourager l'esprit de clocher dans le choix des candidats (et donc des futurs membres du Congrès) et leur indépendance à l'égard de la direction du parti. Résultat : il est très difficile d'exercer une discipline de parti au Congrès, les élus se souciant plus de leurs électeurs que de la direction de leur parti, y compris le président. Ce manque de discipline de parti est une des caractéristiques du Congrès.

Le processus législatif

Il importe de garder à l'esprit cette absence de discipline de parti quand on considère la complexité et souvent la confusion du processus législatif au Congrès. Un projet de loi doit être adopté par les deux chambres et dans une formulation identique avant d'être présenté au président. Ce parcours correspond vraiment à ce qu'un observateur a appelé un « labyrinthe législatif ». À cause de cette absence de discipline de parti et de la séparation des pouvoirs, on ne peut dire d'aucun projet de loi, même de ceux auxquels le président accorde son soutien officiel, qu'il relève du gouvernement. Il est normalement impératif que les « parrains » d'un projet de loi forment une coalition bipartisane pour le faire adopter. Et cette complexité du processus législatif offre aux opposants d'un projet une foule d'occasions de le contrecarrer. Conséquemment, l'aboutissement de n'importe quel projet de loi un peu contesté constitue toujours un triomphe pour ceux qui se sont chargés de le piloter à travers le Congrès.

Un des facteurs qui rend le processus encore plus compliqué est le système des **commissions** qui fonctionne parallèlement dans les deux chambres. Il y a un siècle, Woodrow Wilson, un politologue renommé qui allait plus tard devenir président, qualifiait le système politique américain de « gouvernement par les commissions permanentes du Congrès » et il notait que « les privilèges des commissions permanentes sont le commencement et la fin des règlements[5] ». Ces constats semblent exagérés aujourd'hui, mais sa perception du rôle des commissions demeure valable. La plus grande responsabilité dans l'élaboration d'un projet de loi revient aux commissions et sous-commissions. Les commissions ont pleins pouvoirs pour amender des projets, au point même de les vider de leur substance. C'est aussi dans les commissions que les différents groupes d'intérêt ont le plus d'occasions d'influencer un projet de loi. Avec comme résultat que toute étude sérieuse du processus législatif au Congrès doit concentrer son attention sur le système des commissions.

Les principales commissions, les permanentes, sont au nombre de 20 à peu près dans chaque chambre, chacune avec un mandat défini pour étudier les projets dans des domaines importants. Vu leur importance, les sièges dans les commissions-clés sont fort recherchés, surtout par les nouveaux représentants. Une fois nommé à une commission, un membre peut essayer d'être muté à une autre, au début d'une nouvelle législature (c'est-à-dire au début des années impaires). Cependant, la pratique consiste plutôt à acquérir une expertise dans un certain domaine et à siéger ensuite indéfiniment dans la commission adéquate. Ainsi, les représentants jettent les bases de leur pouvoir en contrôlant la législation dans leur champ d'expertise, et ce, pour de longues périodes. En outre, ils essayent d'être nommés à une commission susceptible de favoriser les intérêts de leur État ou de leur district, élément crucial pour leur réélection. Cela leur donne une raison supplémentaire de s'incruster une fois qu'ils sont nommés à la commission voulue. Et, comme les assignations à une commission sont étroitement contrôlées par les groupes dirigeants, un tel système décourage les membres d'agir de manière indépendante. Quoiqu'il soit difficile pour les dirigeants d'imposer une ligne de parti aux membres du caucus, il existe tout un ensemble de règles non écrites sur la façon de se comporter au Congrès. Leur violation peut créer de sérieux ennuis au représentant qui lorgne une nomination à une commission. Comme le *speaker* de la Chambre, Sam Rayburn, l'a résumé il y a plus de 40 ans en une formule célèbre : « *If you want to get along, go along.* » (« Si vous voulez vous entendre avec les autres, ralliez-vous. »)

Durant la plus grande partie du XXᵉ siècle, le système des commissions a fonctionné en se basant sur l'ancienneté et, ainsi, le pouvoir dans celles-ci est resté aux mains des membres ayant les plus longs états de service. Le membre le plus âgé du parti de la majorité est devenu le président de sa commission, tandis que le plus âgé du parti de la minorité occupait le second rang. Dans ces circonstances, il incite à rester dans une commission jusqu'à ce que l'on soit assez âgé pour en devenir le président. La possibilité d'exercer ce pouvoir détourne souvent les membres âgés d'autres postes politiques. La chose est particulièrement vraie à la Chambre où les élections sont tenues tous les deux ans. Un membre qui voudrait occuper un poste au Sénat ou dans le gouvernement d'un État ne pourrait pas briguer en même temps un siège à la Chambre. S'il échoue sur l'autre scène politique, le membre perdra non seulement son siège à la Chambre, mais aussi les bénéfices accumulés de l'ancienneté. Cela pousse les élus à rester au Congrès le plus longtemps possible, produisant ainsi un corps de présidents de commission marqués par l'âge. D'autre part, les réformes des années 1970 ont réduit de façon significative les pouvoirs desdits présidents et les ont rendus plus responsables dans leur fonction. Le système d'ancienneté avec avancement automatique en fonction de l'âge a, techniquement parlant, été aboli, mais l'ancienneté continue de jouer un rôle important dans la politique interne du Congrès.

En dépit du fait qu'ils ne peuvent imposer une stricte discipline à leurs membres au Congrès, les partis continuent à jouer un rôle très important. Pratiquement tous les membres des deux chambres sont élus sous l'étiquette républicaine ou démocrate. Chaque Chambre est organisée sur une base partisane, le *speaker* de la Chambre des représentants est élu par le parti majoritaire, tandis que le leader de la majorité au Sénat en domine les travaux. Quant aux nominations aux commissions, elles aussi sont attribuées sur une base partisane. De plus, le parti de la majorité jouit de nombreux privilèges dans chaque Chambre en matière de personnel. Pour toutes ces raisons, les partis agissent ici dans une certaine unité. Mais quand vient le moment de légiférer, il s'avère beaucoup plus difficile de maintenir la ligne de parti. À certains moments, le caucus du parti agit de concert, comme l'ont fait les républicains de la Chambre en 1995-1998 ou les démocrates en 2007 dans les deux chambres. Mais, en général, ceux qui soumettent un projet de loi ont besoin de l'appui de membres de l'autre parti pour le faire adopter. C'est le cas des projets importants. Cette absence de discipline et de cohésion partisanes fait l'objet de fréquentes critiques de la part des politologues qui préfèrent le processus plus clair de Westminster avec sa discipline de parti. Il y a environ 50 ans, un comité de l'American Political Science Association avait déjà proposé « un système bipartite plus discipliné ». Rétrospectivement, les 13 dernières années ont constitué la période la plus partisane depuis un siècle, mais il est loin d'être sûr que cette situation va se prolonger indéfiniment. Il est fort possible en effet que l'on revienne à la fluidité qui a caractérisé le Congrès durant la plus grande partie du xxᵉ siècle.

Mais, même sans une stricte discipline partisane, les **indépendants** n'ont guère de place dans un tel contexte. Les structures juridiques et politiques rendent très difficile l'élection d'un non-républicain ou d'un non-démocrate, et les rares indépendants courent le risque d'être isolés au Congrès. Comme le travail au Congrès se fait dans le cadre des commissions et sous-commissions dont les nominations dépendent des partis, un représentant siégeant comme indépendant risque d'être exclu de toute activité significative. Cela incite fortement à s'affilier à un des deux caucus de parti pour obtenir une nomination. C'est ce qu'ont fait les quelques indépendants qui siègent au Congrès aujourd'hui.

La première étape du **parcours d'un projet de loi** est sa présentation par un ou plusieurs membres d'au moins une des chambres. En général, cette présentation se fait devant les deux chambres à peu près au même moment. Le projet chemine selon des processus parallèles dans les deux chambres, mais avec des variations importantes. S'il est adopté dans une formulation identique par les deux chambres, il aboutit chez le président qui a 10 jours pour décider de le signer, ou d'apposer son veto, ou de permettre qu'il prenne force de loi sans sa signature. Le droit de veto confère au président une grande influence sur la législation, à moins que ses promoteurs n'obtiennent la majorité des deux tiers dans chacune des chambres pour y passer outre. Les promoteurs d'un projet savent que, s'ils tiennent vraiment à ce qu'il prenne force de loi et soit plus qu'un simple prétexte à mener un jeu de politique partisane, ils doivent s'assurer que le président l'avalisera. Cela peut nécessiter d'accepter d'y faire des modifications pour satisfaire le président, un compromis que la majorité au Congrès n'accepte pas nécessairement. Le chef de l'exécutif dispose d'un personnel de liaison avec le Congrès qui cherche à faciliter l'adoption de projets susceptibles d'obtenir la sanction présidentielle. Cette tâche est particulièrement difficile quand le parti opposé à celui du président contrôle le Congrès, ce qui fut le cas lors des six dernières années du gouvernement Clinton, et ce qui l'est encore depuis les élections de 2006 pour le gouvernement Bush. Ces périodes de «gouvernement divisé» n'aboutissent pas nécessairement à une impasse mais, dans l'atmosphère partisane lourdement chargée de l'époque, les affrontements entre le président Clinton et le Congrès ont été nombreux, intenses et très durs. Une situation semblable s'est présentée lorsque le nouveau Congrès à majorité démocrate a affronté le président Bush en 2007.

Une fois le projet présenté, il est renvoyé à l'une des commissions permanentes. S'il reçoit un certain appui, il sera éventuellement étudié par une sous-commission. Avant cela, il fera l'objet de recherches, menées par le personnel de la commission, et de discussions informelles entre les

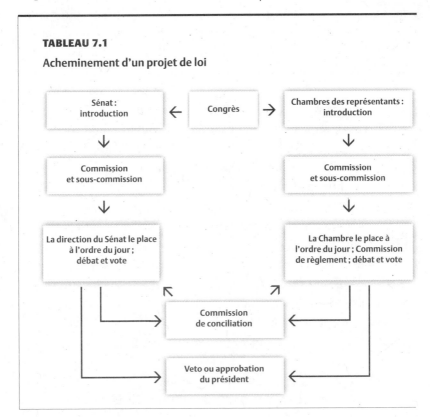

TABLEAU 7.1

Acheminement d'un projet de loi

membres de la sous-commission et son personnel. Interviendront aussi des groupes d'intérêt concernés et, éventuellement, de citoyens agissant à titre personnel. La sous-commission tiendra des auditions où les parties intéressées seront invitées à témoigner. C'est le moment où les groupes d'intérêt jouent un rôle crucial, c'est ici qu'ils font valoir leur importance. Les lobbyistes peuvent intervenir de façon importante dans la rédaction d'une loi. Il en résulte souvent des lois très avantageuses pour des intérêts particuliers, ce qui constitue un problème très important dans la rhétorique politique. Si la sous-commission décide de procéder, elle tient une session à durée limitée (*mark-up session*) au cours de laquelle on propose des amendements sur lesquels on vote. Comme pour tous les autres votes, on ne peut compter sur les majorités partisanes, c'est pourquoi les élus du parti majoritaire recherchent le soutien du parti minoritaire. Évidemment, si le parti majoritaire est fortement opposé au projet, ce dernier sera probablement enterré et oublié. La sous-commission a les mains libres pour amender le projet. Après son approbation, la sous-commission envoie le projet à la commission dont elle dépend, ce qui peut entraîner la reprise de tout le processus d'amendement, surtout dans les cas très controversés. Sinon, on peut simplement organiser une autre session à durée limitée avant de voter le renvoi du projet sur le parquet de la Chambre ou du Sénat. Aux étapes de la sous-commission et de la commission, les occasions d'enterrer ou de tuer un projet ne manquent pas. Et d'ailleurs, la plupart des projets présentés ne vont pas plus loin. Seulement une petite fraction d'entre eux (entre 10 et 15 %) sortent de la commission. Le processus est structuré de façon telle qu'il est plus facile de se débarrasser d'un projet que de le faire adopter. Les adversaires d'un projet de loi n'ont, pour s'en débarrasser, qu'à lui faire rater un seul des innombrables tests qu'il doit passer, alors que ses promoteurs doivent les lui faire réussir tous pour gagner.

Au Sénat, une fois présenté, le projet est inscrit au calendrier. Il revient alors au leader de la majorité, après consultation avec son vis-à-vis de la minorité, de décider du moment de débattre du projet devant l'Assemblée. À la Chambre, avec ses 435 membres, les dirigeants doivent exercer un contrôle très serré sur les débats et les votes s'ils veulent faire avancer les choses. C'est pourquoi tous les projets importants, sauf ceux concernant le budget, qui ont droit à un traitement privilégié, doivent passer devant la

Commission de règlement. Cette commission assigne un « règlement » au projet, c'est-à-dire qu'elle fixe la durée du débat et les conditions de vote sur les amendements. Avant les réformes des années 1970, cette commission était capable de bloquer de façon arbitraire les projets qui n'agréaient pas à ses membres ou, même seulement, à son président. Mais les réformes l'ont forcée à se montrer plus réceptive envers les dirigeants de la majorité et la pratique précitée a été abandonnée. Dès qu'un projet a fait l'objet d'un règlement, il est inscrit à l'un des cinq calendriers (ou rôles) à partir duquel il peut être appelé.

L'action sur le parquet des deux chambres est fort différente. Débats et votes sont étroitement contrôlés à la Chambre et dépendent du règlement assigné. Au contraire, le Sénat se vante d'une tradition de débats illimités. De plus, le Sénat ne limite pas le genre d'amendements qui peuvent être présentés, là où la Chambre en tolère généralement peu et exige qu'ils soient apparentés. Cette exigence n'existe pas au Sénat qui doit souvent considérer des amendements non reliés au projet, connus sous le nom de *riders* (voir le glossaire). Les *riders* peuvent n'avoir aucun rapport avec le projet de loi mais, une fois approuvés, ils en font partie intégralement. Toute une stratégie consiste à attacher des *riders* aux projets et à tenter ensuite de les en détacher. Dès que le temps alloué aux débats est écoulé, la Chambre vote sur le projet. La majorité des projets ayant atteint ce stade ont généré suffisamment de soutien pour gagner le vote requis. Au Sénat cependant, la pratique des débats illimités entraîne des stratégies différentes. Les opposants résolus d'un projet peuvent utiliser la tactique du *filibuster* (voir le glossaire) par laquelle ils parlent d'abondance pour gagner du temps et persuader les promoteurs du projet de le retirer. Auparavant, les activités du Sénat pouvaient être paralysées par un *filibuster*. À moins que le vote nécessaire pour obtenir la clôture des débats ne soit acquis, le leader de la majorité devait retirer le projet. La pratique actuelle consiste à maintenir le projet à l'étude, puis de passer à d'autres sujets et d'essayer de faire voter la clôture, laquelle requiert 60 votes sur 100. Si le vote échoue, le leader de la majorité peut passer à autre chose et procéder à nouveau à un vote de clôture quelques jours ou quelques semaines plus tard. Cela signifie que, si les adversaires d'un projet veulent mener un *filibuster* indéfiniment, ce projet ne pourra jamais être adopté, même avec le soutien de plus de

50 sénateurs. Autrement dit, il suffit de 41 opposants pour faire mourir un projet au feuilleton, en dépit du soutien que peuvent lui accorder les 59 autres sénateurs. C'est une arme très puissante aux mains des adversaires d'un projet, qui affecte grandement la planification d'une loi. Les promoteurs d'un projet de loi au Sénat doivent soit réunir les votes pour mettre fin à un *filibuster*, soit trouver le moyen d'apaiser les opposants, en amendant le projet à leur satisfaction. Autrement, il ne passera pas.

Il fut un temps où l'utilisation du *filibuster* soulevait la désapprobation. Et pourtant, durant les années 1990, sa pratique s'est généralisée, si bien qu'il a cessé d'étonner. Réservé auparavant aux débats importants et utilisé principalement par les sénateurs des États du Sud, il est devenu une arme essentiellement partisane, au service d'objectifs politiques étroits, et cela, pour les sénateurs de toutes les régions. Les membres du parti minoritaire le considèrent comme une arme normale de leur arsenal.

Le problème du *filibuster* illustre bien un trait caractéristique de la politique américaine en général. Malgré une adhésion formelle à la règle de la majorité, ce système manifeste de nombreuses tendances antimajorité, qui s'expriment par le veto présidentiel, le contrôle juridique, les majorités spéciales pour les amendements à la Constitution, le collège électoral, les libertés civiques, l'espacement des mandats législatifs, etc. Les Pères fondateurs craignaient beaucoup les majorités populaires qui échapperaient à tout contrôle et l'excès de concentration du pouvoir. Ils ont conçu un système qui diviserait le pouvoir (séparation des pouvoirs) et poserait des limites à l'action des majorités du moment, pour contenir les excès de démocratie qu'ils redoutaient. Leur vision de la démocratie était très judicieuse. La règle toute simple de la majorité ne suffisait pas selon eux. Ils voulaient un système qui intégrerait la protection des droits de la minorité (on parle ici de la minorité politique, et non de la minorité raciale, car cela est une autre histoire). Leur projet constitutionnel mettait délibérément des obstacles à l'exercice du pouvoir par la majorité, et cette tradition existe encore aujourd'hui. Voilà qui offre un contraste frappant avec le système parlementaire où l'on met l'accent sur la traduction politique de la volonté de la majorité (au moins parlementaire). Dans le système américain, en général, la politique ne peut se mener qu'en ménageant dans une certaine mesure la minorité politique.

Après son acceptation par les deux chambres, il est peu probable que les deux versions du même projet soient identiques, si ce dernier concerne une question controversée. En fait, pour n'importe quelle loi importante, il y a toujours de grandes différences entre les deux versions. Le projet franchit les deux chambres indépendamment, malgré les efforts de coordination de ses promoteurs et peut-être même une intervention de la Maison-Blanche. Chaque chambre, en commission ou sur le parquet, peut avoir ajouté des amendements. Résultat? Les textes des versions diffèrent substantiellement. Pour qu'un projet soit adopté dans une formulation identique par les deux chambres, on doit habituellement former une Commission de conciliation pour mettre d'accord les parties, à moins que l'une n'accepte la version de l'autre. L'étape de la Commission de conciliation est cruciale, parce qu'en pratique, cette commission jouit vraiment de toute la latitude nécessaire pour modifier un projet et produire une version susceptible d'obtenir une majorité dans les deux chambres. Chaque chambre, pour chaque projet particulier, nomme ses membres au sein d'une Commission de conciliation *ad hoc*, dominée par les membres de la commission concernée, avec des représentants de la majorité et de la minorité. L'importance de la délégation de chaque Chambre ne fait aucune différence, car les représentants des deux côtés doivent se mettre d'accord avant qu'un nouveau projet ne sorte de cette commission. Ladite commission possède une grande marge de manœuvre pour modifier un projet ou même le réécrire complètement. Cela se fait à l'abri de toute publicité, mais avec de profondes conséquences sur le contenu de la loi. On n'est jamais sûr d'aboutir à un accord. En cas d'échec de la commission *ad hoc*, le projet est «mis sur les tablettes» ou tout le processus doit recommencer. Même quand les représentants se mettent d'accord sur un texte final, celui-ci doit être soumis au vote des deux chambres, ce qui exclut toute autre proposition d'amendement provenant du parquet de la Chambre ou du Sénat. En cas d'échec, le projet est mort. Si le rapport de la Commission de conciliation est adopté par les deux chambres, le projet de loi est transmis au président.

Bien que le président puisse être impliqué de manière informelle dans la présentation d'un projet de loi, ce n'est qu'au stade final qu'il est habilité formellent à intervenir. Constitutionnellement, il a le choix d'apposer sa signature à la loi ou, s'il ne l'a pas fait dans les 10 jours, de la laisser prendre force de loi sans sa signature. S'il s'oppose à la loi, il la renvoie au Congrès, en signifiant son intention d'y opposer son veto (message de veto). Le projet retourne alors à la Chambre dont il provient pour être remis aux voix. S'il obtient la majorité des deux tiers, il est ensuite envoyé devant l'autre chambre. S'il obtient la majorité des deux tiers dans chaque chambre, la loi entre en vigueur malgré l'opposition du président. Finalement, il existe aussi un autre cas de figure : quand il reste moins de 10 jours à une session législative, le président peut exercer un « veto de poche » (*pocket veto*) en ne faisant tout simplement rien. Le Congrès n'a aucun moyen de contourner ce type de veto et le projet meurt au feuilleton.

Quant au processus budgétaire, il existe des procédures spéciales impliquant trois types de lois ou résolutions, distinctes mais apparentées. Avant 1974, le Congrès votait le budget simplement en passant une série de lois dites *authorization and appropriation bills* (voir le glossaire). Les *authorization bills* permettent à un programme ou à une activité de fonctionner et fixent un plafond des dépenses pour l'exercice financier. Ils sont débattus dans les commissions permanentes, responsables des agences et départements gouvernementaux. Les *appropriation bills*, pour leur part, permettent de dépenser l'argent en provenance du département du Trésor. Mais, avant cela, ils sont examinés à la Commission d'attribution des crédits (Appropriations Committee) de chaque chambre. Ces commissions ont de multiples sous-commissions, une pour chacun des 13 projets annuels de crédit. La réforme du budget (1974) a modifié profondément la procédure. Elle a notamment créé une Commission du budget dans chaque chambre, responsable d'une résolution définissant l'ensemble du budget, contraignant ainsi la Commission d'attribution des crédits à maintenir ses dépenses totales dans des limites bien définies. La réforme fixe aussi des dates butoirs pour les différents stades du processus budgétaire et ainsi s'assure que tout sera fini avant le 1er octobre, début du nouvel exercice financier.

Sous le président Reagan (1981-1989), pendant une période où le gouvernement fut généralement divisé, les conflits entre le président et le Congrès à propos du budget ont été très intenses, chacun essayant d'obtenir des gains politiques contre l'autre. À certains moments, durant de tels conflits, le gouvernement a cessé de fonctionner faute de crédits.

Cette pratique brutale a été utilisée par les deux partis, mais de façon plus spectaculaire par les républicains contrôlant le Congrès durant les six dernières années de la présidence Clinton. Cette tactique a cependant provoqué un retour de flammes pour eux en 1995, entraînant une importante victoire politique pour le président. Par la suite, les partis ont adopté une approche plus conciliante débouchant sur l'accord budgétaire de 1996, qui a mis le gouvernement sur les rails pour sa première série de surplus budgétaires enregistrée depuis des décennies. Depuis 2000, cependant, des déficits importants se sont à nouveau accumulés.

Les motifs qui poussent un membre du Congrès à voter d'une certaine façon constituent un aspect important du processus législatif. Cela dépend de la perception que se fait un représentant ou un sénateur de l'enjeu de la loi et des pressions exercées sur lui. Si les électeurs ou les groupes d'intérêt sont fortement mobilisés à propos d'un problème aigu, ils peuvent forcer la main du membre, spécialement si son district ou son État manifeste beaucoup d'homogénéité sur ce point. Autrement, le caucus du parti peut mettre fortement l'accent sur le projet ou bien il y aura des pressions venant de certains de ses collègues qu'il respecte beaucoup. Il existe aussi nombre de caucus non partisans (par exemple, les caucus de femmes ou de Noirs, le caucus hispanique, etc.) qui tenteront certainement de guider leurs membres dans la législation qui les concerne. En l'absence de telles contraintes, les membres pourront voter selon leurs préférences politiques ou leur idéologie.

L'influence des partis au Congrès

La nature des deux chambres, spécialement leur différence de taille, a entraîné des styles de leadership très contrastés. Le Sénat est plus détendu et ressemble à un club. Les sénateurs font preuve d'une grande courtoisie et d'un respect des règles du jeu dignes de gentlemen. Cela permet de mener beaucoup d'affaires avec le consentement unanime des membres. Résultat : la présidence du Sénat est un poste insignifiant. Officiellement, le vice-président des États-Unis est le président du Sénat. Il préside au cours de certaines cérémonies et, quand il y a un vote partagé sur une question importante, il peut trancher. Normalement, les nouveaux sénateurs président la Chambre à tour de rôle, mais ils n'exercent aucun pouvoir véritable. Ils ne font guère plus que maintenir l'ordre et la courtoisie dans les procédures. Le vrai pouvoir au Sénat se trouve entre les mains du chef de la majorité, élu par le caucus du parti de la majorité au commencement de chaque Congrès biennal. Assisté par les whips et autres officiels du parti, et en consultation avec le leader du parti minoritaire, il précise le calendrier du Sénat, spécifiquement le moment où un projet sera appelé ou retenu, le moment où se tiendront les votes, il voit comment traiter les *filibusters* et toute autre question relevant des activités du Sénat. Mais ses pouvoirs s'étendent bien au-delà. Un bon leader doit pouvoir rassembler les votes pour consolider les positions qu'il défend avec les autres dirigeants du parti. C'est tout un art que maîtrisait bien Lyndon Johnson lorsque dans les années 1950, sénateur démocrate du Texas, il réunissait ses collègues pour chercher des combines astucieuses. Il était capable de créer des obligations à ses collègues en leur accordant des faveurs et ensuite de le leur rappeler au besoin, quand il fallait voter un projet important. Johnson a probablement été le leader de majorité le plus efficace du xxe siècle.

Les leaders de la majorité et de la minorité travaillent avec plusieurs collègues de leur parti, élus par les caucus en tant que whips, chefs de caucus ou d'assemblée, etc. Chaque parti dispose également d'un comité d'organisation et d'un comité s'occupant des nominations aux commissions permanentes. De plus, les présidents de commission font en quelque sorte partie du groupe dirigeant, tout comme les membres importants des mêmes commissions du côté de l'opposition. De plus, selon le parti au pouvoir à la Maison-Blanche, aussi bien le chef de la majorité que celui de la minorité doivent coopérer avec le président pour qu'il puisse atteindre ses objectifs. Le président rencontre les leaders des deux partis au Congrès, mais il est évidemment porté à travailler plus étroitement avec les leaders législatifs de son propre parti. En cas de «gouvernement divisé», par exemple, le chef de l'opposition fera tout en son pouvoir pour empêcher que le parti majoritaire ne recueille assez de voix pour surmonter un veto. Si le président sait que le Congrès est incapable de réunir une majorité anti-veto, cela renforcera considérablement son pouvoir de marchandage auprès du leader du parti majoritaire.

À la Chambre, la situation est radicalement différente. Le *speaker* qui préside occupe une position hautement partisane. Pour l'essentiel, il est le leader de la majorité et la personne qui dirige vraiment les affaires de la Chambre. Les *speakers* efficaces exercent un contrôle serré sur toutes les activités de la Chambre, supervisant les débats, fixant le calendrier, apportant de l'aide pour un projet, dénichant les votes, pilotant les projets à travers les commissions, etc. Certains *speakers* ont tendance à concentrer trop de pouvoirs entre leurs mains et à se comporter de façon quelque peu autocratique. Cette attitude peut entraîner un retour de flamme comme lors de la révolte contre le *speaker* Joseph Cannon en 1910, qui eut de profondes conséquences sur les pratiques de la direction à la Chambre durant le reste du siècle. La révolte a entraîné une décentralisation des pouvoirs, et plus spécialement le renforcement des compétences des présidents des commissions, et de la Commission de règlement, aux dépens du *speaker* et du reste des dirigeants. C'est seulement au cours du dernier quart de siècle que le leadership partisan a commencé à récupérer une partie de son pouvoir et à le partager avec le caucus.

Le *speaker* est assisté par le leader et le whip de la majorité et leurs adjoints. Souvent, mais pas nécessairement, le leader de la majorité remplace le *speaker* en cas de vacance du poste. La minorité a également un chef, un whip et des adjoints. En général, le chef de la minorité sera le remplaçant probable du *speaker*, si son parti gagne la majorité aux élections suivantes. C'est exactement ce qui est arrivé lorsque Nancy Pelosi est devenue la première femme *speaker* après que les démocrates eurent remporté les élections de 2006. Chaque parti a son caucus ou son assemblée, avec un personnel élu et une commission pour les politiques. Comme au Sénat, une des tâches des dirigeants consiste à savoir quand exercer des pressions sur les membres pour qu'ils « votent bien » et quand les laisser libres. Cette tâche implique la capacité de prévoir la tournure d'un vote et de juger de l'importance des votes additionnels sur la marge. Vu l'esprit de clocher régnant à la Chambre (lié aussi à la faible dimension des districts électoraux), les avantages accordés à un district sont souvent des outils précieux pour gagner un vote pour ou contre un projet. Les dirigeants du parti présidentiel, qu'ils soient ou non majoritaires à la Chambre, sont bien placés pour offrir de tels avantages avec la coopération du président, et c'est un privilège qui échappe à l'autre parti. Par exemple, les projets de travaux publics et les contrats gouvernementaux constituent couramment des incitations utilisées pour solliciter un vote au Congrès. Le président se trouve dans une situation unique pour offrir de tels « encouragements ».

Réforme du Congrès

Depuis les années 1950, la réforme du Congrès a été une question importante et très controversée. L'élan donné à cette réforme résulte de l'emprise exagérée exercée sur la législation par la prétendue « coalition conservatrice », une alliance de républicains et de démocrates conservateurs du Sud. Bien que les démocrates aient contrôlé le Congrès de 1933 à 1995, avec quelques intermèdes républicains à la Chambre (1947-1948, 1953-1954) et au Sénat (1981-1986), les conservateurs ont été en mesure de constituer une majorité effective. Comme les démocrates du Sud profitaient du système d'ancienneté, ils avaient tendance à détenir un nombre disproportionné de présidences de commission. Cette puissante alliance frustrait les membres plus libéraux du Congrès. Avec le temps, ces derniers réussirent à changer les règles du caucus démocrate, puis les républicains adoptèrent des règles semblables, qui abolirent le principe de nomination des présidents à l'ancienneté. Désormais, les présidents et les membres de commission sont choisis au vote secret par les caucus respectifs de la majorité et de la minorité. Cette disposition, plus l'expansion prise par les sous-commissions, a contribué à priver un groupe isolé d'une partie de son pouvoir, mais elle a aussi joué contre le leadership du parti. En conséquence, après 1974, il est devenu plus compliqué, pour les dirigeants des partis, de contrôler le Congrès.

Ce problème s'est encore aggravé avec l'adoption, à peu près au même moment (1974), de la réforme sur le financement des campagnes électorales. La création des Political Action Committees (PAC) figure parmi les innovations découlant de cette nouvelle façon de faire. Les PAC sont avant tout des outils pour recueillir des fonds servant à financer les campagnes. Ils tendent à être étroitement associés aux groupes d'intérêt. Ainsi, l'argent qu'ils versent aux candidats (et d'abord à ceux qui ont déjà été élus) est distribué en fonction d'un message qu'on aimerait faire passer. En outre, la disponibilité de fonds en provenance des PAC a réduit l'importance des partis à cet égard. Résultat : les appareils des partis ont été non pas éliminés mais éclipsés par les PAC pour ce qui concerne les souscriptions. Ce phénomène a contribué au déclin des partis. L'importance scandaleuse qu'a prise le *soft money* dans les années 1990, particulièrement durant la campagne présidentielle de 1996, montre comment les candidats à la présidence ont réussi dans leur tentative de contourner les lois sur le financement des campagnes électorales. La loi McCain-Feingold passée en 2003 a constitué une tentative de remédier à ce problème, mais une décision de la Cour suprême en 2007 jette le doute sur l'efficacité de cette approche. Mais le phénomène a aussi eu des conséquences sur les élections au Congrès, révélant ainsi la puissance de l'argent (des intérêts privés) dans le processus électoral. On ignore jusqu'à quel point une telle méthode de financement peut influencer les votes au Congrès, mais il est très probable que la marge de manœuvre des membres du Congrès a été réduite en raison de leur dépendance à certaines sources de financement. Une fois qu'on s'est engagé avec un groupe d'intérêt, il devient difficile pour un sénateur ou un représentant de s'en séparer politiquement, étant donné le risque qu'il courrait pour son financement et sa réélection. Au début de l'an 2000, la dépendance des membres du Congrès à l'égard des fonds spéciaux des groupes d'intérêt constitue probablement l'enjeu principal d'une réforme. Mais il y a peu de chances que l'on trouve une solution rapide. Un projet de loi sur l'éthique professionnelle est à l'étude depuis 2007. Il exigerait une plus grande transparence de la part des groupes d'intérêt lorsqu'ils lèvent des fonds pour les candidats. Il limiterait également la liberté des législateurs de recevoir des « cadeaux » de la part des lobbyistes.

Les changements les plus récents dans la façon dont le Congrès fonctionne découlent de l'étonnante victoire de 1994, quand les républicains ont reconquis le contrôle des deux chambres, pour la première fois depuis le début de la présidence Eisenhower. Avec le *speaker* Newt Gingrich, on assiste à un changement de style spectaculaire à la Chambre. Derrière son *Contrat pour l'Amérique*, il a cimenté l'unité de ses membres, ce qui s'est traduit par un degré inhabituel de discipline de parti pendant quelques années. Il en est résulté une augmentation du vote partisan et une plus grande partisanerie politique dans la conduite des affaires à la Chambre. En un sens, la chose n'a rien de surprenant, car pendant de nombreuses années la tendance en matière de politique électorale a été de se centrer sur les candidats plutôt que sur les partis ; certains candidats connus avaient même omis de préciser leur affiliation partisane dans leur publicité électorale.

Cela dit, les partis restent le moteur de l'organisation politique au Congrès. Au début, Gingrich réussit à renforcer la cohésion de ses troupes quand elles luttaient pour faire adopter les différents éléments du *Contrat*, au cours des 100 premiers jours du 104ᵉ Congrès. Il l'a fait d'abord en accentuant son emprise sur le leadership du parti, ensuite en faisant en sorte que les présidents des commissions et leurs membres se soucient du programme républicain. En particulier, il a mis en place les présidents qu'il voulait à la tête des commissions, quitte à descendre jusqu'au bas de la liste d'ancienneté. Il a également supprimé trois commissions permanentes, qui avaient été sensibles aux vœux des libéraux dans le passé, et réduit le nombre de sous-commissions. En général, ces changements ont entraîné un accroissement de la responsabilité du parti et une centralisation de son leadership. Dans ce contexte, les présidents des commissions et sous-commissions fonctionnent sous l'étroite supervision du leadership du parti. Ce qui forme un contraste saisissant avec les pratiques des majorités démocrates, au cours des décennies antérieures. Nancy Pelosi a pris exemple sur Newt Gingrich durant la première année de son mandat de *speaker.*

Au Sénat, dont la culture est plus individualiste, les choses n'ont pas changé autant. De plus, les mandats plus longs au Sénat ont tempéré les ardeurs des républicains victorieux, et les candidats au Sénat n'avaient pas participé aux élections sur la base du *Contrat.* Le leader de la majorité, Bob Dole, n'a pas essayé d'imposer à son caucus autant de discipline que dans le cas de Gingrich. Un grand nombre de transformations dans l'organisation ont été réalisées, à l'instar de ce qui s'est produit à la Chambre, mais leur impact n'a pas été aussi fort. Quant à la tentative d'*impeachment* du président Clinton (à la fin de 1998), elle marque probablement la fin d'une véritable cohésion des républicains à la Chambre, surtout après la démission de Gingrich. Son successeur, le républicain Dennis Hastert, ne semble pas avoir fait preuve de l'énergie ou de la vision stratégique qui ont caractérisé les années Gingrich. La victoire très mince des démocrates au Sénat en 2006 (51-49) a rendu le travail du chef de la majorité, Harry Reid, d'autant plus difficile.

À la fin du xxᵉ siècle, la renaissance des républicains s'est traduite par le plus haut taux de partisanerie politique qui ait été observé au cours des 100 dernières années. En 2001, pour le quart des votes, 90 % des républicains s'opposaient à 90 % des démocrates, une situation unique depuis un siècle. Les scores de l'unité du parti ont atteint des niveaux sans précédent[6].

Les relations avec le président

Les relations présidence-Congrès constituent l'une des clefs du système politique, parce que les pouvoirs investis dans ces deux institutions engendrent conflits et compétition. Cette relation est donc dynamique et non statique. Et cela est vrai, que le gouvernement soit « unifié » ou « divisé », et même si le potentiel de conflit est plus élevé dans le second cas. Depuis les débuts de la République, présidents et Congrès n'ont cessé de s'affronter. L'*impeachment* d'Andrew Johnson et celui de Bill Clinton figurent au nombre des affrontements les plus dramatiques, mais jamais cette procédure n'a débouché sur la condamnation du président par le Sénat. Dans le cas de Nixon, l'*impeachment* aurait pu mener à une condamnation, si le président n'avait pas démissionné avant la fin du processus. Sur une base quotidienne, c'est une lutte constante pour la suprématie. Durant le xxᵉ siècle, il ne fait pas de doute que le président a dominé. Ce siècle a vu un accroissement considérable de ses pouvoirs en raison de l'étendue de ses interventions dans les affaires étrangères, domaine où de toute façon il joue un rôle dominant. Mais il y eut aussi l'augmentation des programmes sur la scène intérieure dont les présidents ont pris la direction. Ce renforcement de l'influence présidentielle s'est effectué principalement sous les démocrates. C'est sous leur présidence que le pays a connu les conflits politiques et les innovations législatives les plus importants. Le Congrès, embourbé dans des procédures complexes et un système d'ancienneté dépassé, s'est révélé incapable de rivaliser avec le président sur un pied d'égalité durant la majeure partie du siècle. En outre, la clarté du processus décisionnel à la Maison-Blanche, avec une seule personne dirigeant toute la branche exécutive, contraste singulièrement avec le manque d'unité au

Congrès. Il y eut pourtant divers efforts à différents moments pour réaffirmer le pouvoir et les prérogatives du Congrès, comme lors de l'après-Viêt-nam, le scandale du Watergate et les événements qui ont suivi la victoire des républicains en 1994. Mais, en général, l'initiative revient au président, tandis que le Congrès a coopéré à la réduction de son propre pouvoir avec des mécanismes tels que le veto législatif et le *line item veto* (veto partiel). Les deux ont été déclarés inconstitutionnels. C'est pourquoi le gouvernement (la branche exécutive) conserve toute son importance et les présidents ont toujours l'autorité pour le diriger. Les tentatives du Congrès pour serrer la bride au pouvoir présidentiel n'ont pas été particulièrement efficaces. Le conflit le plus aigu a eu lieu durant les années de la présidence de George W. Bush. Mais même après leur victoire en 2006, les démocrates ont rarement réussi à limiter le pouvoir présidentiel, particulièrement dans le cadre de la guerre en Irak.

Le Congrès dispose d'autres moyens pour négocier avec la branche exécutive. En se servant de ses pouvoirs de supervision et d'enquête, il peut attirer l'attention du public sur les activités variées des départements et agences qui doivent en rendre compte au président. Les révélations d'incompétence et de dépenses excessives de fonds publics, accompagnées de méfaits, peuvent embarrasser sérieusement la Maison-Blanche. Ces pouvoirs aident le Congrès à maintenir un équilibre dans ses rapports avec le président et ils sont une force de dissuasion contre une action présidentielle indésirable. Les efforts visant à enquêter sur les agissements du ministère de la Justice en relation avec la mise à pied de plusieurs procureurs en 2007 ont été pourtant contrecarrés grâce au témoignage confus du procureur général (*attorney-general*) Alberto Gonzales.

Une des questions cruciales auxquelles fait face le Congrès concerne l'immense portée du veto. Une seule personne a le pouvoir d'annihiler le travail de 535 législateurs, d'un seul trait de plume. Cela lui confère d'énormes avantages en termes de formulation législative. Techniquement, les projets de loi sont écrits au Congrès mais, en pratique, les présidents sont impliqués dans tout le processus et ils exercent une forte influence sur son contenu, sauf dans les cas assez inhabituels où le Congrès peut surmonter le veto.

◆

Habituellement, le processus législatif exige que les législateurs négocient intensivement et continuellement, de façon à former les coalitions nécessaires pour franchir les obstacles empêchant un projet de devenir une loi. En réalité, pour la plupart des membres du Congrès, un tel marchandage est devenu un mode de fonctionnement bien enraciné. Normalement, chaque projet de loi important requiert sa propre coalition partisane (*ad hoc*) pour le piloter dans la course à obstacles du processus législatif. On trouve des exceptions à cette règle quand il existe un degré inhabituel de cohésion partisane. Ce fut le cas au cours des années suivant la victoire des républicains au Congrès et, de nouveau, après 2006. À ce moment-là, le parti majoritaire a été en mesure de légiférer sans guère tenir compte des membres du parti adverse. Mais, même alors, si le président provient du parti opposé, on doit négocier avec lui pour éviter un veto à la fin. En conséquence, la majorité des lois passées au Congrès résultent d'un processus de consensus (*consensus building*), malgré les divisions qui peuvent exister formellement à propos d'un projet de loi.

Souvent, le Congrès est critiqué pour son inefficacité et sa lenteur. Ces critiques sont en partie fondées, mais on ne doit pas oublier que cette institution est censée offrir une tribune pour des délibérations et que ses membres représentent une société très diversifiée. Étant donné l'absence de partis disciplinés, bâtir les coalitions voulues pour faire adopter un projet s'avère généralement une tâche formidable.

Au cours des ans, le Congrès a certainement changé et il continue d'évoluer. Les partis ont dominé durant plus de 100 ans. Ensuite, on a connu une longue période durant laquelle le pouvoir s'est retrouvé surtout entre les mains des présidents de commission. Depuis 1970, un effort a été fait pour rétablir un contrôle centralisé par les partis, avec des résultats assez inégaux. Mais il y a peu de doutes que le Congrès est beaucoup plus partisan qu'il avait l'habitude de l'être. Cela ne va pas sans poser de sérieux problèmes aux présidents. Bien qu'une recherche indique que les « gouvernements divisés » sont plus productifs en termes de législation, les rapports président-Congrès se révèlent plus complexes qu'auparavant, dans une atmosphère politique (partisane) lourdement chargée. Il est probable que les tensions internes entre le Congrès et le président vont persister, étant donné l'augmentation de la partisanerie et la polarisation croissante entre les deux partis. Il y a peu de chances que cette évolution aboutisse à un « gouvernement de parti » au sens britannique du terme, mais elle augmentera la responsabilité des partis vis-à-vis des électeurs. Finalement, le Congrès a essayé et continue d'essayer de s'affirmer comme une source indépendante d'innovation en matière de politique. Cet effort est de nature à provoquer des frictions continuelles, et même des affrontements, entre l'exécutif et la législature. Ainsi, ces éléments clés de la structure constitutionnelle restent le point de mire de ce système politique.

NOTES

1. James L. SUNDQUIST, *The Decline and Resurgence of Congress*, Washington, Brookings Institution Press, 1981. Ce livre est particulièrement utile dans sa description du déclin à long terme du Congrès et de ses tentatives de renaissance dans les années 1970.
2. Voir David R. MAYHEW, *Divided We Govern*, New Haven, Yale University Press, 1991 ; et Gary C. JACOBSON, *The Electoral Origins of Divided Government. Competition in U.S. House Elections, 1946-1988*, Boulder, Westview Press, 1990. David Mayhew montre que les périodes d'opposition entre le Congrès et la présidence peuvent être aussi productives en matière législative que les périodes où les institutions partagent la même allégeance partisane.
3. « *To make all laws which shall be necessary and proper for carrying into execution the foregoing powers.* »
4. David R. MAYHEW, *Congress. The Electoral Connection*, New Haven, Yale University Press, 1974, p. 14-15.
5. Woodrow WILSON, *Congressional Government. A Study in American Politics*, Baltimore, Johns Hopkins University Press, 1981, p. 56 et 62 (1re éd., Boston, Houghton, Mifflin, 1885).
6. John E. OWENS, « Congress and Partisan Change », dans Gillian PEELE *et al.* (dir.), *Developments in American Politics*, tome 3, New York, Chatham House, 1998, p. 68.

POUR EN SAVOIR PLUS

BIBLIOGRAPHIE ET LECTURES RECOMMANDÉES

ARNOLD, R. Douglas, *The Logic of Congressional Action*, New Haven, Yale University Press, 1990.

DAVIDSON, Roger et Walter OLESZEK, *Congress and Its Members*, 11e édition, Washington, CQ Press, 2007.

Dodd, Lawrence C. et Bruce I. Oppenheimer, *Congress Reconsidered,* 8ᵉ éditon, Washington, CQ Press, 2004.

Fenno, Richard F. *Homestyle : House Members in their Districts,* Boston, Little, Brown, 1978.

Fiorina, Morris, *Congress : The Keystone of the Washington Establishment* 2ᵉ édition, New Haven, Yale University Press, 1989.

Fiorina, Morris, *Divided Government,* 2ᵉ édition, Boston, Allyn & Bacon, 1996.

Jacobson, Gary C., *The Politics of Congressional Elections,* 5ᵉ édition, New York, Longman, 2001.

Katz, Richard S., *Political Institutions in the United States,* New York, Oxford University Press, 2007.

Mayhew, David, *America's Congress,* New Haven, Yale University Press, 2000.

Sinclair, Barbara, *Unorthodox Lawmaking : New Legislative Processes in the U.S. Congress,* 3ᵉ édition, Washington, CQ Press, 2007.

Stanley, Harold W. et Richard G. Niemi, *Vital Statistics on American Politics 2007-2008,* Washington, CQ Press, 2007.

Thomas, Sue, How Women Legislate, New York, Oxford University Press, 1994.

SITES INTERNET

Bibliothèque du Congrès (et portail vers tous les sites d'information du Congrès) : http://thomas.loc.gov

La Chambre des représentants : www.house.gov

Le Sénat des États-Unis : www.senate.gov

Association of Centers for the Study of Congress (liens vers les centres d'étude du Congrès) : www.congresscenters.org

Center for Congressional and Presidential Studies, American University (Washington) : http://spa.american.edu/ccps

Congress.org (portail d'information sur les activités politiques de la capitale américaine) : www.congress.org

Congressional Quarterly (analyse de l'activité politique et législative du Congrès) : www.cqpolitics.com

The Hill (quotidien spécialisé destiné au personnel politique de Washington) : www.thehill.com

Project Vote Smart (information détaillée sur les votes de tous les membres du Congrès sur les principaux enjeux politiques ; cotes accordées aux législateurs par les groupes d'intérêt) : www.vote-smart.org

LA PRÉSIDENCE

Guy-Antoine Lafleur et Félix Grenier

Le pouvoir exécutif aux États-Unis repose entièrement sur le président bien que d'importantes limites lui soient imposées par les pouvoirs non négligeables dont disposent les autres institutions prévues par la Constitution de 1789. À plusieurs égards, la présidence américaine est originale, pour ne pas dire unique, et cette originalité provient de son évolution historique marquée à la fois par la personnalité de ceux qui ont occupé cette prestigieuse fonction, par l'évolution même de la société américaine qui au cours des XIXe et XXe siècles a connu de profondes mutations, et par les changements importants qui ont marqué la scène internationale.

Évolution historique

L'unicité de la présidence américaine apparaît d'autant plus appréciable que les délégués à la Convention constitutionnelle de 1787 n'avaient pratiquement aucun modèle concret dont ils pouvaient s'inspirer. Ils disposaient tout au plus de deux modèles dont ils ne voulaient pas, c'est-à-dire la monarchie de type britannique ou encore le modèle prévu par les articles de la Confédération qui avaient établi un gouvernement fédéral aux pouvoirs si limités que les États n'étaient unis que nominalement.

Certains délégués favorisaient l'institutionnalisation d'un pouvoir exécutif plutôt faible de peur que la présidence ne s'apparente de trop près à une monarchie. D'autres, par contre, préconisaient un exécutif fort, doté de véritables pouvoirs et jouissant d'une indépendance réelle par rapport aux autres institutions. Sans pour autant aller jusqu'à souhaiter l'instauration d'une monarchie, les représentants de ces États désiraient que les pouvoirs de l'exécutif soient concentrés entre les mains d'une seule personne et que cette dernière soit choisie par une procédure telle qu'elle ne dépendrait pas du pouvoir législatif. De plus, les tenants de cette option souhaitaient que certains mécanismes soient prévus afin que l'on ne puisse destituer le président qu'en cas d'offenses graves, et non pas seulement sur la base d'un désaccord avec l'une ou l'autre de ses politiques. Le président disposerait en plus d'un droit de veto et, s'il devait avoir un conseil exécutif, ce dernier ne devrait être que consultatif.

Devant faire face à ces deux conceptions, les membres de la Convention optèrent pour le modèle préconisant un pouvoir exécutif fort, choisi par un collège électoral et non par la législature. Il ne tiendrait donc pas son autorité du Congrès, mais bien directement de la Constitution, et ses pouvoirs seraient étendus, mais peu définis. En somme, comme le précise la section 1 de l'article II de la Constitution américaine : « Le pouvoir exécutif sera confié à un président des États-Unis d'Amérique[1] » élu par un collège électoral pour un mandat de quatre ans. Le président se doit en plus d'être citoyen américain de naissance, âgé d'au moins 35 ans, et de résider « sur le territoire des États-Unis depuis quatorze ans[2] ».

En tant que premier président des États-Unis, **George Washington** fut vraiment à la hauteur des attentes de ceux qui désiraient un pouvoir exécutif fort sans pour autant que la présidence ne s'apparente à une monarchie. En se retirant après deux mandats, non seulement créa-t-il un précédent qui prévalut jusqu'en 1940, mais en plus et peut-être surtout, il contribua ainsi à faire disparaître toute peur ou toute possibilité que cette fonction de président puisse de quelque manière que ce soit s'apparenter à celle d'un monarque. En assumant la présidence des États-Unis de 1789 à 1797, George Washington contribua aussi, par la force de sa personnalité de même que par sa vision du rôle de la présidence, à donner à cette institution certaines orientations qui la marquent encore aujourd'hui. À titre d'exemple, mentionnons que, déjà sous son administration, autant la présidence que son cabinet préférèrent mener une action soutenue auprès du Congrès afin d'obtenir les appuis nécessaires à leur menu législatif plutôt que d'attendre passivement que le Congrès juge par lui-même du bien-fondé de tel ou tel projet de loi. En somme, dès les débuts de la mise en place du nouveau régime, autant la présidence que son cabinet assumaient qu'il était de leur responsabilité de présenter différentes politiques et de tout mettre en œuvre afin que le Congrès donne son appui à ces politiques.

C'est aussi George Washington qui instaura la pratique des rencontres régulières avec les responsables départementaux, ce qui correspondait déjà à l'existence d'un cabinet, et il fut le premier à assumer certaines responsabilités présidentielles non explicitement mentionnées par la Constitution, comme le pouvoir de destituer unilatéralement un officiel gouvernemental. Il est important de se rappeler que Washington devint président des États-Unis par la force de sa personnalité et qu'il n'eut jamais de véritable organisation pouvant s'apparenter à un parti politique pour favoriser sa candidature. Ce fut **Thomas Jefferson** (1801-1809) qui fut le premier à faire usage d'un parti politique — les républicains, aujourd'hui les démocrates — afin de gagner les élections, d'une part, et de s'assurer une majorité au Congrès, d'autre part. C'est lui qui fut le premier à montrer que la politique partisane telle qu'elle est pratiquée par les partis politiques pouvait servir de pont entre la présidence et le Congrès.

À l'époque de Washington et de Jefferson, la majeure partie des membres du collège électoral, qui dans les faits choisissait le président, étaient désignés par les législatures des États. Ce fut **Andrew Jackson** (1829-1837) le premier président véritablement élu par la population et le premier à se considérer comme son « représentant direct ». Déjà en 1824, lorsqu'il tenta pour la première fois de se faire élire, il remporta effectivement plus de votes populaires que l'un ou l'autre de ses adversaires, soit John Quincy Adams, Henry Clay et William Crawford, mais, puisque aucun de ces candidats n'avait obtenu la majorité électorale requise, le président fut choisi par la Chambre des représentants et ce fut John Quincy Adams (1825-1829) qui fut nommé président, et non pas Jackson dont le support électoral était surtout concentré chez les petits fermiers de même que chez les représentants des États de l'Ouest.

Lors de l'élection présidentielle de 1828, par contre, la majeure partie des États choisissaient leurs grands électeurs par la voie du suffrage populaire et avaient déjà aboli toutes les restrictions concernant l'obligation d'être détenteur d'une certaine propriété afin de se prévaloir du droit de vote. Dans ces conditions, la coalition électorale qui soutenait Andrew Jackson ne pouvait plus être arrêtée et ce dernier remporta l'élection présidentielle par une très forte majorité.

Jackson fut un président très fort aux yeux de plusieurs analystes. Il fut le premier à employer son droit de veto contre le Congrès, simplement pour exprimer son désaccord avec ce dernier, alors que les autres présidents avant lui n'avaient appliqué leur veto que lorsqu'ils estimaient que certains projets de loi étaient inconstitutionnels.

Ses successeurs furent loin d'être aussi forts que lui. On peut même dire qu'un certain groupe de présidents et de penseurs de l'époque estimèrent que la présidence ne devait avoir que les pouvoirs que lui attribue de façon spécifique la Constitution. À leurs yeux, c'était le Congrès et non la présidence qui devait être le véritable centre du pouvoir. Le président, quant à lui, ne devait veiller qu'à « ce que les lois soient fidèlement exécutées ». L'avènement au cours du xxe siècle d'un État de plus en plus interventionniste fut pour le moins néfaste à cette conception de la présidence, car une telle implication de l'État demande presque obligatoirement que la présidence devienne et demeure une force majeure du gouvernement.

Cette conception plus libérale de la présidence américaine soutient que le président a le droit et même le devoir de prendre toutes les actions qu'il estime nécessaires afin de défendre l'intérêt national, à condition naturellement qu'une telle action ne lui soit pas expressément interdite par la Constitution. À la base de cette conception, le président serait d'abord et avant tout le « gardien » de l'intérêt national et c'est à ce titre qu'il serait habilité à prendre toutes les mesures nécessaires afin de veiller à l'intérêt national de l'ensemble des États-Unis. Cette conception de la présidence a aussi été retenue par certains conservateurs qui soutiennent qu'il ne peut y avoir de véritable sécurité nationale ou d'ordre public à l'intérieur des États-Unis qu'à la condition expresse que le régime soit doté d'une présidence forte.

Même au xixe siècle, à l'époque où le Congrès américain dominait la scène politique, on vit apparaître des présidents très forts lors des grandes crises, comme ce fut le cas lors de la guerre de Sécession. **Abraham Lincoln** (1861-1865) n'hésita pas, par exemple, à employer les fonds publics, et même à emprunter sans l'autorisation du Congrès. Il mobilisa en plus 75 000 membres de la milice et fit appel à des volontaires afin d'accroître les contingents de l'Armée et de la Marine. Il alla même jusqu'à suspendre partiellement l'« ordonnance d'*habeas corpus* ». Même si de telles actions furent soumises au Congrès ultérieurement, il n'en demeure pas moins que Lincoln était prêt à agir sans la ratification de ce dernier. Après l'assassinat de **William McKinley** (1897-1901), notons aussi que **Theodore Roosevelt** (1901-1909), selon cette même perception de la présidence, refusa systématiquement de se concevoir comme un simple administrateur.

Cela étant dit, il reste que c'est **Woodrow Wilson** (1913-1921) qui fut sans doute le représentant le plus éloquent de cette conception plus libérale de la présidence américaine. Wilson fut un universitaire dont la pensée marqua profondément les institutions politiques américaines. L'essentiel de sa pensée se retrouve dans son ouvrage le plus célèbre qu'il publia en 1885, sous le titre de *Congressional Government*, dans lequel il soutient la thèse qu'un gouvernement par le Congrès équivaut presque à une absence totale de gouvernement et qu'en considération du fait que tout système politique a nécessairement besoin de leadership, seule la présidence aux États-Unis pouvait et même se devait d'assumer un tel leadership. C'est sans aucun doute en conformité avec cette théorie que Wilson prit le pouvoir avec un programme qui visait à réorganiser le système bancaire américain et à rendre plus contraignantes les lois antitrust. C'est sous son administration que furent adoptés le *Federal Reserve Act*, le *Free Trade Commission Act* et le *Clayton Antitrust Act*. Lors de l'engagement des Américains dans la Première Guerre mondiale, le Congrès lui délégua tous les pouvoirs nécessaires pour mobiliser l'économie américaine en vue de l'effort de guerre. Après la guerre, et à la suite de l'échec de la campagne qu'il mena contre le Sénat au sujet de son projet de création d'une société des nations, Wilson écrivit que la seule façon pour le président d'amener le Congrès à endosser ses vues et à appuyer ses politiques était de mobiliser l'opinion publique. Son échec personnel sur ce plan montra en pratique les limites d'une telle stratégie.

Andrew Jackson, Abraham Lincoln et Woodrow Wilson furent tous des présidents très forts à la fois grâce à leur personnalité et à cause de certains événements. Ce sont eux qui, par leurs actions, ont posé les bases mêmes de la présidence américaine moderne et c'est sans doute **Franklin D. Roosevelt** (1933-1945), le premier véritable président de cette nouvelle ère, qui marqua toute la vie politique américaine par la suite. Élu quatre fois de suite à la présidence, F. D. Roosevelt réussit à garder pendant toute cette période la confiance du peuple américain, alors que la nation traversait deux des plus grandes crises de son histoire, à savoir la grande dépression des années 1930 et la Deuxième Guerre mondiale. C'est sous F. D. Roosevelt que fut créé le White House Staff et c'est sous son administration aussi que plusieurs agences gouvernementales connurent une véritable expansion. La mise en application de son *New Deal* afin de combattre la dépression, de même que son action déterminante au cours de la Deuxième Guerre mondiale ont eu comme conséquence qu'entre le moment de sa première inauguration en 1933 et sa mort en 1945, alors qu'il était encore président, les citoyens américains en étaient venus à percevoir la présidence comme l'institution qui se devait de donner à la nation orientations et leadership. F. D. Roosevelt dira lui-même : « *In their need [the people] have registered a mandate that they want direct vigorous action. They have asked for discipline and direction under leadership. They have made me the present instrument of their wishes. In the spirit of the gift, I take it*[3]. »

Après sa mort en 1945, la présidence américaine demeura tout aussi importante pour le citoyen américain, que ce soit sous le gouvernement **Truman** (1945-1953) ou sous celui de **Dwight D. Eisenhower** (1953-1961). Bien que ni l'un ni l'autre n'exerçât un leadership aussi marquant que celui de F. D. Roosevelt.

L'importance de la politique extérieure américaine de même que sa puissance militaire ont aussi marqué le gouvernement des **John F. Kennedy** (1961-1963), **Lyndon B. Johnson** (1963-1969) et **Richard Nixon** (1969-1974), mais l'échec de la guerre du Viêt-nam, de même que l'affaire du Watergate ont amené le Congrès à réagir très fortement contre le danger d'une présidence trop forte, échappant presque complètement au contrôle du législatif. Malgré cette réaction du Congrès, il n'en demeure pas moins que **Ronald Reagan** (1981-1989) et **George Bush** (1989-1993) ont été les présidents qui ont sans doute le plus réussi à réorienter la politique américaine, surtout en matière de politique extérieure et de défense.

En fait, la priorité accordée à la politique extérieure par le gouvernement Bush concorde avec la théorie des deux présidences, avancée par Wildavsky[4], l'une visant à défendre les intérêts nationaux américains sur la scène internationale, soutenue dans ses efforts à la fois par un certain accroissement des pouvoirs de la présidence, sur le plan constitutionnel, et par un consensus souvent généralement étendu; l'autre impliquant un politicien responsable de la politique intérieure, frustré par l'action ou l'inaction des autres branches du pouvoir décisionnel aux États-Unis.

Ces succès relatifs sur le plan international ne purent empêcher l'Amérique de connaître de fortes tensions sur le plan intérieur — récession économique, important déficit budgétaire, problèmes urbains, tensions raciales, etc. Ces enjeux ont profondément marqué le gouvernement **Clinton** (1993-2001) qui, même s'il n'a pas réussi au début de son premier mandat à instaurer un programme universel de soins de santé, a modifié considérablement les programmes d'aide sociale en 1996. Favorisé par une conjoncture économique exceptionnelle, il a vu le taux de chômage descendre à son niveau le plus bas depuis plusieurs décennies et il a réussi à atteindre l'équilibre budgétaire dès l'exercice financier de 1999.

Cet équilibre budgétaire fut rompu dès les premières années de la présidence de **George W. Bush** (2001-) principalement en raison de l'implication militaire des États-Unis à l'étranger. En effet, ce sont sans doute les évènements du 11 septembre 2001 qui ont affecté le plus profondément cette présidence. Les attaques terroristes contre le World Trade Center et le Pentagone auront eu pour effet de donner à G. W. Bush stature, respect et leadership. Il a su rassurer le public américain en déclarant promptement la «guerre au terrorisme» tant contre les organisations terroristes elles-mêmes que contre les pays et les nations qui les appuient.

Son action militaire en Afghanistan lui valut un taux d'approbation de 90 % à cette époque, mais, au cours de son second mandat, ce taux d'approbation chuta au niveau des 30 % seulement et la majorité de la population désapprouva sa politique militaire face à l'Irak[5].

La présidence américaine apparaît donc comme le «centre vital de l'action politique» aux États-Unis d'autant plus que l'évolution même de cette prestigieuse fonction oblige maintenant le président à répondre à des impératifs très différents. Afin d'exercer pleinement ses pouvoirs, le président américain doit aujourd'hui avoir de l'influence tant auprès des centres décisionnels de Washington — Congrès, administration, représentants des groupes de pression — qu'auprès du public américain. Il se doit aussi d'avoir de l'influence auprès des leaders des pays étrangers desquels dépendent très souvent la réussite ou l'échec de certaines de ses politiques, qu'il s'agisse de coalitions stratégiques ou militaires, ou de politiques économiques, commerciales et même monétaires.

Les pouvoirs du président

L'article II de la Constitution américaine esquisse les pouvoirs explicites qui sont attribués au président. L'attribution de ces différents pouvoirs fait en sorte que le président est à la fois chef d'État et de la diplomatie américaine, commandant en chef des forces armées, chef de gouvernement et législateur en chef.

Chef d'État et de la diplomatie

C'est en tant que chef d'État que le président assume les fonctions de représentation, de même que les pouvoirs qui s'apparentent à ceux de n'importe quel chef d'État. C'est à ce titre qu'il préside aux cérémonies nationales et qu'il accueille les chefs d'État étrangers, les gouverneurs, les ambassadeurs, etc. C'est aussi à ce titre qu'«il a le pouvoir d'accorder des sursis et des grâces pour offenses contre les États-Unis[6]», pouvoir exercé par les gouverneurs pour les offenses relevant du droit des États. Comme le disait William Howard Taft, en tant que chef d'État, le président symbolise « la dignité et la majesté » du peuple américain.

En tant que chef de la diplomatie, la Constitution reconnaît au président américain le pouvoir de nommer les ambassadeurs et, « sur l'avis et avec le consentement du Sénat, de conclure des traités, sous réserve de l'approbation des deux tiers des sénateurs présents[7] ». En tant que chef de la diplomatie, il est le seul responsable de l'Union auprès des États étrangers, et ce pouvoir remonte aussi loin qu'en 1799, à la suite du jugement rendu par le juge en chef John Marshall qui stipule que « le président est le seul organe de la nation dans la conduite de ses relations extérieures, et son seul représentant auprès des pays étrangers[8] ».

En tant que chef de la diplomatie, le président a aussi le pouvoir de reconnaître — ou de refuser de reconnaître — les gouvernements étrangers. La **reconnaissance** de la légitimité de certains gouvernements étrangers n'est pas chose facile et c'est parfois le moins que l'on puisse dire. La reconnaissance par les États-Unis de l'Union soviétique, par exemple, n'eut lieu qu'en 1933 — soit 15 ans après la Révolution de 1917. Il en fut de même de la Chine communiste. Il aura fallu attendre 1978, soit 40 ans après la victoire des communistes en Chine, pour que le président Carter accorde à la République populaire de Chine une reconnaissance officielle. Les efforts antérieurs du président Nixon, sa *ping-pong diplomacy*, de même que son voyage officiel en Chine, avaient sans doute contribué à préparer la voie à cette reconnaissance officielle. C'est toujours en invoquant ce même pouvoir que, le 7 avril 1979, le président Carter coupa toutes relations diplomatiques avec le gouvernement révolutionnaire de Khomeini en Iran. Enfin, après de longues négociations, le président Bill Clinton annonça le 11 juillet 1995 que les États-Unis reconnaissaient officiellement le gouvernement de la République du Viêt-nam ; ils établirent avec cette dernière des relations diplomatiques. Jusqu'à aujourd'hui, par contre, aucun président américain n'a reconnu le gouvernement de Fidel Castro à Cuba.

En matière de **traités** internationaux, le Sénat a le pouvoir de ratifier les traités négociés par le président et a aussi le pouvoir de refuser de ratifier de tels traités. En 1920, par exemple, le Sénat refusa de ratifier le traité de Versailles et n'accepta de ratifier le traité du canal de Panama, signé par le président Carter en 1977, qu'après un débat qui dura 38 jours. Enfin, il n'est peut-être pas inutile de rappeler que le Sénat américain refusa d'entériner l'accord intervenu, en 1980, entre les États-Unis et l'Union soviétique au sujet de la limitation des armes stratégiques (*SALT II*).

En ce qui concerne ce pouvoir constitutionnel de ratification dont dispose le Sénat, il est important de souligner que le président peut passer outre à une telle obligation, en employant le système des « accords exécutifs » (*executive agreements*), qui permet à la présidence américaine de signer avec un autre gouvernement une entente, sans avoir à demander au Sénat une ratification à la majorité des deux tiers. La formulation de ces accords relève généralement du département d'État, mais leur mise en application est la responsabilité de la présidence. Ces accords peuvent concerner des sujets d'une importance stratégique primordiale, comme la localisation des bases militaires à l'étranger ou les différents programmes d'aide technique ou militaire accordée par les États-Unis à divers pays. Historiquement, les « accords exécutifs » conclus par les États-Unis sont beaucoup plus nombreux que les traités.

Comme premiers responsables de la diplomatie américaine, certains présidents ont presque invariablement accordé plus d'attention à la politique extérieure qu'à la politique intérieure. On n'a qu'à penser au président Harry Truman et à sa doctrine, de même qu'à ses initiatives, telles que le plan Marshall, l'Organisation du traité de l'Atlantique Nord (OTAN) et l'extension jusqu'en Corée des frontières que l'Amérique était prête à défendre. Quant à Dwight D. Eisenhower, il se préoccupa peu de politique intérieure, mais fut celui qui mit fin à la guerre de Corée et prit l'initiative du premier sommet de l'après-guerre avec les leaders de l'URSS. John F. Kennedy et Richard M. Nixon s'entendirent au moins sur un point : les affaires extérieures devaient être la priorité numéro un de la présidence américaine. On estime, par exemple, que le président Kennedy passa près des quatre cinquièmes de sa première année à la présidence à s'occuper essentiellement des affaires extérieures. Quant au président Johnson, même s'il voulait accorder une attention toute particulière aux problèmes de politique intérieure, il n'en demeure pas moins qu'après deux ans de promotion de son projet de *Great Society* et de ses programmes en matière de droits civils, il ne put faire autrement que de s'engager de plus en plus dans la guerre du Viêt-nam, avec les conséquences que l'on connaît. Enfin, conseillé par Henry Kissinger, le président Nixon put mener à terme son projet d'un rétablissement des relations diplomatiques avec la Chine, mais ne put obtenir de succès dans l'aventure américaine au Viêt-nam.

Au cours des années 1970, la puissance hégémonique des États-Unis diminua considérablement, ce qui ne fut pas sans affecter toute la diplomatie américaine, et le rôle du président en tant que son principal responsable. Pour réussir maintenant en tant que chef de la diplomatie, le président doit composer avec les leaders des autres pays qui, eux aussi, ont des intérêts parfois vitaux à défendre. Qu'on pense seulement aux relations de plus en plus difficiles et complexes qui existent, surtout sur le plan commercial, entre les États-Unis, l'Union européenne et le Japon, qui sont également des puissances industrielles et commerciales de première importance, de même qu'avec les pays aux économies dites émergentes que sont la Chine, l'Inde et le Brésil. Qu'on pense aussi à l'importance stratégique des pays membres de l'Organisation des pays exportateurs de pétrole (OPEP) et à toute la question du Moyen-Orient qui forcent le président américain à négocier avec des leaders de plus en plus soucieux de leurs intérêts nationaux et de leur peuple. Il nous faut enfin ajouter à ceci les difficiles relations américaines en Amérique latine à la suite, par exemple, du soutien que le président Reagan désirait apporter aux *Contras* du Nicaragua ou à l'élection d'Hugo Chavez au Venezuela.

Cette transformation du système international fait en sorte que l'Amérique ne peut plus dominer l'économie mondiale ni imposer sa volonté par la force, et c'est sans doute le président Jimmy Carter qui fut le premier président de cette nouvelle ère de la « présidence postmoderne », du fait qu'il dut simultanément faire face à des problèmes d'accroissement du prix du pétrole, de prise d'otages américains en Iran et d'invasion de l'Afghanistan par l'Union soviétique. Quant aux présidents Reagan, Bush et Clinton, ils ont tous eu besoin de l'appui de pays alliés pour mener à bien certaines de leurs initiatives, comme les accords sur le contrôle des armes nucléaires, qui nécessitèrent la collaboration du secrétaire général du parti communiste de l'Union soviétique, ou encore les opérations lors de la guerre du Golfe et le conflit au Kosovo, qui furent menées non seulement par les États-Unis, mais par une coalition de forces alliées.

Il nous apparaît important de souligner ici que le président Clinton réussit aussi à faire adopter par le Congrès, en 1993, l'Accord de libre-échange nord-américain (ALENA) malgré une certaine opposition des démocrates et des syndicats américains. De plus, en 1998, grâce aux sénateurs républicains, il parvint à faire adopter un traité limitant l'usage des armes chimiques et, en l'an 2000, à obtenir l'approbation du Congrès pour la normalisation des relations commerciales avec la Chine.

Quant à la présidence de G. W. Bush, elle fut marquée à ses débuts par son unilatéralisme en ce sens qu'il rejeta l'Accord de Kyoto concernant la réduction des gaz à effet de serre et mit un terme au traité de 1972 concernant les missiles antibalistiques (traité ABM). Après les attaques du 11 septembre, G. W. Bush sollicita et obtint la collaboration de ses alliés pour combattre le terrorisme en Afghanistan avec l'accord de l'ONU. Mais dans sa guerre contre l'Irak, ses appuis furent loin d'être à la hauteur de ses attentes. Au fur et à mesure que l'occupation américaine en Irak se prolongea, ce retour vers le multilatéralisme connut un succès de plus en plus limité.

Commandant en chef des forces armées

L'étude des pouvoirs du président à ce chapitre demande que l'on précise, dans un premier temps, qu'en vertu de la section 8 de l'article I de la Constitution, c'est le Congrès qui détient officiellement le pouvoir de « déclarer la guerre [...]. De lever et d'entretenir des armées [...]. De créer et d'entretenir une marine de guerre, d'établir des règlements pour le commandement et la discipline des forces de terre et des forces de mer [...]. De pourvoir à la mobilisation de la milice[9]. » C'est aussi le Congrès qui a la responsabilité de voter le budget militaire et de ratifier la nomination des hauts fonctionnaires de la défense, de même que celle des principaux responsables militaires. C'est le président, par contre, qui, en tant que commandant en chef des forces armées, peut en tout temps mobiliser les forces fédérales de même que la « milice des divers États ». C'est aussi lui qui coordonne l'ensemble des activités militaires et qui décide de l'importance du budget militaire présenté au Congrès, de même que de la fabrication et de l'utilisation de différents types d'armes.

C'est en raison de ces pouvoirs que le président Truman prit seul la décision de bombarder Hiroshima et Nagasaki. Ces pouvoirs lui ont aussi permis d'autoriser la fabrication de la bombe H en 1950 et de retirer au général MacArthur son commandement en Corée en 1951, et ce, sans l'autorisation du Congrès. C'est aussi, en vertu de ces pouvoirs, que le président Eisenhower envoya en 1957 des troupes fédérales à Little Rock, dans l'Arkansas, afin d'y faire respecter l'ordonnance de la Cour fédérale concernant la déségrégation des écoles publiques ; que Kennedy ordonna le blocus de Cuba en 1962 ; que Richard Nixon ordonna en 1970 le bombardement du Cambodge ; que Jimmy Carter autorisa la fabrication de la bombe à neutron ; et que Ronald Reagan lança au cours de son premier mandat son programme d'Initiative de défense stratégique (IDS). Plus récemment, c'est grâce à ces pouvoirs que G. W. Bush relança le projet de bouclier antimissile, dans une version plus limitée que l'IDS de Ronald Reagan, allant jusqu'à demander l'ouverture de bases de radar et de missiles intercepteurs en Europe de l'Est (République tchèque et Pologne), ce qui aggrava les relations déjà tendues avec la Russie.

Même si la majeure partie des actions militaires entreprises par les différents présidents ont reçu l'approbation à la fois de la population et du Congrès, il n'en demeure pas moins que la guerre du Viêt-nam aura convaincu beaucoup d'Américains et surtout le Congrès de la nécessité de limiter les pouvoirs présidentiels à ce chapitre. C'est ainsi qu'en 1973, le Congrès américain adopta la Loi sur les pouvoirs de guerre (*War Powers Act*), en renversant le veto que lui avait opposé le président Nixon. Cette loi exige que le président consulte le Congrès avant de déployer les forces armées. De plus, et en l'absence de déclaration de guerre, une fois les forces armées mobilisées, le président doit faire rapport au Congrès dans les 48 heures et, toujours en l'absence d'une déclaration de guerre par le Congrès dans les 60 jours du dépôt de son rapport, le président se doit de retirer les forces armées, « à moins que le Congrès [...] n'ait accordé spécifiquement son autorisation à un tel usage des forces armées des États-Unis [ou] n'ait prolongé par loi cette période de 60 jours[10] ».

La Loi sur les pouvoirs de guerre n'est pas sans soulever d'importantes questions sur le plan constitutionnel, ne serait-ce que par les pouvoirs que prétend s'attribuer le Congrès dans le déploiement des troupes américaines et la durée de tels déploiements, pouvoirs qui ne devraient relever que de la présidence, selon certains analystes. D'ailleurs, aucun président – démocrate ou républicain – n'a permis au Congrès d'usurper cette autorité dans la mesure où, depuis l'adoption de ladite loi, le président **Gerald Ford** a, par exemple, et de sa propre initiative, autorisé l'attaque contre une île cambodgienne, en 1975, pour libérer le *Mayaguez*, un navire de la marine marchande américaine. Le président Carter n'a pas avisé le Congrès lors de l'envoi de troupes en Iran en 1980 pour tenter de libérer les Américains retenus en otages. Le président Reagan a déployé des troupes américaines au Liban en 1982 et ce n'est que par un compromis avec le Congrès qu'il accepta de limiter leur présence à une période de 18 mois. Peu de temps après l'adoption de cette résolution, la mort de 241 *marines*, à la suite d'un attentat-suicide contre les installations militaires à Beyrouth, incita le président à ordonner le retrait des troupes au Liban. En 1983, Reagan a ordonné l'invasion de la Grenade sans en aviser le Congrès, et Bush a agi de même lors de l'invasion du Panama en 1989 et de l'envoi de troupes en Arabie saoudite en 1990. Enfin, mentionnons que le président Clinton a mobilisé les forces armées, aussi bien dans le conflit en Bosnie que dans celui en Irak, de sa propre autorité, mais en accord avec les politiques de l'OTAN dans le premier cas et de l'ONU dans le second. En 2002, le président G. W. Bush a, quant à lui, réussi à faire adopter par le Congrès une résolution conjointe lui accordant l'autorité nécessaire pour lancer une opération militaire préventive contre l'Irak, dans le but de forcer Saddam Hussein à se conformer aux résolutions adoptées par l'ONU[11].

L'adoption de ces dites résolutions contribue à rappeler au président que le Congrès entend non seulement être informé de la présence des forces armées à l'étranger, mais qu'en plus, il suivra de près toutes les opérations qu'entend mener le président en tant que commandant en chef.

Chef du gouvernement

À la section 2 de l'article II de la Constitution, il est spécifié que le président «pourra exiger l'opinion, par écrit, du principal fonctionnaire de chacun des départements exécutifs sur tout sujet relatif aux devoirs de sa charge [...] proposera au Sénat et, sur l'avis et avec le consentement de ce dernier, nommera [...] les autres ministres publics [...] et tous les autres fonctionnaires des États-Unis [...][12]».

À cela, il convient d'ajouter que la section 3 précise explicitement qu'il ressort des pouvoirs de la présidence de veiller «à ce que les lois soient fidèlement exécutées[13]». En tant que chef de gouvernement, le président américain a donc la responsabilité de veiller à ce que les lois passées par le Congrès soient appliquées, et il en est de même des jugements rendus par les cours fédérales et les traités signés par les États-Unis d'Amérique.

Pour l'assister dans l'exercice de ses fonctions en tant que responsable du pouvoir exécutif, le président forme un **Cabinet** dont les membres sont nommés par lui, mais avec l'approbation du Sénat. Les membres du Cabinet ne sont responsables que devant le président, même si pour diverses raisons un secrétaire refuse rarement de se rendre à une convocation du Sénat ou de la Chambre des représentants. Aujourd'hui, le Cabinet compte 15 départements. Le Tableau 8.1 illustre la croissance chronologique du Cabinet présidentiel.

Ce dernier peut toutefois comprendre plus de membres que l'ensemble des secrétaires des divers départements. Le président peut, par exemple, et à sa discrétion, élever au titre de ministre son principal conseiller en matière de sécurité nationale ou encore l'ambassadeur américain aux Nations Unies. De plus, puisque ni la Constitution ni la loi statutaire n'imposent au président l'obligation de consulter son Cabinet, il peut donc s'en servir à son entière discrétion. Certains présidents, dont Eisenhower par exemple, consultaient régulièrement leur Cabinet afin d'obtenir différents avis sur diverses politiques. D'autres, par contre, pouvaient solliciter l'avis de leur Cabinet sans pour autant se sentir liés par cet avis. On raconte à ce sujet qu'en 1862, Lincoln informa son Cabinet de son intention d'émettre une proclamation visant à abolir l'esclavage dans les États qui étaient encore sous contrôle de la Confédération mais que son cabinet rejeta unanimement sa proposition. « Sept *nays*, un *aye*, dit alors Lincoln, les *ayes* l'emportent. »

Bien que le président ne convoque que très rarement l'ensemble de son cabinet, il n'en demeure pas moins que, lorsqu'il y a réunion du Cabinet, ces réunions sont secrètes et qu'on n'y rédige aucun procès-verbal. De plus, et même si tous les secrétaires responsables des différents départements sont formellement égaux, dans les faits certains départements sont beaucoup plus importants que d'autres, tels le département d'État ou ceux du Trésor, de la Défense, de la Justice et de la Sécurité intérieure. Cette importance vient non pas nécessairement de l'ampleur de leur budget, mais bien plutôt du fait que la Maison-Blanche leur accorde une importance stratégique. Les secrétaires de ces départements, souvent appelés *Inner Cabinets*, sont perçus comme des personnes-clés dans la conception et la mise en œuvre des grandes politiques qu'entendent suivre les États-Unis.

Nous sommes loin de l'époque où le président pouvait lui-même répondre à son propre courrier, comme le faisait George Washington. C'est en 1857 que le Congrès autorisa pour la première fois l'embauche d'un secrétaire particulier pour le président, payé à même les fonds fédéraux. Au début du premier mandat de F. D. Roosevelt, l'ensemble du personnel de la Maison-Blanche ne comptait que 37 personnes. Avec l'implantation du *New Deal* et l'avènement de la Deuxième Guerre mondiale, le personnel rattaché directement à la présidence s'accrut considérablement. Après l'adoption par le Congrès du *Reorganization Act* en 1939, F. D. Roosevelt institua formellement le **Bureau exécutif du président** qui comprend aujourd'hui, outre le Bureau de la Maison-Blanche et le Cabinet, 16 bureaux et agences.

Centre nerveux de la présidence, le **Bureau de la Maison-Blanche** assume, sous l'autorité du chef de cabinet du président, différentes fonctions en matière de communications, d'affaires publiques, de sécurité nationale et de politique étrangère, de même que de relations avec le Congrès. On dit de ces conseillers qu'ils ne sont que les yeux et les oreilles du président, et que leur véritable influence est souvent exagérée. Pourtant, l'histoire récente nous enseigne que plusieurs de ces conseillers ont eu auprès de certains présidents beaucoup plus d'influence que des responsables de départements. Pensons, par exemple, à l'influence exercée par H. R. Haldeman auprès de Richard Nixon, à John Sununu auprès de George Bush, à Leon Panetta auprès de Bill Clinton, et à Karl Rove auprès de George W. Bush.

Dans l'exercice de ses fonctions en tant que chef de gouvernement, le président reçoit l'avis de différents bureaux ou agences, qui relèvent exclusivement de son autorité. Ce sont le Bureau des conseillers économiques, le Conseil de la qualité de l'environnement, le Conseil sur la politique intérieure, le Conseil national en matière économique, le Conseil national de sécurité (NSC), le Bureau de l'administration, le Bureau des initiatives religieuses et communautaires, le Bureau des communications globales, le Bureau de la gestion et du budget, le Bureau national de la politique sur le sida, le Bureau de la politique nationale en matière de contrôle de la drogue, le Bureau de la science et de la technologie, le Bureau du représentant aux négociations commerciales, le Conseil présidentiel en matière de

TABLEAU 8.1

Liste des départements

Départements	Année de création	Fonctions
État	1789	Affaires extérieures et traités
Trésor	1789	Trésorerie du gouvernement fédéral
Défense	1947*	Administration des forces armées
Justice**	1870	Administration de la justice
Intérieur	1849	Développement des ressources naturelles et protection de l'environnement
Agriculture	1889	Administration des programmes et de la politique agricole du gouvernement fédéral
Commerce	1913	Promotion du développement industriel et commercial autant à l'intérieur qu'à l'extérieur du pays
Travail	1913	Responsable de la réglementation en ce qui a trait tant aux conditions et aux relations de travail
Santé et ressources humaines (HHS)***	1953	Protection de la santé des Américains et fourniture de services essentiels aux plus démunis
Logement et développement urbain (HUD)	1965	Responsable de la rénovation urbaine, de même que des projets d'habitation publics
Transports	1966	Assure la direction de toutes les agences qui s'occupent des transports terrestres, ferroviaires, aériens et maritimes
Énergie (DOE)	1977	Recherche, énergie atomique et politique nationale de l'énergie
Éducation	1979	Responsable des programmes fédéraux en matière d'éducation
Anciens combattants	1988	Responsable de l'ensemble des programmes d'aide aux anciens combattants
Homeland Security	2002	Responsable de l'ensemble des programmes et mesures prises pour la sécurité nationale

* Le département de la Défense a remplacé le « National Military Establishment », créé en 1947 et composé du département de la Guerre (créé en 1789), du département de la Marine (créé en 1798) et du département de l'Armée de l'air (créé en 1947).

** Antérieurement *Attorney General* (1789).

*** À l'origine, département de la Santé, de l'Éducation et du Bien-être social (HEW).

SOURCE : T. R. DYE et M. CLARKE, *Politics in America*, Upper Saddle River, Pearson-Prentice Hall, 2007, p. 390.

renseignement, le Réseau américain des corps de volontaires pour la liberté et le Bureau militaire de la Maison-Blanche. Même si les responsables de ses différents bureaux ou conseils donnent leur avis au président sur divers enjeux, ce dernier demeure le seul et unique responsable des décisions à prendre[14].

Le **Bureau des conseillers économiques** est sans doute un des bureaux les plus importants de la présidence. Les trois conseillers qui en font partie ont pour mission de conseiller le président et de l'aider à préparer le rapport économique qu'il transmet annuellement au Congrès. Chaque membre de ce bureau est nommé par le président et peut être destitué en tout temps.

Quant au **Bureau de la gestion et du budget** — qui à l'origine s'appelait Bureau du budget et qui fut rapatrié du département du Trésor à la Maison-Blanche en 1939 par Roosevelt —, il a la responsabilité de préparer le budget fédéral que le président soumet annuellement au Congrès pour approbation. C'est là que sont analysées les différentes demandes émanant des divers départements et il incombe à ce bureau d'harmoniser l'ensemble de ces demandes avec les objectifs politiques de la présidence.

Enfin, il faut aussi parler du **Conseil national de la sécurité** (NSC) à cause de son importance stratégique tant sur le plan de la sécurité que sur celui de la diplomatie. Créé par le Congrès après la Deuxième Guerre mondiale, le Conseil a pour fonction de conseiller le président en matière de sécurité nationale. Outre le président, il comprend le vice-président, le secrétaire d'État, de même que le secrétaire à la Défense, le président du comité des chefs d'état-major et le directeur de la CIA (Central Intelligence Agency). Il est présidé par le conseiller du président en matière de sécurité nationale et a son propre personnel, que l'on qualifie parfois de « Little State Department in the White House ».

Depuis Kennedy, les différents présidents se sont plus ou moins servis de ce conseil, mais ont tous employé leur principal conseiller en matière de sécurité nationale comme source d'information indépendante de l'administration, et l'information ainsi obtenue leur aura souvent permis de définir une politique extérieure particulière. Tel fut le cas sous Nixon avec Henry Kissinger ; sous Carter avec Zbigniew Brzezinski ; et sous G. W. Bush avec Condoleezza Rice qui, en 2001, est devenue la première femme à occuper le très prestigieux poste de conseiller en matière de sécurité avant de devenir secrétaire d'État au cours du deuxième mandat de ce président.

En somme, les conseillers du président ont la responsabilité d'amasser l'information, de conseiller le président sur les différentes options politiques qui s'offrent à lui et de veiller à ce que ses décisions soient exécutées. Les opinions exprimées par les conseillers de la Maison-Blanche ne sont pas sans influencer les membres du Cabinet, les responsables des agences officielles et les médias. De plus, en contrôlant l'information transmise au président, ils ne peuvent faire autrement que d'influencer sa prise de décision. Certains conseillers supérieurs agissent même comme paratonnerres, en ce sens que ce sont eux, et non le président, qui acceptent d'être les principales cibles de la critique. Comme le disait d'une façon plutôt brutale H. D. Haldeman : « *Every President needs a son of a bitch and I'm Nixon's. I'm his buffer and I'm his bastard. I get done what he wants done and I take the heat instead of him*[15]. »

Comme la Maison-Blanche est un centre décisionnel névralgique aux États-Unis, plusieurs conflits opposent souvent entre eux les conseillers de la présidence. Cela étant dit, il n'en demeure pas moins que, malgré ces inévitables tensions, les conseillers de la présidence travaillent souvent dans un climat de coopération, inspiré par une certaine forme de collégialité de la prise de décision.

Législateur en chef

En vertu de la section 3 de l'article II de la Constitution, le président a la responsabilité d'informer « le Congrès, de temps à autre, de la situation de l'Union et de recommander à son attention telles mesures qu'il estimera nécessaires et expédientes[16] ». C'est par son **message sur l'état de l'Union** (*State of the Union Address*), prononcé chaque année, habituellement en janvier, devant les deux chambres du Congrès réunies, de même que par sa proposition de budget que le président est le plus en mesure d'influencer le programme législatif du Congrès. Par ces messages, il informe le pouvoir législatif de ce qu'il souhaiterait voir adopter sans qu'il puisse de lui-même proposer directement quelque législation que ce soit. Parce qu'il ne siège pas au Congrès, et du fait surtout de l'absence de discipline de parti, le président se doit parfois d'exercer d'énormes pressions sur certains membres de la Chambre des représentants et du Sénat, ou encore tenter de promouvoir son programme législatif en faisant appel à l'opinion publique.

Une autre façon d'exercer son pouvoir de législateur est sans contredit le pouvoir d'opposer son **veto** à toute loi adoptée par le Congrès. Puisque la Constitution exige que chaque projet de loi, adopté à la fois par la Chambre des représentants et le Sénat, soit soumis au président avant d'entrer en vigueur (voir le chapitre 7 à ce sujet).

Dans le passé, le droit de veto présidentiel a été employé de façon plus ou moins fréquente jusqu'à la présidence d'Andrew Jackson — 12 fois —, mais, depuis ce temps, certains présidents n'ont pas hésité à se servir abondamment de ce pouvoir. Comme l'illustre le Tableau 8.2, de Franklin D. Roosevelt à G. W. Bush, il y eut au total 1410 vetos, dont à peine 105 ont été renversés par le Congrès.

La haute fréquence des vetos de Franklin D. Roosevelt, président démocrate, s'explique sans doute par sa détermination à instaurer toute une série de réformes sur les plans tant économique que social, connues sous le nom de *New Deal*, et qui impliquaient un accroissement substantiel du rôle de l'État, de même que par l'incapacité du Congrès, lui aussi à majorité démocrate durant toute cette période, à obtenir une majorité suffisante pour renverser les vetos présidentiels.

La relative fluctuation des vetos présidentiels par la suite doit s'interpréter à la lumière des relations plus ou moins harmonieuses du Congrès et de la présidence, et à l'incapacité du Congrès de réunir une majorité des deux tiers des voix dans les deux chambres pour renverser ces vetos. À titre d'exemples, mentionnons qu'à peine 9 des 635 vetos de Roosevelt ont pu être renversés par le Congrès, alors que 12 des 66 vetos du président Gerald Ford (1974-1977), président républicain, ont été renversés par un Congrès à majorité démocrate.

Cela étant dit, il faut bien rappeler ici que, si c'est la Maison-Blanche qui propose, c'est le Congrès qui dispose. Dans cette optique, il paraît important de souligner que la capacité du président d'obtenir ou de conserver l'appui de son parti au Congrès constitue un facteur important de ses éventuels succès sur le plan législatif. John F. Kennedy et Lyndon B. Johnson, par exemple, ont pu profiter de l'appui d'un Congrès à majorité

TABLEAU 8.2

Vetos présidentiels, 1933-2007

Président	(mandats)	Veto
Franklin D. Roosevelt	(1933-1945)	635
Harry S. Truman	(1945-1953)	250
Dwight D. Eisenhower	(1953-1961)	181
John F. Kennedy	(1961-1963)	21
Lyndon B. Johnson	(1963-1969)	30
Richard M. Nixon	(1969-1974)	43
Gerald R. Ford	(1974-1977)	66
Jimmy Carter	(1977-1981)	31
Ronald Reagan	(1981-1989)	78
George Bush	(1989-1993)	46
Bill Clinton	(1993-2001)	25
George W. Bush	(2001-)	4

SOURCE : Office of the Secretary, U.S. Senate Library, 2006.

démocrate. Jimmy Carter, quant à lui, même s'il ne fut pas considéré comme jouissant d'une grande popularité, a tout de même réussi à obtenir l'appui du Congrès pour son menu législatif. À l'inverse, le président républicain Ronald Reagan, malgré un important succès au cours de son premier mandat, alors que la Chambre des représentants était à majorité démocrate et le Sénat à majorité républicaine, ne connut qu'un succès législatif mitigé lorsque les démocrates prirent le contrôle des deux chambres en 1984. Sous George Bush (1989-1993), la majorité démocrate au Congrès a pu limiter l'influence de la présidence sur le plan législatif ; et la présidence de Bill Clinton fut aussi marquée par cette tendance, dans la mesure où son succès fut beaucoup plus élevé au cours des deux premières années de son premier mandat (1993-1994), alors que les démocrates contrôlaient le Congrès et que ce succès tomba dramatiquement par la suite lorsque les républicains réussirent à former la majorité du Congrès à partir de 1995[17]. Il en va sans doute de même de G. W. Bush qui profita d'un Congrès républicain au cours de son premier mandat et de la première moitié de son deuxième mandat, mais qui dut faire face à une double majorité démocrate au Congrès à la suite des élections de mi-mandat de 2006.

Outre ces pouvoirs présidentiels formellement stipulés par la Constitution américaine, il faut aussi souligner que le président joue un rôle important en tant que leader de son parti. C'est à ce titre qu'il peut nommer des partisans de son parti à des fonctions publiques et administratives. Grâce à cette politique de favoritisme, le président peut nommer plusieurs milliers d'individus au sein de la Maison-Blanche, de son Cabinet, de la diplomatie américaine et des agences réglementaires fédérales.

C'est aussi à ce titre qu'il participe activement à la souscription pour son parti. Par exemple, le président Clinton a amassé près d'un demi-milliard de dollars au cours de ses deux mandats, et tout porte à croire que George W. Bush a dépassé cette somme au cours de ses mandats présidentiels[18].

En l'absence d'une discipline de parti au Congrès, le président est donc toujours assuré d'avoir à la fois certains appuis pour ses projets de loi et une certaine opposition. Le problème de la Maison-Blanche est qu'elle peut très difficilement prédire l'ampleur du soutien à ses propositions. En somme, comme le soutiennent plusieurs observateurs de la scène politique américaine, le résultat du vote au Congrès reflète un rapport de forces qui échappe largement au contrôle du président.

La succession du président

Investi des plus hautes responsabilités de la République, le président pourrait, au cours de son mandat, s'avérer incapable d'assumer ses responsabilités pour une raison ou pour une autre. Advenant une telle éventualité, la Constitution prévoit que le successeur du président serait le vice-président, élu en même temps que le président et pour un mandat d'une même durée. Dans le cas où il serait appelé à remplacer le président, le vice-président exercerait ce rôle jusqu'à la fin du mandat du président et pourrait se présenter aux élections suivantes à titre de président. Depuis 1947, la loi prévoit que s'il est élu président, il pourra se représenter une deuxième fois, s'il a rempli moins de la moitié du mandat du président défunt, malade, démissionnaire ou destitué. Advenant le cas où le président et le vice-président venaient à disparaître, la loi de 1947 prévoit l'ordre de succession suivant : d'abord le président de la Chambre des représentants, ensuite le président *pro tempore* du Sénat et, ensuite seulement, les membres du Cabinet en fonction de l'ancienneté de leur poste, soit, dans l'ordre, le secrétaire d'État, le secrétaire à la Défense, le secrétaire à la Justice, etc. Inutile de préciser que jamais cette procédure de succession n'a été appliquée.

Depuis la ratification du 25ᵉ amendement en 1967, il est désormais possible que le président désigne un vice-président au cours de son mandat, soit entre deux campagnes électorales, mais cette nomination doit être ratifiée à la fois par la Chambre des représentants et le Sénat. Cette procédure a été utilisée à deux reprises. Lors de la démission de Spiro Agnew comme vice-président en 1973, le président Nixon désigna alors Gerald Ford à la vice-présidence. Lorsque le président Nixon démissionna en 1974, Gerald Ford lui succéda et désigna Nelson Rockefeller au poste de vice-président.

Quant aux fonctions exercées par le **vice-président**, outre le fait qu'il préside le Sénat, il a un rôle plutôt effacé, même s'il lui arrive parfois d'assumer, à la demande du président, certaines fonctions de représentation à l'étranger. Depuis l'avènement des partis politiques et des campagnes qui amènent les candidats à la présidence à présenter leur colistier qui assumera les fonctions de la vice-présidence, le choix de ce candidat se fait souvent en fonction de considérations politiques et même électorales. Cela étant dit, et en l'absence de responsabilités spécifiquement définies par la Constitution, l'importance de la vice-présidence dépend directement du bon vouloir du président lui-même et de la personnalité du vice-président.

À ce sujet, nul n'est besoin de souligner toute l'influence que le vice-président Dick Cheney a eu durant les deux mandats de George W. Bush. En effet, durant toute cette période, il a été le conseiller par excellence du président. En fait, Cheney a sans aucun doute eu plus d'influence à la Maison-Blanche que tous les autres vice-présidents avant lui.

Si tel est le cas, c'est sans doute dû au fait que Cheney a agi en tant que secrétaire à la Défense sous George Bush, et qu'il a aussi été très influent auprès des présidents Nixon et Ford. À cela, il nous faut ajouter qu'un autre élément caractérise Dick Cheney : son absence d'ambition politique.

En effet, cette fonction peut servir de tremplin pour la présidence, comme ce fut le cas pour John Adams, Thomas Jefferson, Martin Van Buren et, plus récemment, George Bush qui fut élu président en 1988, après avoir servi comme vice-président sous Ronald Reagan pendant huit ans. On sait enfin qu'au cours de la campagne présidentielle de 2000, le vice-président Al Gore a été le candidat du parti démocrate, après avoir été vice-président sous Bill Clinton. Tel n'est pas le cas de Dick Cheney, il n'a en effet aucune ambition à ce sujet[19].

La Constitution américaine prévoit aussi à la section 4 de l'article II, que « le président, le vice-président et tous les fonctionnaires civils des États-Unis seront destitués de leur charge en cas de mise en accusation (*impeachment*) et condamnation pour trahison, corruption ou autres hauts crimes et délits[20] ». C'est la Chambre des représentants qui a le pouvoir d'amorcer la procédure devant conduire à la destitution, mais la responsabilité de juger des cas d'éventuelles destitutions relève du Sénat. Lorsque le président est en cause, c'est le juge en chef des États-Unis qui préside le Sénat. Le Sénat ne peut ordonner la destitution que par un vote à la majorité des deux tiers.

Au cours de l'histoire américaine, diverses tentatives de destitution ont été tentées contre Tyler (1842), Hoover (1932 et 1933) et le vice-président Schuler Colfax (1873), mais aucune d'entre elles n'a abouti. Quant au président Richard Nixon, on sait qu'il démissionna, au moment même où la Chambre des représentants s'apprêtait à voter sa destitution en 1974.

Les deux présidents à avoir été accusés par la Chambre des représentants ont été Andrew Johnson, qui fut acquitté par le Sénat par une seule voix de majorité, et Bill Clinton en 1998. En ce qui concerne ce dernier, la Chambre des représentants adopta deux chefs d'accusation contre lui, soit un l'accusant de parjure devant un grand jury fédéral (228 voix contre 206) et un autre d'obstruction à la justice (221 voix contre 212). Après ces mises en accusation, et comme le prévoit la Constitution, cette cause fut entendue par le Sénat agissant comme grand jury, présidé par le juge en chef de la Cour suprême, William H. Rehnquist.

Un vote à la majorité des deux tiers, soit 67 votes, était nécessaire au Sénat pour destituer le président, mais sur le premier chef d'accusation, seulement 45 sénateurs (tous républicains) votèrent en faveur de sa destitution, alors que 55 (45 démocrates et 10 républicains) votèrent contre ; sur le deuxième chef d'accusation, 50 sénateurs (tous républicains) votèrent la destitution, pendant que 50 sénateurs (45 démocrates et 5 républicains) rendirent un verdict de non-culpabilité.

Enfin, et s'il y a une leçon à tirer de la procédure d'*impeachment* enclenchée contre le président Clinton dans l'affaire Lewinsky, c'est bien que la destitution d'un président a très peu de chances de réussir lorsqu'elle répond essentiellement à des considérations partisanes, et que la section 4 de l'article II vise d'abord et avant tout des crimes contre l'État ou le système de gouvernement et non des matières relevant essentiellement de la vie privée.

◆

En instituant la présidence, les Pères fondateurs voulaient qu'elle soit forte et suffisamment indépendante pour assurer la direction de l'administration publique et assumer une part importante du processus politique de prise de décision. Ils n'ont pas pour autant créé une institution conçue comme la source principale de leadership à l'intérieur du système politique américain, et c'est précisément pour cette raison que, pendant près d'un siècle, il incomba principalement au Congrès, et non au président, d'assumer cette fonction essentielle sur le plan national.

L'influence de certains présidents, placés dans des circonstances exceptionnelles, aura fait, qu'avec le temps, la présidence est devenue l'institution qui affecte le plus l'orientation de la politique américaine. L'influence déterminante de son pouvoir se fait sentir aujourd'hui à tous les niveaux, qu'il s'agisse de politique intérieure, de politique extérieure ou de défense. L'importance de la présidence américaine se fait aussi sentir à travers tout le processus législatif et elle est devenue pour le citoyen américain une source d'identification importante.

De plus, la présidence américaine demeure encore et toujours fortement personnalisée. Le choix du président, par un processus électoral qui s'étend à la grandeur du pays, a eu comme conséquence que la présidence est devenue le centre par excellence de l'expression de la volonté populaire et, dans un certain sens, ni le Congrès ni la Cour suprême ne peuvent la concurrencer sur ce terrain. En tant qu'expression ultime de cette volonté, le président se doit tout de même, et ce, malgré ses énormes pouvoirs, d'être conscient des dangers qu'implique une telle responsabilité et de respecter, dans l'exercice de ses fonctions, les pouvoirs attribués par la Constitution aux autres branches du gouvernement américain.

NOTES

1. « *The executive power shall be vested in a President of the United States of America.* »
2. « *and been fourteen Years a resident within the United States* ».
3. « Dans leurs besoins, les gens m'ont donné le mandat de mener des actions vigoureuses. Ils voulaient un leader capable de leur imposer une solide discipline et une direction claire. Ils m'ont élu pour répondre à leurs souhaits. J'ai accepté ma charge dans cet esprit » (cité par R. S. HIRSCHFIELD (dir.), *The Power of the Presidency. Concepts and Controversy*, 2ᵉ éd., Chicago, Aldine Publications, 1973, p. 165 ; traduction libre).
4. Aaron B. WILDAVSKY, *The Presidency*, Boston, Little, Brown, 1969.
5. « Les gens veulent d'abord appuyer le président dans les affaires étrangères, et la partisanerie politique s'arrête, pour ainsi dire, au bord de l'eau. En ce qui concerne la politique intérieure, me voici avec une majorité démocrate au Sénat, et une majorité démocrate à la Chambre, cherchant à les convaincre de ce que je crois souhaitable. C'est très compliqué » ; traduction libre.
6. « *he shall have power to grant reprieves and pardons for offenses against the United States* ».
7. « *by and with the advice and consent of the Senate, to make treaties, provided two thirds of the Senators present concur* ».
8. « *The President is the sole organ of the nation in its external relations, and its sole representative with foreign nations.* »
9. « *To declare war [...]. To raise and support armies [...]. To provide and maintain a navy ; to make rules for the government and regulation of the land and naval forces ; to provide for calling forth the militia.* »
10. « *unless the Congress [...] has enacted a specific authorization for such use of United States armed forces [or] has extended by law such 60-day period* ».
11. Thomas R. DYE et Milton CLARKE, *Politics in America*, 7ᵉ édition, Upper Saddle River, Pearson-Prentice Hall, 2007-2008, p. 402-403.
12. « *[H]e may require the opinion, in writing, of the principal officer in each of the executive departments, upon any subject relating to the duties of their respective offices, [...] he shall nominate, and by and with the advice and consent of the Senate, shall appoint [...] other public ministers [...], and all other officers of the United States.* »
13. « *[...] he shall take care that the laws be faithfully executed, and shall commission all the officers of the United States.* »

14. GOUVERNEMENT des ÉTATS-UNIS, 2007, « Executive Office of the President », *Agencies*, en ligne, <http ://www.usa.gov/Agencies/Federal/Executive/EOP.shtml>, page con-sultée le 16 août 2007.

15. « Chaque président a son enfant de chienne et je suis celui de Nixon. Je lui sers de tampon et je suis son âme damnée. Je fais faire ce qu'il veut faire faire et j'essuie les coups à sa place. »

16. « *He shall from time to time give to the Congress information of the State of the Union, and recommend to their consideration such measures as he shall judge necessary and expedient.* »

17. Thomas R. DYE et Milton CLARKE, *op. cit.*, p. 395- 396.

18. SCHMIDT, Steffen W., Mack C. SHELLEY et Barbara A. BARDES, *American Government and Politics Today*, Boston, Thomson-Wadsworth, 2007-2008, p. 406.

19. Thomas R. DYE et Milton CLARKE, *op. cit.*, p. 341 ; 404- 407.

20. « *The President, Vice President and all civil officers of the United States, shall be removed from office on impeachment for, and conviction of, treason, bribery, or other high crimes and misdemeanors.* »

POUR EN SAVOIR PLUS

BIBLIOGRAPHIE ET LECTURES RECOMMANDÉES

BARBER, James David, *The Presidential Character*, Englewood Cliffs, Prentice-Hall, 1992.

CLINTON, Bill, *Ma vie*, Paris, Odile Jacob, 2004.

DALLEK, Robert, *An Unfinished Life : John F. Kennedy, 1917-1963*, Boston, Little, Brown, 2003.

HIRSCHFIELD, R. S. (dir.), *The Power of the Presidency. Concepts and Controversy*, 2ᵉ édition, Chicago, Aldine Publications, 1973.

McCULLOUGH, David, *Truman*, New York, Simon & Schuster, 1992.

MORRIS, Edmund, *The Rise of Theodore Roosevelt*, New York, Random House, 2001.

MORRIS, Edmund, *Theodore Rex*, New York, Random House, 2001.

NEUSTADT, Richard E., *Presidential Power*, édition révisée, New York, Free Press, 1990.

SCHLESINGER, Arthur M., *L'ère de Roosevelt*, 2 volumes, Paris, Denoël, 1971.

SKOWRONEK, Stephen, *The Politics Presidents Make : Leadership from John Adams to Bill Clinton*, Cambridge, Harvard University Press, 1993.

WILDAVSKY, Aaron B., *The Presidency*, Boston, Little, Brown, 1969.

WOODWARD, Bob, *State of Denial : Bush at War, Part III*, New York, Simon & Schuster, 2006.

SITES INTERNET

La Maison-Blanche : www.whitehouse.gov

Liens vers tous les sites (plus d'une centaine) de la branche exécutive du gouvernement américain : www.loc.gov/rr/news/fedgov.html

The American Presidency Project (site sur l'histoire de la présidence) : www.presidency.ucsb.edu

Center for the Study of the Presidency : www.thepresidency.org

Miller Center of Public Affairs, University of Virginia (excellent site de référence sur la présidence, y compris, en particulier, le *Presidential Oral History Program*) : http://millercenter.virginia.edu

Presidential Studies Quarterly (revue spécialisée dans l'étude de la présidence américaine) : www.blackwellpublishing.com/PSQ

Les présidents des États-Unis (site francophone consacré à l'histoire des présidents américains) : http://presidentusa.free.fr

L'ADMINISTRATION PUBLIQUE

Jean Mercier
Mathieu Ouimet

À bien des égards, l'administration publique américaine ressemble à celles des autres pays industriels. Mais elle en diffère aussi, à bien d'autres égards. On a même parlé, pour la décrire, d'*American exceptionalism*, expression qui suggère qu'elle a des caractéristiques tout à fait originales.

C'est à juste titre qu'on a choisi de traiter de l'administration publique dans la partie « Centres de décision » de cet ouvrage. Pourtant, il répugne aux Américains d'accorder un pouvoir décisionnel à des gens qui n'ont pas été élus. Ce n'est donc pas à dessein qu'un certain pouvoir de décision a été accordé aux fonctionnaires américains ; c'est plutôt par accident. Les zones d'incertitude qui existent entre le législatif et l'exécutif ont pour effet, parfois, de donner une certaine marge de manœuvre à l'administration publique. Ainsi, il peut arriver que les puissants *committees* législatifs interrogent directement les responsables administratifs ; ailleurs, dans la tradition britannique par exemple, une telle procédure n'est pas bienvenue, car le fonctionnaire ne pourrait répondre lui-même de ses actes sans l'intervention de son supérieur politique. Les Américains considèrent sans doute que ce qu'ils perdent en coordination interne au sein de l'exécutif, ils le gagnent en imputabilité (*accountability*) et en contrôles démocratiques de l'administration. Si les incertitudes créées par le système gouvernemental américain ont donné un grand pouvoir aux tribunaux, elles en ont aussi donné à l'administration publique, dans une moindre mesure cependant. Pour contrer cette tendance structurelle, on a toujours tenté d'exercer un contrôle sévère sur l'administration publique. Cela a été particulièrement vrai quand les républicains ont été au pouvoir. On se rappellera du renvoi pur et simple des contrôleurs aériens (qui négociaient de nouvelles conditions de travail) et leur remplacement par des contrôleurs aériens militaires, au début de la présidence Reagan. Par ce geste à la fois symbolique et réel, le président donnait le ton aux relations de travail avec ses fonctionnaires.

Il est à la mode de dire aujourd'hui à Washington que l'administration publique fédérale est devenue ingouvernable (*unmanageable*). Nous verrons plus loin qu'en 2007, le General Accountability Office, qui surveille les finances publiques pour le Congrès, sonne l'alarme sur le plan budgétaire en démontrant pourquoi le rapport entre les dépenses et les revenus ne peut être maintenu tel qu'il est. Le gouvernement fédéral est une énorme machine qui coûte de plus en plus cher. Mais, quand on parle d'administration publique dans ce pays décentralisé, on ne parle pas seulement du palier fédéral, mais aussi des États et des paliers «juniors» de gouvernement.

Quand on se réfère, aux États-Unis, aux 78 000 administrations du secteur public, depuis le plus petit *county* jusqu'au gouvernement fédéral, et aux 15 000 000 d'employés et de cadres qui les animent, on parle de *public administration*. Contrairement à ce qu'il en est en France, le mot «administration» aux États-Unis ne renvoie pas spécifiquement au secteur public. Ce n'est d'ailleurs pas le fruit du hasard, car les Américains sont réticents à reconnaître au secteur public des caractéristiques différentes de celles du secteur privé.

La part du secteur public américain dans le produit national brut est inférieure à ce qu'elle est dans les pays industrialisés comparables. Dans plusieurs pays industrialisés, la part du secteur public se situe autour de 50 % alors qu'aux États-Unis, la proportion se situe autour de 35 %. Par contre, les Américains sont assez friands de *voluntary associations*, et ces associations volontaires, formellement partie du secteur privé, remplissent des fonctions qui relèvent, ailleurs, carrément du secteur public. On compte, par exemple, plusieurs dizaines de milliers de pompiers volontaires aux États-Unis. Dans le domaine de la santé, par ailleurs, l'État joue un rôle considérablement moins important que dans les autres pays industrialisés et, contrairement à ce que l'on pourrait penser, la médecine privée des États-Unis coûte plus cher, acte pour acte, que dans la plupart des pays industrialisés où la médecine est universelle et publique. Nous reviendrons un peu plus loin sur cette importante question. Ces remarques générales ayant été formulées, nous nous pencherons maintenant sur la division des tâches et sur les mécanismes de coordination de l'administration publique américaine.

Les structures administratives

Comme dans les autres pays occidentaux, les trois grands pouvoirs sont le législatif, l'exécutif et le judiciaire. Officiellement, l'administration publique est considérée comme une extension du pouvoir exécutif. Cela vaut pour le gouvernement fédéral ainsi que pour plusieurs juridictions subordonnées comme les États, par exemple. Les juridictions de plus petite échelle que les États sont fort variées, plus variées qu'en France par exemple. Il existe plusieurs types d'agglomérations urbaines, dont les statuts juridiques diffèrent : les *counties*, les *cities and towns*, et les autres entités géographiques, sans compter les *special purpose jurisdictions* qui ont des objectifs fonctionnels très précis, tels que la distribution de l'eau ou l'établissement de systèmes énergétiques. Ces *special purpose jurisdictions* ont des limites souvent différentes de celles des villes ou des municipalités qu'elles desservent. Il faut dire que les Américains ne s'embarrassent guère du principe de l'unité de juridiction, ce qui fait que la représentation géographique de leurs administrations publiques peut être une entreprise assez complexe.

Si on regarde l'évolution des 40 dernières années, on peut dire que le gouvernement fédéral a pris l'initiative de nombreux programmes entre les années 1960 et le milieu des années 1970. Depuis le début des années 1980, on constate une très nette tendance à remettre à l'administration locale la gestion des programmes sociaux et économiques. Cela a été particulièrement vrai pour les programmes de protection sociale et d'assistance aux familles. Ce désengagement du fédéral en faveur des États et des autres gouvernements «juniors» s'est accentué avec les administrations républicaines de 1980-1992 et de 2000-2008. Comme c'est le cas parfois ailleurs, les gouvernements plus conservateurs sont aussi plus décentralisateurs. Un plan explicite de transfert de responsabilités en direction des États a d'ailleurs été mis en place durant la présidence de Reagan, mais, contrairement à la décentralisation française, le plan américain pouvait se faire dans le cadre constitutionnel déjà existant. Ce mouvement de décentralisation a en fait atteint plusieurs de ses objectifs, si bien que plus de la moitié des diplômés des écoles d'administration publique se dirigent maintenant vers le secteur public local. La particularité de la décentralisation tentée par George W. Bush (2000-2008) est qu'elle devait se faire en faveur du secteur privé, ce qui a largement échoué, surtout en ce qui concerne la sécurité sociale.

En réalité, cette **dévolution** vers le local fait partie d'un mouvement plus large de désengagement progressif du gouvernement fédéral dans la prestation directe de biens et de services. Le palier fédéral veut remettre aux entités locales, mais aussi au secteur privé, des responsabilités qui étaient auparavant les siennes. Cela a modifié peu à peu la composition de la fonction publique américaine. Avec la diminution de certains services, plus de la moitié des fonctionnaires fédéraux américains qui restent sont détenteurs d'un diplôme universitaire. Et cette tendance s'est accentuée avec la disparition de certaines fonctions subalternes, contrecoup du développement de l'informatique. Tant et si bien qu'on a pu comparer les caractéristiques organisationnelles actuelles du gouvernement fédéral américain à celles d'une firme de recherche et développement.

Par ailleurs, pour les gouvernements «*seniors*», comme, par exemple, le gouvernement fédéral, on a créé, surtout à partir des années 1930, un nouveau genre d'administration: les *independent regulatory agencies*. Ces organismes experts et relativement indépendants, constitués en dehors de la fonction publique traditionnelle ont mandat de surveiller, contrôler ou développer des activités très spécialisées. Ainsi, la Securities and Exchange Commission supervise l'émission et les transactions de valeurs mobilières sur les différents parquets des bourses américaines. Dans les années 1990, dans la foulée du nouveau management public, on a créé d'autres types de *government agencies*, qui avaient davantage pour but, celles-là, d'atteindre les niveaux d'efficacité qu'on attribuait au secteur privé.

Nous mentionnons l'existence de ces *agencies* pour souligner le caractère assez spécialisé de l'administration publique américaine. Bien sûr, ces
organismes existent aussi dans d'autres pays où l'on a suivi l'exemple
américain, mais on peut dire que les États-Unis en sont la mère patrie et
que nulle part ailleurs ils n'ont connu un aussi grand développement.
L'importance de ces a*gencies* constitue, aux yeux de certains, un autre
indice des caractéristiques centrifuges du système administratif américain.

Un nouveau ministère de la Sécurité intérieure

Les attentats terroristes du 11 septembre 2001 et le sentiment de peur et de
menace qu'ils ont soulevé dans la société américaine ont été catalyseur de
changement au sein de l'administration publique fédérale américaine,
particulièrement dans le domaine de la sécurité intérieure (*Homeland security*). Dans un numéro spécial publié par la revue *Public Administration
Review* un an après les événements du 11 septembre 2001, David Walker,
contrôleur général des États-Unis et chef du US General Accounting
Office, auquel nous ferons référence dans la section portant sur le
processus budgétaire et les finances publiques, signe un article dans lequel
il soutient, six mois avant la création du nouveau ministère de la Sécurité
intérieure (*Department of Homeland Security*), que la création d'un
nouveau cabinet ministériel pour la sécurité intérieure serait la plus grande
restructuration des agences gouvernementales fédérales américaines
depuis la création du ministère de la Défense en 1947[1]. Ces propos du
contrôleur général abondaient dans le même sens que ceux tenus par
George W. Bush, fils, lors du discours du 18 juin 2002 dans lequel il proposa
au Congrès de créer le nouveau *Department of Homeland Security.* Il
soutint que cette création constituerait la plus importante réorganisation
du gouvernement fédéral américain depuis les années 1940 (« *I propose the
most extensive reorganization of the Federal Government since the 1940s by
creating a new Department of Homeland Security*[2] »).
Le *Department of Homeland Security* (DHS), officiellement créé le
1er mars 2003, à la suite de l'adoption de la loi sur la sécurité intérieure
(*Homeland Security Act*), a pour mission de diriger l'effort national pour
sécuriser l'Amérique, de prévenir et de décourager les attaques terroristes,

de protéger la nation contre les menaces et les aléas, de s'assurer de la sécurité des frontières, d'accueillir les immigrants et les visiteurs légaux, et de promouvoir la libre circulation du commerce (traduction libre[3]). Conformément à cette mission multidimensionnelle, relèvent désormais du DHS 22 agences autonomes et autres composantes administratives, par exemple les Services secrets américains (*U. S. Secret Service*), qu'il convient de ne pas confondre avec la CIA, la Garde côtière (*U. S. Coast Guard)*, et la fameuse Agence fédérale de gestion des secours, mieux connue sous l'acronyme de FEMA (*Federal Emergency Management Agency*), qui a fait l'objet de critiques nombreuses après le passage de l'ouragan Katrina qui, au mois d'août 2005, toucha sévèrement l'État de la Louisiane. L'inaction du DHS et de son agence FEMA à cette occasion révéla d'importantes lacunes, que l'enquête du Congrès et du Sénat permit d'identifier en recourant à des audiences officielles (*hearings*) auxquelles furent conviés des témoins de la catastrophe.

Plusieurs thèses ont été proposées par les experts et le milieu journalistique afin d'expliquer, dans un premier temps, la non-intervention du DHS (par l'entremise de la FEMA), puis, dans un deuxième temps, son intervention tardive dans les jours et les semaines qui ont suivi le passage de l'ouragan Katrina. L'historien Romain Huret, maître de conférence à l'Université de Lyon II et chercheur au Centre d'études nord-américaines (CENA) de l'École des hautes études en sciences sociales (EHESS), a recensé trois explications principales[4]. Selon lui, l'explication personnalisée a été la thèse la plus « prégnante ». L'attitude du dirigeant (démissionnaire) de la FEMA, Michael Brown, serait la principale cause de l'échec de la FEMA. L'étude des correspondances de Michael Brown par des commissions d'enquête du Congrès a révélé qu'il était tenu informé des besoins urgents sur le terrain sans pour autant prendre les moyens nécessaires pour y répondre promptement. Les condamnations multiples de son inaction aboutirent finalement à sa démission.

La deuxième thèse, de nature organisationnelle, a particulièrement prévalu dans les nombreux articles parus sur le sujet dans la revue américaine d'administration publique (*Public Administration Review*). Les tenants de ce deuxième type d'explication soutiennent que l'inaction du DHS a été le résultat de dysfonctionnements organisationnels liés principalement aux problèmes de coordination internes et externes qu'a éprouvés le DHS durant et après la catastrophe naturelle. Il est important de rappeler, comme le fit David Walker, Comptroller General, que le DHS est un nouveau ministère dont la consolidation prendra nécessairement plusieurs années[5]. À l'interne, le défi du DHS est de coordonner les activités de multiples agences dotées de cultures organisationnelles différentes, tandis qu'à l'externe, son défi est d'arrimer son action à celle d'autres ministères fédéraux, par exemple les ministères de la Défense et de la Justice, ainsi qu'à celle des États et des paliers inférieurs. Nous reviendrons sur les problèmes de coordination dans la section suivante.

Enfin, la troisième explication de l'inaction du DHS et de la FEMA met l'accent « sur les soubassements racistes de la non-intervention », qui seraient liés à la forte concentration d'Afro-Américains en Nouvelle-Orléans. Huret rappelle que le sénateur démocrate Barack Obama, bien qu'ayant refusé de suivre la piste « intentionnelle » soutenue par le réalisateur Spike Lee dans l'un de ses documentaires, *When the Levees Broke : A Requiem in Four Acts*, avait alors interprété l'inaction du gouvernement fédéral américain comme le résultat d'une « longue indifférence », faisant ici référence aux problèmes récurrents d'insécurité vécus par les Afro-Américains[6].

Selon Huret, les thèses individuelles, organisationnelles et culturalistes ne constituent pas des explications suffisantes. Il rappelle avec raison que la FEMA est une agence bicéphale qui a été créée pour prévenir et gérer deux types de risques : les risques naturels (ouragans, tremblements de terre, inondations) et les risques politiques (mouvements contestataires, groupements terroristes). Or, selon Huret, « les administrations républicaines ont eu tendance à plus privilégier le volet sécuritaire au détriment du volet naturel[7] ». À titre d'exemple, Reagan donna la direction de la FEMA à un ancien militaire, Louis Guiffrida, tandis que Clinton préféra plutôt nommer James Lee Witt, un expert en catastrophes naturelles. Avec l'arrivée au pouvoir de George W. Bush et les attaques terroristes du 11 septembre 2001, la FEMA aurait de nouveau privilégié le volet sécuritaire, comme l'atteste l'abolition du projet impact (*Impact Project*) que James Lee Witt avait mis au point pour préparer les populations, planifier la coordination des secours et anticiper les catastrophes naturelles. Selon

Huret, il est révélateur que la FEMA ait été intégrée au sein du nouveau DHS, qui, lui, avait été créé principalement pour lutter contre la menace terroriste sur le sol américain.

Toujours selon Huret, l'inaction du DHS (par l'entremise de la FEMA) révèle la volonté de l'équipe Bush de réduire l'intervention du gouvernement fédéral en matière sociale et associative, et de recentrer ses interventions sur les missions régaliennes. Huret rappelle, avec un brin d'ironie, que le républicain Herbert Hoover a remporté l'élection présidentielle de 1928 grâce, notamment, à la reconnaissance de son dévouement alors qu'il dirigeait un comité spécial chargé de venir en aide aux régions sinistrées par les inondations de Louisiane de 1927. La volonté du gouvernement de George W. Bush de concentrer les interventions du gouvernement fédéral sur les missions régaliennes de l'État et de léguer les autres types de missions aux paliers inférieurs a été rappelée par Donald Rumsfeld dans une note de service dont le *New York Times* a publié certains extraits : « C'est présenté comme cela dans la Constitution, les responsables locaux et ceux des États doivent répondre en premier[8]. » Notons que, depuis le passage de l'ouragan Katrina, ce système de gestion des catastrophes naturelles fonctionnant du bas vers le haut (*bottom up*) est de plus en plus remis en question dans les cas de catastrophes naturelles d'envergure. En effet, les nombreuses discussions et analyses post-Karina auraient permis de faire émerger un certain consensus : en cas de catastrophes naturelles majeures, le gouvernement fédéral devrait jouer un rôle beaucoup plus actif.

Un dernier aspect concernant le nouveau DHS mérite maintenant d'être soulevé : celui du rôle important accordé au secteur privé dans la prestation de biens et de services en matière de sécurité. Il est opportun de rappeler ici des propos tenus par Michael Brown, alors qu'il dirigeait la FEMA et qu'il se défendait face à ceux qui l'accusaient d'inaction dans le dossier de l'ouragan Katrina : « [L]'idée générale selon laquelle le travail du gouvernement n'est pas de dispenser des services mais de faire en sorte qu'ils soient dispensés est une évidence pour moi[9]. »

Depuis sa création au mois de mars 2003, le budget discrétionnaire net du DHS n'a cessé d'augmenter. Durant l'année financière 2003, il était d'environ 23,3 milliards de dollars. En 2007, il a atteint environ 32,4 milliards de dollars, ce qui constitue une augmentation de près de 39 % en cinq ans. Une partie de ce budget est utilisée pour acquérir des produits et des services d'autres agences gouvernementales et du secteur privé. En 2006, les représentants Tom Davis et Henry A. Waxman, auteurs d'un rapport du Comité du Congrès sur la réforme du gouvernement fédéral, *Waste, Abuse, and Mismanagement in Department of Homeland Security Contracts*[10], ont sévèrement critiqué les lacunes de la gestion des contrats au sein du DHS. Dans leur enquête, ils ont découvert que les dépenses dues à l'octroi de contrats du DHS sont passées de 3,5 milliards en 2003 à 10 milliards en 2005, soit une augmentation 6,5 milliards en trois ans. Durant cette même période, le nombre de contrats octroyés est passé de 14 000 à 63 000. En pourcentage, les dépenses dues à l'octroi de contrats (*procurement spending*) ont augmenté de 189 % de 2003 à 2005. Et les statistiques sur l'augmentation des contrats octroyés par le DHS sans appels d'offres ont de quoi déplaire aux contribuables américains. En 2003, 655 millions ont été dépensés par le DHS pour des contrats hors compétition, ce qui représentait 19 % des dépenses totales affectées aux contrats par le DHS. En 2005, ce montant a atteint 5,5 milliards de dollars, soit 55 % des dépenses de contrats du DHS. Nous verrons plus loin que les problèmes de gestion, de coordination et de planification ne concernent pas exclusivement le *Department of Homeland Security*, mais aussi d'autres composantes de l'administration publique américaine.

Les mécanismes de coordination

La multitude de gouvernements américains, du géant fédéral, y compris ses *independent regulatory agencies* et ses *government corporations*, jusqu'à la plus petite *special purpose jurisdiction*, la faiblesse relative du pouvoir exécutif et la grande variété des formules administratives pourraient nous faire croire que l'administration publique américaine souffre d'un manque sérieux de coordination et d'unité. C'est la conclusion à laquelle arrivent d'ailleurs, et de façon très convaincante, Theodore Lowi dans *The End of Liberalism*[11] ainsi que Richard J. Stillman, dans *Preface to Public Administration*[12]. Cependant, avant de se pencher sur les remarques de Lowi et de Stillman, il est important de connaître les mécanismes de coordination qui existent effectivement dans la réalité administrative américaine.

D'abord, la Constitution américaine assure le cadre interprétatif des liens qui doivent exister entre les divers paliers de gouvernement. Ensuite, les **ressources financières** du gouvernement fédéral et les sommes qu'il peut fournir aux gouvernements subordonnés assurent également une certaine coordination de l'ensemble administratif américain. Il faut dire, par ailleurs, que les relations financières entre gouvernements ont souvent un caractère volontaire : ainsi, si tel État veut bien adopter tel type de législation, il aura droit à sa part des subsides fédéraux ; cela se fait souvent sous la formule des *matching funds*, c'est-à-dire que le fédéral (ou tout autre gouvernement de palier supérieur) versera une somme égale à celle versée par le gouvernement de palier inférieur, pour un projet défini par le palier supérieur. Cette formule de coordination a été à la fois louangée et critiquée. Louangée parce qu'elle incitait les gouvernements locaux à fournir des fonds importants à des projets considérés d'envergure nationale. Critiquée parce que les gouvernements locaux, attirés par la perspective d'importantes contributions fédérales, pouvaient se lancer dans des projets qui ne correspondaient pas réellement aux besoins de leurs commettants.

La multiplication des paliers de gouvernement et des juridictions, et les **problèmes de coordination** administrative qu'elle entraîne peuvent s'expliquer en partie par l'étendue du territoire américain. En effet, cet immense territoire se prête bien au fédéralisme et à la multiplication des juridictions, auxquelles pourtant il faut tracer des limites. Le principe d'unité de juridiction n'est, à cette fin, que rarement utile, puisqu'il n'a pas une très grande force aux États-Unis. Les limites sont parfois tracées soit sur une base fonctionnelle (pas toujours évidente), soit sur une base plus ou moins arbitraire. Par ailleurs, pour contrer ces possibilités d'arbitraire, un système juridique fort développé permet aux juridictions et aux personnes de faire appel à de multiples reprises. Il s'ensuit une grande activité juridique et on peut donc dire que le pouvoir judiciaire exerce une influence sur l'administration publique américaine qui n'existe pas dans d'autres pays. Certains ont même parlé d'« administration judiciarisée ».

Quant à la **planification** comme telle, elle existe, bien sûr, aux États-Unis comme ailleurs. Mais à cause de l'étendue du territoire, qui peut faire croire que les actions des uns n'ont que peu d'influence sur celles des autres, et à cause du caractère coercitif de la planification, que l'Américain redoute avant tout, cette forme de coordination est probablement moins utilisée que dans d'autres contextes.

Et pourtant, le père de l'administration publique américaine, Woodrow Wilson, avait déjà soutenu, en son temps, qu'un certain degré de centralisation (et donc de coercition) était nécessaire à une administration publique moderne et démocratique. Dans la réalité, on a souvent fait fi du conseil du premier « administrativiste » américain ; pour Theodore Lowi, le penchant américain pour la décentralisation n'a fait que favoriser les droits acquis et c'est ainsi qu'une certaine forme de décentralisation urbaine a encouragé le développement inconsidéré des banlieues (*suburbs*), une façon pour la périphérie d'exploiter le centre urbain.

Theodore Lowi reconnaît que la fragmentation des juridictions existe ailleurs qu'aux États-Unis, au Canada et en Grande-Bretagne par exemple, mais il soutient que l'éparpillement gouvernemental et administratif est un problème particulièrement grave aux États-Unis, parce que, contrairement à ce qui se passe ailleurs, il n'y a pas suffisamment de forces centripètes pour contrebalancer cet excès de décentralisation.

Une quinzaine d'années plus tard, en 1991, Richard J. Stillman confirme ce diagnostic, et fait remarquer que, déjà, il y a plus de 150 ans, Alexis de Tocqueville avait noté l'absence d'un centre dans l'administration publique américaine, ce qui devait plus tard faire que les États-Unis seraient plus facilement ballottés par des forces externes, comme le changement technologique, l'expertise des professionnels et les forces de la globalisation[13]. Ce thème des *special interests* dans la campagne électorale présidentielle pour 2008 souligne le même problème, sur le plan politique.

On a pu constater, lors de l'ouragan Katrina en 2005, les carences administratives des agences fédérales, surtout en termes de coordination. Les scandales qui ont secoué le Department of Housing and Urban Development (HUD), à la fin des années 1980, avaient, plus tôt, mis en lumière les faiblesses traditionnelles de l'administration publique américaine, en termes de cohérence et d'unité. Selon Ronald C. Moe, ce département de l'Habitation et du Développement urbain a connu des problèmes parce que l'organisme chargé de le superviser, le puissant Office of Management and Budget (OMB), n'avait pas su prendre ses responsabilités[14]. L'OMB avait en effet été l'objet d'une politisation croissante qui l'avait éloigné de sa mission essentielle de superviser l'ensemble des opérations gouverne-mentales. La présidence, dans son souci de contrôler l'administration publique, y avait fait un grand nombre de nominations politiques. Mais ces *political appointees* ne restaient souvent en poste que pour un temps limité. Tout cela sapait le moral des cadres permanents et affectait parfois même leur motivation au travail. En fait, les problèmes de l'OMB remontaient à plus loin encore. Dans les années 1970, on avait cru que la supervision générale des activités administratives serait mieux assumée si on l'associait de près au processus budgétaire : c'est ainsi qu'on avait créé l'OMB. Mais, peu à peu, les impératifs budgétaires ont chassé les préoccupations de supervision générale des opérations, et cela s'est reflété, entre autres, par une diminution sensible des fonctionnaires affectés à des tâches autres que budgétaires au sein de l'OMB. Dans ce contexte, les techniques de rationa-lisation budgétaire à la mode n'ont servi qu'à camoufler l'abdication de l'OMB face à ses obligations de superviser l'ensemble des activités admi-nistratives. On se penchait de moins en moins sur le plan d'ensemble des activités, inhibé qu'on était par les *political appointees* et obnubilé par les dernières modes budgétaires. La spécialisation étroite triomphait encore une fois dans l'administration publique américaine. Sans une vision d'ensemble, ainsi que le souligne Ronald C. Moe, le processus de prise de décision est tiraillé entre toutes sortes de forces centrifuges : le Congrès, les *committees*, les groupes d'intérêt et les intérêts institutionnels des fonction-naires eux-mêmes.

Éléments historiques et facteurs culturels

Nous avons déjà abordé le sujet des choix administratifs fondamentaux quand, dans la section précédente, nous avons évoqué les réserves qu'entretenaient plusieurs « administrativistes » américains vis-à-vis de la planification et du principe de l'unité de juridiction. Nous serions encore plus au cœur des choix fondamentaux américains si nous soulignions qu'à la naissance même des États-Unis d'Amérique se dressait le principe du *no taxation without representation*. Les Américains ont décidé de résister à la métropole anglaise sur une question de principe : ils n'ont pas accepté d'être taxés sans possibilité de contrôler l'utilisation des sommes versées.

Bien sûr, d'autres motifs étaient aussi en cause. Mais la question de principe demeure, à tout le moins comme symbole. Et l'incidence sur l'administration publique américaine en découle tout naturellement : le pouvoir législatif allait s'assurer du droit de contrôler l'exécutif en général et le pouvoir administratif en particulier. C'est ce qui explique l'intrusion du législatif au sein même de l'administration publique, par l'intermédiaire des différents *committees* qui font témoigner, directement, les hauts fonctionnaires. Bien sûr, la procédure peut se retrouver ailleurs qu'aux États-Unis, mais nulle part elle n'est pratiquée avec autant de vigueur et de manière aussi systématique.

Comme le fait remarquer Richard J. Stillman dans sa magistrale étude des fondements de l'administration publique américaine, *Preface to Public Administration*, on ne prévoyait pas, à l'époque de la rédaction des textes constitutionnels américains, qu'une trop grande concentration de pouvoirs pouvait se trouver ailleurs qu'au gouvernement, qu'elle pouvait aussi se trouver dans les corporations, les trusts, les multinationales, les syndicats, les professions ou les médias par exemple[15].

Cette façon de considérer l'administration publique comme une entité qui doit être rigoureusement encadrée par les contrôles législatifs a aussi eu des effets sur la fonction publique. En effet, les fonctionnaires ne devaient pas devenir des « élites administratives », comme on en trouvait en Europe de l'Ouest. Assez curieusement, la tradition américaine partage avec les premiers révolutionnaires russes l'idée selon laquelle la fonction publique devait se composer essentiellement d'honnêtes gens qui savaient... lire et écrire, sans plus. Évidemment, ni en Russie ni aux États-Unis, cette conception de la fonction publique ne peut prévaloir aujourd'hui. Mais, au XIXᵉ siècle, le président Andrew Jackson pouvait défendre, sans honte, le *spoils system*, c'est-à-dire l'attribution des postes administratifs aux partisans politiques (à l'origine, bien entendu, de la présence des *political appointees*). Ce « système des dépouilles » se faisait au grand jour, et on l'a justifié par des principes démocratiques. Ainsi, Andrew Jackson soutenait qu'il était de l'essence même de la démocratie qu'il y ait une rotation des fonctionnaires de tous les paliers, après un changement de gouvernement. Les idées du nouvel élu ne devaient-elles pas guider toute l'administration gouvernementale pour que l'élection garde son sens ? Et d'ailleurs, comment faire participer les électeurs au processus politique si on ne pouvait, par la suite, leur offrir des postes ? Aujourd'hui, aux États-Unis, les idées de Jackson influencent encore la vie de la haute fonction publique américaine.

Les **grands courants administratifs américains** se font surtout connaître à partir de la fin du XIXᵉ siècle. On fait remonter le début de l'administration publique américaine, comme *champ d'études*, à un article paru en 1887 sous la plume de Woodrow Wilson, qui allait devenir plus tard président des États-Unis. Dans cet article, intitulé « The Study of Administration », Wilson constate qu'en Europe occidentale la science de l'administration publique est plus avancée que sur le continent américain. Les États-Unis doivent s'inspirer de ces modèles pour les adapter ensuite à leurs institutions plus décentralisées, soutient Wilson. Il faut aussi, selon lui, séparer le plus possible le politique de l'administratif pour qu'à la limite, les mêmes principes de bonne gestion puissent s'appliquer au secteur public comme au secteur privé.

Les premières réformes d'envergure visent à combattre la corruption municipale, déjà très répandue dans les dernières décennies du XIXᵉ siècle. Les villes, à cette époque, ont des maires, mais aussi des *city bosses*, personnages influents qui ont souvent des liens étroits avec des milieux louches. Les réformes visent à séparer, autant que possible, le politique et l'administratif en instituant, sous le maire, un *city manager* dont le rôle serait d'administrer efficacement la ville, selon des critères de bonne gestion et non uniquement selon des critères partisans. D'autres réformes apparaissent à la même époque et elles visent essentiellement à professionnaliser la fonction publique et à mettre de l'ordre dans les finances publiques, surtout au municipal.

Paradoxalement, la grande dépression des années 1930 est une période faste pour l'administration publique américaine. Le secteur privé, traditionnellement valorisé aux États-Unis, se trouve incapable de fournir le stimulant nécessaire pour relancer l'économie. On se tourne donc vers l'État fédéral, vers les grands travaux, dont l'exemple classique est celui de la Tennessee Valley Authority, vers la planification, vers les infrastructures publiques, en un mot, vers l'administration publique. Pour présenter le tout en des termes qui ne heurteront pas les valeurs américaines, F. D.

Roosevelt choisit, très habilement, le terme *New Deal* pour décrire l'ensemble de ces nouvelles responsabilités étatiques.

Vers la fin des années 1960 apparaît un nouveau courant administratif aux États-Unis. Il s'agit de ce que l'on a appelé *The New Public Administration*. Ses tenants prônaient une attitude engagée vis-à-vis de la guerre du Viêt-nam et des plus démunis de la société. Selon *The New Public Administration*, les fonctionnaires devaient désobéir aux ordres politiques, quand ces ordres visaient soit à intensifier la participation américaine au Viêt-nam, soit à priver les moins fortunés d'avantages qui devaient leur revenir. Cette philosophie administrative s'éteint avec la fin de l'engagement américain au Viêt-nam.

Au milieu des années 1970, un mouvement intellectuel tout autre commence à prendre forme, et il dominera dans un certain nombre d'écoles ou d'instituts d'administration publique tout au long des années 1980-2000. Il s'agit du mouvement *Public Choice*. Essentiellement, ce mouvement, surtout formé d'économistes néolibéraux, prône la privatisation de plusieurs services offerts par le secteur public. Le *Public Choice* est également une des composantes du nouveau management public des années 1990-2005, sur lequel nous reviendrons plus tard. Plus récemment, au milieu des années 2000-2010, c'est le thème de la *Gouvernance*, présenté en particulier par Lester Salamon, qui est à l'avant-scène des idées en administration publique. Nous y reviendrons également.

L'enseignement de l'administration publique

Contrairement à ce qui peut se passer en Europe occidentale, les fonctionnaires américains, les « administrativistes » et les chercheurs en administration publique ont des formations très variées, et il arrive souvent que deux hauts fonctionnaires fédéraux, du même service, aient eu des formations très différentes. L'un d'entre eux peut avoir fréquenté un *business school* ou une école d'ingénieurs et le second peut avoir été formé dans une université qui offre un programme reconnu en administration publique. Qu'enseigne-t-on dans ces programmes d'administration publique ? Les deux matières de base y sont habituellement la gestion du personnel et l'administration budgétaire. Mais on y enseigne aussi une grande variété d'autres matières, en finances publiques, en économie du secteur public, en théorie des organisations, en management, en science politique et en sociologie de la bureaucratie. L'orientation théorique ou pratique dépend de la tradition de chaque institution.

Richard J. Stillman observe par ailleurs, au début des années 1990, une tendance vers des spécialisations encore plus pointues. Comme l'État intervient maintenant, aux États-Unis comme ailleurs, dans toutes les sphères de la société, il est normal qu'on doive faire appel à davantage de professionnels spécialisés. Mais, soutient Stillman, comme il manque aux États-Unis un vrai sens de l'État, les spécialistes tendent à occuper une place disproportionnée au sein de l'administration publique américaine[16].

Se sont ajoutées encore d'autres matières que l'on désigne sous le nom d'analyse des politiques (*policy analysis*). On y étudie les processus de prise de décision, la plupart du temps appliqués à un secteur particulier. Il peut s'agir, par exemple, d'études environnementales (comme les *Environmental Affairs* à l'Université d'Indiana à Bloomington). En général, ces *policy groups* ont un aspect normatif : ils ne se contentent donc pas d'analyser, ils conseillent et recommandent.

Deux autres domaines ont aussi fait leur apparition : il s'agit de l'évaluation des politiques et de leur mise en œuvre (*implementation*). Ces deux secteurs ont ceci en commun qu'ils concernent ce qui se passe après qu'une politique a été adoptée, ce en quoi ils se situent tout à fait dans le champ traditionnel des études de l'administration publique.

La gestion du personnel

Penchons-nous maintenant sur la gestion du personnel dans l'administration publique. En effet, toute administration est d'abord et avant tout une fonction publique, c'est-à-dire un ensemble de personnes hiérarchiquement ordonnées qui contribuent à faire fonctionner les organisations du secteur public. Quels sont les **mécanismes de gestion** du personnel utilisés dans l'administration publique américaine ?

D'abord, ainsi que nous l'avons vu, les Américains sont réticents à accorder aux gestionnaires publics une place particulière dans la hiérarchie sociale. Les fonctionnaires n'y sont pas particulièrement valorisés et ils ne jouissent d'aucun privilège particulier. Certains fonctionnaires sont élus. Il s'agit de cas fréquents, mais limités à des fonctions particulières : principalement certains postes de procureur public et de juge. L'attribution de ces postes fait d'ailleurs l'objet de véritables campagnes électorales, ce qui paraît choquant à un Européen ou à un héritier de la tradition britannique.

Autre particularité : l'idée de **représentativité de la fonction publique** (*representative bureaucracy*), qui consiste à faire place, dans les corps de fonctionnaires, à un éventail de représentants de divers groupes ethniques, ou *minorities*, dans une proportion qui corresponde à leur représentation dans la population en général. Le principe de la *representative bureaucracy* a été étendu, ces dernières années, aux femmes, et l'on cherche donc à augmenter leur nombre dans ces organisations, surtout aux postes supérieurs. Parce qu'il faut renverser la vapeur et réparer les injustices du passé envers les femmes, les Noirs et les hispaniques, par exemple, certains affirment qu'il faut adopter le principe de *positive discrimination*, c'est-à-dire qu'il faut maintenant exercer une discrimination en faveur de ces groupes traditionnellement négligés.

Depuis la fin des années 1980, la « discrimination positive » a suscité des critiques de plus en plus sévères, au sein même des minorités qu'elle est censée protéger. Des représentants des différentes minorités se sont élevés contre ce système de « quotas », qu'ils perçoivent comme paternaliste et humiliant. Ils voudraient bien entrer dans la fonction publique, mais par leurs propres mérites.

Si on se tourne maintenant du côté de la **classification des fonctionnaires**, on peut faire les observations suivantes. En grossissant un peu le trait, on peut dire d'abord que tout système de classification du personnel prend comme point de départ soit le type de travail à accomplir, soit le type d'employé requis et les perspectives de carrière qui lui sont offertes. Aux États-Unis, on a traditionnellement choisi d'insister davantage sur une classification fonctionnelle (type de travail) que sur une classification personnelle (perspectives de carrière).

En principe, ce système de classification n'empêche pas la constitution d'un système de promotion au mérite ou un cheminement progressif et individualisé de carrière, mais les influences du *spoils system* ont empêché l'acceptation totale de la notion de carrière. Comme l'a remarqué

L. D. White, les spécialisations ne favorisent pas non plus la formation d'un corps polyvalent, capable de s'adapter à des tâches variées et selon les besoins. Hugh Heclo, dans son ouvrage classique sur la fonction publique américaine, *A Government of Strangers*[17], a déploré le manque de cohésion et de stabilité de la haute fonction publique fédérale, mais pour des raisons politiques cette fois. D'une manière très systématique, Heclo commence par décrire la situation de fait dans les hautes sphères de l'administration fédérale. Ainsi, quand un nouveau président prend la tête de l'État, il nomme lui-même, dans la tradition jacksonienne, plusieurs centaines de hauts fonctionnaires à des postes névralgiques de l'administration. Plusieurs de ces *political appointees* viennent du secteur privé et n'ont aucune préparation pour faire face aux complexités et aux contraintes du secteur public. Mais, à cause de leurs prétendus liens avec le président, qui sont en fait souvent très ténus, ils passent par-dessus les hauts fonction-naires issus de l'administration. Ce système, théoriquement, comporte certains avantages : les politiques du président ont moins de chances d'être bloquées par une bureaucratie sclérosée si on met, à la tête de chaque orga-nisme, un « homme du président ». Les problèmes pratiques, par contre, nous dit Heclo, sont fort nombreux. D'abord, il faut allouer au moins un an ou deux à ces *political appointees* pour qu'ils commencent à comprendre la complexité de leur organisation. Si le président n'est en poste que pour un mandat, ce qui a été fréquent depuis 1960, il n'aura donc que quelques années pour instituer une quelconque réforme qui soit réellement la sienne. Ces *political appointees*, venant des milieux les plus divers, pour ne pas dire les plus hétéroclites, n'ont aucune cohésion et, en réalité, ils sont plutôt jaloux des liens fragiles qu'ils peuvent avoir avec le président, puisque ce sont ces liens qui fondent tout leur pouvoir. Les *political appoin-tees* ne peuvent donc pas, comme groupe, aspirer à un rôle de leader dans l'administration. Et pourtant, insiste Heclo, il doit y avoir un leadership au sein de l'administration fédérale, car, on s'en doute, la présidence ne peut espérer y arriver toute seule. Heclo en conclut, en 1977, qu'il faut constituer un groupe de hauts fonctionnaires, réunis dans une classe administrative distincte, qui puissent assurer la continuité et la cohésion de l'administra-tion publique fédérale. Ces grands commis de l'État joueraient le rôle d'une haute fonction publique à l'européenne, mais continueraient d'être supervisés par les *political appointees*.

Les années Carter ont vu quelques modifications qui concernent avant tout le gouvernement fédéral, mais il est permis de croire que ces réformes ont eu un certain effet d'entraînement sur les régimes de fonction publique des autres gouvernements. En 1978, le président Jimmy Carter présenta une réforme de la haute fonction publique fédérale dont il disait qu'elle constituait la pièce maîtresse de la réorganisation administrative de sa présidence. En quoi consistait cette réforme ?

La réforme Carter regroupait 9 000 hauts fonctionnaires fédéraux, autrefois dispersés, dans un véritable corps de cadres supérieurs, qu'il appela le Senior Executive Service. Ces hauts fonctionnaires, tous situés au-dessus du niveau GS-15, auraient des responsabilités nouvelles en matière de politiques publiques et de mise en œuvre des politiques. On leur offrirait aussi une certaine mobilité et donc un début de plan de carrière à l'européenne. Le niveau de leur salaire serait déterminé en tenant compte de rapports rigoureux, venant de leurs supérieurs. Il pourrait donc y avoir hausse des traitements, au-delà des échelles régulières, et également baisse des traitements.

Bien sûr, le fait de regrouper des fonctionnaires fédéraux en une classe d'administrateurs de haut niveau et le fait de leur offrir, grâce à la mobilité, une sorte de plan de carrière, rapproche la fonction publique fédérale américaine de celles qu'on trouve en Europe. Par contre, il ne faudrait pas se hâter de conclure trop rapidement. La réforme Carter a eu pour effet concret, dans plusieurs cas, de renforcer les *political appointees*, en raison de leur pouvoir d'appréciation pour l'attribution des primes au rendement des membres du Senior Executive Service. Comme les présidents s'en sont servis pour contrôler de plus près les hauts fonctionnaires, les espoirs suscités par cette réforme ont été en grande partie déçus. On a pu même constater des départs de plus en plus nombreux de hauts fonctionnaires de grande qualité vers le secteur privé. Michel Crozier et d'autres ont remarqué, à la fin des années 1980 et durant les années 1990, que ce nouveau système a été loin de contribuer au développement de la haute fonction publique américaine.

Le dernier examen poussé de la fonction publique américaine, le rapport Volker de 1989, officiellement désigné sous le nom de *Leadership for America : Rebuilding the Public Service*, soutient que le besoin d'une forte fonction publique est plus pressant que jamais et condamne en même temps l'augmentation du nombre et du rôle des *political appointees*[18].

Les écoles de pensée au sujet de la prise de décision

Avant de se pencher sur le processus budgétaire dans l'administration publique américaine, puis sur les sombres perspectives financières qui se dessinent pour elle en 2007, il serait utile de prendre connaissance des diverses écoles de pensée au sujet de la prise de décision dans le secteur public américain. En effet, les procédures budgétaires, en tant que techniques, sont fortement influencées par les perceptions que l'on peut avoir des processus de prise de décision.

L'intérêt de la question n'est pas seulement théorique, d'autant plus que la tradition américaine a souvent opté pour ce qu'on a appelé l'« approche gradualiste ». On peut dire, en effet, qu'il existe deux façons de considérer la prise de décision dans le secteur public. La première, l'**approche rationnelle**, suppose qu'on établisse au préalable les objectifs fondamentaux des politiques publiques, ce que Karl Mannheim a appelé « la rationalité de substance ». Il s'agit en somme de décider si on veut avant tout créer de la richesse, distribuer la richesse qui existe, développer l'arsenal militaire, protéger l'environnement, secourir les démunis ou, encore, assurer la sécurité nationale, ce dernier objectif étant devenu durant les années 2000-2010 primordial pour les Américains. Ce sont là des choix fondamentaux. À partir de ces choix fondamentaux, le processus budgétaire est censé retenir les méthodes les plus efficaces pour atteindre les buts fixés par le palier politique. L'instance politique s'occupe donc de la rationalité des buts et l'instance administrative s'occupe de la rationalité des moyens. Dans la réalité, nous disent les tenants de l'**approche gradualiste**, les choses ne se passent pas ainsi. Bien plus, les tenants de l'approche gradualiste soutiennent que les choses *ne devraient pas* se passer ainsi. C'est l'Américain Charles E. Lindblom, dans un article intitulé « The Science of Muddling Through[19] » (qu'on pourrait traduire librement par : l'art du « pifomètre »), qui a le plus vigoureusement défendu cette perspective gradualiste. D'abord, Lindblom est sceptique quant à la possibilité, pour une société, d'établir ses buts de façon explicite et ordonnée. Il s'agira des buts de « qui »? demande-t-il. Les groupes d'intérêt n'ont-ils pas des intérêts différents? Et la variété des instances gouvernementales américaines, leur décentralisation, permettent-elles réellement de faire de la planification? Les tenants de l'approche gradualiste, en tout cas, en doutent.

Alors, que proposent-ils? Ils proposent une approche gradualiste basée sur l'ajustement mutuel des groupes d'intérêt. « Que chacun parle pour soi et que personne ne parle pour tous », disent-ils. Chaque groupe d'intérêt (association patronale ou syndicat, par exemple) doit défendre systématiquement ses intérêts à mesure qu'approchent les prises de décision budgétaire. Par un processus d'échanges, de négociations, de compromis, en somme par un processus de *give and take*, les décisions publiques qui seront éventuellement traduites en termes budgétaires deviendront des solutions acceptables pour tous les intéressés, même si chaque groupe, pris individuellement, n'aura pas réussi à imposer à la majorité tous les aspects de son programme. Ce procédé ne semble peut-être pas très rationnel, car il ne prévoit pas de hiérarchisation explicite des objectifs sociaux, mais, soutiennent les gradualistes, il permet, au-delà des apparences, une réelle forme de rationalité, ne serait-ce que parce que tous y ont la chance de faire valoir leurs intérêts. De ce processus apparemment désorganisé ressort une forme de rationalité cachée.

Depuis une vingtaine d'années, une autre école de la prise de décision a vu le jour: il s'agit de celle du **Public Choice**. Formé essentiellement d'économistes néolibéraux, ce mouvement considère que tout n'est qu'intérêt purement individuel et que même les *interest groups* ne représentent souvent rien d'autre que ceux qui les dirigent. C'est ainsi qu'un chef syndical, selon cette vision, ne recherche que son intérêt (sa carrière, son salaire) et non pas l'intérêt des membres. Les effets de cette approche sur le processus budgétaire sont peut-être encore plus fondamentaux que ceux du gradualisme. En effet, tous n'étant mus que par leur intérêt, les propositions budgétaires des dirigeants de la bureaucratie doivent être examinées comme des moyens qu'ils utilisent pour mettre de l'avant leurs intérêts matériels ou, dans les termes des économistes, leurs « fonctions d'utilité » (salaires, nombre de subordonnés, bureaux confortables), et les objectifs des politiques publiques ne sont souvent qu'une façon de camoufler ces intérêts particuliers. Puisque tous ne sont mus que par leur intérêt individuel, mettons les choses au clair, dit le *Public Choice*, et transformons, quand c'est possible, ce qui est faussement présenté comme des services « publics » en de véritables entreprises privées, où les objectifs seront clairs et où les lois du marché ne seront pas faussées par les bureaucrates et les réglementations abusives.

Les processus budgétaires et les finances publiques

Si les États-Unis ne sont pas le pays de la planification rationnelle et hiérarchisée, ils ont par ailleurs été un terrain propice à l'élaboration d'un grand nombre de **techniques budgétaires**. Et même si les Américains ont été réticents à accepter le principe d'une planification intégrée, ils ont par ailleurs parrainé de nombreuses techniques budgétaires de type rationnel et planificateur.

C'est au moyen de techniques budgétaires comme le PPBS (Planning, Programming, Budgeting System) et le ZBB (Zero Base Budgeting) que les Américains ont flirté avec la planification intégrée. Il faut bien réaliser cependant que ces techniques correspondaient à des contextes bien particuliers. Le PPBS, qui vise à rationaliser les dépenses, était tout indiqué lors d'une période d'abondance comme celle qu'a connue l'Amérique juste avant la crise pétrolière de 1973. Le ZBB, qui vise avant tout à éliminer les programmes qualifiés de « canards boiteux » (*lame ducks*), est fort utile en période de compression budgétaire.

Quoi qu'on puisse penser des mérites respectifs du gradualisme politique et des techniques budgétaires de type rationaliste, David Walker, Comptroller General et chef du Government Accountability Office du Congrès américain, tire la sonnette d'alarme en matière de finances publiques du gouvernement fédéral. En effet, David Walker effectue, en 2007, une vaste tournée des États-Unis, prenant la parole devant des auditoires d'universitaires et de décideurs privés et publics, pour dire que le gouvernement fédéral américain, et même la société américaine dans son ensemble, font face à une explosion sans précédent de la dette nationale.

Des simulations financières démontrent hors de tout doute que, si rien n'est fait, les décideurs devront soit augmenter substantiellement les impôts ou encore diminuer sensiblement les services[20].

Les États-Unis constituent peut-être la seule superpuissance militaire de la planète, remarque David Walker, mais ils n'arrivent qu'au 16e rang sur 28 pays de l'OCDE, quand on compare leur performance sur un ensemble d'indicateurs économiques, sociaux et environnementaux ; les comparaisons en matière de finances publiques ne sont pas plus encourageantes. Au premier rang des accusés se trouvent, selon le Comptroller General, les *Entitlement Programs*, soit essentiellement les programmes de sécurité sociale et les deux régimes publics de santé, Medicaid (assurance santé publique pour les personnes à faible revenu et les personnes handicapées) et Medicare (soins de santé financés par l'État pour les personnes du troisième âge). Walker prévoit qu'à eux seuls, les soins de santé, tant publics que privés, représenteront 19,2 % du produit intérieur brut en 2015 (ils en représentaient 16 % en 2005). D'une façon plus globale, la catégorie *mandatory spending*, les dépenses publiques fédérales qui doivent s'effectuer de par la loi, dépassent depuis environ 1980 les dépenses de type *discrétionnaire*, et cet écart se creusera jusqu'en 2017, au moins.

Cette pression considérable sur les finances publiques américaines s'est exercée alors que les taux d'épargne personnelle ont diminué régulièrement entre 1980 et 2005, passant de 11 % du revenu disponible à 0 (en 2005). On pourra être surpris, ou non, de savoir que ce sont aujourd'hui les épargnes venant de Chine, du Japon, de Corée et de l'OPEP qui soutiennent les déficits américains.

Si on se place maintenant du côté des solutions, il ne faut pas penser, ajoute David Walker, que la croissance économique américaine apportera de solution à ce problème des finances publiques, car l'augmentation du produit intérieur brut est estimée à 69 % de croissance entre 2006 et 2030, alors que les dépenses de sécurité sociale augmentent, elles, de 125 %, Medicare, de 211 % et Medicaid, de 215 %.

David Walker propose des solutions, ou du moins des pistes à suivre. Certaines d'entre elles relèvent des politiques publiques, comme l'augmentation de l'âge de la retraite ou une combinaison travail-retraite partielle. Dans le domaine de la santé, il faut s'attaquer plus sérieusement à l'obésité et à la nutrition, réduire la judiciarisation de la santé, encourager les soins donnés par les proches et imposer des limites à la publicité directe des produits pharmaceutiques. D'autres pistes de solutions relèvent davantage de l'ordre de l'administratif, comme l'obligation, dans les propositions budgétaires présidentielles, de faire une estimation sur 10 ans et au-delà, l'obligation pour l'OMB de produire un rapport annuel sur les obligations fiscales explicites et implicites, ou encore restructurer les structures et les processus administratifs fédéraux pour mieux tenir compte de la planification à long terme.

On pourra discuter de telle ou telle dimension du diagnostic et des recommandations du Comptroller General. Certains pourraient dire que le vieillissement de la population, avec ses effets sur les soins de santé, constitue un phénomène de pays riches. D'autres pourraient douter de son affirmation selon laquelle il analyse la situation de façon « non idéologique », surtout quand on voit le nom de certaines des organisations qui l'accompagnent dans ce processus de réflexion ; mais il est certain que, chiffres à l'appui, David Walker met le doigt sur des problèmes budgétaires indéniables auxquels l'administration publique américaine aura à faire face dans les décennies à venir.

Les perspectives

Parce que l'administration est avant tout subordonnée au pouvoir politique, il est difficile de parler de l'avenir de l'administration publique américaine sans parler de l'avenir de la vie politique américaine.

Après une période où l'interventionnisme gouvernemental a dominé la scène politique, du début des années 1960 au début des années 1970, on a assisté à d'importants changements de cap entre les années 1980 et le début des années 2000.

On a d'abord vu naître la révolte des payeurs de taxe foncière en Californie, qui se sont regroupés sous la « proposition 13 ». Puis, il y a eu les différents projets de *sunset legislation* qui visaient à faire en sorte qu'une loi tombe automatiquement en désuétude après un certain temps, à moins qu'elle ne soit expressément adoptée à nouveau par l'assemblée qui l'avait adoptée à l'origine. Il y a eu aussi les projets d'amendements constitutionnels, qui visaient à forcer différentes assemblées législatives à adopter des budgets équilibrés, dans lesquels les déficits seraient illégaux. Sans compter les différents projets de privatisation, de déréglementation et de *contracting out*. En réalité, l'influence des néolibéraux et des tenants du *Public Choice* et leur message de privatisation et de respect des lois du marché sont encore très présents, particulièrement dans le cadre des mandats de George W. Bush, entre 2000-2008.

On peut illustrer certains problèmes administratifs des États-Unis en prenant l'exemple de son système de santé. Comme on l'a vu plus tôt, David Walker, Comptroller General du Government Accountability Office, soutient que les dépenses publiques en santé sont insoutenables pour l'avenir. Mais David Walker pose là un diagnostic, sans en examiner les causes profondes. Au début des années 1990, on se rend compte que l'administration du système de santé américain... est malade. Les chiffres, dans ce cas-ci, ne mentent pas : le taux de mortalité infantile y est plus élevé que dans tous les pays industrialisés de niveau de développement comparable, plus de 28 % des Américains se sont trouvés sans assurance-maladie pendant au moins un mois entre 1986 et 1988, et plusieurs dizaines de millions d'individus sont régulièrement sans couverture d'aucune sorte[21]. Les vertus de l'administration privée n'ont pas fait merveille dans le domaine de la santé. Les 1500 assureurs privés, chacun ayant ses formules, ses critères d'inclusion ou d'exclusion de telle ou telle maladie, ont mené le système de santé américain dans un indéniable cauchemar administratif. Dans un style qui lui est propre, le cinéaste Michael Moore a soulevé certains de ces problèmes dans son film *Sicko*, en 2007.

En termes économiques, on dirait que le système de santé américain engendre beaucoup de coûts de transaction (*transaction costs*) : négociation et recherche d'un assureur, détermination de la couverture, vérification pour savoir si les soins reçus sont couverts par l'assurance, gestion des paiements entre l'assureur, le médecin et parfois l'hôpital et, dans certains cas, litiges et contentieux devant les tribunaux. Cela fait, on en conviendra, beaucoup de transactions possibles, même si toutes ne s'actualisent pas dans tous les cas. On a tenté de pallier certains de ces problèmes par les Health Maintenance Organizations (HMO), sortes de régimes de suivi de la santé des cotiseurs, gérés par les compagnies d'assurances, mais, au début des années 2000, ce système suscite beaucoup de critiques, notamment parce qu'il limite le choix des médecins que peuvent consulter les assurés.

Des enquêtes menées au début des années 1990 démontrent sans l'ombre d'un doute que ce sont en bonne partie les frais administratifs, et non seulement les soins médicaux eux-mêmes, qui entraînent des dépenses excessives. Les États-Unis dépensent plus de 12 % de leur produit intérieur brut en santé, alors que les pays industriels comparables en dépensent environ 9 %. David Walker prévoit en 2007 que la part des soins de santé grimpera à 19,2 % du PIB en 2015, comme on l'a vu. Malgré ces dépenses excessives, la santé ne se porte pas bien aux États-Unis. Vivre aux États-Unis aujourd'hui sans couverture d'assurance, c'est risquer constamment la ruine financière personnelle. Même ceux qui sont assurés découvrent parfois trop tard que leurs frais médicaux ne sont pas couverts par l'assurance qu'ils ont achetée.

Pourtant, les enquêtes d'opinion, menées tant auprès du public que des médecins, montrent qu'une majorité d'Américains favoriserait une certaine forme de nationalisation de la santé. Mais, comme dans le cas du contrôle des armes à feu, la dispersion des centres de décision joue en faveur des démarcheurs et des lobbyistes de toutes sortes.

Il y a bien eu, en 1993, sous le premier mandat du président Clinton, une tentative de réforme du système d'administration de la santé, qui préconisait un regroupement des consommateurs et un meilleur contrôle des compagnies d'assurances, tout « en sauvegardant la légitimité du marché privé de l'assurance médicale[22] ». On réalise à quel point la situation est bloquée quand on peut observer que les mêmes débats ont cours durant la campagne électorale en vue de l'élection présidentielle de 2008.

Cependant, le compromis Clinton, qui visait un juste milieu en réglementant le marché privé de l'assurance-maladie, n'avait cependant pas réussi à obtenir un soutien suffisant de la part des partisans de la réforme et, en même temps, devait faire face à l'opposition considérable des groupes qui voulaient maintenir un système de santé privé lucratif. Le lobby des médecins et des assureurs avait mené une campagne publique contre les propositions de Clinton et contre l'intervention gouvernementale dans le domaine de la santé. Ainsi, lors des débats publics, ces deux groupes d'intérêt ont réussi à marginaliser ceux qui proposaient la réforme du système de santé. Au Congrès, le gouvernement Clinton devait faire face non seulement à l'opposition républicaine, mais aussi aux opposants du caucus démocrate, c'est-à-dire des membres plus progressistes, mais aussi des membres de l'aile conservatrice du parti, ce qui a semé la confusion générale dans le public. Cette confusion était amplifiée par la complexité des détails contenus dans la proposition de réforme du président, par le spectacle des factions en opposition au Congrès et par les prédictions menaçantes de la part des opposants.

Des contraintes institutionnelles ont incité le gouvernement Clinton à adopter la compétition contrôlée au lieu d'une intervention gouvernementale plus radicale, mais ces contraintes ont aussi contribué à la faillite de la proposition Clinton sur la réforme en matière de santé[23].

La professeure Maioni attribue la difficulté à réaliser des changements à des facteurs institutionnels, les mêmes dont nous avons parlé plus tôt:

> Ainsi, les systèmes politiques comportant de multiples points de veto ont moins tendance à engendrer des changements importants. Aux États-Unis, la séparation des pouvoirs ainsi que la résistance des intérêts clés ont paralysé les tentatives de réformes du système national de santé[24]...

Alors que des dizaines de millions d'Américains sont coincés entre les assurances privées de santé, qu'ils ne peuvent pas toujours se payer, et les systèmes publics, qui ne couvrent que les personnes à très faible revenu (Medicaid) ou les personnes âgées (Medicare), le droit à des soins de santé est considéré dans la grande majorité des pays industriels comme un droit fondamental, presque comme un droit de citoyenneté.

Il ne s'agit pas ici de diaboliser le système politique ou institutionnel américain. Il faut par contre tenir compte de l'histoire américaine. Historiquement, leur système politique a merveilleusement bien servi les Américains, et leur a assuré un maximum de contrôle sur leurs élus et leurs administrateurs publics. Mais il est possible que ce système soit moins efficace lorsque les questions administratives et politiques comportent un niveau très élevé d'interactions entre elles. Pour William P. Kreml, le système américain de gouvernement souffre actuellement d'un niveau de fragmentation qui l'empêche de comprendre et de traiter certaines des questions les plus importantes de politique publique[25]: «Mon opinion, dit-il, est que

l'Amérique [les États-Unis] a divisé ses structures en morceaux minuscules[26]. » Cette fragmentation est due en partie, ajoute-t-il, au fait que
les Pères fondateurs ont voulu appliquer au nouveau continent les principes britanniques de gouvernement, en oubliant la part importante de
tradition et d'ordre public qu'ils contiennent, et qui est moins apparente à
première vue[27].

D'ailleurs, si on comparait le système du gouvernement américain à
celui de la France, les différences seraient encore plus frappantes. Philippe
LePrestre a déjà fait, de façon synthétique, cette comparaison[28] : il a, entre
autres, opposé l'intérêt public vu par les Français, qui transcende les intérêts particuliers, à l'intérêt public américain, qui est davantage pluraliste et
soumis à l'interprétation des acteurs politiques ; ou le rôle du dirigeant
français qui doit définir et mettre en œuvre l'intérêt public, quand le dirigeant américain se perçoit davantage comme un arbitre ; et la valorisation
des hauts fonctionnaires en France, comparée à la méfiance entretenue à
leur égard aux États-Unis.

Si l'on se tourne maintenant vers un bilan des idées administratives
aujourd'hui, on peut dire que l'innovation principale des années 1990 a été
l'introduction du Nouveau management public (NMP) au palier du gouvernement fédéral, réalisée par le vice-président Al Gore, candidat à la
présidence pour l'élection de l'an 2000. Le NMP vise à réformer l'administration publique afin de la rendre plus efficace, plus flexible et plus
sensible aux intérêts des citoyens. Il s'agit d'un programme de réformes
qui a été appliqué ailleurs et qui vise essentiellement à rendre l'administration publique plus semblable à celle du secteur privé. Par ailleurs, on
constate dans les années 2000 que la fragmentation du système politico-
administratif américain a empêché d'introduire des réformes du NMP
aussi poussées que dans des pays de tradition britannique, comme la
Nouvelle-Zélande ou l'Australie.

Déjà, on avait commencé à appliquer certains principes du nouveau
management public dans les années 1980, et Michel Crozier avait effectué
une tournée de différents pays industriels pour faire une évaluation des
réformes déjà entreprises selon les principes du NMP. À la fin des années
1980, Crozier remarquait un climat d'« atonie » dans la capitale fédérale
américaine : peu d'idées réellement nouvelles, peu de passion ou d'en-

thousiasme; le néolibéralisme à la Reagan a triomphé – et le nouveau management en est le reflet –, mais en même temps il s'épuise, sans qu'on voie de solution de rechange; il y a bien eu une certaine déréglementation, mais elle n'a pas rempli toutes ses promesses, sans compter qu'elle a aussi créé des problèmes nouveaux, notamment de respect des normes environ-nementales.

Cet échec relatif, que remarque Michel Crozier, se traduit par une grave crise de management pour le gouvernement fédéral américain. Une gestion déplorable des ressources humaines, dont les meilleurs éléments sont tentés de quitter l'administration, a entraîné une grave crise de moral dans l'encadrement de la fonction publique, qui compromet tout le discours sur la performance, ajoute Crozier[29].

Au début des années 2000, Lester Salamon ouvre une nouvelle perspec-tive aux théories administratives, dans son ouvrage déjà classique, paru en 2002, *The Tools of Government: A Guide to the New Governance*[30]. Lester Salamon soutient que depuis déjà des décennies, les gouvernements améri-cains réalisent, avec des partenaires, leurs politiques publiques, et ce, à toutes les étapes du processus. Il contredit ainsi, en passant, les tenants du Nouveau management public sur au moins deux points. D'abord, selon Salamon, quand le NMP recommande une ouverture du secteur public aux partenariats avec le secteur privé, il enfonce une porte ouverte, vu que cela se fait déjà abondamment, et depuis longtemps. Deuxièmement, Salamon propose une attitude plus neutre devant cette ouverture au privé, mais aussi à l'associatif et aux autres paliers de gouvernement, parce qu'elle peut poser des problèmes, de coordination entre autres.

Durant les années de la présidence Clinton, de 1992 à 2000, on a pu constater un recul relatif de certaines politiques et attitudes antibureau-crates. Mais, en même temps, l'administration démocrate a dû aussi adopter plusieurs idées de l'opposition républicaine à propos de l'adminis-tration publique. Ainsi, la prospérité économique aidant, on a éliminé le déficit du gouvernement fédéral américain et on a réussi à dégager des surplus importants pour les années à venir. On assiste ensuite à un retour de déficits importants sous la présidence de George W. Bush (2000-2008), déficits qui ne sont pas entièrement dus aux dépenses reliées à la guerre en Irak, comme on l'a vu.

Enfants de la révolution industrielle, les Américains n'ont pas de système politico-administratif suffisamment efficace pour faire face à certains problèmes actuels. Les problèmes urbains, environnementaux, les problèmes du système de santé ne sont que l'illustration de cette lacune. David Walker a sans doute raison de souligner le fait que, sur le plan des finances publiques, la situation de l'administration publique fédérale sera difficile, mais il est moins certain que le Comptroller General ait réussi à déterminer les causes et les remèdes. Pour Jeremy Rifkin, l'Amérique est moins bien outillée, sur les plans cognitif et culturel, que l'Europe dans son ensemble, et il souligne, dans *The European Dream*[31], comment l'Amérique et l'Europe divergent en ce début du XXIᵉ siècle en matière d'administration et de politiques publiques. Quant aux remèdes, c'est peut-être James A. Stever, dans *The End of Public Administration*[32], qui exprime le mieux le point de départ obligé des réformes à venir : entreprendre la tâche ardue de rehausser le statut de l'administration publique au sein de la société américaine.

NOTES

1. David WALKER, « 9/11 : The Implications for Public-Sector Management », *Public Administration Review*, vol. 62, numéro spécial, septembre 2002, p. 94.
2. George W. BUSH, *Homeland Security Proposal Delivered to the Congress*, 18 juin 2002, discours accessible sur le site Internet du *Department of Homeland Security* à l'adresse suivante : <http://www.dhs.gov/xnews/speeches/speech_0039.shtm>.
3. L'énoncé de mission du DHS se lit comme suit : « *We will lead the unified national effort to secure America. We will prevent and deter terrorist attacks and protect against and respond to threats and hazards to the nation. We will ensure safe and secure borders, welcome lawful immigrants and visitors, and promote the free-flow of commerce.* »
4. Romain HURET, « L'ouragan Katrina et l'État fédéral américain. Une hypothèse de recherche », *Nuevo Mundo Mundos Nuevos*, nᵒ 7, 2007, mis en ligne le 8 mai 2007, disponible sur : <http://nuevomundo.revues.org/document3928.html>.
5. David WALKER, *op. cit.*, p. 95.
6. Romain HURET, *op. cit.*
7. *Ibid.*
8. Cité dans Gardiner HARRIS, « Storm and Crisis : Early Reaction », *New York Times*, 6 septembre 2006, et dans Romain HURET, *op. cit.*
9. *Ibid.*

10. Tom Davis et Henry A. Waxman, *Waste, Abuse, and Mismanagement in Department of Homeland Security Contracts*, Chambre des représentants, Comité sur la réforme du gouvernement, juillet 2006, disponible sur : <http ://govexec.com/pdfs/DHScontractingreportJuly2006.pdf>.

11. Theodore J. Lowi, *The End of Liberalism. Ideology, Policy, and the Crisis of Authority*, New York, W. W. Norton, 1969.

12. Richard J. Stillman, *Preface to Public Administration : A Search for Themes and New Directions*, New York, St. Martin's Press, 1990.

13. Richard J. Stillman, *op. cit.*, p. 102.

14. Ronald C. Moe, « The HUD Scandal and the Case for an Office of Federal Management », *Public Administration Review*, vol. 51, n° 4, juillet-août 1991, p. 298-307.

15. Richard J. Stillman, *op. cit.*, p. 39.

16. *Ibid.*, p. 93 et 170.

17. Hugh Heclo, *A Government of Strangers. Executive Politics in Washington*, Washington, Brookings Institution Press, 1977.

18. Richard J. Stillman, *op. cit.*, p. 188.

19. Charles E. Lindblom, « The Science of Muddling Through », *Public Administration Review*, vol. 29, printemps 1959, p. 79-88.

20. Voir entre autres, pour ce qui est des données statistiques présentées ici, David Walker, « Fiscal Social Security, and Health Care Challenges : Awakening Conference », Sea Island, Georgia, 7 janvier 2007. Voir aussi le site Internet du Comptroller General/Chef du GAO en bibliographie.

21. Voir David Himmelstein et Steffie Woolhandler, « A National Health Program for the United States », *The New England Journal of Medicine*, vol. 320, n° 2, 12 janvier 1989, p. 102-108. Voir aussi Donald A. Redelmeier et Victor R. Fuchs, « Hospital Expenditures in the United States and Canada », *The New England Journal of Medicine*, vol. 328, n° 11, 18 mars 1993, p. 772-778.

22. Antonia Maioni, « Les systèmes de santé au Canada et aux États-Unis : convergence impossible ? », *Politique et société*, vol. 15, n° 30, automne 1996, p. 148.

23. *Ibid.*, p. 148-149.

24. *Ibid.*, p. 144.

25. William P. Kreml, « Decline of Empire : The Internal Explanation », *Administration and Society*, vol. 26, n° 1, mai 1994, p. 79.

26. « *I suggest that America has atomized its structures into tiny parts* », *ibid.*, p. 83.

27. *Ibid.*, p. 88-89.

28. Philippe LePrestre, *Écopolitique internationale*, Montréal, Guérin universitaire, 1997.

29. Michel Crozier, *Comment réformer l'État ?*, Paris, La Documentation française, 1988, p. 83.

30. Lester Salamon (dir.), *The Tools of Government : A Guide to the New Governance*, New York, Oxford University Press, 2002.

31. Jeremy Rifkin, *The European Dream – How Europe's Vision of the Future is Quietly Eclipsing the American Dream*, New York, Tarcher/Penguin, 2004.

32. James A. Stever, *The End of Public Administration*, Dobbs Ferry, Transnational Publishers, 1988, p. 4-6.

POUR EN SAVOIR PLUS

BIBLIOGRAPHIE ET LECTURES RECOMMANDÉES

ABERBACH, Joel D. et Bert A. ROCKMAN, *In the Web of Politics,* Washington, Brookings Institution, 2000.

BOZEMAN, Barry, *Bureaucracy and Red Tape,* Upper Saddle River, Prentice Hall, 2000.

CARPENTER, Daniel, *The Forging of Bureaucratic Autonomy: Reputations, Networks, and Policy Innovation in Executive Agencies, 1862-1928,* Princeton, Princeton University Press, 2001

DODD, Lawrence C. et Richard L. SCHOTT, *Congress and the Administrative State,* New York, Wiley, 1979.

GOODSELL, Charles T., « A New Vision for Public Administration », *Public Administration Review,* juillet-août 2006, p. 623-635.

HENRY, Nicholas, *Public Administration and Public Affairs,* 7ᵉ édition, Upper Saddle River, Prentice Hall, 1999.

KETTL, Donald F., *Reinventing Government: A Fifth-Year Report Card,* Washington, Brookings Institution, 1998.

NATIONAL PERFORMANCE REVIEW, *Reaching Public Goals: Managing Government for Results,* Washington, USGPO, 1996.

NISKANEN, William A., *Bureaucracy and Representative Government,* Chicago, Aldine-Atherton, 1971.

ROURKE, Francis E., « Bureaucracy in the American Constitutional Order », *Political Science Quarterly,* vol. 102, n° 2, été 1987, p. 217-232.

SKOWRONEK, Stephen, *Building a New American State: The Expansion of National Administrative Capacities,* Cambridge, Cambridge University Press, 1982.

WAMSLEY, Gary L. et James F. WOLF, *Refounding Democratic Public Administration. Modern Paradoxes, Postmodern Challenges,* Thousand Oaks, Sage Publishing, 1996.

SITES INTERNET

American Society for Public Administration (association américaine des spécialistes en administration publique) : www.aspanet.org

Fedworld.gov (portail d'accès aux sites Internet du gouvernement américain) : www.fedworld.gov

Public Administration Review (revue spécialisée dans l'étude de l'administration publique) : www.blackwellpublishing.com/par

United States Government Accountability Office (acccès à des milliers d'études et de documents sur l'administration des programmes gouvernementaux américains) : www.gao.gov

10

LA COUR SUPRÊME DES ÉTATS-UNIS COMME POUVOIR ET ENJEU POLITIQUE

Jean-François Gaudreault-DesBiens

> *Laws are a dead letter without courts to expound
> and define their true meaning and operation.*
>
> Alexander Hamilton, « The Federalist, n⁰ 22 »[1].

Le thème de la montée en puissance du droit et des juges est à la mode. Dans de nombreuses démocraties, on se plaît à dire, et parfois à se plaindre, que le droit envahit le politique ou, si l'on préfère, qu'il entrave indûment le fonctionnement des processus décisionnels que l'on associe générale-ment au domaine du politique. Sur un ton plus neutre, on soutient que cette montée en puissance du droit met en question les formes tradition-nelles d'expression de la volonté collective, les modalités d'affirmation des individus et des collectivités, voire le lien social lui-même. En retour, le droit masquerait de moins en moins ses liens avec le politique. Bref, la distinction traditionnellement opérée par les juristes positivistes entre droit et politique serait plus que jamais battue en brèche.

Si les opinions diffèrent quant aux réponses à donner à ces questions, force est de constater la prégnance, voire l'expansion, dans ce qui paraît être un nombre croissant d'États, d'un double phénomène de juridicisation et de judiciarisation du politique, d'une part, et de politisation du juridique, d'autre part. En revanche, ce qui est souvent présenté comme un phénomène récent ne l'est pas nécessairement. De fait, ces rapports plus ou moins explicites entre le droit et le politique, la porosité de la distinction entre l'un et l'autre, ne datent pas d'hier. Dès le début du XIXᵉ siècle, en effet, la Cour suprême des États-Unis a rompu la digue qui avait été érigée entre ces deux sphères. Fait plus important encore, cette cour a été le premier tribunal au monde à affirmer son rôle prééminent au sein de l'État et à s'imposer comme interprète constitutionnel suprême. Elle s'est ainsi positionnée, à l'échelle internationale, comme l'archétype historique du tribunal exerçant un contrôle de la constitutionnalité des actions des autres organes de l'État, et ce, au point où ses arrêts ont parfois inspiré des réformes au-delà même du territoire américain[2]. À l'échelle des États-Unis, son action a puissamment contribué à étendre l'influence et l'autorité – des juges de tous niveaux sur le cours de la vie sociale et politique. En fait, le rôle moteur que joue la Cour suprême dans les évolutions de la société américaine n'a cessé de croître, de sorte qu'au fil des ans, cette cour s'est constituée en véritable pouvoir politique. La capacité d'influer, notamment par la désignation de ses juges, sur ses politiques judiciaires est dès lors devenue un enjeu majeur du débat politique américain.

La Cour suprême dans le système judiciaire des États-Unis

Pour bien saisir comment s'insère la Cour suprême dans le système judiciaire des États-Unis, il faut d'abord rappeler la structure fédérale de ce pays.

Cinquante États composent la fédération américaine, auxquels s'ajoutent quelques territoires disposant de degrés variables d'autonomie. Chaque ordre de gouvernement – le fédéral et l'étatique – y est souverain quand il s'agit de légiférer dans les domaines de compétence que la Constitution lui attribue. Par ailleurs, et cela n'est pas indifférent pour comprendre le système judiciaire des États-Unis, les États sont censés conserver tous les pouvoirs qu'ils n'ont pas expressément délégués au gouvernement fédéral. Dès lors, chaque État est autonome dans ses domaines de compétence et, à moins que ne se pose une « question fédérale », il forme un ordre juridique complet. Comme on le verra ci-après, il en va de même de ses tribunaux.

Le système judiciaire suit les contours de cette structure institutionnelle. Il existe ainsi des tribunaux étatiques, créés sous l'empire des Constitutions ou lois des États fédérés et régis par elles, et des tribunaux fédéraux, établis tantôt par la Constitution fédérale, tantôt par de simples lois du Congrès fédéral[3]. Abstraction faite des multiples variations entre les États en ce qui a trait à la dénomination des tribunaux, le pouvoir judiciaire étatique comprend généralement trois niveaux décisionnels : les cours de comté, qui statuent en première instance, les Cours intermédiaires d'appel et, enfin, la Cour d'appel de dernière instance, qui porte souvent le nom de « Cour suprême ».

La division du système judiciaire américain entre cours fédérales, d'une part, et cours étatiques, d'autre part, n'est guère différente de celle que l'on trouve dans d'autres fédérations. Plusieurs fédérations organisent en effet le pouvoir judiciaire en fonction d'un modèle dualiste où coexistent cours fédérales et cours étatiques. Les États-Unis ont toutefois ajouté à ce dualisme un cloisonnement entre les attributions des cours fédérales et des cours étatiques. De fait, les chevauchements entre la compétence juridictionnelle des unes et des autres demeurent exceptionnels. De manière générale, les cours étatiques peuvent, à l'exclusion des cours fédérales, statuer sur le droit produit par l'État fédéré sous l'autorité duquel elles se trouvent « et leur décision est finale sur toutes les questions qui ne sont pas "fédérales" en ce sens qu'elles mettraient en jeu la Constitution, les lois ou les traités des États-Unis[4] ». Ce sont les cours fédérales qui détiennent la compétence territoriale pour agir dans chaque État et qui se chargent de statuer sur ces questions fédérales. Il s'ensuit que deux structures judiciaires distinctes et autonomes coexistent sur le territoire de chaque État, l'une responsable de la mise en œuvre du droit étatique et placée sous l'autorité de l'État, l'autre chargée de la détermination des « questions fédérales » et qui, par conséquent, s'intègre à un système « fédéralisé ».

À l'instar du pouvoir judiciaire étatique, le pouvoir judiciaire fédéral repose sur trois paliers de tribunaux, établis par le *Judiciary Act of 1789*. Ce sont d'abord les cours de districts qui statuent en première instance sur les questions de droit fédéral. Le nombre de districts varie de 1 à 4 selon les

États, mais on en compte en tout 94 à l'échelle des États-Unis. Les décisions de ces tribunaux sont susceptibles d'appel devant l'une des 13 *U.S Court of Appeals*, dont la compétence, à la fois matérielle et personnelle, est circonscrite à la section 2 de l'article 3 de la Constitution. Ces Cours d'appel sont organisées en « circuits », c'est-à-dire qu'elles exercent leur compétence dans un ressort géographique appelé « circuit », de sorte qu'elles peuvent entendre des appels des jugements émanant de toutes les cours de districts situées à l'intérieur du « circuit ». Ce ressort couvre, sauf exception, le territoire de plusieurs États. Par exemple, la Cour d'appel du premier circuit entend les appels en provenance du Maine, du New Hampshire, du Massachussetts, du Rhode Island et du Commonwealth de Puerto Rico. Seuls deux circuits dérogent à ce modèle. Il s'agit de celui du district de Columbia, dont l'étendue territoriale est limitée à ce district, et de celui dit « fédéral », créé en 1982, qui couvre l'ensemble du territoire américain. La Cour d'appel de ce circuit a compétence pour entendre des appels relatifs à des domaines particuliers du droit fédéral, comme les marques de commerce et les brevets, le commerce international et les réclamations monétaires contre le gouvernement des États-Unis. Cette structure d'appel particulière date de l'époque où les cours de ce niveau ne siégeaient que deux fois l'an. Les « bancs » de ces cours étaient composés d'un juge de district et de deux juges de la Cour suprême. Ces derniers devaient donc périodiquement « faire un circuit » à l'intérieur d'un territoire donné[5], pratique de nomadisme judiciaire qui cessa en 1869.

Elle aussi instituée en 1789 par le *Judiciary Act*, la Cour suprême constitue le troisième et dernier palier du pouvoir judiciaire fédéral. Si importante soit-elle, sa compétence juridictionnelle demeure cependant limitée si on la compare à celle, par exemple, de la Cour suprême du Canada, qui agit comme tribunal de dernière instance autant pour les problèmes de droit provincial que pour les problèmes ayant une dimension fédérale. Rappelons-le, la Cour suprême des États-Unis trône au faîte du pouvoir judiciaire *fédéral*. La question, cependant, est de savoir ce qui ressortit à la compétence de ce pouvoir.

Une première remarque s'impose : selon la section 2 de l'article 3 de la Constitution, la compétence de la Cour ne vise que les *cases* et *controversies*, ce qui exclut donc qu'elle se penche sur les questions qui ne font pas l'objet d'un litige véritable. Autrement dit, la Cour ne statuera jamais sur un problème qui n'est que théorique ou qui ne se pose pas encore de manière concrète. Là encore, elle se distingue de la Cour suprême du Canada, qui, par sa loi habilitante, peut donner des avis consultatifs sur de tels problèmes. La seconde remarque a trait à la question, cruciale, de la définition des « questions fédérales ». Selon le libellé de la section 2 de l'article 3 de la Constitution, la Cour suprême exerce d'abord une compétence de premier ressort dans toutes les affaires mettant en cause des ambassadeurs, officiers et consuls étrangers, et celles auxquelles un État est partie. Cette compétence n'est cependant pas exclusive, les cours fédérales de district étant également habilitées à statuer en première instance au regard de litiges soulevant ces questions. La Cour suprême ne va donc qu'exceptionnellement accepter d'entendre de tels litiges comme tribunal de première instance[6]. Elle possède également la compétence exclusive d'entendre, en première instance, les litiges opposant des États fédérés[7].

Une étude de la compétence d'appel de la Cour suprême aide à définir en quoi consiste, en pratique, une « question fédérale ». Selon l'article 3, section 2, cette compétence vise « tous les cas de droit et d'équité ressortissant à la présente Constitution, aux lois des États-Unis, aux traités déjà conclus, ou qui viendraient à l'être sous leur autorité[8] ». S'y ajoutent les différends impliquant les États-Unis d'Amérique, les litiges entre États, entre un État et les citoyens d'un autre État, entre citoyens de différents États, entre citoyens d'un État et un étranger, etc. On parle, dans ces dernières situations, de la compétence fondée sur la « diversité de citoyenneté[9] ».

On le voit, la portée de la compétence d'appel attribuée à la Cour suprême est considérable, en dépit de la limite intrinsèque découlant de l'exigence de la nature « fédérale » des différends qui peuvent lui être soumis. De fait, l'acception donnée à cette notion de « question fédérale » fait en sorte que la Cour suprême pourra entendre non seulement les questions fédérales que l'on pourrait qualifier d'« évidentes », en l'occurrence celles soulevant l'interprétation de la Constitution ou de lois édictées par le Congrès, mais aussi toute question de droit dont la dimension n'est pas que strictement intraétatique. Le cas échéant, le cloisonnement de principe établi entre la filière judiciaire du droit étatique et celle du droit fédéral s'efface :

Par exemple, si une partie allègue, devant une cour étatique de dernière instance, qu'une loi étatique est en conflit avec une loi fédérale ou un traité, ou encore qu'elle viole la Constitution des États-Unis, la Cour pourra, à la demande de l'intéressée dont l'argument a été rejeté, intervenir pour trancher cette question et elle seule[10].

Par ailleurs, le Congrès peut, à l'intérieur de certains paramètres constitutionnels, légiférer de manière à préciser la portée de la compétence d'appel de la Cour suprême. Il l'a du reste fait dès 1789, lors de l'édiction de l'article 25 du *Judiciary Act*, en promulguant que la Cour suprême des États-Unis aurait compétence pour entendre des appels de jugements émanant des Cours suprêmes étatiques dès lors que se posent des questions fédérales au sens où nous avons défini cette notion, laquelle recouvre, rappelons-le, les conflits entre les États fédérés et le gouvernement fédéral. L'importance historique de cette disposition législative ne saurait être occultée. D'une part, l'article 25

a été une clé de voûte dans la construction du principe de suprématie constitutionnelle. Si la Constitution, les lois fédérales et les traités des États-Unis devaient être la loi suprême du pays, il était capital que toutes ces règles fassent l'objet d'une interprétation uniforme[11].

D'autre part, cette interprétation uniforme du droit «fédéral» devait contribuer à la construction d'une référence identitaire nationale[12], en établissant un ordre juridique fédéral intégré malgré sa structure dualiste. Or, en 1789, cette intégration était loin d'être assurée étant donné les âpres débats qui, même après la constitution de la fédération, continuaient d'opposer fédéralistes et antifédéralistes.

Il faut, enfin, préciser plus avant l'acception du mot «appel» lorsque nous nous référons à la «compétence d'appel» de la Cour suprême des États-Unis. Il suffira ici de dire que, bien que l'appel de plein droit subsiste en certaines matières, la plupart des appels doivent faire l'objet d'une permission de la Cour, que celle-ci accorde à sa discrétion compte tenu surtout de l'importance de principe de la question de droit soulevée par le pourvoi. La tradition veut à cet égard que, dès que quatre des neuf juges de la Cour estiment à propos d'entendre un appel, la Cour l'entende. En revanche, de tous les appels dont la Cour permet l'inscription lors de chaque année judiciaire (*term*), environ 90 seulement font l'objet d'une audition complète avec plaidoiries. Le sort d'une soixantaine d'autres appels est réglé sur dossier. Ces chiffres deviennent particulièrement éloquents si l'on considère que la Cour est saisie d'environ 7 500 recours par an alors que ce chiffre ne s'élevait qu'à 1 000 en 1940[13].

Bien que son existence soit prescrite par la Constitution, la Cour suprême des États-Unis n'est pas une cour constitutionnelle au sens où l'on entend ordinairement ce terme, c'est-à-dire avec une compétence limitée aux différends qui mettent en cause l'interprétation de la Constitution d'un pays. Si elle est « constitutionnelle », c'est seulement parce que son origine l'est, et que, de manière incidente, l'indépendance de ses juges est protégée par la Constitution. Ainsi, ses juges sont nommés à vie (« aussi longtemps qu'ils en seront dignes ») et leur indemnité ne peut être réduite tant qu'ils demeurent en fonction[14]. On veut, de cette manière, les protéger contre des pressions indues de la part des autres organes de l'État. Cette préoccupation était d'ailleurs très présente à l'esprit de ceux qui, parmi les Pères fondateurs de la République américaine, firent la promotion d'une Cour suprême forte dont l'une des missions serait de renforcer l'union[15]. Par ailleurs, bien que la procédure dite d'*impeachment* puisse être utilisée pour destituer un juge de la Cour suprême qui serait condamné « pour trahison, corruption ou autres crimes et délits majeurs[16] », cette procédure est tellement exceptionnelle et exigeante sur le plan procédural qu'elle ne saurait être réalistement considérée comme une véritable entrave à l'indépendance des juges de la Cour[17]. En fait, le pouvoir politique qui serait tenté d'exercer un certain contrôle sur la Cour ne pourrait vraiment le faire qu'à l'étape de la désignation des juges ou, encore que de manière bien théorique, en en accroissant le nombre de juges pour aussitôt combler les nouveaux postes par des individus considérés comme idéologiquement plus « sensibles » aux priorités politiques du régime en place. Le Congrès détient effectivement le pouvoir de fixer le nombre de juges de la Cour suprême, puisque l'article 3 l'instituant ne fixe aucun seuil particulier à cet égard. En outre, les juges de la Cour sont désignés par le président et confirmés par le Sénat[18]. C'est généralement à cette étape que se concrétisent, le cas échéant, les tentatives des pouvoirs exécutif et législatif de laisser leur empreinte sur la Cour suprême, faisant véritablement de cette institution, comme nous le verrons plus loin, un enjeu politique. Mais si la Cour suprême des États-Unis est devenue un enjeu politique, c'est peut-être d'abord et avant tout parce qu'elle-même s'est constituée en pouvoir politique.

L'invention du constitutionnalisme ou la Cour suprême comme pouvoir politique

Dans une formule qui a fait époque, J. P. Nettl observait en 1968 qu'aux États-Unis, « seul le droit est souverain[19] ». Mettant en exergue le rôle déterminant joué par le droit, d'une part, et les professionnels du droit, d'autre part, dans les dynamiques de changement social marquant ce pays, cet auteur notait que le droit s'y trouve en quelque sorte substitué aux fonctions qui, dans d'autres États, sont perçues comme relevant du politique et institutionnalisées d'une manière qui reflète cette perception[20]. L'importance du droit et de ses opérateurs dans la société américaine représenterait à cet égard l'une des dimensions centrales de ce que l'on a caractérisé comme l'« exceptionnalisme » de cette société[21].

Comment le droit a-t-il pu en arriver à exercer le pouvoir « souverain » qu'on lui prête ? Des considérations générales relatives à l'idéologie américaine, dont les fondements ont été jetés dès l'arrivée des premiers colons anglais, peuvent probablement contribuer à l'expliquer. La méfiance face à un État perçu comme faisant peser une menace quasi ontologique sur l'exercice des libertés individuelles, la prééminence attribuée à ces libertés et aux choix prétendument autonomes que révélerait leur exercice, leur sacralisation éventuelle, notamment à la faveur de l'adoption du *Bill of Rights* et de l'expansion du discours des droits, ainsi qu'une séparation des pouvoirs tendant à affaiblir ces pouvoirs en les rendant plus diffus, représentent certes quelques-unes de ces considérations. Mais des considérations juridiques *stricto sensu* ont aussi favorisé l'émergence de ce pouvoir « souverain » dans un pays où, pour reprendre l'expression de Cohen-Tanugi, le droit se fait « sans l'État »[22].

Il faut tout d'abord mentionner l'influence probable de la tradition de *common law*, dans laquelle le droit américain s'inscrit, et du système accusatoire l'accompagnant. Dans ce système, « [l]ors d'un procès, tout comme lors de la conclusion d'un contrat d'ailleurs, chacun présente ses arguments, l'individualisation des intérêts est forte, on a le sentiment d'avoir participé. Voilà qui est aux antipodes de l'interventionnisme de l'État »[23].

De surcroît, sans parler de la suprématie du droit en général, le texte de la Constitution des États-Unis n'en évoque pas moins celle de la Constitution, des lois fédérales ainsi que des traités sur le droit des États fédérés[24]. En revanche, n'eût été un arrêt prononcé par la Cour suprême des États-Unis le 24 février 1803, personne n'aurait peut-être jamais songé à évoquer l'idée que, dans ce pays, « seul le droit est souverain ».

De fait, le 24 février 1803 marque une date importante dans l'histoire juridique et politique des États-Unis, voire dans celle du droit occidental et de la théorie politique. La Cour suprême de ce pays prononce alors, sous la plume du juge en chef John Marshall, son célèbre arrêt *Marbury* c. *Madison*[25]. La trame de cet arrêt est la vive opposition entre les factions fédéralistes et antifédéralistes qui persistait encore 15 ans après l'entrée en vigueur de la Constitution fédérale. À l'instigation du président Adams, du Parti fédéraliste, le Congrès avait voté, en 1801, une loi autorisant la nomination de 42 nouveaux juges de paix dans deux districts judiciaires fédéraux. Se fondant sur cette autorisation législative, Adams avait désigné des sympathisants fédéralistes pour combler ces postes, nominations qui furent confirmées par le Sénat. Or, cette confirmation survint la veille de l'expiration de son mandat présidentiel, puisque c'est Thomas Jefferson et son Parti antifédéraliste (aussi appelé républicain) qui, peu de temps auparavant, avaient remporté les élections présidentielles. C'est par ailleurs ce même Adams qui, un mois avant l'entrée en fonction de Jefferson, avait élevé John Marshall, son secrétaire d'État, au rang de juge en chef de la Cour suprême, tout en lui demandant de continuer d'exercer ses fonctions exécutives jusqu'à l'expiration de son mandat présidentiel. À titre de secrétaire d'État, Marshall fut donc chargé d'officialiser les nominations des nouveaux juges et de confirmer aux intéressés leur mandat. Il n'eut cependant pas le temps de remplir toutes les formalités requises avant l'expiration du mandat du président Adams et le début de celui de Jefferson. Mécontents des manœuvres de l'ancien gouvernement fédéraliste, les républicains de Jefferson tentèrent d'en contrer les effets. C'est ainsi que James Madison, le secrétaire d'État nommé par Jefferson, refusa de remplir les formalités nécessaires à la nomination des juges de paix dont la procédure de désignation n'avait pas été finalisée avant la fin du mandat d'Adams. C'est également dans ce contexte que le Congrès, désormais républicain, abrogea la loi fédérale qui avait créé les nouveaux postes de juges de paix.

Marbury, un juge nommé par le gouvernement Adams, n'avait pu entrer en fonction avant le début du mandat républicain et il avait vu sa désignation au poste de juge de paix annulée par Madison, le nouveau secrétaire d'État. Il poursuivit donc ce dernier. Le fondement légal de son action était une disposition du *Judiciary Act* de 1789 qui avait élargi la compétence de première instance de la Cour suprême prévue à la section 2 de l'article 3 de la Constitution en l'autorisant à émettre des brefs de *mandamus* au regard de questions non mentionnées dans le texte de cette disposition constitutionnelle. Or, l'ordonnance judiciaire que recherchait Marbury dépendait précisément de l'émission d'un bref de *mandamus* dans un contexte non visé par la compétence de première instance de la Cour, du moins si l'on s'en tenait au texte originel de la Constitution.

Il n'entre pas dans notre propos d'examiner les arguments, à la fois complexes et techniques, invoqués par Marbury. Il nous suffira de dire qu'après avoir jugé que son droit d'occuper ce poste de juge de paix était né du simple fait de la signature de son acte de nomination, la Cour suprême rappela que lorsque la concrétisation d'un droit dépend du respect d'une obligation légale, la personne dont le droit n'est pas respecté peut, en principe, réclamer une réparation judiciaire. La question était de savoir si, en l'espèce, Marbury avait le droit d'obtenir la réparation précise qu'il demandait. Le principe débattu à ce stade avait trait à la possibilité pour le pouvoir judiciaire d'ordonner au pouvoir exécutif de faire un geste qu'il avait prétendument l'obligation légale de faire. La Cour suprême estima que le pouvoir exécutif ne peut se soustraire à un contrôle judiciaire de la légalité de ses actions simplement parce qu'il est le pouvoir exécutif, la variable déterminante étant au contraire la nature de l'acte qu'il pose. Or, la Cour conclut que, dès lors que la Constitution ou une loi fédérale impose un devoir légal au pouvoir exécutif, les tribunaux peuvent en sanctionner le non-respect.

Demeurait toutefois l'épineuse question du fondement légal de l'action de Marbury. La Cour suprême statua sur ce plan que la loi sur laquelle il se fondait pour réclamer une ordonnance judiciaire obligeant l'exécutif à compléter la procédure de sa nomination avait altéré la compétence de première instance de la Cour, telle qu'elle est circonscrite dans la Constitution. Ce conflit entre une loi fédérale et la Constitution soulevait donc les questions suivantes : une telle loi est-elle valide et, si elle ne l'est pas, le pouvoir judiciaire peut-il la déclarer invalide pour cause de non-respect de la Constitution? C'est dans sa réponse à ces questions que se situe la grande innovation de la Cour suprême des États-Unis dans l'arrêt *Marbury* c. *Madison*.

La Cour y affirme en effet que la présence d'une Constitution écrite visant à limiter les pouvoirs étatiques, comme celle des États-Unis, révèle le souhait du constituant de traiter cette Constitution comme une loi suprême et que, partant, toute loi ordinaire doit lui être conforme sous peine d'annulation par le pouvoir judiciaire régulièrement saisi. Cette conclusion s'accompagne de l'affirmation du primat du pouvoir judiciaire quand il s'agit de déterminer, en dernier ressort, le sens à donner aux normes juridiques, et particulièrement aux normes constitutionnelles. Citons ici cette fameuse phrase du juge Marshall : «*It is emphatically the province and duty of the judicial department to say what the law is*[26].» Devant faire face au conflit entre la loi sur laquelle Marbury avait fondé son action et la Constitution, la Cour suprême dut déclarer la première nulle pour inconstitutionnalité. Marbury ne pouvait donc, dans de telles circonstances, demander au pouvoir judiciaire d'aller à l'encontre de la Constitution, ce à quoi menait inéluctablement sa demande d'ordonnance contre Madison.

L'habileté du juge en chef Marshall dans cet arrêt est remarquable. Il condamne sur toute la ligne le comportement de l'exécutif républicain dans le dossier de Marbury sans pour autant que des conséquences tangibles et immédiates n'en découlent, vu la déclaration d'inconstitutionnalité de la loi sur laquelle Marbury fondait son action. En agissant ainsi, Marshall évitait un affrontement ouvert avec le nouveau président Jefferson, dont la légitimité démocratique était plus forte. Tout en évitant un tel affrontement, Marshall n'en affirme pas moins le primat du pouvoir judiciaire (et, à bien des égards, celui de la Cour suprême elle-même) sur les pouvoirs exécutif et législatif à titre d'interprète ultime de la Constitution, et érige le pouvoir judiciaire en censeur de leur action en cas de non-conformité de cette action avec la Constitution. De surcroît, il étend au palier fédéral la portée de cette règle, déjà applicable aux États fédérés.

Dans le contexte politique de l'époque où cet arrêt a été prononcé, il s'agissait d'une victoire majeure pour le camp fédéraliste et, comme nous le verrons sous peu, la Cour suprême n'hésitera pas dans les années qui suivront à profiter de ses nouvelles attributions pour renforcer la cohésion juridique de la fédération. Pareille issue était d'ailleurs ouvertement souhaitée par les partisans d'une union forte au moment de rédiger la Constitution fédérale. Alexander Hamilton affirmait par exemple en 1788 que « *the constitution ought to be the standard of construction for the laws, and that wherever there is an evident opposition, the laws ought to give place to the constitution*[27] ». Quelques mois auparavant, en décembre 1787, le même Hamilton faisait l'apologie du pouvoir judiciaire quand il proposait de conférer aux lois une véritable effectivité et quand il plaidait en faveur de la création d'une Cour suprême dont l'un des rôles serait d'uniformiser le droit à travers les États-Unis[28]. L'arrêt *Marbury* c. *Madison* venait indéniablement donner une consistance juridique à sa vision politique. Et il le faisait en recourant à une rhétorique si ancrée dans l'abstraction et les grands principes qu'elle avait en quelque sorte pour effet de dépolitiser l'exercice auquel la Cour venait de se livrer.

Depuis son prononcé, l'arrêt *Marbury* a fait l'objet de vives et constantes critiques, tant de la part des juristes que de celle des théoriciens politiques. On reproche notamment à son auteur, le juge Marshall, de postuler plutôt que de démontrer la validité des prémisses sur lesquelles il fonde son raisonnement et, ultimement, ses conclusions favorables au primat du judiciaire dans le processus d'interprétation constitutionnelle[29]. On s'en prend également, sous un angle plus macroscopique, au caractère prétendument anti-démocratique du contrôle judiciaire de la constitutionnalité de lois votées par des élus investis d'une légitimité démocratique dont ne disposent pas les juges susceptibles d'être appelés à déclarer ces lois invalides. Il serait toutefois trop simpliste de ne voir dans cet arrêt que l'expression d'une volonté de puissance de la part d'un tribunal judiciaire ou même d'un juge individuel. Certes, le juge en chef Marshall adhérait à une conception des États-Unis et de leur avenir qui était considérablement différente de celle de ses adversaires en poste à la Maison-Blanche. Certes, l'expansion des pouvoirs du judiciaire par le truchement de l'affirmation du principe du constitutionnalisme était de nature à favoriser la mise en œuvre d'un programme fédéraliste plutôt qu'antifédéraliste. En revanche, la formulation de ce principe peut aussi être vue comme découlant d'une volonté de pacifier le jeu politique américain et, surtout, de faire échec à l'arbitraire gouvernemental, à une époque où, une fois au pouvoir, les partis politiques se comportaient souvent comme les propriétaires de l'État[30]. C'est ce à quoi Marshall lui-même fait référence en décrivant les États-Unis comme un pays soumis à un gouvernement des lois plutôt qu'à un gouvernement des hommes.

En toute hypothèse, même en reconnaissant que certaines des critiques formulées à l'encontre de *Marbury* aient pu atteindre la cible, on ne saurait ignorer le fait que cet arrêt a irrémédiablement modifié l'économie des rapports entre les pouvoirs judiciaire, législatif et exécutif aux États-Unis ainsi que dans les pays qui, par la suite, adoptèrent la vision qui y est proposée. En fait, en prononçant l'arrêt *Marbury*, la Cour suprême de ce pays aura littéralement inventé le constitutionnalisme, ce principe selon lequel, dans ses grandes lignes, 1) la Constitution contient les normes fondamentales et suprêmes applicables au sein d'un État, 2) il appartient au pouvoir judiciaire d'en assurer le respect, en invalidant au besoin les lois ordinaires allant à son encontre et 3) ce pouvoir occupe la place prééminente quand il s'agit de fixer le sens de ces normes. Si la tradition de *common law* contenait déjà certaines formulations embryonnaires d'un tel principe[31], *Marbury* l'a consacré d'une manière éclatante, opérant ainsi une véritable révolution juridique.

Cette révolution allait, un siècle plus tard, essaimer un peu partout dans le monde[32]. L'émergence du constitutionnalisme allait au surplus provoquer d'interminables débats qui continuent de marquer les sociétés où ce principe est en vigueur, et qui ont trait à l'« activisme judiciaire » et au « gouvernement des juges ». Enfin, en inventant le constitutionnalisme, la Cour suprême des États-Unis ajoutait aux pouvoirs juridiques qu'elle détenait déjà un énorme pouvoir politique qu'elle a employé de différentes façons à travers les époques. Voyons très sommairement les étapes marquantes de l'évolution de ce pouvoir.

La première de ces étapes a été celle de la consolidation de l'unité nationale. La Cour suprême des États-Unis a en effet joué un rôle capital de *nation-building* dans ce pays fort diversifié et, à l'origine, uni par bien peu de choses. Le juge en chef Marshall a, là encore, puissamment contribué à cette entreprise jusqu'à son départ de la Cour en 1836. De 1803 à 1836, il aura en effet amené la Cour à favoriser l'expansion des compétences fédérales et à interpréter de manière plutôt restrictive celles des États fédérés. Ainsi, sous sa gouverne, la Cour accrut la portée de la clause de suprématie du droit fédéral sur celui des États fédérés et précisa les conséquences du principe de suprématie de la Constitution sur le droit des États. Elle statua notamment qu'un État, en l'occurrence la Géorgie, ne pouvait annuler par une loi une cession territoriale consentie antérieurement à des particuliers, estimant que pareille annulation équivalait à porter inconstitutionnellement atteinte aux obligations résultant d'un « contrat », le tout en contravention de l'article 1, section 10, de la Constitution[33]. Pour la première fois, la Cour suprême invalidait une loi étatique en application du principe du constitutionnalisme. Dans une affaire mettant en cause une confiscation de terres d'un loyaliste britannique par l'État de Virginie, la Cour poursuivit son œuvre en statuant qu'elle avait compétence pour réviser les décisions des tribunaux d'État portant sur des affaires de droit fédéral ou sur l'interprétation de la Constitution, expliquant notamment que le peuple américain avait choisi de limiter la souveraineté des États en adoptant une Constitution qui restreignait à plusieurs égards les pouvoirs de ces derniers[34]. La Cour suprême, ce faisant, affirmait son rôle d'unification et d'uniformisation de l'interprétation du droit constitutionnel et du droit fédéral des États-Unis. Mais c'est peut-être dans l'arrêt *McCulloch* c. *Maryland* que la Cour suprême exposa le plus clairement sa vision résolument fédéraliste de l'avenir des États-Unis[35].

Sur une toile de fond de crise économique et financière grave, le Maryland avait légiféré pour imposer une taxe sur l'émission des billets de la Banque nationale des États-Unis, taxe que la Banque avait refusé d'acquitter. La principale question en litige était de savoir si le Congrès possédait la compétence de légiférer comme il l'avait fait en établissant une banque nationale. L'État du Maryland soutenait que non, au motif que jamais les États n'avaient abdiqué au profit du gouvernement fédéral leur pouvoir de légiférer relativement aux banques et de les réglementer, notamment parce que la Constitution ne reconnaissait au gouvernement fédéral qu'une compétence d'attribution relativement limitée. Reflétant la doctrine antifédéraliste des *State rights*, cette conception faisait en quelque sorte des États fédérés les principaux détenteurs de la souveraineté et tendait à reléguer le gouvernement fédéral au statut de simple délégué de ces derniers. La Cour suprême rejeta cette thèse. Elle soutint au contraire que la source de l'autorité fédérale ne dépend pas des États, mais bien du peuple américain, avec qui le fédéral a un lien direct. La Cour poursuivit en interprétant de manière très libérale la disposition de la Constitution selon laquelle le Congrès « peut faire toutes les lois qui seront nécessaires et convenables pour mettre à exécution » les pouvoirs que lui attribue la Constitution[36]. Jumelée à des pouvoirs expressément détaillés[37], cette disposition accorde au gouvernement fédéral de très larges pouvoirs incidents lorsqu'il s'agit d'adopter des lois visant à régler des problèmes ayant une dimension nationale. En l'espèce, la loi fédérale ayant créé la Banque nationale fut donc validée pour ce motif, cette conclusion donnant raison à la Banque contre le Maryland. L'arrêt *McCulloch* pose enfin le principe de l'interprétation évolutive de la Constitution afin d'assurer son adaptation aux circonstances changeantes de la société. Or, pour les fédéralistes comme Marshall, il était évident que les défis du futur seraient plus aisément relevés par l'action du gouvernement fédéral que par celle des États fédérés. Cet arrêt devait paver la voie à plusieurs autres, qui allaient participer de la même idéologie d'un gouvernement central fort et dont la position serait prééminente par rapport aux États[38]. Une interprétation très large de la compétence fédérale en matière de commerce joua un rôle décisif à cet égard[39].

Il n'est guère besoin de préciser que l'adoption par la Cour suprême de cette politique judiciaire fédéraliste rendit les déclarations d'inconstitutionnalité des lois fédérales plutôt rares. La seconde en date après celle de l'arrêt *Marbury* en 1803 mérite néanmoins d'être soulignée, tant ses conséquences furent funestes. En effet, dans l'arrêt *Scott c. Sandford*[40], la Cour déclara contraire à la Constitution le « compromis du Missouri » de 1820, lequel consacrait l'existence de régions des États-Unis où l'esclavage était prohibé. Elle avait été saisie de cette question par un esclave, Dred Scott, que son maître avait amené du Missouri, État esclavagiste, en Illinois, État non esclavagiste. Scott soutenait qu'il était devenu libre en arrivant en Illinois, prétention que la Cour rejeta en signalant notamment qu'un Noir ne pouvait devenir citoyen. Bien qu'elle ait pu croire, en statuant de cette façon, pacifier les relations déjà extrêmement tendues entre les États du Nord et du Sud, l'arrêt *Scott* eut l'effet contraire en exacerbant le conflit[41]. Cette jurisprudence devait hanter la Cour suprême et les États-Unis pendant longtemps encore.

La deuxième grande étape de l'affirmation de la Cour suprême comme pouvoir juridique *et* politique est liée à la gestion qu'elle fit des tentatives d'instrumentalisation de la Constitution dans le but de préserver un *statu quo* économique marqué par une dynamique foncièrement libertaire. Comme dans l'affaire *Dred Scott*, mais à un autre niveau, les arrêts qui furent prononcés sur cette question révèlent une tension entre la liberté économique (du maître ou de l'entreprise) et l'égalité (de l'individu vulnérable, quelle que soit sa condition identitaire particulière). La Cour suprême résolut d'abord cette tension en faveur de la liberté économique, ce qui était aussi une façon de préserver l'autonomie des États fédérés face à un gouvernement central de plus en plus envahissant[42]. Dans une série d'arrêts prononcés de 1870 à 1935 environ, la Cour a en effet recours à la doctrine du *substantive due process* pour interpréter les 5e et 14e amendements de la Constitution de manière à prioriser systématiquement la liberté économique des entreprises. Elle naturalise en quelque sorte, en s'appuyant sur des arguments constitutionnels, la *common law* qui régissait à l'époque le droit des contrats et qui encodait une philosophie libertaire. Dans ce contexte, toute intervention législative fondée sur des préoccupations d'égalité et de justice sociale était vouée à l'inconstitutionnalité puisque, de l'avis de la Cour, une telle intervention était assimilable à une interférence indue de l'État dans un cercle contractuel où des cocontractants, présumés égaux, régissent leurs relations personnelles ainsi que l'usage qu'ils feront de leurs biens d'une manière qui reflète des choix libres et éclairés. Selon cette façon de voir, il importait peu que l'un des cocontractants soit une grande entreprise et que l'autre soit un enfant mineur.

L'arrêt archétypal de ce courant jurisprudentiel est *Lochner c. New York*[43], dans lequel la Cour suprême statue que les lois visant à réglementer les normes du travail portaient indûment atteinte à la liberté contractuelle des parties au contrat de travail, laquelle est garantie par la *due process clause* du 14ᵉ amendement de la Constitution américaine. En l'espèce, la Cour invalida une loi qui interdisait de conclure, dans le domaine de la boulangerie, un contrat prévoyant un nombre d'heures de travail hebdomadaire supérieur au seuil fixé dans la loi. Fait à noter, pendant que la Cour sacralisait le droit de propriété et la liberté économique, elle n'hésitait pas à valider sur le plan constitutionnel, et ce, malgré le 1ᵉʳ amendement de la Constitution garantissant la liberté d'expression, les restrictions étatiques à l'expression politique dissidente ou séditieuse, notamment d'obédience socialiste[44].

Les problèmes soulevés par cette jurisprudence « économiste » de la Cour suprême se posèrent avec plus d'acuité encore lors de la crise des années 1930, puisque la Cour entreprit d'invalider de manière systématique toutes les lois sociales que Franklin D. Roosevelt avait fait adopter dans le cadre de son programme de *New Deal*[45]. Il fallut que Roosevelt menace de faire voter une loi augmentant le nombre de juges siégeant à la Cour suprême et, ceci fait, d'y nommer des juges partageant ses orientations idéologiques, pour que la Cour enterre sa philosophie économico-constitutionnelle libertaire[46]. En retour, la Cour adopta une politique beaucoup plus agressive à l'égard du contrôle de la constitutionnalité des lois restreignant la liberté politique. Cela marque le début de la troisième grande époque de l'activisme « politique » de la Cour suprême.

Cette troisième époque se distingue par une forme d'activisme « de gauche » qui tranche singulièrement avec l'activisme « de droite » de la période précédente. Elle constitue en fait la réponse de la Cour suprême au *civil rights movement* qui avait émergé après la Deuxième Guerre mondiale. Son apogée se situe entre 1950 et 1975.

Rappelons qu'au lendemain de la Deuxième Guerre mondiale, le visage de la société américaine change considérablement. Ayant participé, en pleine égalité, à l'effort de guerre, les minorités raciales, particulièrement les Afro-Américains, ainsi que les femmes réclament désormais leur intégration sociale en temps de paix. La dynamique est d'autant plus favorable qu'en raison de la prise de conscience provoquée par les horreurs nazies, une mobilisation internationale se dessine contre la discrimination et le racisme. Diverses stratégies sont alors adoptées pour lutter contre la discrimination, mais l'une d'elles se révélera particulièrement fructueuse. Il s'agit du recours aux tribunaux. Ce sont surtout les organismes de défense des droits des Afro-Américains, comme la National Association for the Advancement of Colored People (NAACP), qui y remporteront les succès les plus éclatants.

La Cour suprême est alors elle-même en transition et, en 1953, Earl Warren en devient juge en chef. Il présidera à une véritable révolution, à la fois du droit constitutionnel et de la société américaine. Le legs de la cour Warren tient pour l'essentiel dans une expansion sans précédent de la portée des droits individuels qui étaient déjà garantis dans le *Bill of Rights*, mais qui avaient souvent fait l'objet d'interprétations conservatrices. Cette expansion, qui remet en question les fondements de la société américaine traditionnelle, sera plus tard contestée.

Quatre dimensions principales du travail réalisé par la Cour suprême à cette époque méritent un bref examen. Tout d'abord, la contribution de la cour Warren est marquante du fait du changement majeur qu'elle opère en ce qui a trait à sa conception de l'égalité entre les individus. Alors que, dans le passé, la Cour avait légitimé la ségrégation raciale en cours dans plusieurs États au nom de la doctrine du « séparé mais égal »[47], elle change du tout au tout sa vision avec l'arrêt *Brown* c. *Board of Education of Topeka*[48]. Cet arrêt provoquera le démantèlement des mécanismes juridiques et institutionnels de ségrégation raciale, processus qui s'étendra malgré tout sur plusieurs années. En deuxième lieu, la cour Warren étend considérablement la portée du contrôle judiciaire de la constitutionnalité des lois édictées par les États fédérés. Employant la doctrine de l'« incorporation », elle statue que « la clause de *due process* du 14ᵉ amendement avait incorporé dans le droit fédéral supérieur et opposable aux États la plupart (mais pas toutes) des garanties du *Bill of Rights*[49] ». Dans la mesure où la plupart des lois discriminatoires sont à cette époque le fait des États, la Cour s'assure ainsi de faire prévaloir sur elles un droit fédéral plus neutre, et en toute hypothèse certainement moins hostile aux minorités raciales. La marge d'autonomie dont disposent les États en vertu de la structure fédérale du pays s'en trouve réduite à l'avenant. En troisième lieu, la cour Warren renforce le « mur de séparation » établi aux États-Unis entre les institutions gouvernementales et la religion. C'est notamment à cette époque que la prière obligatoire à l'école publique est prohibée[50]. Dans un pays aussi profondément religieux que les États-Unis, pareille décision n'allait pas de soi. Enfin, en quatrième lieu, la Cour suprême de l'ère Warren étendra considérablement la portée de la protection de la liberté d'expression, surtout de celle, critique ou dissidente, qui aurait auparavant pu être aisément censurée[51].

La cour Warren aura contribué à transformer radicalement le paysage juridique et politique américain. Ses arrêts sont aussi ceux qui ont suscité le plus d'intérêt à l'échelle internationale. Le remplacement du juge en chef Warren par Warren Burger en 1969 ralentira toutefois le tempo des réformes. S'il est juste de dire que la cour Burger poursuivra, dans un premier temps, la « libéralisation » du droit constitutionnel américain entreprise sous la présidence de Warren, cette dynamique commencera à s'essouffler vers le milieu des années 1970. Cela dit, s'il est un arrêt de l'époque Burger qui s'inscrit dans le sillage libéral de la cour Warren, c'est bien le célèbre *Roe* c. *Wade*[52]. La Cour suprême y décide qu'une loi texane criminalisant l'avortement, sauf si, de l'avis d'un médecin, la vie de la mère est menacée, restreint de manière inconstitutionnelle le droit à la vie privée de celle-ci, et ce droit comprend celui de décider de mettre fin à une grossesse. Fait intéressant, la Constitution des États-Unis ne consacre explicitement aucun droit à la vie privée. C'est donc en se fondant sur des précédents et sur la philosophie inspirant la Constitution que la Cour en arrivera à cette conclusion. Autre élément à noter, la question constitutionnelle est abordée dans cet arrêt du seul point de vue de la femme, la question du statut juridique du fœtus (et de ses droits éventuels) étant évacuée du débat. Cette conclusion particulière, de même que la conception de l'interprétation constitutionnelle privilégiée par la Cour suprême dans *Roe* c. *Wade*, provoqueront une des plus importantes controverses politico-juridiques des dernières décennies aux États-Unis, *Roe* catalysant les revendications d'une mouvance néoconservatrice qui émergera au début des années 1980.

Si l'existence de cette mouvance ne se cristallise vraiment qu'au moment de l'élection de Ronald Reagan à la présidence, un certain retour vers des conceptions plus conservatrices était déjà perceptible dans certaines décisions de la cour Burger, notamment en matière de liberté d'expression[53]. En 1986, William Rehnquist succède à Burger comme juge en chef, et de nouveaux juges «conservateurs» comme Sandra Day O'Connor, Anthony Kennedy et, surtout, Antonin Scalia sont par la suite nommés à la Cour. Mais si la cour Rehnquist se montre conservatrice en certains domaines, comme en témoigne sa saisie des programmes de promotion sociale (*affirmative action*)[54], elle décevra les espoirs des milieux les plus conservateurs, notamment en refusant de renverser *Roe* c. *Wade*[55]. La cour Rehnquist opérera en revanche un virage certain en matière de fédéralisme, domaine où elle se montrera beaucoup plus ouverte que les cours précédentes à l'idée de protéger l'autonomie des États fédérés contre les tentatives d'envahissement de leurs compétences par le pouvoir central[56].

Bien que la révolution néoconservatrice que certains appellent de leurs vœux n'ait pas été achevée par la cour Rehnquist, les deux dernières décennies ont cependant révélé les trois grands thèmes autour desquels pourrait s'articuler une révolution de ce type. Le premier de ces thèmes est l'interprétation constitutionnelle. La jurisprudence de la cour Rehnquist est en effet marquée par un vif débat entre juges partisans d'une conception dynamique de la Constitution, qui ne fige pas le sens de celle-ci à l'idée que pouvaient s'en faire les Pères fondateurs, et les partisans d'une conception dite «originaliste» de la Constitution, pour lesquels la signification et la portée des dispositions constitutionnelles sont déterminées par l'intention des Pères fondateurs révélée par une interprétation littérale de leur texte. Les enjeux sont considérables puisque le triomphe des tenants de l'originalisme mènerait vraisemblablement au renversement de plusieurs grands arrêts «libéraux» des ères Warren et Burger, à commencer par *Roe* c. *Wade*. Le deuxième grand thème d'une éventuelle révolution néoconservatrice a également trait à l'interprétation constitutionnelle, et plus particulièrement à la question de savoir s'il est approprié de recourir à des sources juridiques internationales ou étrangères au moment d'interpréter la Constitution. Cela pose en fait la question du renforcement possible de l'exceptionnalisme juridique des États-Unis[57]. Enfin, le troisième cheval de bataille des néoconservateurs est le rétablissement d'une interprétation libertaire de la Constitution quand il s'agit de juger de la constitutionnalité de la réglementation de l'État dans la sphère socioéconomique. Autrement dit, on réclame plus ou moins un retour à la philosophie de l'arrêt *Lochner* de 1905[58]. Si la cour Rehnquist s'est montrée plutôt tiède à cet égard[59], rien ne garantit qu'il en sera encore longtemps ainsi, particulièrement si l'on considère les récents changements au sein de la Cour. En effet, le départ du juge en chef Rehnquist en 2005, jumelé à la retraite de Sandra Day O'Connor en 2006, juge « conservatrice » qui s'est la plupart du temps révélée centriste, et leur remplacement par des juges nommés par une administration républicaine considérablement plus militante dans son conservatisme que les précédentes pourraient changer la donne.

La Cour suprême comme enjeu politique

Aujourd'hui comme hier, le contrôle de la Cour suprême représente un enjeu crucial du débat politique américain. Or, après plusieurs tentatives infructueuses, il se pourrait que la révolution néoconservatrice amorcée il y a environ 20 ans soit bientôt parachevée. La désignation de John Roberts Jr. à titre de juge en chef par le président Bush, ainsi que la nomination de Samuel Alito en remplacement de Sandra Day O'Connor, semblent en effet avoir renforcé la faction conservatrice au sein de la Cour. On ne saurait par ailleurs présumer que le juge libéral John Paul Stevens, toujours en poste à 87 ans, le restera encore longtemps. Enfin, le juge Anthony Kennedy, traditionnel *swing vote* depuis sa nomination en 1988, a récemment manifesté une tendance à se ranger avec les conservateurs de la Cour depuis que ceux-ci forment la majorité, alors qu'il tendait à appuyer les libéraux ou centristes alors que ceux-là étaient majoritaires. Au moment où l'ère George W. Bush s'achève sur le plan politique, on ne saurait donc exclure qu'elle se poursuive sur le plan juridique. Des arrêts récents semblent du reste le laisser présager. C'est notamment le cas de l'arrêt *Gonzales* dans lequel la Cour déclare valide, pour la première fois depuis *Roe* c. *Wade*, une loi fédérale interdisant certains types d'avortement, renversant au passage un arrêt prononcé en 2000[60]. Comme par hasard, le changement de personnel au sein de la Cour a joué un rôle déterminant dans ce revirement jurisprudentiel. Il reste à voir si de pareils revirements vont se produire à l'égard d'autres questions éminemment contentieuses comme celle de la séparation entre l'Église et l'État. La prudence demeure cependant de mise, les tentatives d'instrumentalisation à long terme de la Cour par le pouvoir politique ayant souvent échoué. Celle-ci, après tout, doit continuer de se ménager une certaine marge d'autonomie si elle souhaite vraiment continuer d'exercer son pouvoir juridique *et* politique...

NOTES

1. Alexander HAMILTON, « The Federalist, n° 22 », dans Alexander HAMILTON, James MADISON et John JAY, *The Federalist Papers*, New York, Bantam Classics, 1982, p. 123-130.
2. Seymour MARTIN LIPSET, *American Exceptionalism. A Double-Edged Sword*, New York/Londres, W. W. Norton & Co., 1996, p. 118.
3. Les premiers étant établis en vertu de la section 1 de l'article 3 de la Constitution et les seconds en vertu de la section 8 de l'article 1. Ces derniers se rapprochent à plusieurs égards des agences administratives, notamment en l'absence de garanties institutionnelles protégeant leurs juges, qui n'ont aucun statut constitutionnel. Parmi ces « cours législatives », on compte notamment les cours martiales, certaines cours territoriales et diverses autorités décisionnelles administratives : John E. NOWAK et Ronald D. ROTUNDA, *Constitutional Law*, 6ᵉ éd., St. Paul, West Group, 2000, p. 22-23.
4. Erwin N. GRISWOLD, « La Cour suprême des États-Unis », *Revue internationale de droit comparé*, n° 97, 1978, p. 99.
5. Élizabeth ZOLLER, « La Cour suprême dans le système constitutionnel des États-Unis », p. 17.
6. NOWAK et ROTUNDA, *op. cit.*, p. 27.
7. 28 USC, § 1251(a).
8. Traduction tirée de Ferdinand MÉLIN-SOUCRAMANIEN, *Les grandes démocraties. Constitutions des États-Unis, de l'Allemagne, de l'Espagne et de l'Italie*, Paris, Armand Colin, 2005, p. 12.
9. GRISWOLD, *op. cit.*, p. 100.
10. François CHEVRETTE, « La Cour suprême », dans Edmond ORBAN (dir.), *Le système politique des États-Unis*, 2ᵉ éd., Montréal, PUM, 1994, p. 302.
11. ZOLLER, *op. cit.*, p. 19.
12. NOWAK et ROTUNDA, *op. cit.*, p. 25.
13. Pour en savoir plus sur le fonctionnement interne de la Cour suprême, voir CHEVRETTE, *op. cit.*; Guy-Antoine LAFLEUR, « Le judiciaire », dans Edmond ORBAN et Michel FORTMANN (dir.), *Le système politique américain*, nouvelle édition, Montréal, PUM, 2001, p. 275.
14. Article 3, section 1 de la Constitution des États-Unis. Traduction de MÉLIN-SOUCRAMANIEN, *op. cit.*, p. 12.
15. Voir par exemple : HAMILTON, « The Federalist n° 81 », dans HAMILTON, MADISON et JAY, *op. cit.*, p. 490-494.

16. Article 2, section 4 de la Constitution des États-Unis. Traduction de MÉLIN-SOUCRAMANIEN, *op. cit.*, p. 12.
17. Depuis la création de la Cour en 1789, seul le juge Samuel Chase dut passer au travers de toute la procédure d'*impeachment*. Il fut cependant acquitté à son terme. Voir ZOLLER, *op. cit.*, p. 23-24.
18. Article 2, section 2 de la Constitution des États-Unis.
19. J. P. NETTL, « The State as a Conceptual Variable », *World Politics*, vol. 20, n° 4 (juillet 1968), p. 559, 574.
20. *Ibid.*, p. 586.
21. Voir généralement LIPSET, *op. cit.*
22. Voir Laurent COHEN-TANUGI, *Le droit sans l'État. Sur la démocratie en France et en Amérique*, Paris, PUF/Quadrige, 1992.
23. CHEVRETTE, *op. cit.*, p. 299.
24. Article 6, par. 2.
25. *Marbury c. Madison*, 5 U.S. 137 (1803).
26. *Marbury, op. cit.*, p. 177.
27. HAMILTON, « The Federalist, n° 81 », dans HAMILTON, MADISON et JAY, *op. cit.*, p. 491.
28. HAMILTON, « The Federalist, n° 22 », dans HAMILTON, MADISON et JAY, *op. cit.*, p. 123, à la p. 130.
29. Pour un tour d'horizon des principales critiques formulées contre *Marbury*, voir Laurence H. TRIBE, *American Constitutional Law*, 3ᵉ édition, vol. 1, New York, Foundation Press, 2000, p. 207-213.
30. *Ibid.*, p. 212.
31. Voir par exemple le *dictum* du Lord Chief Justice Coke dans le *Dr. Bonham's Case* de 1610 (8 Coke Rep. 107, 116-121 C.P. 1610) : « When an Act of Parliament is against common right and reason, the common law will control it and adjudge such Act to be void. »
32. Le principe du constitutionnalisme fait notamment partie, avec quelques variations, du droit constitutionnel du Canada, de la République fédérale d'Allemagne, de l'Espagne, de l'Italie et de l'Afrique du Sud.
33. *Fletcher c. Peck*, 10 U.S. 87 (1810).
34. *Martin c. Hunter's Lessee*, 14 U.S. 304 (1816).
35. *McCulloch c. Maryland*, 17 U.S. 316 (1819).
36. Article 1, section 8. Traduction de MÉLIN-SOUCRAMANIEN, *op. cit.*, p. 8.
37. Il s'agissait en l'espèce des pouvoirs de lever et percevoir des taxes, d'emprunter de l'argent, de réglementer le commerce, etc.
38. Voir Thierry CHOPIN, *La République « une et indivisible. » Les fondements de la Fédération américaine*, Paris, Plon, 2002.
39. Voir entre autres *Gibbons c. Orden*, 22 U.S. 1 (1824).
40. *Scott c. Sandford*, 60 U.S. 393 (1856).
41. GRISSWOLD, *op. cit.*, p. 104.
42. Voir ZOLLER, *op. cit.*, p. 40.
43. *Lochner c. New York*, 198 U.S. 45 (1905).
44. Voir par exemple *Gitlow c. New York*, 268 U.S. 652 (1925) ; *Whitney c. California*, 274 U.S. 357 (1927).
45. Voir notamment *A.L.A. Schechter Poultry Corp. c. United States*, 295 U.S. 495 (1935).

46. On crédite généralement l'arrêt *West Coast Hotel* c. *Parrish*, 300 U.S. 379 (1937), pour avoir mis un terme à ce courant jurisprudentiel.

47. *Plessy* c. *Ferguson*, 163 U.S. 537 (1896).

48. *Brown* c. *Board of Education of Topeka*, 347 U.S. 483 (1954).

49. ZOLLER, *op. cit.*, p. 47.

50. Voir notamment *Engel* c. *Vitale*, 370 U.S. 421 (1962).

51. Voir notamment *New York Times* c. *Sullivan*, 376 U.S. 254 (1964).

52. *Roe* c. *Wade*, 410 U.S. 113 (1973).

53. Voir ZOLLER, *op. cit.*, p. 47.

54. *Adarand Constructors, Inc.* c. *Pena*, 515 U.S. 200 (1995).

55. *Planned Parenthood of Southeastern Pennsylvania* c. *Casey*, 505 U.S. 833 (1992).

56. Voir notamment *Printz* c. *United States*, 521 U.S. 898 (1997).

57. Voir par exemple le vif débat dans *Printz, ibid*, entre le juge Scalia, opposé à un tel recours et majoritaire en l'espèce, et le juge Breyer, minoritaire.

58. Voir R. E. BARNETT, *Restoring the Lost Constitution: The Presumption of Liberty*, Princeton, Princeton University Press, 2004.

59. Voir *Kelo* c. *New London*, 545 U.S. 469 (2005).

60. *Gonzales* c. *Carhart*, 550 U.S. (2007), renversant *Stenberg* c. *Carhart*, 530 US 914 (2000).

POUR EN SAVOIR PLUS

BIBLIOGRAPHIE ET LECTURES RECOMMANDÉES

BICKEL, Alexander M., *The Least Dangerous Branch*, Indianapolis, Bobbs-Merrill Company, 1962.

EPSTEIN, Lee et Jack KNIGHT, *The Choices Justices Make*, Washington, Congressional Quarterly Press, 1997.

HAGE, Armand, *Le système judiciaire américain*, Paris, Ellipses, 2000.

HORWITZ, Morton J., *The Transformation of American Law, 1870-1960: The Crisis of Legal Orthodoxy*, Oxford/New York, Oxford University Press, 1992.

NOWAK, John E. et Ronald D. ROTUNDA, *Constitutional Law*, 6ᵉ édition, St. Paul, West Group, 2000.

REHNQUIST, William H., *The Supreme Court: How It Was, How It Is*, Cambridge, Harvard University Press, 1987.

ROSEN, Jeffrey, *The Supreme Court: The Personalities and Rivalries that Defined America*, New York, Times Books, 2007.

SOSIN, John M., *The Aristocracy of the Long Robe: The Origins of Judicial Review in America*, New York, Greenwood Press, 1989.

TRIBE, Laurence H., *American Constitutional Law*, 3ᵉ édition, New York, Foundation Press, Inc., 2000.

TRIBE, Laurence H., *God Save This Honorable Court. How the Choice of the Supreme Court Justices Shapes Our History*, New York, Mentor Books, 1986.

ZOLLER, Élizabeth, *Grands arrêts de la Cour suprême des États-Unis*, Paris, PUF, 2000.

SITES INTERNET

La Cour suprême des États-Unis : www.supremecourtus.gov

American Civil Liberties Union (groupe voué à la promotion des libertés civiles) : www.aclu.org

Legal Information Institute, Faculté de droit de l'Université Cornell (accès direct au texte intégral des arrêts de la Cour suprême des États-Unis) : www.law.cornell.edu

Oyez (site universitaire consacré l'analyse des arrêts de la Cour suprême) : www.oyez.org

The Supreme Court (site lié au documentaire du même titre diffusé en 2007 ; informations utiles et extraits tirés d'un documentaire d'une très grande qualité) : www.pbs.org/wnet/supremecourt

With an Even Hand : Brown v. Board at 50 (site de la Bibliothèque du Congrès marquant le 50e anniversaire, en 2004, de l'arrêt mettant fin à la discrimination raciale en éducation) : www.loc.gov/exhibits/brown

11

LA POLITIQUE ÉCONOMIQUE

Mark Brawley et Pierre Martin

Lorsque le président George W. Bush a prêté serment au début de l'année 2001, son administration et lui héritaient d'une situation enviable. Le gouvernement américain affichait alors un surplus budgétaire imposant et l'économie du pays venait de bénéficier d'une décennie de croissance rapide marquée par des taux de chômage et d'inflation parmi les plus bas du monde occidental. La suite de l'histoire est connue : cette conjoncture favorable n'aura duré que quelques mois. À la suite des événements tragiques du 11 septembre 2001, l'entrée en guerre des États-Unis en Afghanistan et en Irak, ainsi que la flambée des prix du pétrole, ont sérieusement mis à l'épreuve l'économie américaine. Comment cette dernière s'en est-elle tirée ? Qu'est-il advenu du budget du gouvernement fédéral ? Comment les politiques économiques ont-elles été adaptées à ces nouveaux défis ? À quoi ressemble la situation à un moment charnière qui pourrait voir les démocrates regagner à la fois la présidence et le Congrès en novembre 2008 ? Pour répondre à ces questions, il convient d'examiner l'impact de ces chocs extérieurs, mais il est également nécessaire d'expliquer comment la politique économique américaine est formulée et mise en œuvre, afin de mieux comprendre jusqu'à quel point le gouvernement des États-Unis peut influencer la direction de la plus puissante économie du monde.

Les instruments de la politique économique

Quand on parle des instruments susceptibles de permettre au gouvernement de diriger ou d'influencer l'économie, on met habituellement
l'accent sur deux séries de mesures. La première concerne la **politique
fiscale**, c'est-à-dire l'ensemble des mesures de perception et de redistribution des revenus gouvernementaux. En dépensant plus ou moins, le
gouvernement remet de l'argent aux consommateurs pour stimuler
l'économie. L'autre série d'instruments relève de la **politique monétaire**,
qui consiste à gérer la masse monétaire par la fixation des taux d'intérêt et
des taux de change.

La politique fiscale repose principalement sur deux éléments clés : le
budget et les **impôts**. Les dépenses du gouvernement fédéral sont d'une
telle importance qu'elles ont un impact considérable sur l'économie. Le
fédéral dépense de diverses façons, depuis l'achat d'armements à la fine
pointe de la technologie jusqu'à la consommation d'une énorme quantité
de papier. Ces dépenses créent une demande pour des biens et des services ;
elles sont si considérables que le gouvernement peut tenter d'influencer
la demande par la façon dont il gère ses dépenses. Ces dépenses sont financées soit par des impôts, soit par des emprunts. C'est pourquoi les
dépenses gouvernementales peuvent souvent limiter le pouvoir d'achat des
consommateurs. C'est l'objet de tout un débat entre économistes que
d'évaluer la différence d'impact entre dépenses gouvernementales et
dépenses des consommateurs. Mais, par son pouvoir de taxation, le
gouvernement peut également se servir de la politique fiscale pour
stimuler la demande en période de stagnation.

C'est cette dernière stratégie, inspirée de Keynes, qui avait été mise en
œuvre durant les années 1930 et 1940 pour sortir le pays de la grande
dépression. De nos jours, la plupart des économistes s'entendent pour dire
que l'économie n'a pas autant besoin de la stimulation résultant des
dépenses publiques. C'est pourquoi on favorise plutôt une réduction des
impôts et des taxes. Les néolibéraux (*Conservatives* ou *Neoconservatives*)
croient que l'économie est beaucoup plus stimulée par un accroissement
des dépenses des consommateurs qu'elle ne le serait par une combinaison
d'impôts et de dépenses venant du gouvernement. Selon eux, les consom-

mateurs sont mieux placés pour effectuer des dépenses fructueuses, tandis que les économistes plus à gauche (*Liberals*) jugent que la conjoncture favorable et le budget fédéral devraient plutôt servir à tenter de régler certains problèmes persistants de la société américaine. En d'autres termes, ces derniers n'utiliseraient pas les dépenses gouvernementales seulement pour stimuler l'économie, mais aussi pour mettre en œuvre d'autres politiques. Un surplus budgétaire pourrait être réinvesti dans des programmes sociaux, au lieu d'être entièrement remis à la population sous forme de réduction d'impôt.

La politique monétaire permet au gouvernement d'ajuster la masse monétaire par des modifications du **taux d'intérêt** et du **taux de change**. Certains services gouvernementaux interviennent sur le marché pour soutenir la valeur du dollar, et cette action peut se prolonger par une utilisation discrète du pouvoir gouvernemental de réglementer le domaine financier. Pour soutenir la valeur de la devise américaine, le gouvernement achète et vend des dollars directement sur le marché international des changes. Il peut tout aussi bien négocier des arrangements avec ses principaux partenaires étrangers pour atteindre les mêmes objectifs. Cela affecte la valeur du dollar par rapport aux autres devises et influence ainsi le flux des capitaux et des biens au-delà des frontières. Le gouvernement achète et vend également des dollars à l'intérieur du système financier national, principalement par l'**émission d'obligations**, en coordonnant cette action avec des changements dans les **politiques de réglementation** (en fixant ce que doivent être les réserves des banques). Quand tous les éléments d'une politique monétaire fonctionnent de concert, ils peuvent gonfler ou contracter la masse monétaire, et modifier ainsi le montant d'argent que les Américains consacrent aux dépenses ou à l'épargne.

Qui élabore les politiques économiques ?

Le président

Quelqu'un qui se contenterait de regarder les nouvelles à la télévision aurait l'impression que le président élabore toutes les politiques gouvernementales, y compris la politique économique. Comme chef de l'exécutif, il doit veiller à leur mise en application. Il est responsable de décisions cruciales en matière de politique économique, bien que, dans la grande majorité des cas, le pouvoir décisionnel soit partagé de différentes façons. De plus, même les compétences de la branche exécutive pour appliquer les politiques sont souvent partagées avec la branche législative ou soumises à son contrôle.

Au sein de l'exécutif, il existe plusieurs **départements** et **agences** spécialisées chargés de formuler et de diriger la politique économique. L'OMB (Office of Management and Budget) joue un rôle essentiel dans la formulation de la politique fiscale, en rédigeant la première proposition du budget annuel et en la pilotant ensuite à travers le Congrès. Le Trésor a la charge d'allouer les fonds nécessaires aux dépenses budgétaires et de définir la politique en matière d'impôt. Le Trésor doit aussi gérer l'énorme dette du gouvernement. Il réglemente le système financier et joue le rôle le plus important dans la négociation d'accords avec les gouvernements étrangers en matière de taux de change et de politique monétaire.

Les départements du Commerce et du Travail ont également un rôle à jouer dans la politique économique, mais à l'intérieur de leurs domaines spécifiques. Ils ne sont pas tant préoccupés par les questions macroéconomiques que par la défense des intérêts américains à l'étranger (dans le cas du département du Commerce), par la réglementation de l'économie interne et autres questions du genre. Le Conseil économique du président (President's Council of Economic Advisors), souvent mentionné dans la presse, a pour tâche, comme son nom l'indique, de conseiller le président. Par lui-même, il a très peu de pouvoir. Il joue un rôle important en contribuant à informer et à documenter les responsables de l'exécutif. Il informe également le public des politiques gouvernementales. Mais le véritable pouvoir de décision repose entre les mains du président et des membres de son cabinet, particulièrement le secrétaire au Trésor.

Le Congrès

Le Congrès participe au contrôle des éléments clés de la politique économique. Par ses commissions, il s'assure d'une vue d'ensemble de la mise en application par l'exécutif de la politique économique. Les commissions les plus puissantes sont celles qui exercent un contrôle sur les dépenses, soit les Commissions des finances de la Chambre des représentants (Ways and Means Committee) et du Sénat (Committee on Finance). Toutes deux revoient et réécrivent la législation sur les impôts. Leurs sous-commissions traitent d'aspects variés et spécifiques de la politique économique. Les commissions de la Chambre et du Sénat sur les affaires bancaires passent en revue la politique monétaire menée par le Trésor et la Réserve fédérale.

Le travail de ces commissions donne au Congrès l'occasion d'examiner et, par conséquent, de modifier divers éléments de la politique écono-mique. À beaucoup d'égards, le Congrès peut reformuler cette politique de façon directe. C'est ce qui se produit au premier chef avec la politique fiscale. L'OMB, sous la direction du président et du Cabinet, rédige le budget. Il est ensuite expédié à la Chambre des représentants, laquelle l'examine en premier lieu. Sa Commission des finances l'analyse et peut en reformuler des parties substantielles. Une fois approuvé par la Chambre, il est acheminé au Sénat qui, lui aussi, peut choisir d'en revoir des parties. Les deux chambres peuvent concilier leurs divergences au sein du Joint Economic Committee (Commission économique conjointe). Si le Congrès approuve le budget, le président doit encore l'accepter. Le produit final tient souvent dans un document de 700 pages, souvent complètement différent de la proposition initiale de l'OMB. La politique économique, comme toutes les politiques gouvernementales, est l'objet d'affrontements, de compromis, voire de contradictions, entre les divers acteurs politiques. (Voir le chapitre 7 : « Le Congrès ».)

La Réserve fédérale

Le système fédéral de réserve (Federal Reserve System) – appelé aussi la Réserve fédérale ou, en abrégé, la Fed – est la banque centrale des États-Unis. La création de cette banque centrale a été relativement tardive (en 1913). Ce retard s'explique par des raisons historiques, par les conflits qui ont longtemps opposé les présidents aux différents Congrès pour savoir qui aurait le dernier mot dans les politiques de la Réserve fédérale. Au début, on avait établi un système décentralisé, qui est devenu plus centra-lisé à l'usage. La Réserve fédérale comporte 12 banques de réserve régionales, coopérant directement avec les institutions financières privées. Mais ces 12 banques travaillent de concert et leur politique est coordonnée par le Conseil des gouverneurs (Board of Governors), dont les sept membres sont élus pour 14 ans. Un président est choisi parmi eux pour un mandat de quatre ans à la fois.

Le Conseil est très influent, car il fixe deux points fondamentaux de la politique monétaire : le **taux d'escompte** de la Réserve fédérale (le taux auquel celle-ci prête de l'argent aux banques) et la **détermination du crédit des banques** (la part de leur réserve qui va au marché boursier, à l'investissement, aux prêts, etc.). Il dispose ainsi des deux plus importants instruments gouvernementaux pour modifier les flux monétaires dans l'économie et, en même temps, les taux d'intérêt. Le Conseil contrôle aussi une majorité de votes au FOMC (Fed's Open Market Committee), qui intervient sur le marché, ce qui lui permet de disposer d'un troisième instrument de politique monétaire.

On a accordé une grande indépendance à la Réserve fédérale par rapport aux autres autorités politiques. Ce type d'arrangement institutionnel se retrouve dans la plupart des sociétés démocratiques industrialisées. Il empêche les hommes politiques de jouer sur la politique monétaire pour faire mousser leur popularité. Cette indépendance de tout contrôle politique direct ne signifie pas que cette institution échappe au gouvernement ou que d'autres organes du gouvernement ne peuvent pas exercer de pressions sur elle. Le Congrès a rédigé la loi à l'origine de sa création et il peut lui rappeler (et il lui a déjà rappelé) qu'il pourrait modifier cette loi. D'un autre côté, le département du Trésor est, lui aussi, concerné par les interventions de la Fed sur les marchés, et il a un rôle important à jouer pour maintenir ouvert le marché des valeurs mobilières. Quand ces deux institutions coopèrent étroitement, elles peuvent améliorer l'efficacité de leurs politiques. Dans le cas contraire, elles risquent de les entraver.

Les groupes d'intérêt

La Fed est bien protégée contre les pressions de l'extérieur du gouvernement. Les pressions du public concernant la politique monétaire ne peuvent s'exercer directement, c'est pourquoi elles sont dirigées vers le

Congrès. Ce dernier supervise les activités de la Réserve fédérale aussi bien que des agences individuelles et des départements de la branche exécutive.

C'est par le lobbying (voir le chapitre 4 : « Les groupes d'intérêt ») que le patronat, les syndicats, les écologistes et les autres groupes de pression font connaître leurs intérêts aux hommes et femmes politiques. De la façon la plus évidente, ils contribuent financièrement à leurs campagnes électorales. Ils leur fournissent également de l'information et de l'expertise. Beaucoup de lois sont élaborées à partir des suggestions des groupes d'intérêt. L'information qu'ils transmettent aux élus est reprise dans la conduite des débats.

Des rapports particulièrement étroits sont noués grâce au lobbying entre les groupes d'intérêt et les membres du Congrès dont ils influencent le vote. Les membres de la Chambre des représentants qui viennent des plus petites circonscriptions électorales sont les plus vulnérables aux intérêts les plus étroits. Le représentant dont la circonscription ne comporte qu'un ou deux employeurs importants se doit manifestement d'appuyer les politiques permettant la viabilité de ces entreprises. Le même phénomène touche aussi le Sénat, car certains États dépendent d'une seule industrie (on n'a qu'à penser, par exemple, à l'importance de l'industrie automobile pour le Michigan), de sorte que les sénateurs de ces États subissent de fortes pressions pour favoriser certaines politiques plutôt que d'autres. Ils voudront siéger à certaines commissions, de façon à avoir leur mot à dire dans l'étude de certaines lois ou dans le fonctionnement de certains départements ou agences de la branche exécutive. À leur tour, ces agences commenceront à servir les intérêts exprimés par les groupes de pression afin de plaire au Congrès. Il en résulte ce que l'on qualifie d'*iron triangle* (triangle de fer), pour signifier que cette structure de fonctionnement à trois côtés (pouvoir législatif, pouvoir exécutif et groupes d'intérêt) est très difficile à changer.

Il est également fort malaisé de modifier certains aspects spécifiques de la politique économique, particulièrement les politiques de réglementation de l'économie. Dans ce domaine, les attributs spécifiques de certaines industries leur permettent d'entretenir des relations très étroites avec les agences de l'exécutif. Les mêmes caractéristiques unissant plusieurs industries permettent la formation de groupes d'intérêt avec une base plus étroite (et plus solide) qui pèsera plus lourd dans les relations avec les membres individuels de la Chambre et du Sénat. Une combinaison de facteurs, tels que la concentration géographique, le petit nombre d'entreprises de l'industrie en question et la nature de la réglementation, peuvent contribuer à galvaniser des groupes d'intérêt et à leur conférer du pouvoir dans leurs relations avec les hommes politiques et les agents du gouvernement.

En résumé, nous avons un système de **responsabilité partagée**. Comme on peut le constater, le système des « poids et contrepoids » instauré par la Constitution rend impossible qu'un seul acteur exerce un contrôle absolu sur le processus décisionnel en matière de politique économique. Habituellement, le système oblige les différents décideurs à coopérer. Cependant, il n'est pas toujours facile de parvenir à des compromis. Il y a aussi beaucoup de place pour l'échange de bons procédés (*log-rolling*), où les différents acteurs participant à la décision se font mutuellement des concessions. Quand il est impossible d'en arriver à un compromis, il en résulte un blocage (*gridlock*), comme celui qu'on a pu observer dans l'affrontement sur le budget entre le président Clinton et un Congrès dominé par les républicains avec, à leur tête, Newt Gingrich. Même quand les différences idéologiques sont moins prononcées, l'harmonisation des politiques monétaires et fiscales ne se fait pas toujours de façon idéale.

Exemples récents de politique gouvernementale

Comme on l'a vu plus haut, la division des pouvoirs entre les différentes branches du gouvernement détermine le cadre d'élaboration des politiques. La politique économique ne fait pas exception à cette règle. Les acteurs clés comprennent non seulement le président (et la branche exécutive), d'une part, et le Congrès, d'autre part, mais aussi un acteur indépendant : la Réserve fédérale. Les trois doivent travailler ensemble, chacun formulant ses politiques et prenant ses décisions de façon autonome, mais en consultation avec les autres. Dans le passé, quand ces acteurs n'arrivaient pas à coopérer ou à poursuivre des objectifs similaires, la politique économique a manqué de cohérence.

Ce phénomène a été particulièrement bien illustré au cours des dernières années de la présidence du démocrate Bill Clinton par les luttes menées à propos du budget. Le même phénomène s'est représenté à la fin du mandat de George W. Bush, alors que les démocrates avaient repris le contrôle du Congrès face à un président affaibli. Ces exemples soulignent les limites de la présidence à déterminer seule une politique économique. Bush et Clinton, comme les autres présidents avant eux, étaient généralement considérés comme les responsables de la politique fiscale (notamment des dépenses gouvernementales). Après tout, le président dirige la branche exécutive, celle qui engage la grande majorité des dépenses. De plus, c'est l'OMB (de la branche exécutive) qui est responsable de la conception du budget. Le budget est soumis au Congrès, où il chemine laborieusement à travers les commissions. Cependant, on le rappelle, un budget doit subir l'examen de commissions très variées avant d'être soumis au vote de la Chambre. Dans ces commissions, on modifie la ventilation des postes budgétaires, on en ajoute de nouveaux, on en supprime. Le Congrès peut donc refaçonner à sa guise le plus important instrument de politique économique dont dispose le président.

Le budget, fruit de tous ces marchandages entre les membres du Congrès eux-mêmes et entre le Congrès et le président, peut coïncider remarquablement avec la proposition initiale de l'OMB ou, au contraire, en différer considérablement. Contrairement à ce qui se passe dans le système parlementaire (où le chef de l'exécutif dispose la plupart du temps d'une majorité sur laquelle il peut compter à la législature), le gouvernement américain est structuré de façon telle que les différentes branches du pouvoir se contrebalancent. De sorte qu'il est possible qu'un parti contrôle le Congrès tandis que l'autre occupe la Maison-Blanche. En pareil cas, la procédure de « donnant, donnant » à propos du budget peut dégénérer en bataille acharnée. Cependant, même quand un parti contrôle à la fois le Congrès et la présidence, les intérêts institutionnels peuvent les séparer. Le Congrès produit des politiques qui constituent la somme de nombreux intérêts locaux, tandis que le président est le seul élu dont la circonscription englobe l'ensemble du pays.

Évidemment, ce sont des différences idéologiques autant qu'institutionnelles qui ont été à l'origine des conflits en matière budgétaire au cours du mandat présidentiel de George W. Bush. Durant les années Clinton, le Congrès était dominé par la droite du Parti républicain, menée par le très conservateur Newt Gingrich. Le Congrès et le président s'affrontaient continuellement, sur presque tous les dossiers. Il en résulta toute une série de blocages au sujet du budget. La majorité républicaine au Congrès était capable de sabrer les dépenses gouvernementales, en refusant d'endosser les propositions budgétaires du président. Ces blocages se sont révélés impopulaires et cette stratégie a abouti pour les républicains à une perte d'électeurs. Il est finalement difficile de savoir à qui il faut attribuer les succès budgétaires des années 1990. Les compressions budgétaires, combinées avec une économie en pleine expansion, ont généré des recettes (en impôt) plus élevées et des surplus importants dans les opérations courantes. Étant donné que les budgets sont le résultat de ces affrontements entre Congrès et président, aucune des deux parties ne peut revendiquer l'entière responsabilité de ce redressement.

La situation a changé brusquement au lendemain des événements du 11 septembre 2001 et dans le sillage de la guerre au terrorisme déclarée par le gouvernement Bush. Le surplus fédéral avait déjà commencé à s'amenuiser avant l'élection de 2000, mais les dépenses nouvelles entraînées par les interventions militaires en Afghanistan et en Irak, en plus des augmentations substantielles des dépenses liées à la sécurité intérieure, ont contribué à transformer les surplus budgétaires en déficits considérables. De fait, le solde budgétaire est passé d'un surplus de 236 milliards de dollars en l'an 2000 à des déficits de 158 milliards de dollars en 2002, 413 milliards de dollars en 2004 et 248 milliards de dollars en 2006[1]. Qui plus est, la situation politique s'est aussi inversée. Dans les années 1990, la Maison-Blanche était occupée par un démocrate plutôt enclin à dépenser alors que le Congrès était contrôlé par des républicains qui prônaient l'austérité budgétaire. De 2001 à 2006, les républicains contrôlaient à la fois la Maison-Blanche et le Congrès, mais le Congrès est passé aux démocrates, par une courte majorité, en novembre 2006. Cette cohabitation à l'américaine suppose une responsabilité partagée pour la préparation du budget, ce qui se traduit par des conflits qui reflètent les différences entre les deux partis, notamment en ce qui concerne la guerre en Irak. Même si le président est formellement le commandant en chef des armées et qu'il peut, en principe, mener les forces militaires comme il le juge bon, c'est le Congrès qui tient les cordons de la bourse. Depuis l'arrivée en force des démocrates à la

Chambre et au Sénat en janvier 2007, les législateurs démocrates utilisent leur pouvoir de contrôler les budgets pour influencer la stratégie militaire en Irak.

En dépit du renversement des équilibres budgétaires, des bouleversements provoqués par la guerre et par la menace fortement ressentie du terrorisme, et en dépit des affrontements partisans provoqués par l'occupation de l'Irak, l'économie américaine continue de faire bonne figure. La croissance réelle du PIB s'est maintenue au-dessus de la barre des 3 % depuis 2004. Le chômage, qui était à un taux exceptionnellement bas (moins de 4 %) en 2000, a plafonné aux alentours de 6 % en 2003 et est par la suite redescendu autour de 4,5 % en 2007. Même si la bonne performance de l'économie américaine n'est pas à l'abri des menaces, celle-ci est malgré tout parvenue à maintenir, comme dans les années 1990, une croissance soutenue et des taux d'inflation relativement bas.

Plusieurs facteurs ont favorisé la croissance, notamment l'essor du marché financier. Les valeurs boursières ont augmenté avec l'afflux de fonds sur le marché, dont une bonne partie en provenance de l'étranger. L'économie américaine a connu cette forte croissance, contrairement à d'autres économies, de sorte que plus de capitaux se sont dirigés vers New York. En attendant que les autres parties du monde réussissent aussi bien, l'investissement monétaire (et donc la croissance économique) sera probablement encore concentré aux États-Unis. L'investissement permet d'augmenter la productivité, comme on le voit avec les entreprises qui utilisent de plus en plus les ordinateurs et Internet.

Une croissance soutenue se traduit aussi par une augmentation des recettes fiscales à tous les paliers de gouvernement. Il n'en demeure pas moins que plusieurs problèmes budgétaires pointent à l'horizon pour les États-Unis. Les dépenses pour la sécurité sociale, Medicare et d'autres programmes vont augmenter en même temps que l'âge de la population. Heureusement, la population américaine est plus jeune et croît à un rythme plus rapide que celle de la plupart des autres pays industrialisés. Des pays tels que l'Allemagne et le Japon voient le nombre de retraités augmenter plus vite que celui des travailleurs actifs qui paient les pensions et autres programmes. Les États-Unis (tout comme le Canada) continuent d'accueillir un grand nombre d'immigrants, source de vitalité renouvelée pour l'économie. Avec assez de contribuables actifs et une croissance économique soutenue, les programmes américains devraient continuer à recevoir un financement à des niveaux comparables aux niveaux actuels. Néanmoins, plusieurs analystes prédisent que, en l'absence d'une réforme de la sécurité sociale (*Social Security*), les dépenses de ce programme pourraient dépasser les recettes avant l'année 2020.

Évaluation de l'essor économique

Dans les années 1980, il était de mise de prédire le déclin imminent des États-Unis en tant que puissance économique de premier plan. Non seulement ces prédictions pessimistes ont-elles été démenties, mais les États-Unis ont connu depuis une croissance économique supérieure à la moyenne des pays industrialisés. Un taux de croissance élevé et soutenu, une quasi-absence d'inflation et un faible taux de chômage : tout cela constitue une réussite impressionnante. Quelques observations suffisent à illustrer ce bilan. En ce qui concerne la croissance du PIB, celle des États-Unis a été supérieure à la moyenne des pays industrialisés avancés pour chacune des 10 dernières années, à l'exception de 2001. Pour ce qui est de l'emploi, alors que le taux de chômage américain dépassait la plupart des taux européens dans les années 1970 et au début des années 1980, le taux américain s'est révélé inférieur à la moyenne des grands pays européens (Royaume-Uni, Allemagne, France et Italie) chaque année, sans exception, depuis 1984. Les mêmes tendances peuvent être observées par rapport au Canada, à l'exception des toutes dernières années du mandat de George W. Bush, où la performance de l'économie canadienne s'est nettement démarquée de celle des États-Unis.

Ces succès résultent largement d'un conflit entre les divers acteurs politiques, plutôt que d'un consensus. Avec un président démocrate poussant à une augmentation des dépenses et un Congrès républicain y mettant un frein, on obtient un budget équilibré et un environnement psychologique favorable aux affaires, aux investissements et à la prospérité. Ironiquement, c'est lorsque le Congrès et la Maison-Blanche étaient contrôlés par un seul parti – celui-là même qui se décrit comme le *party of small government* – que la croissance des dépenses de l'État s'est accélérée nettement, en bonne

partie, mais pas seulement, à cause des dépenses militaires accrues occa-
sionnées par l'effort de « guerre contre le terrorisme » du gouvernement
Bush. Après 2008, dans l'hypothèse probable où les démocrates s'empare-
raient des deux branches électives du gouvernement, il est à prévoir que la
part relative de l'État dans l'économie continuera d'augmenter, mais les
dépenses publiques seront orientées vers d'autres objectifs.

Le président et le Congrès, on le répète, ne sont pas les seuls responsables des politiques économiques. La Réserve fédérale a développé ses capacités de contrôle et ses instruments de politique. C'est pourquoi certains
observateurs attribuent le mérite de la performance remarquable de
l'économie américaine dans les années 1990 à Alan Greenspan, au Conseil
de la Réserve fédérale et à leurs interventions opportunes et limitées.
Chaque fois qu'il semblait y avoir surchauffe de l'économie, Greenspan et
ses collègues augmentaient, toujours légèrement, les taux d'intérêt, pour la
refroidir un peu. Par exemple, pendant quelque temps, ils ont maintenu à
4,75 % un des taux d'intérêt clés. Ensuite, comme les prévisions commen-
çaient à donner des signes de pression inflationniste (au milieu de 1999), ils
ont relevé les taux d'intérêt petit à petit. Au milieu de l'an 2000, le taux de
la Réserve fédérale se situait à 6,5 %. Pendant ce temps, l'économie a
continué de croître à un rythme régulier. Greenspan, qui dirigeait les destinées de la Fed depuis 1987, a quitté son poste en août 2006, mais son
successeur, Ben Bernanke, a maintenu le cap fixé par son prédécesseur.

Cette façon d'appliquer les freins à l'économie en voie d'accélération a
aussi ses critiques. Certains pensent que les taux d'intérêt relativement bas
(au cours des dernières années) ont permis au marché financier de poursuivre sa croissance de façon incontrôlée. Il y a risque que les valeurs mobilières soient indûment gonflées et qu'elles finissent bientôt par s'effondrer,
particulièrement dans le domaine des entreprises *dot.com*. Ainsi, le montant versé lors de l'inscription en bourse des entreprises de haute technologie et d'Internet ne correspond manifestement pas aux dividendes
espérés. Certaines sont condamnées à la faillite, entraînant des pertes
importantes pour les investisseurs. Alors que Greenspan a proclamé son
inquiétude face à ce qu'il a appelé l'exubérance irrationnelle (*irrational
exuberance*) des marchés financiers, il n'a pas suffisamment relevé les taux
d'intérêt pour empêcher l'afflux de nouveaux capitaux à la bourse. Beau-

coup d'experts considèrent que les valeurs transigées sur les marchés financiers étaient largement surévaluées à la fin des années 1990 et que la chute importante des valeurs boursières en 2000, notamment dans les secteurs de haute technologie, était prévisible. Les marchés ont repris leur ascension depuis cette correction, mais ils demeurent vulnérables.

Il est important de bien situer la Bourse de New York et le NASDAQ dans le contexte international pour voir comment la Réserve fédérale a mené sa politique. Il faut aussi considérer le dilemme auquel elle a dû faire face. Typiquement, dans le passé, elle a usé de ses règles de crédit concernant la « réserve » et de ses interventions sur le marché pour hausser les taux d'intérêt, et convaincre les investisseurs d'acheter des obligations ou de placer leur argent dans d'autres investissements à long terme. Les investisseurs étaient surtout américains et ils avaient le choix entre des actions en bourse et des obligations (bons du Trésor, etc.). Ces deux types d'investissement s'équilibraient ; quand la valeur des unes baissait, les investisseurs déplaçaient leur avoir vers les autres. Maintenant, dans un système de mondialisation financière croissante, les investisseurs doivent tenir compte de tous les marchés internationaux et des autres occasions d'investissement. Ce sont les bourses américaines qui ont été en mesure de proposer les profits les plus élevés, non seulement à leurs concitoyens, mais également aux investisseurs étrangers. Ces marchés sont devenus le centre d'attraction d'énormes sommes d'argent en provenance de partout dans le monde. Pour la Réserve fédérale, détourner cette masse d'argent vers des placements à long terme obligerait à augmenter de façon importante les taux d'intérêt, ce qui stopperait ainsi la croissance économique et provoquerait une récession. Si (ou plutôt, quand) il y a une réelle menace d'inflation, la Réserve fédérale se doit d'agir.

En même temps, n'importe quelle économie se développant à un rythme rapide se heurte à plusieurs obstacles qui vont la ralentir. Le premier obstacle résulte des pénuries engendrées par une diminution des réserves. L'augmentation des coûts de main-d'œuvre, d'énergie et des matières premières ensuite va, inévitablement, à un moment donné, contrebalancer les gains de productivité et entraîner une hausse des prix. Cela risque d'inciter le consommateur à acheter moins et, par conséquent, à ralentir l'économie. Cela peut aussi déclencher une véritable inflation. Et ce phénomène peut provoquer l'intervention de la Réserve fédérale, laquelle haussera les taux d'intérêt, pour ralentir l'économie en réduisant les investissements.

Parmi les aspects les plus intéressants des changements de l'économie américaine, signalons celui de la **productivité**. Contrairement à ce qui s'est passé dans plusieurs autres pays qui ont lutté contre le chômage, les États-Unis ont été à la fois capables d'offrir plus d'emplois et d'augmenter la productivité des travailleurs. En d'autres termes, ils ont agi sur la véritable source de toute croissance soutenue, en augmentant la quantité de biens et de services produits par les travailleurs et en faisant en même temps appel à plus de main-d'œuvre[2]. Évidemment, la question se pose : comment ce pays a-t-il été capable de remporter pareil succès ?

Cette performance est due à plusieurs facteurs, qui ne relèvent pas tous de la politique économique. Certains parlent de « Nouvelle Économie » parce qu'ils croient que les gains de productivité sont attribuables aux nouvelles technologies et à l'utilisation largement répandue des ordinateurs et d'Internet. De fait, Internet a permis la création de nouvelles entreprises. Celles-ci sont nées brusquement et ont généré des millions de dollars dans un nouveau secteur. Mais il est aussi vrai que beaucoup d'entreprises Internet ont fait faillite. De plus, les ordinateurs ont été largement utilisés aux États-Unis bien avant la dernière décennie. On s'en sert aujourd'hui plus que jamais, ils sont plus puissants et disposent de logiciels plus perfectionnés. On leur doit donc une partie de ce succès. Par contre, la place grandissante des technologies de l'information dans l'économie américaine a aussi eu pour conséquence un approfondissement des inégalités de revenus entre ceux qui les maîtrisent et peuvent en tirer profit, d'une part, et ceux qui ne les maîtrisent pas et n'arrivent pas à se tailler une place dans une économie de plus en plus axée sur la compétition, d'autre part.

Les États-Unis et la mondialisation

La mondialisation est un terme que l'on utilise aujourd'hui à toutes les sauces ; il est devenu quelque peu vague et embrasse beaucoup de choses à la fois. Néanmoins, dans sa formulation la plus simple, il décrit un processus par lequel les affaires locales deviennent de plus en plus reliées à un ensemble global. Habituellement, on entend par mondialisation l'internationalisation croissante des économies. Même si, en raison de sa taille colossale, l'économie américaine demeure moins dépendante des échanges internationaux que la plupart des économies occidentales, elle a aussi été touchée par la mondialisation, et les politiques gouvernementales sont responsables au premier chef de ce phénomène.

Dans l'aménagement de l'économie américaine par le gouvernement, un des domaines d'activité les plus manifestes concerne la conduite de la politique économique étrangère. Le gouvernement a poursuivi sa tradition de négocier des accords commerciaux généraux. Il a renouvelé ses efforts en cette matière en signant plus d'accords bilatéraux et régionaux sur le commerce. L'Accord de libre-échange nord-américain (ALÉNA) a été conclu, de même que plusieurs autres accords bilatéraux de libre-échange (avec le Chili et Israël, notamment). Le commerce avec la Chine a été libéralisé et le volume de ce commerce s'est accru de façon très marquée dans les années 2000. De plus, les États-Unis ont collaboré à la mise sur pied de l'Organisation mondiale du commerce (OMC). Dans l'ensemble, ils ont consacré beaucoup d'énergie à favoriser le libre-échange au cours de la dernière décennie.

Au cours du XXe siècle, ce pays a eu une influence profonde sur le commerce mondial. Il compte pour un large pourcentage du commerce et des investissements à l'échelle de la planète. Le contraire n'a cependant pas toujours été vrai. En d'autres termes, même si ses importations et ses exportations comptent pour une bonne part du commerce international, elles ne représentent qu'une faible portion du PNB américain. Historiquement, l'économie américaine est demeurée à l'écart du reste du monde. Ainsi, au début des années 1980, seulement une petite part du PNB de ce pays était liée au commerce extérieur (environ 10 à 12 %). Aujourd'hui, le commerce a beaucoup plus d'importance dans son économie, il compte pour 25 % du PNB. C'est un changement majeur dans la façon dont les Américains se perçoivent dans le monde et évaluent leurs relations commerciales.

En matière de commerce de biens, les États-Unis affichent un déficit de taille. La valeur des biens qu'ils importent est beaucoup plus grande que celle de leurs exportations. On peut interpréter ce phénomène de plusieurs manières. L'une a trait à la compétitivité relative des produits américains. Ces derniers sont-ils d'une qualité comparable à celle des produits étrangers ? L'autre considère la croissance constante de l'économie américaine (qui entraîne une croissance de la demande) et la compare avec les performances économiques d'autres pays moins performants. La puissance économique des États-Unis ne favorise-t-elle pas les importations, tandis que la faiblesse de la demande extérieure réduit ses possibilités d'exportation ? De telles explications sont toutefois peu convaincantes pour la plupart des économistes, qui soulignent que les Américains importent plus qu'ils exportent tout simplement parce qu'ils épargnent trop peu. Il s'agit d'une simple équation macroéconomique : en l'absence d'une quantité d'épargne suffisante pour satisfaire les besoins d'investissement de l'économie nationale, l'investissement étranger vient combler l'écart. Le solde des investissements qui gravitent ainsi vers le marché américain correspond, en fin de compte, au solde du commerce des biens et services[3].

Dans le domaine du commerce, la menace que représente la Chine pour plusieurs intérêts américains est l'enjeu qui a dominé les débats publics dans les années 2000. Il est clair que cet enjeu demeurera au cœur des préoccupations politiques après la mise en place d'une nouvelle administration en 2009. Il importe toutefois de se rappeler que plusieurs des effets néfastes qu'on associe aujourd'hui à l'essor économique de la Chine reprennent à quelques nuances près les prédictions catastrophistes qui avaient cours dans les années 1980 alors que c'était la montée du Japon qui devait enclencher l'inévitable déclin de l'empire américain. La suite de l'histoire est connue.

Le déficit du commerce extérieur des biens est quelque peu contrebalancé par le surplus de celui des services. Dans ce domaine, traditionnellement, les États-Unis enregistrent des surplus substantiels, même s'ils ont considérablement diminué au cours de la dernière décennie. Cela a poussé le gouvernement à poursuivre une politique de libéralisation des échanges internationaux dans le domaine des services, notamment par la signature d'accords commerciaux régionaux et par son action au sein de l'OMC. Quant aux produits culturels (cinéma, musique, livres, etc.), ils continuent de remporter d'extraordinaires succès, aussi bien à l'étranger que sur le marché intérieur. Au cours de la décennie 2000, toutefois, le phénomène nouveau des délocalisations outre-frontière de l'emploi dans les services (*service offshoring*) est venu tempérer l'appui politique de bien des Américains pour la libéralisation du commerce et la mondialisation. En facilitant les transferts massifs d'information et le morcellement des tâches de travail, les nouvelles technologies de l'information et des communications ont ouvert toutes grandes les portes à la concurrence internationale de pays à faibles coûts, tels l'Inde et la Chine, dans des secteurs de services et de fabrication jusque-là à l'abri des aléas de la mondialisation. Le gouvernement républicain de George W. Bush a refusé de céder aux demandes des groupes qui réclamaient à grands cris des mesures de protection contre ce genre de concurrence de la main-d'œuvre étrangère, mais il n'est pas exclu qu'un gouvernement démocrate au Congrès et à la Maison-Blanche soit plus réceptif à de telles demandes.

Pour comprendre l'impact de la mondialisation sur les politiques économiques, il faut prendre en considération un facteur très important, à savoir le **rôle international du dollar** américain. Ce dernier sert à libeller la plupart des transactions internationales, tant commerciales que financières, et beaucoup de dollars sont détenus à l'extérieur des États-Unis. Certains pays ont adopté le dollar comme valeur de référence pour leur propre devise et beaucoup se servent de leurs réserves en dollars pour soutenir leur monnaie. Ces pratiques permettent aussi aux Américains de supporter leur déficit commercial. Mais cette grande quantité de dollars détenus à l'étranger peut causer des problèmes à l'avenir, si les étrangers perdaient soudain confiance dans la valeur du billet vert. Dans ce cas, ils chercheraient à se défaire de leurs dollars en les dépensant aux États-Unis, ce qui provoquerait une forte poussée inflationniste. C'est pourquoi la Réserve fédérale estime de sa responsabilité de combattre vivement l'inflation, car c'est la meilleure façon de convaincre les étrangers que le dollar conservera sa valeur de référence.

En somme, l'économie américaine est plus intégrée que jamais à l'économie mondiale. En conséquence, les citoyens de ce pays se soucieront, plus que jamais, également des politiques extérieures de leur gouvernement dans le domaine économique. Il faut donc prendre en considération cet intérêt pour le commerce international dans la formulation des politiques internes. Dans une économie mondialisée, les deux volets sont inséparables.

Conséquences de la croissance et de la stabilité économiques

La remarquable expansion de l'économie a eu des effets faciles à observer. Le gouvernement fédéral a pu réduire ses dépenses, tandis que ses revenus fiscaux demeuraient élevés, produisant ainsi d'importants excédents. Ceux-ci ont permis au gouvernement de financer largement les dépenses militaires, et de continuer à jouer ainsi un rôle prééminent dans le domaine international.

Même si l'économie américaine se distingue par sa performance d'ensemble, la croissance du pays n'a pas fait que des gagnants et n'a pas eu que des conséquences heureuses. Le haut niveau de l'emploi et l'accessibilité du crédit hypothécaire ont eu des conséquences sur le marché du logement à travers le pays. L'augmentation des revenus et des dépenses a touché plusieurs secteurs de production qui tiraient de l'arrière, tel celui du logement. Mais, avec la construction de logements, on crée des problèmes d'étalement urbain et de pollution. On peut aussi se demander si tous les nouveaux emplois créés commandent un niveau de revenu suffisant pour payer ces nouveaux logements. Comme le faisait remarquer John Donahue de la Chicago Coalition for the Homeless: « Nous avons créé une foule d'emplois payés à six dollars de l'heure, mais pas beaucoup de logements au même taux horaire[4]. »

Comme cette remarque le suggère, le problème de la redistribution de la richesse continue de se poser. Ceux qui ont profité le plus de la conjoncture favorable se retrouvent parmi les détenteurs de titres boursiers, ce qui n'est manifestement pas le cas de tous les citoyens. Alors que l'économie américaine se portait bien dans les années 1990 et 2000, la proportion de la population vivant sous le seuil de pauvreté oscillait entre 11 et 15 %. Il est clair que la couche de la population ayant les revenus les plus bas n'a pas profité de l'expansion économique autant que les mieux nantis. Et c'est encore plus vrai pour les personnes les plus vulnérables de la société: les enfants et, tout spécialement, les enfants des familles monoparentales.

D'autre part, comme la période d'expansion a duré si longtemps et que le niveau d'emploi a été tellement élevé, les profits se sont trouvés largement répartis à travers le pays, même s'ils sont inégaux. Pendant presque toute la durée combinée des gouvernements successifs de Bill Clinton et de George W. Bush, les sondages ont révélé un niveau de satisfaction élevé au sujet de l'économie et, par conséquent, de la politique économique. La rhétorique protectionniste d'hommes politiques indépendants comme Pat Buchanan ne trouve aucun écho dans la population. Jouant sur la peur des Américains, Ross Perot a clamé publiquement que l'ALÉNA créerait un « énorme bruit de succion » (*giant sucking sound*) avec tous les emplois qui seraient aspirés au sud de la frontière, ce qui n'a manifestement pas été le cas. Même en 2004, le candidat démocrate à la présidence John Kerry a tenté de gagner des votes au cœur de l'Amérique profonde en agitant le spectre des délocalisations, sans succès. Les demandes protectionnistes, même celles émanant de secteurs connaissant un déclin à long terme, n'ont pas réussi à se gagner beaucoup d'appuis. Certains signes montrent toutefois que l'insécurité économique provoquée par la mondialisation et par l'accentuation des inégalités sociales pourrait redevenir l'enjeu politique marquant qu'elle a déjà été. Malgré l'ensevelissement des États-Unis dans des conflits coûteux et en apparence insolubles, les sondages notent un retour de l'insécurité économique au sommet des préoccupations des électeurs.

✦

Bien que les États-Unis aient connu des succès économiques impressionnants au cours de la dernière décennie, on voit apparaître des signes prouvant que certains problèmes n'ont pas été résolus, ou qui révèlent certaines faiblesses. À l'actif des politiques économiques, on peut compter le retour des surplus budgétaires, le niveau de chômage extrêmement bas et le fait que l'inflation ne représente plus qu'une menace potentielle. Au passif, les signes de faiblesses sont tout aussi apparents : faiblesse de l'épargne, augmentation du déficit commercial et surévaluation des valeurs boursières. Seule une gestion efficace de l'économie pourra maintenir l'élan actuel et aider à régler ces problèmes qu'on vient tout juste de mentionner. Cette gestion, à son tour, dépend de l'interaction des différentes branches du pouvoir quand elles formulent les politiques.

Après avoir examiné les composantes de la politique économique et les questions posées au commencement de ce chapitre, il est opportun d'en poser une autre pour conclure : combien de temps encore va durer cette impressionnante réussite économique ?

NOTES

1. Source : U. S. CONGRESS, Congressional Budget Office, *Historical Budget Data*, « Surpluses, Deficits, Debt, and Related Series, 1962 to 2006 ». En ligne : <www.cbo.gov/budget/historical.pdf> (page consultée en septembre 2007).
2. Par comparaison, on peut considérer les statistiques pour la France, qui a enregistré de grands progrès dans la productivité au travail, mais largement attribuables au licenciement des travailleurs en surnombre. La quantité de biens produits n'a pas beaucoup augmenté. On a simplement utilisé moins de gens pour produire ces biens. Voir le chapitre 6 de Daniel COHEN, *Richesse du monde, pauvreté des nations*, Paris, Flammarion, 1997.
3. Pour une analyse comparative de ces théories, voir Paul KRUGMAN, *La mondialisation n'est pas coupable*, Paris, La Découverte, 2000.
4. « Out of sight, out of mind », *The Economist*, 20 mai 2000.

POUR EN SAVOIR PLUS

BIBLIOGRAPHIE ET LECTURES RECOMMANDÉES

ASPEN INSTITUTE, *Work and Future Society. Where Are the Economy and Technology Taking Us ?*, Washington, Aspen Institute, 1998.

BAUMOL, William J., Sue Anne BATEY BLACKMAN et Edward N. WOLFF, *Productivity and American Leadership. The Long View*, Cambridge, MIT Press, 1989.

DESTLER, I.M., *American Trade Politics*, 4ᵉ édition, Washington, Peterson Institute for International Economics, 2005.

FRIEDMAN, Thomas, *La Terre est plate : une brève histoire du XXIᵉ siècle*, Paris, Éditions Saint-Simon, 2006.

GREENSPAN, Alan, *The Age of Turbulence : Adventures in a New World*, New York, Penguin, 2007.

HACKER, Jacob, *The Great Risk Shift : The Assault on American Jobs, Families, Health Care and Retirement and How You Can Fight Back*, New York, Oxford University Press, 2006.

ROSECRANCE, Richard, *The Rise of the Virtual State. Wealth and Power in the Coming Century*, New York, Basic Books, 1999.

SCHICK, Allen, *The Federal Budget : Politics, Policy, Process*, 3ᵉ édition, Washington, Brookings Institution Press, 2007.

STEIN, Herbert, *Presidential Economics*, 3ᵉ édition, Washington, American Enterprise Institute Press, 1994.

STIGLITZ, Joseph, *Quand le capitalisme perd la tête*, Paris, Fayard, 2003.

WOODWARD, Bob, *Maestro : Greenspan's Fed and the American Boom*, New York, Simon & Schuster, 2000.

SITES INTERNET

American Enterprise Institute for Public Policy Research : www.aei.org
Brookings Institution (études économiques) : www.brookings.edu/economics.aspx
Bureau of Labor Statistics : www.bls.gov
Chaire d'études politiques et économiques américaines : www.cepea.umontreal.ca
Congressional Budget Office : www.cbo.gov
Council of Economic Advisors, *Economic Report of the President* : www.gpoaccess.gov/eop
Brad DeLong (économiste, UC-Berkeley) : http://delong.typepad.com
Federal Reserve, *Economic Research and Data* : www.federalreserve.gov/econresdata
International Trade Administration, *TradeStats Express* : http://tse.export.gov
Paul Krugman (économiste, Princeton) : www.pkarchive.org
Gregory Mankiw (économiste, Harvard) : http://gregmankiw.blogspot.com
National Bureau of Economic Research : www.nber.org
Peterson Institute for International Economics : www.iie.com

LA POLITIQUE SOCIALE ET LE SYSTÈME DE SANTÉ

Guy Lachapelle

La plupart des ouvrages d'introduction au système politique américain omettent d'expliquer les caractéristiques de la politique sociale américaine[1]. Plusieurs raisons expliquent cette situation. Tout d'abord, parce les États-Unis n'ont jamais été considérés comme un pays particulièrement innovateur dans le domaine des politiques de « bien-être » (*welfare*). Les États-Unis ont été, par exemple, l'un des derniers pays industrialisés à se doter, en 1935, après l'Allemagne (1889), l'Angleterre (1908), la Suède (1913) et le Canada (1927), d'un programme de pensions de vieillesse. De plus, les États-Unis consacrent une plus faible proportion de leur produit intérieur brut aux programmes de sécurité sociale et de sécurité du revenu. Depuis le début des années 1980, et en particulier durant les mandats de Reagan et Bush (1980-1992), les États-Unis ont projeté l'image d'un pays en proie au néolibéralisme, où les valeurs individuelles ont pris le pas sur tout programme visant à améliorer le bien-être des citoyens américains. Pendant la présidence de Clinton (1992-2000), on a bien tenté de donner aux Américains des programmes sociaux à la mesure de leurs attentes, mais les résultats n'ont pas été toujours convaincants. Après l'élection de George W. Bush, on aura noté que le nombre de pauvres aux États-unis a connu d'abord une croissance constante pour finalement se stabiliser en 2005 autour de 37 millions d'individus, ce qui représente 12,6 % de la population américaine.

Malgré tout, et de manière objective, il faut reconnaître que les États-Unis ont fait des progrès substantiels depuis le début des années 1960 en matière d'amélioration de leurs programmes sociaux. Dans bien des cas, les avancées furent le résultat de réactions populaires, en particulier après les campagnes en faveur des droits des minorités, de la « guerre contre la pauvreté » du président Lyndon Johnson ou après une croissance économique favorisant une meilleure redistribution de la richesse. Il faut aussi noter que, si le budget du département de la Défense accaparait en 1960 la plus grande part des dépenses du gouvernement fédéral, ce titre revient depuis le début des années 1970 au département de la Santé et des Services humains. Depuis plus de 40 ans, les dépenses de sécurité sociale ont ainsi connu une croissance rapide et le seul fait que les dépenses sociales représentent le poste budgétaire le plus important justifie l'étude du développement du *Welfare State* américain.

Mais le facteur principal qui explique la croissance des dépenses sociales aux États-Unis est le fait que la population américaine demande de plus en plus des programmes sociaux mieux adaptés et comparables à ceux des autres pays industrialisés. Par exemple, en janvier 1984, alors que des attaques sévères étaient lancées contre l'État-providence, 76 % des Américains préféraient, dans la perspective d'une diminution du budget fédéral, voir une diminution des dépenses militaires plutôt que des coupures dans les prestations de sécurité sociale. Ce n'est d'ailleurs pas sans surprise que Bill Clinton a replacé les enjeux de la santé et de la sécurité sociale à l'avant-scène de sa campagne présidentielle de 1992. La privatisation de certains services, la diminution des bénéfices sociaux et un resserrement des critères d'admissibilité ont provoqué à ce moment-là une forte pression politique sur la classe politique américaine. Les Américains ont ainsi endossé le programme de réforme de la santé du gouvernement Clinton, tout en manifestant leur appui aux efforts déployés afin de rendre les compagnies de tabac imputables de la croissance des frais de santé. Sous la présidence de George W. Bush, la priorité fut de redonner une santé financière aux divers fonds sociaux et de santé tout en reposant la question de l'efficacité réelle du système américain de sécurité sociale afin d'aider les groupes sociaux les plus démunis. De plus, la question d'une couverture de santé universelle continue d'être débattue et constitue un enjeu de l'élection présidentielle de 2008.

Qu'est-ce que la sécurité sociale ?

Le terme de « sécurité sociale » a une connotation particulière dans le contexte étatsunien. Dans les ouvrages sur l'État-providence, le concept de sécurité sociale reçoit souvent une acception plus large, puisqu'il englobe l'ensemble des activités étatiques liées à la sécurité sociale, à la sécurité du revenu et parfois aux programmes d'habitation. Par exemple, la distinction que l'on fait généralement entre programmes sociaux dits « universels » et programmes d'assurance et d'assistance sociale n'a pas de pertinence dans le cas des États-Unis. Le gouvernement fédéral et ceux des États n'ont jamais établi de programmes sociaux dont les fonds seraient versés aux familles ou à des particuliers sur la seule base de leurs caractéristiques démographiques, comme ce fut le cas pour les allocations familiales au Canada. Les sommes allouées dans le cadre des programmes sociaux varient en fonction de la contribution de chaque contribuable ou de ses besoins. On utilise parfois le concept d'universalité aux États-Unis pour indiquer simplement qu'une majorité d'Américains (plus de 90 %) sont admissibles à un programme. C'est pourquoi l'universalité des programmes sociaux n'a jamais été un enjeu politique aux États-Unis. Dans le cas du système de santé, l'idée même d'un programme universel a ses limites.

Le concept de sécurité sociale n'a donc pas le même sens aux États-Unis qu'ailleurs dans les pays industrialisés. Tout d'abord, il a souvent une **connotation historique** puisqu'on l'utilise pour décrire l'ensemble des programmes de sécurité du revenu et d'assistance sociale qui furent établis par la Loi sur la sécurité sociale de 1935. Deuxièmement, et en particulier depuis les années 1960, on l'emploie comme synonyme du principal programme de « bien-être » américain, soit le programme de pensions de vieillesse et d'assurance-invalidité (OASDI), auquel on ajoute parfois le programme Medicare de soins de santé pour les personnes âgées

(OASDHI). Enfin, on utilise souvent le terme pour faire référence à l'ensemble de l'appareil administratif qui gère les programmes de bien-être et de santé.

La première définition renvoie donc à la Loi sur la sécurité sociale telle qu'elle fut adoptée le 14 août 1935. Cette loi représente les fondements du *Welfare State* américain et avait à l'origine trois composantes majeures. Elle établissait, dans un premier temps, un régime de **pensions de vieillesse** (OAI) sous juridiction fédérale, financé par les employeurs et les travailleurs. Deuxièmement, elle créait un régime d'**assurance-chômage** sous l'entière responsabilité des États, même si ces derniers devaient respecter certaines normes fédérales pour obtenir certaines subventions. Quant au dernier volet, soit le régime d'**aide aux enfants à charge** (ADC), il avait pour objectif de venir en aide aux familles dont un des conjoints était décédé, invalide ou avait abandonné le domicile familial. En 1961, ce dernier programme changea de nom pour devenir le programme d'**aide aux familles avec enfants à charge** (AFDC). Aujourd'hui encore, la *Social Security* représente pour plusieurs Américains les trois programmes sociaux à l'origine de l'État-providence américain.

La seconde définition est, quant à elle, plus limitée puisqu'elle englobe uniquement le régime de pensions de vieillesse, mis sur pied en 1935, et les divers programmes qui sont venus s'y greffer au fil des ans. La première modification eut lieu avant le versement, en janvier 1940, des premiers chèques de sécurité sociale. À ce moment-là, on changea la loi afin de permettre aux survivants des personnes ayant participé au régime de toucher, eux aussi, des prestations. Le programme changea alors de nom pour devenir le Old-Age and Survivors Insurance (OASI). Ce n'est qu'en 1956 qu'une assurance-invalidité viendra compléter le régime de retraite afin de permettre aux personnes handicapées de recevoir leur pension avant l'âge de 65 ans. Ce programme (OASDI) demeure d'ailleurs celui qui a fait l'objet de plus de débats au cours des années 1990 et sous la présidence de George W. Bush.

Par ailleurs, l'introduction du programme Medicare en 1965, avec ses deux volets, soit une assurance-hospitalisation (HI) et une assurance médicale supplémentaire (SMI), afin d'aider les personnes retraitées à faire face à l'augmentation constante des frais médicaux, constitue pour bien des analystes la dernière pièce centrale du système de sécurité sociale américain. Aussi au sigle OASDI, voit-on parfois ajoutée une autre lettre (OASDHI) qui désigne simplement la création de ce programme d'assurance-maladie pour les personnes âgées.

Quant à la troisième connotation, elle fait surtout référence à l'ensemble des activités gouvernementales en matière de sécurité sociale et de santé relevant de la **division de la Sécurité sociale**. Cette entité administrative est responsable non seulement des programmes de sécurité sociale, tel l'OASDHI, mais également de plusieurs autres programmes d'assistance sociale et de sécurité du revenu, tels que Medicaid et le programme supplémentaire de revenu (SSI). Bien que cette définition reflète l'ensemble des activités de la division de la Sécurité sociale, elle ne permet cependant pas d'avoir un portrait global des activités du gouvernement fédéral puisque certains programmes de sécurité sociale et de sécurité du revenu sont sous la responsabilité d'autres départements. L'assurance-chômage, par exemple, est sous le contrôle administratif du département du Travail. Il faut également mentionner que, depuis le 15 août 1994, la Loi sur l'indépendance de la sécurité sociale et sur l'amélioration des programmes (*Social Security Independence and Program Improvements Act*) confère à l'administration de la sécurité sociale une plus grande autonomie en en faisant une agence gouvernementale indépendante.

Mais pour des millions d'Américains, le système de sécurité sociale se résume tout simplement à leur carte de *Social Security* qui leur permet de recevoir certains services au besoin. Comme les auteurs utilisent régulièrement l'une ou l'autre de ces définitions, il faut tout simplement être attentif au sens que chacun donne au concept de sécurité sociale. Aujourd'hui, plus de 70 ans après la création de la Loi sur la sécurité sociale, l'administrtaion de la Sécurité sociale verse des chèques à près de 50 millions d'Américains chaque mois et plus de 40 millions reçoivent une pension ou des prestations d'invalidité où de survivant.

Le développement de la sécurité sociale

Les origines du système de sécurité sociale américain remontent au 8 juin 1934, lorsque le président Franklin D. Roosevelt annonça, dans un discours au Congrès, son intention de créer un programme de sécurité sociale. Le président constitua alors la Commission de la sécurité économique, composée de cinq membres de son cabinet, dont le mandat fut d'analyser tous les facteurs menant à l'insécurité économique et de faire des recommandations. Six mois plus tard, cette commission remit son rapport accompagné d'un projet de loi détaillé. Le 17 janvier 1935, le président Roosevelt déposa le rapport au Congrès ; la Commission des finances du Sénat et la Commission des procédures de la Chambre des représentants l'étudièrent avant de l'adopter en juillet. Le 14 août 1935, le président Roosevelt signa officiellement la Loi sur la sécurité sociale qui prévoyait, en plus de certaines mesures sociales, l'établissement d'un régime de retraite pour les travailleurs de 65 ans et plus. De plus, une nouvelle agence fut créée, le Bureau de la sécurité sociale (Social Security Board) qui ne disposait alors d'aucun budget, ni de bureau ou de personnel. Le président Roosevelt déclarait d'ailleurs à ce moment-là :

> Nous ne pouvons assurer cent pour cent de la population contre cent pour cent des aléas et vicissitudes de la vie, mais nous avons cherché à rédiger une loi qui offre certaines mesures de protection aux citoyens et à leurs familles à la suite de la perte d'un emploi et contre la pauvreté des personnes âgées.

La nouvelle Loi sur la sécurité sociale s'inscrivait d'ailleurs dans le contexte du *New Deal* proposé par le président Roosevelt comme l'un des nombreux mécanismes pour faire face au taux de chômage élevé que connaissaient les États-Unis au moment de la **crise économique** du début des années 1930. Jusqu'alors, l'idée d'un système de sécurité sociale était demeurée pour l'essentiel un débat théorique aux États-Unis. Toutefois, plusieurs Américains de retour d'Europe après la Première Guerre mondiale avaient observé le fonctionnement des programmes de compensation pour les travailleurs en Allemagne, en Angleterre, au Danemark et dans les autres pays scandinaves, et ils commencèrent à réfléchir à la mise en place de programmes similaires aux États-Unis. Mais les pressions sur le gouvernement fédéral devinrent plus soutenues au moment de la dépression, alors que la qualité de vie de nombreux Américains diminuait constamment. À cette époque, à peine 2 % des Américains avaient un régime de retraite et seulement quatre États offraient un tel programme.

Toutefois, si la situation économique a été déterminante pour expliquer l'entrée en vigueur de la Loi sur la sécurité sociale, un certain nombre de **facteurs idéologiques** expliquent le retard des États-Unis à se doter d'une véritable politique sociale. Il faut d'abord bien comprendre que dans les années 1930, les économistes classiques prônaient la non-intervention de l'État et que l'économie devait s'autoréguler. Toute forme d'interventionnisme, en particulier de la part du gouvernement fédéral, était jugée contraire aux intérêts de la nation. De plus, les dépenses publiques et autres interventions de l'État entraveraient le fonctionnement des lois «naturelles» du marché parce qu'elles forceraient le prélèvement de taxes qui diminueraient d'autant l'investissement privé. Mais le corollaire important était qu'il appartient à chaque individu d'assurer et de planifier sa propre sécurité économique. Toute intervention du gouvernement fédéral dans le domaine de la sécurité sociale était considérée comme une forme de socialisme.

Les États américains furent eux aussi relativement timides quant à l'introduction de nouveaux programmes sociaux. Ils craignaient surtout de faire fuir les entreprises et de voir diminuer les investissements. De plus, les gouvernements de plusieurs États se souvenaient qu'en 1910-1911 leur tentative de créer un programme obligeant les employeurs à verser des indemnités aux travailleurs victimes d'accidents du travail avait été jugée inconstitutionnelle par la Cour suprême, parce qu'elle remettait en cause le principe de la libre entreprise. Malgré tout, plusieurs États mettront de l'avant divers programmes pour venir en aide à ces travailleurs, et ce, dans les limites de la décision de la Cour suprême. On évalue qu'en 1915, 30 % des travailleurs américains étaient couverts par de tels programmes. Puis en 1917, une vingtaine d'États proposèrent l'établissement d'un régime d'assurance-maladie. Malheureusement, ils n'obtinrent jamais la sanction législative. En fait, on peut affirmer que ce fut là le seul moment, avant les efforts déployés sous la présidence de Clinton, où l'on faillit voir l'adoption d'un programme universel de santé pour les Américains.

Un second facteur, soit l'**attitude des milieux financiers**, a également constitué un frein au développement du *Welfare State* américain. Les milieux d'affaires n'hésitèrent jamais à s'opposer à tout accroissement du rôle de l'État dans l'économie. À leur avis, toute intervention étatique ne pouvait que nuire à l'économie et avoir des effets négatifs sur la productivité des travailleurs. Mais la crise économique des années 1930 ébranla bien des convictions. Il devint de plus en plus évident que le chômage et la pauvreté n'étaient pas que de simples problèmes personnels, mais qu'ils avaient une dimension sociale importante. En 1932, alors que le taux de chômage atteignait 34 % et que des millions d'Américains avaient vu leurs économies s'envoler à la suite de la faillite de plus de la moitié des banques et de la chute des valeurs boursières, les milieux d'affaires et les économistes durent constater l'échec des politiques libérales pour atténuer les effets pervers des marchés.

Pour de nombreux Américains, la retraite n'annonçait rien de réjouissant puisque, sans revenus, leur paupérisation semblait inéluctable. Plusieurs critiques jugeaient d'ailleurs cette situation tout à fait inacceptable, car elle risquait de placer les retraités dans une situation de dépendance qui ne pouvait que nuire à leur autonomie et leur dignité. Devant l'ampleur de ce phénomène, une trentaine d'États décidèrent, dès 1934, d'établir leur propre régime de retraite. Quant au gouvernement fédéral, il se devait lui aussi de réagir, car les pressions du Congrès, des syndicats et des travailleurs se faisaient de plus en plus soutenues. Aussi, comme nous l'avons vu précédemment, le président Roosevelt confia en juin 1934 à la Commission de la sécurité économique le mandat de trouver des remèdes au chômage et à l'insécurité économique. Dans son rapport, la Commission établit clairement les fondements du *Welfare State* américain :

> Un programme de sécurité sociale, tel que nous le percevons, devrait avoir comme objectif fondamental d'assurer un revenu adéquat à tout individu, durant son enfance, son adolescence, lorsqu'il aura atteint l'âge adulte ou qu'il sera plus âgé, et ce, même s'il est malade ou en santé. Ce programme devrait représenter une protection contre les risques de la vie menant à la misère ou la dépendance.

Pour les auteurs de ce rapport, tout le système de sécurité sociale devait constituer bien plus un *programme d'assurance* que *d'assistance sociale*. Cette conception prévaudra d'ailleurs jusqu'au début des années 1960. Le 14 août 1935, par un vote de 372 voix contre 33 à la Chambre des représentants et de 77 contre 6 au Sénat, la Loi sur la sécurité sociale était adoptée. Pour le président Roosevelt, il ne s'agissait que d'un premier pas en vue d'assurer une plus grande sécurité financière à tous les Américains.

Mais deux controverses viendront remettre en question le bien-fondé de l'action fédérale. Tout d'abord, de nombreux employeurs estimèrent que le fardeau fiscal que leur imposait le financement de cette loi était inconstitutionnel, surtout dans le cas du régime de retraite, financé en parts égales par les employeurs et les travailleurs. En mai 1937, la Cour suprême reconnut la légitimité de l'action fédérale. Le second débat touchait les modalités d'application de la nouvelle loi. Cette dernière stipulait qu'au décès d'un travailleur, toutes les sommes versées par ce dernier au régime de retraite devaient revenir à sa succession plutôt qu'à ses ayants droit. À la suite des recommandations du Conseil consultatif de la sécurité sociale – créé en 1937 par la Commission sénatoriale des finances et le Bureau de la sécurité sociale –, on modifia la loi afin de tenir compte de la charge sociale de chaque travailleur et de s'assurer que les sommes soient versées directement à la famille du défunt. De plus, pour rendre le système plus équitable, on établit une nouvelle formule de versement des prestations permettant aux travailleurs de jouir de sommes plus élevées au début de leur retraite. En dernier lieu, puisque l'argent s'accumulait plus rapidement que prévu dans le fonds de la sécurité sociale, on décida de devancer de deux ans le versement des premiers chèques mensuels de sécurité sociale. Ainsi, Ida May Fuller, de Ludlow au Vermont, fut la première Américaine à recevoir un chèque mensuel dès janvier 1940 ; elle reçut alors la somme de 22,54 $.

À la suite de ces modifications, le régime de pensions de vieillesse américain allait connaître une croissance vertigineuse. Le nombre de bénéficiaires s'éleva rapidement, passant de 220 000 à 300 000 000 au cours de la première décennie. De plus, l'augmentation constante des revenus engendrés par ce programme permit au gouvernement fédéral d'indexer le montant des pensions au coût de la vie, de majorer les prestations minimales et d'étendre le programme à d'autres catégories de travailleurs, tels que les travailleurs indépendants, les agriculteurs et les domestiques employés à temps plein.

La seconde étape majeure eut lieu en 1956, lorsque le Congrès adopta l'idée d'accompagner le régime de retraite d'un programme d'assurance-invalidité. Dès 1950, on avait envisagé cette modification, mais le gouvernement fédéral estimait qu'un tel programme relevait de la compétence des

États. En 1954, le Congrès avait néanmoins adopté un projet de loi visant à ne pas pénaliser les travailleurs invalides, afin qu'ils puissent recevoir le plein montant des prestations. Mais ce n'est qu'en 1956 que le programme fut officiellement lancé. Il ne couvrait à ce moment que les travailleurs âgés de 50 ans et plus. Deux ans plus tard, il fut étendu au conjoint et aux enfants des travailleurs invalides. Puis en 1960, le critère de l'âge minimal fut abandonné.

Le programme OASDI, tel que nous le connaissons aujourd'hui et qui représente pour de nombreux Américains l'essentiel de leur système de sécurité sociale, était désormais en place. À cette époque, le nombre de bénéficiaires atteignait les 14 millions. Toutefois, pour plusieurs travailleurs à la retraite, la maladie demeurait toujours une menace à leur sécurité économique, puisque l'on évaluait à l'époque que plus de la moitié des retraités ne possédaient pas de régime privé d'assurance-maladie. Afin de remédier à la situation, le Congrès adopta, le 30 juillet 1965, la loi créant un programme d'assurance-maladie pour les personnes à la retraite. Ce programme connu sous le nom de Medicare avait deux composantes : une assurance-hospitalisation (HI) pour couvrir les frais de séjour dans un établissement de santé et une assurance supplémentaire facultative (SMI) couvrant certains frais médicaux. En 1972, ce programme fut étendu à tous ceux et celles qui recevaient depuis au moins deux ans des prestations d'assurance-invalidité.

En plus du régime de retraite, la Loi sur la sécurité sociale de 1935 avait institué deux autres programmes importants dans la structure du *Welfare State* américain : le programme d'assurance-chômage (UI) et celui visant à venir en aide aux familles avec enfants à charge (AFDC). Contrairement à ce qu'il en était pour le régime de retraite, la juridiction de ces deux programmes fut confiée aux États. L'une des explications de ce choix semble être que le président Roosevelt voulait minimiser la réaction des États, après la création d'un régime de retraite sous l'entière responsabilité du fédéral. De plus, puisque la Constitution américaine ne renferme aucune disposition quant à la distribution des pouvoirs en matière de sécurité sociale et que *de facto* tout pouvoir non inscrit revient aux États, le gouvernement Roosevelt ne voulait pas voir ses efforts compromis par une décision judiciaire.

Le premier programme, celui de l'assurance-chômage, était essentiellement un programme de sécurité du revenu dont l'objectif était de combler toute perte financière d'un travailleur après son retrait du marché du travail, et ce, quelle qu'en soit la raison. Mais la particularité la plus notable de ce programme tenait à ce que, sauf dans trois États, le financement en était assuré uniquement par les employeurs. De plus, les montants versés par ces derniers aux divers fonds d'assurance-chômage étaient établis en fonction du nombre d'employés licenciés par l'entreprise. En d'autres termes, la cotisation de l'employeur augmentait avec le nombre de travailleurs congédiés. Cependant, il appartenait à chaque État d'établir le taux des cotisations patronales en fonction des salaires versés par les entreprises et du nombre d'employés. Il existe toujours des variations importantes d'un État à l'autre.

Les employeurs doivent aussi payer une taxe fédérale (d'environ 3,5 %) qui peut être réduite si les États répondent à certaines normes. Les revenus ainsi obtenus sont versés au fonds fédéral de l'assurance-chômage qui permet au département du Travail de venir en aide aux États ayant épuisé leurs réserves. Une aide exceptionnelle peut aussi être accordée, lorsque le taux de chômage est particulièrement élevé dans certains États. Il appartient toutefois aux États de déterminer les critères d'admissibilité à ce programme, de même que le montant des prestations versées aux travailleurs et leur durée.

Quant au programme d'aide aux familles avec enfants à charge (AFDC), il a pour objectif d'aider financièrement les familles vivant sous le seuil de pauvreté et dont l'un des conjoints a déserté le domicile familial, est invalide ou décédé. Ce programme, également sous la responsabilité des États, est cependant financé et administré conjointement par la Division de la sécurité sociale et les gouvernements des États. Il appartient cependant à chaque État d'établir son propre seuil de pauvreté aux fins du programme, ainsi que les critères d'admissibilité.

Des trois programmes établis par la Loi sur la sécurité sociale de 1935, nul doute que ce dernier est celui qui fut le plus sévèrement critiqué. On lui reproche, entre autres, de varier beaucoup trop d'un État à l'autre, à tel point que le fardeau fiscal de ce programme est surtout assumé par les États les plus industrialisés, là où le nombre d'Américains vivant sous le seuil de pauvreté est le plus élevé. En 1969, le président Nixon avait proposé d'abolir ce programme et de le remplacer par un programme fédéral de revenu minimum garanti, le Family Assistance Plan (FAP), qui aurait alors été fixé à 1 600 $ par année. Bien que l'adoption d'un tel programme eût sans doute permis de résoudre bien des problèmes administratifs, l'idée en fut jugée trop radicale par le Congrès, et les discussions en vue d'établir le montant du revenu minimum s'éternisèrent au point où le projet fut complètement abandonné en 1972.

D'autres programmes sociaux ont vu le jour aux États-Unis depuis les premiers efforts de Franklin D. Roosevelt et chacun d'eux mériterait sans doute qu'on s'y attarde davantage. Le Tableau 12.1 présente les caractéristiques de plusieurs d'entre eux tout en faisant une distinction entre les programmes de sécurité sociale et ceux d'assistance sociale. Les premiers s'adressent à tous les Américains, quels que soient leurs revenus, alors que, pour les seconds, le bénéficiaire doit prouver son admissibilité en démontrant que ses revenus sont en deçà d'un certain seuil. Il existe également une troisième catégorie de programmes que l'on ne retrouve pas dans le tableau et qui ont une portée plus limitée ; ils s'adressent en général à certaines populations cibles, telles que les vétérans, les employés des chemins de fer ou les fonctionnaires.

L'ensemble de ces programmes publics constitue aujourd'hui la structure fondamentale du *Welfare State* américain. Les travailleurs ont certainement de bonnes raisons de se sentir mieux protégés qu'au moment de la crise des années 1930. Mais si des progrès substantiels ont été accomplis, il n'en demeure pas moins qu'ils sont restés limités par rapport à ce que connaissent d'autres pays. Si on compare le Québec avec les États-Unis, il ne faut pas s'étonner de voir plusieurs Américains envier notre système d'assurance-maladie, notre programme d'assurance médicaments et nos garderies à sept dollars. La stigmatisation économique et sociale demeure une menace constante et la crise des finances publiques aux États-Unis a d'ailleurs constitué une menace pour ces acquis, si minces fussent-ils.

Le financement des programmes sociaux

Lorsque la Loi sur la sécurité sociale fut adoptée, le gouvernement fédéral avait prévu que les sommes versées par les employeurs et les travailleurs au

TABLEAU 12.1

Principaux programmes de sécurité et d'assistance sociale aux États-Unis

Nom	Sigle	Date du début du programme	Nombre de bénéficiaires (en millions)	Admissibilité
A. PROGRAMMES DE SÉCURITÉ SOCIALE				
Old-Age and Survivors Insurance	OASI OASI Trust Fund	1935-1939 1937	38,0	Personnes ayant 65 ans et plus qui ont contribué au régime ainsi que leurs survivants
... and Disability Insurance	OASDI DI Trust Fund OASI and DI Trust Funds fusionnés	1956 1957 1957	6,5	Les travailleurs assurés devenant handicapés avant l'âge de 65 ans de même que les personnes jeunes handicapées et/ou les personnes aveugles
Medical Care for the Aged	MEDICARE	1965	26,5	Personnes de 65 ans et plus recevant l'OASDI
a. Hospital Insurance	HI	1965	7,3	Personnes recevant l'OASI ou ayant reçu une DI pendant au moins deux ans
b. Supplementary Medical Insurance	SMI	1965	26,2	Personnes de 65 ans et plus et/ou handicapées
Unemployment Insurance	UI	1935	11,9	Personnes ayant travaillé un certain nombre de semaines et ayant un revenu minimum
B. PROGRAMMES D'ASSISTANCE SOCIALE				
Aid to Families with Dependent Children (avant 1961 portait le nom d'Aid to Dependent Children : ADC)	AFDC	1935	10,4 individus et 3,7 familles	Familles à faible revenu avec enfant(s) à charge ayant moins de 18 ans
Grants to States for Medical Assistance Programs	MEDICAID	1965	34,8	La loi fédérale oblige tous les États à protéger les personnes recevant l'AFDC ou le SSI
Supplementary Security Income (a remplacé les programmes APTD- Aid to Permanently Disabled – et OAA – Old-Age Assistance établis en 1965)	SSI	1974	6,6	Personnes de 65 ans et plus, disposant d'un patrimoine inférieur à certaines normes pour les personnes seules et les couples
Food Stamps	–	1961	19,8	Personnes à faible revenu

SOURCE : Social Security Administration, *Social Security Bulletin – Annual Statistical Supplement, 2002.*

régime de retraite seraient accumulées dans les coffres du Trésor fédéral pendant cinq ans. Toutefois, dès 1939, deux changements ont été apportés au mode de financement de ce programme. Tout d'abord, au lieu de verser les sommes recueillies au compte du gouvernement fédéral, les administrateurs de la sécurité sociale décidèrent de créer un fonds spécial, l'Old-Age and Survivors Insurance Trust Fund, d'où seraient tirés les montants des prestations aux travailleurs retraités. Deuxièmement, afin d'éviter que ce fonds ne se retrouve avec un capital trop important, le principe du *pay-as-you-go* fut établi ; en d'autres termes, tout l'argent du fonds serait immédiatement redonné aux retraités. Puis, lorsque les programmes d'assurance-invalidité et d'assurance-maladie furent créés, on appliqua les mêmes principes en créant deux nouveaux fonds : le Disability Insurance Trust Fund et l'Hospital Insurance Trust Fund.

Jusqu'au début des années 1970, la situation financière de ces trois fonds ne connut pas de difficultés majeures, la croissance économique étant continue, et les taux de chômage relativement bas. L'arrivée de nouveaux bénéficiaires n'avait en rien altéré leur capacité financière et personne n'estimait nécessaire d'augmenter les contributions à ces fonds. Les seules véritables préoccupations des responsables étaient de maintenir le montant des prestations à un niveau acceptable et de s'assurer que les sommes versées étaient réellement destinées aux personnes qui en avaient besoin.

Au fil des ans, il s'en trouva plusieurs pour critiquer le mode de financement de ces trois fonds. La contribution des employeurs, établie sur la base des salaires versés aux travailleurs, semblait tout à fait inadéquate. On proposa d'ailleurs qu'elle soit désormais calculée en fonction des revenus de l'entreprise, y compris les profits, les intérêts et les gains en capital. Certains estimaient également que le mode de financement du régime des pensions était tout à fait régressif : des employeurs ayant des revenus plus élevés pouvaient verser moins que certaines entreprises ayant des revenus plus faibles. Si une telle proposition avait été retenue, elle aurait signifié une hausse des cotisations des employeurs, tandis que celles des travailleurs seraient demeurées à peu près les mêmes. Mais tous étaient prêts à reconnaître le caractère nettement progressif de la formule de calcul des prestations ; elle favorisait davantage les familles et les personnes à faibles revenus que les hauts salariés ou la classe moyenne. Mais s'il y avait consensus, c'était sur l'objectif du programme : le régime de retraite ne constitue pas un programme de redistribution des revenus, mais un programme dont le seul but est d'assurer à tous les travailleurs des revenus de retraite adéquats.

Par ailleurs, en 1972, le Congrès adopta une mesure visant à modifier les prestations au régime de retraite afin de tenir compte de l'augmentation du coût de la vie. Pour financer cette mesure, mieux connue sous l'acronyme de COLA (*Cost-of-Living Adjustment*), le taux de base, c'est-à-dire le montant minimal que doit verser chaque employeur et chaque travailleur au fonds de la sécurité sociale, serait majoré en fonction de l'accroissement des salaires. Étant donné que les salaires augmentaient au début des années 1970 à un rythme plus rapide que celui de l'inflation, cette mesure allait permettre, à court terme, de financer sans difficulté le COLA. Toutes ces modifications du régime de retraite étaient évidemment faites dans le contexte d'une économie en pleine croissance, où la vitalité financière des trois fonds ne semblait nullement menacée.

Toutefois, dès 1974, débuta une période où l'inflation allait être plus élevée que la croissance des salaires, et le nombre de chômeurs, en hausse constante. Le phénomène dit de *stagflation* devint un véritable casse-tête qui risquait d'éroder rapidement les bases financières des trois fonds de la sécurité sociale. Sans une intervention rapide, les prestations versées à certains retraités allaient être nettement plus élevées que l'augmentation des revenus des travailleurs. Devant cette situation, le président Carter proposa en 1977 plusieurs changements à la Loi sur la sécurité sociale : modification du taux de base et révision du barème des prestations. Ces mesures n'eurent malheureusement aucun impact puisque l'indice des prix à la consommation continua sa course ascendante à un rythme plus rapide que celui de l'augmentation des salaires. Il devenait donc impérieux, pour la survie du système de sécurité sociale, d'y apporter des modifications. On prévoyait que d'ici peu le fonds OASI allait être dans l'impossibilité de verser des prestations aux retraités et que, vers 1982, il serait techniquement en faillite. Par ailleurs, même si la situation financière des deux autres fonds semblait moins inquiétante, on tenta néanmoins de réduire leur croissance par l'établissement, dès 1980, d'un processus continuel de révision des dossiers afin d'éliminer les « illégaux » et par la mise en place de mesures facilitant l'intégration des personnes handicapées au marché du travail. Encore une fois, tous ces efforts ne permirent pas de mettre fin à la crise financière du système de sécurité sociale.

C'est dans ce contexte difficile que Ronald Reagan arriva au pouvoir, en janvier 1981. Non seulement le défi d'assurer l'avenir comptable des trois fonds de la sécurité sociale allait-il devenir prioritaire, mais une révision complète du financement de l'ensemble des programmes sociaux allait être entreprise. En décembre 1981, le président Reagan annonça la création d'une commission nationale de réforme de la sécurité sociale (la commission Greenspan) dont le mandat était de trouver des solutions réalistes et de proposer des politiques efficaces. Certaines mesures furent immédiatement adoptées. On autorisa d'abord le fonds OASI à puiser temporairement dans les fonds DI et HI afin de répondre aux demandes les plus pressantes. Deuxièmement, certaines prestations minimales aux retraités allaient être éliminées, de même que les montants alloués aux enfants de ces derniers pour les aider à poursuivre leurs études. Pour certains, ces deux mesures n'étaient que symboliques puisqu'elles n'allaient certes pas permettre de remédier aux difficultés financières du fonds OASI.

La commission remit son rapport le 20 janvier 1983. L'ensemble des mesures suggérées engendra un certain « compromis bipartisan » entre démocrates et républicains favorables à l'établissement d'une série de mesures visant à permettre aux fonds de la sécurité sociale d'accroître leurs revenus de 168 milliards de dollars d'ici 1990. On décida également de reporter la date d'entrée en vigueur du COLA de juillet 1983 à janvier 1984, et de porter graduellement l'âge de la retraite, d'ici 2027, de 65 à 67 ans. Trois mois plus tard, le président Reagan approuva ces changements, ce qui allait donner aux fonds de la sécurité sociale une certaine marge de manœuvre jusqu'à la fin de la décennie.

Sous Reagan, la sécurité sociale ne pouvait plus se permettre d'être aussi généreuse qu'elle l'avait été jusque-là. Il fallait désormais ralentir la croissance du nombre de bénéficiaires parce que le gouvernement n'avait plus les moyens financiers de maintenir, et encore moins d'étendre, les critères d'admissibilité. Aussi les bénéfices versés devaient-ils être proportionnels aux besoins des individus et des familles. Si ce premier critère peut certes être accepté par tous, c'est surtout son corollaire – à savoir que les sommes reçues par chacun devaient également être proportionnelles aux sommes versées par les individus aux divers programmes sociaux – qui soulevait le plus la controverse. Cette mesure constituait néanmoins un moyen efficace pour le gouvernement Reagan de résoudre les problèmes financiers des trois fonds ; elle obligeait toutefois les Américains à réévaluer leurs contributions au régime de retraite et à préciser leurs besoins véritables. On voulait ainsi imposer le fardeau de la preuve à chaque citoyen en l'obligeant à démontrer la nécessité d'augmenter ses prestations. Pour une majorité d'Américains, ces mesures comptables et actuarielles étaient tout à fait inacceptables puisqu'elles allaient à l'encontre d'une certaine équité sociale, étant donné que nombre de retraités risquaient de se retrouver avec des pensions plus modestes, même s'ils avaient contribué autant que d'autres au régime de retraite. Au bout du compte, non seulement leur sécurité financière était menacée, mais leur autonomie tout court.

Un aspect non négligeable des mesures reaganiennes fut de modifier le comportement d'un certain nombre d'Américains. Nombre d'entre eux réalisèrent qu'ils feraient mieux de prendre en main leur propre régime de retraite, tout en transférant certaines charges sociales au secteur privé. Dans le premier cas, les efforts du gouvernement Reagan, et surtout l'incertitude engendrée par la réforme du régime de retraite, incitèrent de nombreux contribuables à se doter de leur propre assurance-retraite ou à participer au régime de retraite de leur employeur. La popularité aux États-Unis des Individual Retirement Accounts (IRA), l'équivalent de nos régimes d'épargne-retraite, n'a cessé de croître depuis ce moment. Il est devenu de plus en plus clair, aux yeux de nombreux Américains, qu'ils doivent eux-mêmes planifier leur retraite, afin de s'assurer d'un niveau de vie acceptable. Même si une majorité d'Américains pensent que le gouvernement fédéral doit toujours chercher à maintenir les acquis, ils estiment que ces programmes ne leur seront plus accessibles au moment de leur retraite.

L'héritage de Bill Clinton

L'élection de Bill Clinton à la présidence des États-Unis en 1992, après 12 années d'administration néolibérale, a donné le signal à un changement d'orientation de la politique sociale américaine. La stratégie sociale et économique, qu'il présentait lors de la campagne électorale de 1992 sous le thème « Les gens d'abord » (*Putting People First*), s'articulait autour de cinq objectifs : créer des emplois, restructurer l'assistance sociale et encourager le retour des prestataires sur le marché du travail, promouvoir l'éducation à tout âge, repenser complètement le fonctionnement du gouvernement et fournir des services de santé abordables et de qualité. S'il a réussi à assurer une certaine stabilité financière aux fonds de la sécurité sociale, en bonne partie à cause d'une économie florissante, il n'en demeure pas moins que son grand projet de réforme du système de santé aura été un échec. On peut d'ailleurs affirmer que le premier mandat de Bill Clinton fut celui de la santé, alors qu'au cours du second, il chercha davantage à assurer l'avenir financier des principaux fonds de la sécurité sociale.

La **restructuration du système de santé** américain a été le premier dossier auquel le président Clinton et sa femme Hillary se sont attaqués. Les attentes des citoyens étaient grandes, les problèmes importants. Si d'excellents services médicaux étaient offerts à ceux qui pouvaient en assumer les coûts, il faut souligner que 50 millions d'Américains possédaient un régime d'assurance-maladie déficient et que 37 millions d'autres n'en possédaient aucun. Plus du quart des personnes vivant sous le seuil de pauvreté n'étaient pas assurées. Un enfant sur six n'avait aucune assurance-maladie, à l'exception des bénéficiaires de l'AFDC.

De plus, les Américains ont le système de santé le plus coûteux du monde *par habitant*, même si des millions de personnes ne sont que peu ou pas couvertes par les régimes publics et privés. Ces coûts augmentent d'ailleurs beaucoup plus rapidement que l'inflation : le gouvernement démocrate estimait qu'en l'an 2000, les coûts de santé représenteraient plus de 16 % du PIB américain, soit environ 5 712 $ par Américain. Les coûts rattachés aux soins de santé sont cependant assumés de façon régressive. Alors que les déboursés affectés à cette fin augmentent avec le revenu, la proportion du revenu qui y est allouée diminue considérablement avec l'augmentation des revenus. Ainsi, en considérant toutes les formes de contributions, dont la taxation pour Medicaid et Medicare, 10 % des familles les moins fortunées consacraient en moyenne 20,4 % de leurs revenus à cette fin, alors que 20 % des familles les mieux nanties y consacraient 10,1 % de leurs revenus.

Hillary Clinton fut donc nommée à la tête du groupe de travail chargé d'étudier divers projets de réforme. Le rapport de ce comité déposé en septembre 1993 proposait que les employeurs déboursent les sommes nécessaires pour offrir à leurs employés un régime d'assurance-maladie ou bien qu'ils acceptent d'être taxés afin que leurs employés puissent participer à un régime public. Les sans-emploi devaient eux aussi être couverts par ce nouveau régime public, dont l'administration devait relever du Conseil national de la santé (National Health Board).

Toutes ces propositions demeurèrent lettre morte, puisque le Congrès rejeta le projet de réforme du gouvernement Clinton. Si les États-Unis ont encore une fois été à un cheveu de voir la naissance d'un programme d'assurance-santé universel, il reste que le puissant lobby des milieux d'affaires aura eu raison des projets de la Maison-Blanche. Mais il ne fait aucun doute que le vieillissement de la population américaine mettra davantage de pression, non seulement sur le système de sécurité sociale, mais également sur la demande de soins de santé.

L'avenir financier de la sécurité sociale dépend essentiellement des changements démographiques qui surviendront en ce début de siècle. Alors qu'en 1935 une personne prenant sa retraite pouvait espérer vivre encore 12,5 ans, en 2000 son espérance de vie était de 17,5 années. De plus, quelque 76 millions de *baby-boomers* américains commenceront à prendre leur retraite en 2010, sans compter qu'en 2030 le nombre de retraités aura doublé aux États-Unis pour atteindre environ 70 millions. Mais le problème central est que le nombre de travailleurs par bénéficiaire passera de 3,3 à 2. Il est d'ailleurs prévu qu'à partir de 2015 les fonds de la sécurité sociale seront déficitaires, puisqu'ils verseront davantage de prestations qu'ils ne recevront d'argent.

C'est pourquoi Clinton a proposé de verser aux fonds de la sécurité sociale les surplus budgétaires du gouvernement. Lors de son discours à la nation de janvier 1998, il réitérait en bonne partie ses promesses de 1992:

> Maintenant que nous avons proposé un budget équilibré, que nous avons créé une économie forte et restauré la discipline financière au sein du gouvernement, nous avons l'occasion unique de prendre les mesures nécessaires pour consolider les programmes de la sécurité sociale pour le XXIe siècle.

Puis, en 1999, il proposa que 62 % des surplus budgétaires des 15 années suivantes soient versés à la sécurité sociale, 15 % pour le programme Medicare, et 12 % à la création d'un nouveau compte d'épargne (USAs – Universal Savings Accounts) afin d'offrir des pensions plus généreuses. Le 7 avril 2000, le président Clinton signa d'ailleurs la Loi sur la liberté de travailler pour les personnes âgées (*The Senior Citizens' Freedom to Work Act of 2000*) qui n'oblige plus les personnes de plus de 65 ans à démontrer qu'elles sont véritablement à la retraite.

Si les États-Unis pouvaient jouir de surplus budgétaires après plus de 30 ans de déficits à la fin de la présidence Clinton, plusieurs options s'offraient aux Américains, surtout que le gouvernement fédéral n'avait plus à « piger » dans les fonds de la sécurité sociale pour payer son épicerie. Certains proposèrent d'ailleurs d'augmenter simplement l'âge de la retraite en fonction de l'espérance de vie, alors que d'autres estimaient que le financement de la sécurité sociale devrait être basé sur tous les revenus des particuliers et des familles. D'autres discussions portèrent sur la gestion comptable des divers fonds de retraite afin que ceux-ci rapportent davantage.

L'impact du gouvernement Clinton sur les dépenses publiques de sécurité et d'assistance sociales pouvait facilement se mesurer à leur ampleur dans l'ensemble des dépenses publiques. Si l'on regarde de plus près l'évolution des dépenses sociales aux États-Unis pour tous les paliers de gouvernement, et ce, depuis 1965, on ne peut que constater une augmentation relativement continue au cours des 10 premières années et une certaine stagnation entre 1975 et 1985 (voir le Tableau 12.2). Ainsi, les dépenses sociales aux États-Unis se sont maintenues en moyenne à 18 % du PIB sous les gouvernements Carter et Reagan (premier mandat). Déjà en 1985, on pouvait noter les effets des diverses mesures du gouvernement républicain, puisque l'on observait une diminution de 18,1 à 17,8 % de la part des dépenses sociales dans le PIB. Il est cependant intéressant d'observer une croissance des dépenses sociales en pourcentage du PIB entre 1985 et 1990.

Toutefois, l'augmentation la plus significative a eu lieu entre 1985 et 1995, alors que la contribution des dépenses sociales a connu une croissance marquée pour atteindre 20,9 % du PIB. En fait, dès 1992, année de l'arrivée des démocrates à la présidence, les dépenses sociales publiques étaient

TABLEAU 12.2

Dépenses sociales aux États-Unis pour l'ensemble des gouvernements, 1965-1995 (en millions de $)

Programmes	Années						
	1965	1970	1975	1980	1985	1990	1995
A. SÉCURITÉ SOCIALE							
OASDI	16 997,5	36 835,4	78 429,9	152 110,4	257 535,1	355 264,5	496 355,8
HI (Medicare)	–	7 149,0	14 781,4	34 991,5	71 384,3	109 709,0	164 713,3
UI	3 002,6	3 819,5	13 835,9	18 326,4	18 343,8	19 973,7	26 302,0
Régime de retraite des fonctionnaires	4 528,5	8 658,7	20 118,6	39 490,2	63 044,0	90 391,2	128 001,8
Autres	3 594,2	5 377,6	10 628,7	19 827,4	30 672,3	48 192,4	54 823,7
B. ASSISTANCE SOCIALE							
AFDC + Medicaid	5 874,9	14 433,5	27 409,4	45 064,3	66 170,2	105 093,8	187 219,0
SSI	–	–	6 091,6	8 226,5	11 840,0	17 230,4	30 138,0
Food Stamps	35,6	577,0	4 693,9	9 083,3	12 512,7	16 254,5	25 319,0
Autres	373,0	1 477,3	3 251,7	10 329,0	7 838,9	8 232,4	10 854,0
C. PROGRAMMES MÉDICAUX ET DE SANTÉ							
Soins médicaux des fonctionnaires	3 391,0	5 407,0	8 729,0	12 286,0	16 373,0	25 971,0	31 904,0
Recherche médicale	1 227,0	1 684,0	2 648,0	4 924,0	6 903,0	10 848,0	14 982,0
Immobilisations	518,0	930,0	1 512,0	1 623,0	2 132,0	2 533,0	3 798,0
Autres	993,0	2 009,0	3 646,0	7 929,0	14 045,0	22 332,0	34 823,0
D. AUTRES PROGRAMMES							
Programmes destinés aux anciens combattants	6 031,1	9 078,1	17 018,9	21 465,5	27 042,3	30 916,2	39 072,0
Éducation	28 107,8	50 845,5	80 834,1	121 049,6	172 047,5	258 331,6	365 625,3
Habitation	318,1	701,2	3 171,7	6 879,0	12 598,5	19 468,5	29 361,1
Autres programmes sociaux	2 065,7	4 145,4	6 946,6	13 599,1	13 551,8	17 917,6	26 557,7
TOTAL	77 058,0	145 979,2	288 966,0	492 212,7	731 840,1	1 048 950,8	1 505 136,4
% du PIB	11,0	14,3	18,2	18,1	17,8	18,5	20,9

source : Social Security Administration, *Social Security Bulletin – Annual Statistical Supplement*, 2002, p. 131.

passées de 18,5 % en 1990 à 20,6 % du PIB. Dans le secteur privé, les dépenses sociales se chiffraient en 1994 à 925 milliards, soit 13,5 % du PIB, une diminution de 0,2 % par rapport à 1993. Comme les chiffres du tableau le démontrent, la sécurité sociale accaparait 46,9 % de l'ensemble des dépenses sociales et l'assistance sociale, 16,8 %. Si on additionne les dépenses sociales publiques et privées, on peut estimer qu'environ 34,4 % du PIB des États-Unis sont consacrés aux services sociaux et de santé.

Bilan de la présidence de George W. Bush

Dans son discours inaugural de 2001, le président Bush annonçait ses intentions de réformer la sécurité sociale et le programme Medicare. De plus, lors de son discours devant le Congrès en février 2001, il annonça son intention de créer une commission dont le mandat était de lui proposer des réformes majeures ; la commission publia son rapport en 2001 avec comme principaux objectifs de rétablir la situation financière de l'ensemble des fonds de la sécurité sociale et d'encourager les Américains à avoir leurs propres régimes de retraite. De plus, le gouvernement Bush mit en place en 2003 un programme afin de payer une partie des frais des médicaments pour les personnes âgées et les personnes handicapées, soit les personnes admissibles en vertu du programme Medicare (*Medicare Prescription Drug Improvement and Modernization Act*). Cette initiative a été particulièrement critiquée en raison du cauchemar bureaucratique qu'elle représentait, des milliers de personnes défavorisées devant désormais payer des médicaments auparavant gratuits. Conséquemment, plus de 20 États ont dû prendre en charge le paiement de ces médicaments.

Par ailleurs, le gouvernement Bush a essayé tant bien que mal d'améliorer l'accessibilité aux soins de santé pour l'ensemble des Américains. Mais le rôle joué par l'État fédéral américain demeure, dans le domaine de la santé en particulier, très limité. Le gouvernement fédéral intervient uniquement dans certains domaines tels que la sécurité des produits, la lutte contre les épidémies et la recherche médicale. Il n'administre aucune institution de soins, hormis celles des forces armées et des vétérans, et ne contrôle ni les institutions ni les professionnels de santé. Chaque État définit ses propres règles en matière de pratique médicale et plutôt que de parler d'un système de santé américain unique, on pourrait parler d'un système variable dont l'offre de couverture et de prise en charge diffère fortement d'un État à l'autre.

De manière générale, le gouvernement Bush n'a pas réussi à offrir à tous les Américains un régime de santé et de sécurité sociale répondant à leurs besoins. Les États-Unis demeurent le seul pays développé où une importante partie des coûts de santé est assumée par des régimes d'assurances payés par les employeurs et subventionnés à l'aide d'abattements fiscaux. Aujourd'hui, 174 millions d'Américains possèdent une couverture médicale payée par leur employeur, celui de leur conjoint(e) ou encore celui de leurs parents; 27 millions d'Américains reçoivent une aide fiscale pour acheter leur assurance médicale dans le secteur privé. Le gouvernement fédéral prend pour sa part en charge environ 40 millions de personnes âgées et handicapées (par le biais du système Medicare) et 38 millions de personnes pauvres (par le biais de Medicaid).

Au cours des dernières années, les coûts de santé ont dépassé largement le niveau général d'inflation. Plusieurs entreprises américaines ont d'ailleurs graduellement réduit la couverture médicale offerte à leurs employés, de sorte qu'aujourd'hui seulement 50 % des Américains bénéficient d'une assurance-maladie payée par leur employeur. À la fin des années 1970, la part des salariés qui bénéficiaient d'une assurance payée par leur employeur était de 70 %. Cette diminution réelle en termes de prestations de soins de santé se fait particulièrement ressentir au sein des petites entreprises et parmi celles qui emploient une main-d'œuvre non qualifiée. Le système américain souffre toujours d'autres problèmes de taille, notamment en ce qui concerne la qualité des soins d'une région à une autre.

Évolution des dépenses de santé aux États-Unis sous la présidence Bush

Le système de santé américain est le plus important et de loin le plus cher du monde. Les dépenses de santé ont constamment augmenté depuis les années 1960 pour atteindre près de 1,9 billion de dollars en 2004, soit environ 5 milliards de dollars par jour. De 1980 à 1990, les dépenses de santé ont pratiquement triplé et, de 1990 à 2000, elles ont doublé. On peut également constater que de 2000 à 2005, soit en cinq ans seulement, ces dépenses ont fait un bond de 38 %.

Si l'on considère en pourcentage du PIB les dépenses totales en santé, on constate qu'en 1960 elles représentaient 5,2 % du PIB et qu'en 2004 elles se situaient à 16 %. Selon les prévisions actuarielles, ces dépenses atteindront environ 20 % du PIB en 2015. Ce phénomène n'est toutefois pas spécifique aux États-Unis. La part du PIB affectée aux dépenses de santé a crû de façon constante dans de nombreux pays depuis 1960. Depuis le début des années 1980, la part du PIB allouée aux dépenses de santé aux États-Unis n'a cessé de croître de façon rapide pour atteindre 8,8 %, puis 12 % en 1990, 13,3 % en 2000 et 14,9 % en 2002. Par comparaison, et durant la même période, le Canada a consacré 7,1 %, 9 %, 8,9 % et 9,6 % de son PIB à la santé. En 2002, toutes proportions gardées, les États-Unis consacraient ainsi une part nettement plus importante de leur PIB à leurs dépenses de santé que le Canada.

Toutefois, le ratio entre les dépenses de santé et PIB n'est peut-être pas le meilleur indicateur : le niveau de dépenses très élevé observé aux États-Unis s'explique en bonne partie par l'organisation libérale de leur système de santé. Ainsi, les Américains dépensent bien davantage que les citoyens d'autres pays pour leurs soins de santé. Les données indiquent également que les dépenses de santé *par habitant* sont nettement plus élevées dans les États du Nord-Est, tels que le Connecticut, le Massachusetts, le Delaware, le New Jersey et l'État de New York.

L'accès aux soins est également étroitement lié à la couverture médicale dont jouissent les Américains. Pour une majorité d'entre eux, la couverture de leurs dépenses de santé est liée à l'emploi. En effet, bien que les entreprises ne soient pas obligées d'offrir une assurance-maladie à leurs employés, et même si les primes ont une incidence importante sur le prix des services de santé, un certain nombre d'employeurs assument une grande partie des dépenses de santé de leurs employés afin, entre autres, d'attirer une main-d'œuvre qualifiée et à cause de pressions syndicales.

Mais la couverture varie grandement d'un secteur industriel à l'autre. Les sociétés d'assurances proposent également des contrats d'assurance de groupe aux entreprises. La tarification des primes est proportionnelle au risque et à la couverture offerte. Généralement, des tickets modérateurs et des franchises viennent s'ajouter à la prime d'assurance. De manière générale, les employés des grandes entreprises sont couverts à 100 %. Par contre, les entreprises de plus petite taille offrent dans l'ensemble une couverture moindre à leurs employés, sinon aucune couverture. En 2000, seulement 54 % des entreprises de moins de 20 employés offraient une assurance-maladie à leurs employés. Dans de nombreuses entreprises, les employés doivent remplir certaines conditions afin de pouvoir bénéficier d'une couverture de leurs dépenses de santé (par exemple : temps de travail hebdomadaire, ancienneté minimale). Ainsi, 79 % des salariés seraient admissibles à une couverture médicale de la part de leur employeur, les employés étant libres d'adhérer ou non à cette couverture. Une grande partie des travailleurs américains se prévalent de la couverture médicale offerte par leur employeur. En 2000, la prime d'assurance pour une personne seule s'élevait en moyenne à 202 $ par mois, dont 86 % étaient pris en charge par l'employeur. Les primes ne cessent cependant de croître, principalement en raison de la forte augmentation du coût des médicaments.

Si leur employeur ne leur offre pas de couverture médicale, les Américains peuvent souscrire une assurance-maladie privée. Leur prime varie évidemment en fonction de leurs caractéristiques sociales. Ces primes sont souvent beaucoup plus élevées que les contrats de groupe et s'avèrent souvent onéreuses. Peu d'Américains ont d'ailleurs recours à ce type d'assurance. Sous la présidence de G. W. Bush, le système d'assurance médicale américain a continué de laisser une partie importante de la population sans aucune couverture, soit 16,5 % en 2003, alors qu'elle se situait à 14,5 % en 1984. Les groupes d'âge les plus touchés demeurent les 18-24 ans et les 25-34 ans.

On remarque d'ailleurs que le pourcentage de gens ne possédant aucune couverture médicale est en nette progression depuis quelques années. En 2003, 30,1 % des 18-24 ans, 25,4 % des 25-34 ans et 17,5 % des 35-44 ans ne possédaient aucune couverture médicale. Si, de manière générale, on peut dire que les personnes âgées et les enfants sont mieux couverts, il n'en demeure pas moins que près de 11 % des 55-64 ans et 8,2 % des 6 ans et moins ne bénéficient d'aucune couverture médicale. De plus, une proportion plus élevée d'hommes que de femmes ne possède pas de couverture médicale ; en 2003, 17,7 % des hommes n'étaient pas couverts pour leurs dépenses de santé, contre 15,3 % de femmes. D'autres données révèlent que les groupes ethniques les moins bien couverts demeurent les nations autochtones (35 %) et les Américains d'origine hispanique (34,7 %).

Malgré tout, le système américain de sécurité sociale et de santé continue de prendre en charge environ 40 millions de personnes âgées et handicapées, soit 14,3 % de la population américaine, par le biais du système Medicare et 38 millions de personnes pauvres, soit 13,6 % de la population, par le biais du système Medicaid. Ces dépenses et autres protections sociales et de santé payées par le biais des fonds publics, comme la protection sociale offerte aux militaires à la retraite, représentaient en 2003 45,6 % des dépenses de santé des États-Unis. Si on inclut les subventions sous forme de crédits d'impôt offerts par le gouvernement fédéral, près de 60 % des dépenses de santé sont assumées par le Trésor américain. Si on est encore loin d'un système universel de santé, il n'en demeure pas moins que le coût de la santé demeure fort élevé aux États-Unis.

Si nous regardons du côté des dépenses de santé *par habitant* assumées aux États-Unis par le privé et le public, nous constatons que le gouvernement fédéral payait 2 586 $ en 2003, ce qui représentait 45,6 % de l'ensemble des dépenses totales. Le secteur privé assumait pour sa part 3 084 $ des dépenses de santé. De plus, la répartition des dépenses de santé par « contributeur » en 2004 révèle que les ménages, les entreprises, ainsi que le gouvernement fédéral contribuaient tous de façon importante au financement des dépenses de santé. Ainsi, ils versaient respectivement 32 %, 26 % et 39 % du coût de la santé, ce qui représentait près de 1,9 billion de dollars en 2004. C'est pourquoi il faut toujours nuancer certaines perceptions quant au système de santé américain, le secteur public finançant toujours près de 40 % des dépenses de santé, ce qui est bien sûr moins que dans la plupart des pays industrialisés.

Toutes ces données mettent en évidence le fait que l'accès aux soins de santé est demeuré très variable sous la présidence de George W. Bush, qu'il est inégal et que l'accessibilité à certains soins est étroitement liée à l'emploi qu'on occupe et dépend de la situation économique de chacun.

◆

Dans ce chapitre, nous avons surtout voulu présenter les principales caractéristiques du «modèle de sécurité sociale» américain en insistant plus particulièrement sur les fondements philosophiques et historiques qui ont façonné depuis 75 ans le système étatsunien. On peut certes affirmer qu'il constitue bel et bien un exemple de système à deux vitesses, où l'État joue un rôle important couplé à un secteur privé très présent. Le système américain a connu, lui aussi, des difficultés majeures ; il n'est pas toujours en mesure de résoudre les problèmes liés à l'exclusion sociale et à la pauvreté.

Au cours des prochaines années, aux États-Unis comme ailleurs, le nombre de personnes âgées et les besoins en santé devraient être en forte croissance. Le pourcentage des personnes qui ne bénéficieront pas d'une assurance et qui ne seront pas admissibles aux programmes Medicare et Medicaid risque d'augmenter de manière significative. Voilà ce à quoi devra faire face la prochaine présidence américaine.

La campagne présidentielle américaine de 2008 risque ainsi de porter en bonne partie sur deux visions opposées de la sécurité sociale et de la santé. D'un côté, les républicains continueront sans doute de défendre une privatisation partielle de la sécurité sociale alors que les démocrates voudront miser sur des réinvestissements majeurs dans les programmes sociaux et de santé. La question d'un régime universel de santé sera certainement à l'ordre du jour, surtout si Hillary Clinton est choisie pour défendre le «ticket» démocrate. À plus long terme, les résultats de l'élection présidentielle de novembre 2008 auront certes des conséquences importantes sur les systèmes de sécurité sociale et de santé américains, car il ne fait aucun doute que les pressions s'intensifieront afin d'offrir à tous les Américains une protection sociale et un système de santé qui répondent à leurs aspirations.

NOTE

1. Je tiens à remercier Céline Roehrig pour sa collaboration à l'analyse des données budgétaires.

POUR EN SAVOIR PLUS

BIBLIOGRAPHIE ET LECTURES RECOMMANDÉES

KOOIJMAN, Japp, *The Pursuit of National Health. The Incremental Strategy Toward National Health Insurance in the United States of America*, Amsterdam, Rodopi Press, coll. « Monographs in American Studies », 1999.

MAIONI, Antonia, *Parting At the Crossroads: The Emergence of Health Insurance in the United States and Canada*, Princeton, Princeton University Press, 1998.

MARMOR, Theodore R., *Understanding Health Care Reform*, New Haven, Yale University Press, 1994.

MARMOR, Theodore R., Jerry L. MASHAW et Philip L. HARVEY, *America's Misunderstood Welfare State: Persistent Myths, Enduring Realities*, New York, Basic Books, 1990.

PASACHOFF, Naomi, *Frances Perkins. Champion of the New Deal*, New York, Oxford University Press, 1999.

QUADAGNO, Jill, *The Color of Welfare: How Racism Undermined the War on Poverty*, New York, Oxford University Press, 1994.

SCHULZE, Gunther G., et W. Heinrich URSPRUNG, « Globalisation of the Economy and the Nation State », *The World Economy*, vol. 22, n° 3, 1999, p. 295-352.

SHMANSKE, Stephen, Harsh K. JADHAV et J. Tobbie WELLS, « Social Security, Voters, and the US Generation Gap », *Journal of Social, Political and Economic Studies*, vol. 24, n° 2, 1999, p. 203-224.

TRUE, James L., « Attention, Inertia, and Equity in the Social Security Program », *Journal of Public Administration Research and Theory*, vol. 9, n° 4, 1999, p. 571-596.

U.S. DEPARTMENT OF HEALTH AND HUMAN SERVICES, *Spending on Social Welfare Programs in Rich and Poor States: Key Findings*, août 2004.

WEAVER, R. Kent, *Ending Welfare as We Know It*, Washington, Brookings Institution Press, 2000.

SITES INTERNET

Physicians for a National Health Program (groupe de pression en faveur d'un système de santé public universel aux États-Unis) : www.pnhp.org

Politiquessociales.net (note synthèse et page de liens sur les politiques sociales aux États-Unis ; en français) : www.politiquessociales.net/+-Etats-Unis-+

Social Security Administration, *Social Security Bulletin* : www.ssa.gov/policy/docs/ssb

Social Security Administration, *Social Security Bulletin, Annual Statistical Supplement* : www.socialsecurity.gov/policy/docs/statcomps/supplement

U.S. Department of Health and Human Services : www.hhs.gov

LA POLITIQUE EXTÉRIEURE

Louis Balthazar

Cet État, qui pratiquait encore une politique isolationniste au moment du déclenchement de la Deuxième Guerre mondiale, est devenu le plus puissant et le plus influent de l'histoire de l'humanité. En dépit de limites évidentes, les États-Unis constituent toujours la seule véritable superpuissance de ce monde. C'est dire l'importance énorme que revêt la politique extérieure de Washington pour le monde entier. C'est dire aussi le caractère inquiétant, parfois tragique, de la rapide accession de la jeune république à une « responsabilité » internationale d'une telle envergure. Les Américains avaient été mal préparés à assumer un rôle qu'ils disent n'avoir jamais souhaité et que plusieurs d'entre eux remettent volontiers en question.

Le célèbre secrétaire d'État Dean Acheson (1949-1953) intitulait ses mémoires *Present at the Creation*[1] pour bien illustrer tout ce qu'il y avait de nouveau dans la politique mise en œuvre au lendemain du second conflit mondial. Les États-Unis s'étaient donné une politique extérieure bien avant cette époque et avaient joué, à l'occasion, un rôle international important. Mais une tradition d'exceptionnalisme et de retranchement ne disposait guère les responsables américains à la multiplicité et à la complexité des tâches qui les attendaient. Cela n'a pas peu contribué, entre autres facteurs, à précipiter le pays dans la Guerre froide selon une politique particulièrement rigide, parfois simpliste. Cette politique a été couronnée de succès dans la mesure où son objectif ultime a été atteint avec l'effondrement de l'empire soviétique. Il est remarquable que cette « troisième guerre mondiale » se soit soldée par une victoire sans avoir donné lieu à un affrontement armé majeur. Malgré tout, durant les quelque quarante années de la Guerre froide, les dirigeants américains n'ont pas toujours saisi les occasions qui s'offraient à eux pour atténuer les tensions et marquer des points. La diplomatie est demeurée péniblement déficiente à Washington au cours de cette période. Elle l'est demeurée même après que les obstacles inhérents à la Guerre froide ont été levés et davantage encore au cours des premières années du gouvernement de George W. Bush (2001-2009), alors que l'unilatéralisme a été érigé en principe. Les défis nouveaux auxquels le gouvernement américain doit faire face n'en sont que plus redoutables.

La tradition américaine en politique extérieure

Dès 1796, George Washington donnait le ton de la politique extérieure des États-Unis. Dans son message d'adieu (déjà mentionné au chapitre 2 de cet ouvrage : « La Constitution »), il enjoignait ses compatriotes de se tenir à l'écart de ce qu'il appelait « les vicissitudes de la diplomatie européenne », c'est-à-dire les diverses politiques d'alliance auxquelles se livraient les États européens en vue de maintenir, tant bien que mal, un fragile équilibre des puissances. Du même souffle, il invitait cependant les Américains à étendre leurs relations commerciales avec ces mêmes États.

On a considéré ce testament de Washington comme un message proprement isolationniste que les Américains devaient récuser à plusieurs reprises par la suite, chaque fois qu'ils se sont engagés en Europe. Il est vrai que le premier président des États-Unis a invité les siens à un certain isolement politique par rapport à l'Europe. Mais il prévoyait déjà une incessante activité économique des Américains à travers le monde, activité qu'ils seraient éventuellement amenés à protéger au moyen de certains engagements politiques. On peut donc interpréter la consigne de Washington comme étant essentiellement la subordination de la politique aux intérêts économiques ou, si l'on veut, la transposition de la doctrine libérale du « laisser-faire » à la politique internationale : aussi peu d'engagements politiques que possible. Dans cette perspective, on peut constater une certaine fidélité américaine au message du premier président. Rarement les États-Unis ont-ils vraiment pratiqué une politique d'équilibre des puissances ; presque toutes leurs interventions en Europe ont été subordonnées à leurs intérêts économiques (cela est évident pour les deux guerres mondiales). Ils ont contracté des alliances, il est vrai, avec une frénésie peu commune, durant les premières années de la Guerre froide. Notons bien cependant qu'ils se sont placés invariablement à la tête de ces alliances de telle sorte qu'ils ne se sont jamais trouvés dans une véritable position de réciprocité avec leurs alliés. D'une certaine manière, ils ont donc échappé à l'enchâssement (*entanglement*) dont parlait Washington.

James Monroe (1817-1825) prolonge Washington en demandant aux Européens de ne pas s'immiscer, de leur côté, dans les affaires des Amériques. Tout l'espace hémisphérique est inscrit dans la mouvance de la nouvelle république. Déjà, en quelque sorte, l'hémisphère occidental est devenu une île dont le centre est aux États-Unis : une métropole dont on peut dire qu'elle est destinée à prendre la relève des îles britanniques grâce à une position géostratégique plus avantageuse encore. Notons aussi que la Grande-Bretagne est exemptée de la doctrine de Monroe : déjà se tisse la relation privilégiée entre Londres et Washington[2].

Des éléments essentiels de la politique extérieure américaine sont donc bien en place dès le XIXe siècle : les « malentendus transatlantiques » d'aujourd'hui s'enracinent dans cette orientation bien particulière vis-à-vis d'un continent jugé décadent. Quant aux pays du continent américain, ils sont déjà inclus au sens large dans la « destinée manifeste ».

Pendant un certain temps, vers la fin du XIXe siècle, cette « destinée manifeste » semble devoir s'étendre aux océans et à l'Asie. De fortes pressions s'exercent aux États-Unis de la part de navigateurs, de géographes, de leaders religieux et même de syndicalistes pour que Washington, à la suite des puissances européennes, se donne un empire. Le président McKinley (1897-1901) s'inscrit dans ce courant et, à la suite de la guerre hispano-américaine, il plante le drapeau américain à Porto Rico, à Guam, aux Philippines et à Hawaï. La réaction populaire est enthousiaste. Mais cette politique sera de courte durée. Theodore Roosevelt (1901-1909), William H. Taft (1909-1913) et Woodrow Wilson (1913-1921) négligeront l'empire politique pour valoriser la présence économique par une politique de « porte ouverte » qui insiste pour que les pays d'Orient, la Chine en particulier, soient ouverts à tous ceux qui veulent y transiger, suivant les principes du libéralisme. Ainsi, à nouveau, la politique est subordonnée à l'économique.

L'intervention américaine dans la Première Guerre mondiale a dû être justifiée par de grands principes conformes à l'héritage des fondateurs. Woodrow Wilson parle d'une guerre qui doit « mettre fin à toutes les guerres » et permettre l'instauration de la démocratie.

Dès le lendemain de la guerre, le Sénat américain et une opinion publique changeante entraînent à nouveau les États-Unis dans l'isolationnisme. L'organisation internationale conçue par un Américain est vouée à demeurer européenne et sans grande signification. Franklin D. Roosevelt (1933-1945) reprend à sa façon la mission morale de Wilson. Il parvient à vaincre les réticences isolationnistes de la population à la faveur de la désastreuse attaque japonaise à Pearl Harbor (décembre 1941). Encore une fois, les Américains vont à la rescousse des Européens « pour sauver la liberté, la démocratie, la civilisation occidentale ». Il paraît donc évident que les États-Unis, tout au long de leur histoire, ont toujours cherché à justifier leurs interventions internationales et l'utilisation de la force militaire par des principes moraux. On peut même établir une certaine corrélation entre l'intensité de la violence mise en œuvre et l'élévation de l'idéal qui est en cause. L'oscillation périodique entre l'isolationnisme et l'interventionnisme peut donc s'insérer dans le cadre d'une certaine continuité. La bonne conscience américaine amène Washington à se détacher du monde pour mieux préserver la pureté de son héritage. Elle justifie aussi l'interventionnisme au nom d'une mission : il devient parfois nécessaire de purifier le monde !

De tels principes se concilient mal avec les usages diplomatiques traditionnels. Les objectifs d'accroissement de puissance et d'influence, d'établissement d'un équilibre favorable aux intérêts du pays sont rarement considérés comme suffisants par les Américains, depuis George Washington jusqu'à nos jours. Les moyens de la diplomatie – échanges fréquents, exercice subtil de l'influence, patientes négociations, réciprocité, alliances temporaires, souplesse des mouvements – ont été peu privilégiés au cours de l'histoire des États-Unis.

Cette autosuffisance et cette bonne conscience américaines ont pu facilement se manifester sous les traits d'une certaine arrogance, d'un grand orgueil national. Certains y voient des formes larvées d'impérialisme et d'exploitation systématique des autres acteurs internationaux. Une telle interprétation n'est pas sans fondement. Il faut bien admettre cependant qu'une forme de candeur a parfois accompagné les politiques américaines. Un corollaire de cette attitude de suffisance morale, c'est une forte réticence à remettre en question les grands objectifs de la politique extérieure. Les Américains ont tendance à considérer les idéaux nationaux comme sacro-saints et à réserver leurs discussions aux moyens à mettre en œuvre pour atteindre ces idéaux. Remarquable consensus au sujet des fins, incessants débats quant aux moyens, voilà qui caractérise bien l'univers social américain et aussi la politique extérieure des États-Unis.

C'est sur cette toile de fond que vont se dessiner, entre 1945 et 1950, les grandes orientations qui caractérisent encore la politique étrangère des États-Unis d'aujourd'hui, dans un contexte tout à fait différent.

Élaboration d'une nouvelle politique étrangère

Au lendemain de la Deuxième Guerre mondiale, les deux seules grandes puissances dignes de ce nom, les États-Unis et l'Union soviétique, ont été amenées à se mesurer en fonction de leurs traditions diamétralement opposées et de deux visions qui s'excluaient mutuellement. Était-il nécessaire cependant que l'affrontement prît les proportions qui devaient entraîner Washington vers le globalisme et toutes les rigidités du système de la Guerre froide ? Ici interviennent un certain nombre de facteurs subjectifs qui laissent penser qu'il aurait pu en être autrement.

D'abord, il est assez tragique de constater que l'homme à qui devait incomber l'énorme responsabilité de diriger la superpuissance américaine, à un moment aussi crucial, était presque totalement dépourvu d'expérience et de connaissances en matière de relations internationales. Harry Truman, qui a succédé à Franklin Roosevelt après sa mort en avril 1945, était devenu vice-président en raison de ses mérites en politique intérieure et de son allure populiste. Même s'il devait bientôt révéler de grandes qualités de leadership, de jugement et de compréhension rapide des dossiers internationaux, même s'il s'est entouré des meilleures compétences, il n'en demeure pas moins qu'il était plutôt mal équipé pour prendre des décisions aussi graves que celle de larguer deux bombes atomiques sur le Japon et pour saisir toute la complexité de la situation de l'après-guerre. Ses premiers entretiens avec les Soviétiques n'ont pas été marqués par une grande subtilité. Ce n'était pas la première ni la dernière fois que le système politique américain, dans un pays où les compétences foisonnent, allait produire un président mal préparé sur le plan international.

Un autre facteur qui allait grandement contribuer à donner à la politique américaine une certaine rigidité, c'est la difficulté congénitale qu'éprouvent les Américains – les dirigeants comme l'ensemble de la population – à prendre conscience de l'hétérogénéité du système international. Face à une culture politique profondément différente de la leur et, au surplus, à une idéologie tout à fait contraire à la leur, ils en sont bientôt venus à interpréter comme l'incarnation des forces du mal ce qui appartenait à une politique de puissance draconienne.

Les relations américano-soviétiques se sont bientôt enfermées dans un cercle vicieux où les méfiances se renforçaient mutuellement.

L'année 1947 fut particulièrement fertile en prises de position de la part du gouvernement américain. Le 12 mars, le président Truman se présente devant une session conjointe des deux chambres du Congrès. Il fait état des nouvelles « responsabilités » qui incombent aux États-Unis. La « liberté » chère aux Américains est menacée en plusieurs endroits du monde. Comme ils l'ont fait durant la guerre contre l'Allemagne et le Japon, les Américains doivent s'engager à créer les conditions qui leur permettront d'élaborer, avec d'autres nations, un mode de vie exempt de toute contrainte [...]. La politique des États-Unis doit être de supporter les peuples libres qui résistent aux tentatives d'asservissement exercées par des minorités armées ou des pressions étrangères[3].

Ce discours devenu « doctrine » représente un moment capital pour la politique extérieure des États-Unis. Il introduit une nouvelle ère. En donnant le coup d'envoi à la Guerre froide, il inaugure un type de politique qui se poursuivra bien au-delà de cette période, notamment jusqu'à l'aube du XXIe siècle. Pour la première fois en temps de paix, Washington s'apprête à intervenir outre-mer au nom des grands objectifs américains. Le monde est officiellement divisé en deux camps. En dépit de l'existence d'une organisation internationale, le président amé-ricain présente son pays comme le leader du «monde libre», le grand responsable de la sécurité des «nations libres». Enfin, pour défendre ce qui, de toute évidence, ressortit aux intérêts américains, voire à une certaine ambition hégémonique, le président fait appel aux grands thèmes traditionnellement chers aux Américains: paix, démocratie, liberté.

En juin de la même année, c'est au tour du secrétaire d'État George Marshall de lancer une autre grande politique. Le Programme de redressement européen (European Recovery Program), qui sera désigné le plus souvent comme le plan Marshall, vise à rétablir les économies des pays européens pour qu'ils redeviennent les indispensables partenaires commerciaux des États-Unis et échappent à l'influence communiste. L'Amérique, une fois de plus, vient au secours de l'Europe qui s'effondre. Cette politique est sans doute inspirée par une exceptionnelle générosité, mais aussi par des intérêts économiques bien réels et un sentiment de supériorité qui amène les États-Unis à s'arroger un certain contrôle sur les pays européens et à trouver normal qu'il en soit ainsi.

Cette politique européenne, comme la doctrine Truman, est animée par un souci majeur: celui de contrer la puissance dite expansionniste de l'Union soviétique. Par des moyens purement économiques cette fois, on se propose d'endiguer le communisme, selon une théorie qui sera présentée, en juillet 1947, à un certain public américain dans un article de la revue *Foreign Affairs* (organe du Council on Foreign Relations qui regroupe un ensemble de personnes influentes dont plusieurs sont assez près du pouvoir). L'article, signé «X», s'intitulait «The Sources of Soviet Conduct». Il était dû à la plume d'un haut fonctionnaire du département d'État, George Kennan, qui avait été longtemps en poste à Moscou et devait plus tard devenir ambassadeur en URSS. Le contenu de cet article était déjà connu du président et de son entourage depuis quelques mois et avait certainement inspiré les politiques déjà mises en œuvre. L'auteur proposait que les États-Unis s'emploient résolument à mettre en échec les visées expansionnistes de Moscou, capitale du communisme international. Cette théorie, dite du *containment* ou de l'endiguement, deviendra la politique officielle de Washington pour les années à venir[4].

Cette même année 1947 est celle de l'adoption de la Loi sur la sécurité nationale (*National Security Act*) qui créait le Conseil de sécurité nationale (*National Security Council*), l'Agence centrale du renseignement (*Central Intelligence Agency – CIA*) et le département de la Défense. Par cette loi, c'est tout le mécanisme d'une politique extérieure nouvelle qui est mis en branle. Le Conseil de sécurité nationale deviendra, à compter de la guerre de Corée en 1950, l'organisme privilégié de la décision pour les grandes questions stratégiques de politique extérieure. Il est composé statutairement du président, du vice-président et des secrétaires d'État et à la Défense. Les chefs d'état-major et le directeur de la CIA y siègent aussi à titre de conseillers. Le président est libre de réunir le Conseil, de l'utiliser comme bon lui semble et d'y faire siéger qui il veut outre les membres statutaires. D'autres personnes – membres du Cabinet, directeurs d'agence et assistants – sont appelées par le président à siéger au Conseil de sécurité nationale, en particulier le conseiller spécial du président en matière de sécurité nationale, poste créé par Eisenhower en 1953, dont il sera question plus loin.

Doctrine Truman, plan Marshall, théorie du *containment* et Loi sur la sécurité nationale, voilà donc les éléments essentiels d'une nouvelle politique axée sur la perception d'une menace très vive et que les États-Unis doivent s'employer à contrer.

En 1949, Washington signe, avec ses alliés européens et avec le Canada, son premier traité de coopération militaire en temps de paix. Le traité de sécurité collective de l'Atlantique Nord, qui donnera naissance à l'organisation militaire du même nom (OTAN) sous la direction d'un commandant américain, est l'extension naturelle du *containment* à la défense armée et le corollaire militaire du plan Marshall. Cette alliance se maintiendra et s'élargira au-delà du contexte qui lui a donné naissance. Cela tend à confirmer le fait que les institutions de la Guerre froide sont conçues en fonction d'une nouvelle perception de l'ordre international bien au-delà des circonstances particulières de l'après-guerre.

Les grands objectifs de politique extérieure ont fait l'objet d'un tel consensus dans la population américaine que les questions internationales ont été considérées jusqu'à la fin des années 1960 comme faisant l'objet d'un accord dit « bipartisan ». John F. Kennedy (1961-1963) a remis en cause certains moyens et apporté un nouveau style, mais il a pratiqué le *containment* avec une ardeur renouvelée. Lyndon Johnson (1963-1969) s'enlise dans cette politique appliquée au Viêt-nam. Richard Nixon (1969-1974) et Henry Kissinger (son conseiller spécial), proposant une nouvelle diplomatie, poursuivent le *containment* à leur façon. Jimmy Carter (1977-1981), croyant d'abord la Guerre froide terminée, y replonge de plus belle en 1980, et Ronald Reagan (1981-1989) referme la boucle en revenant à une vision intransigeante.

Ce président aux idées simplistes, mais limpides, très peu au fait des complexités et subtilités des relations internationales, aura l'insigne honneur de terminer son mandat dans un climat de détente qui signale la fin de la Guerre froide. Il n'en fallait pas plus pour que les tenants de la ligne dure et d'une interprétation rigide de la doctrine du *containment* voient une relation de cause à effet entre la politique reaganienne et la retraite soviétique. L'effort résolu de Washington quant aux armements et le projet, cher à Reagan, d'initiative de défense stratégique auraient amené les dirigeants soviétiques à prendre la mesure de l'extravagance de leur politique et des ravages qu'elle entraînait sur leur économie.

Peut-être y a-t-il quelque vérité dans ce constat. Mais les choses ne sont pas si simples. Mikhail Gorbatchev est apparu au début de 1985, succédant à trois vieux leaders décédés durant le premier mandat de Reagan. Faudrait-il enlever tout mérite au réformateur soviétique qui avait compris la vacuité des politiques de Guerre froide, semble-t-il, depuis un certain temps ? On pourrait même aller plus loin et arguer que la fin rapide de la Guerre froide révèle une faiblesse congénitale d'un adversaire soviétique le plus souvent dépeint comme redoutable et menaçant. Dans ce cas, c'est la durée de la Guerre froide qui serait étonnante bien plutôt que sa fin abrupte.

La Guerre froide terminée, on a pu croire pour un moment que le chapitre de la politique amorcée en 1947 était clos et que les principes élaborés alors et mis en pratique par la suite n'avaient plus leur raison d'être. Il aura fallu peu de temps pour constater qu'il n'en était rien. Les structures mises en place après la Seconde Guerre mondiale n'ont pas été modifiées pour l'essentiel. D'abord en raison d'une certaine prudence et, par la suite, en raison de la permanence des objectifs visés en 1947. L'Union soviétique cessait de constituer une menace, mais la préoccupation hégémonique demeurait. Certes, sous des formes moins rigides que durant la Guerre froide avec George H. W. Bush (1989-1993) et surtout avec Bill Clinton (1993-2001). Tout au long de ces années, cependant, un fort courant dit néoconservateur s'est traduit par une critique des politiques multilatérales de Bush père et de Clinton. Ce courant rejoindra le pouvoir par la présence d'une forte opposition républicaine au Congrès entre 1995 et 2001, puis par l'arrivée de George W. Bush à la présidence en 2001.

Dès 1990, le journaliste Charles Krauthammer écrit un article dans la revue *Foreign Affairs* pour proposer une politique qui exploiterait ce qu'il appelle « le moment unipolaire[5] ». D'après Krauthammer, la superpuissance américaine est devenue entièrement libre de modeler le système international à sa guise et en fonction de ses propres principes et intérêts. Les États-Unis n'ont plus à tenir compte des inquiétudes de leurs alliés traditionnels et encore moins de l'organisation des Nations Unies. Certes, ils doivent accueillir tous les partenaires qui acceptent de se ranger sous l'hégémonie américaine, mais ils ne doivent pas hésiter non plus à agir seuls si l'appui de la communauté internationale fait défaut. Donc, fini le *containment*, place à l'hégémonie tous azimuts.

Washington résiste à cette tendance durant les années de gouvernement de George H. W. Bush et de Bill Clinton. Le premier s'emploie à obtenir l'appui d'une très forte majorité de l'Assemblée générale des Nations Unies pour la guerre du Golfe de 1991 tout en limitant cette guerre à l'objectif de la réhabilitation du Koweït et à une sorte de *containment* du régime de Saddam Hussein en Irak. Il cherche par la suite à instaurer un « nouvel ordre international » et à amorcer un règlement du conflit israélo-palestinien. Quant à Bill Clinton, il s'emploiera, sans grand succès, à définir un nouveau paradigme pour une politique d'élargissement de la démocratie. Après beaucoup de temporisation, il pratique une politique hégémonique dans un contexte de multilatéralisme et d'interventionnisme humanitaire.

C'est sous George W. Bush que la politique de l'unipolarité est mise en œuvre. S'employant à se démarquer de la plupart des politiques de Bill Clinton, le gouvernement Bush refuse d'entériner plusieurs traités internationaux comme celui concernant le Tribunal pénal international, le protocole de Kyoto, le traité d'interdiction des essais nucléaires et le traité de limitation de la défense antimissile conclu avec l'Union soviétique en 1972. Bientôt, un paradigme s'impose au gouvernement Bush et permet de reprendre tous les éléments de la politique de Guerre froide à l'aube du XXIe siècle. Après les attaques du 11 septembre 2001, un ennemi est identifié, sans doute très différent et moins visible que l'Union soviétique, mais le sentiment de la menace est aussi omniprésent et surexploité que durant la Guerre froide. Dans un discours prononcé devant les deux Chambres du Congrès, neuf jours après la catastrophe, Bush tient des propos qui rappellent ceux de Franklin Roosevelt après Pearl Harbor, mais surtout ceux de Truman en mars 1947. Il déclare solennellement la guerre au terrorisme, notamment celui qui est mis en œuvre par les mouvements islamistes radicaux responsables des attaques contre les États-Unis. Dans un style aussi globalisant que celui de l'anticommunisme de la Guerre froide, il étend l'offensive à tous les mouvements dits terroristes : « Notre guerre à la terreur commence avec Al-Qaeda, mais ne s'arrête pas là. Elle ne s'arrêtera pas tant que chaque groupe terroriste à portée globale n'aura pas été repéré, arrêté et vaincu[6]. » Comme jadis Truman, le président invoque la préservation des libertés et de la démocratie. Les terroristes « détestent nos libertés – notre liberté de religion, notre liberté de parole, notre liberté de voter, de nous rassembler et de ne pas être d'accord les uns avec les autres[7] ».

Comme aux moments les plus exacerbés de la Guerre froide, la politique américaine se présente sous les traits d'un nouveau manichéisme. Le monde est divisé en deux, entre les amis et les ennemis de la liberté : « Chaque nation, chaque région doit maintenant prendre une décision : ou vous êtes avec nous ou vous êtes avec les terroristes[8]. » De même que Ronald Reagan décrivait l'Union soviétique comme l'empire du mal, George W. Bush, dans son discours sur l'état de la nation de 2002, évoque « l'axe du mal » pour caractériser des États sans autre lien entre eux que leur hostilité aux États-Unis.

La menace est constamment mise en relief. Tout au long de son gouvernement, de la guerre portée en Afghanistan dès le mois de septembre 2001, en passant par la doctrine militaire de prévention déclarée à l'automne 2002, à la guerre en Irak livrée sous de fausses représentations et encore à l'époque des déconvenues qui ont suivi l'occupation de ce pays, toujours le thème de la menace terroriste et le rappel des attaques de septembre 2001 sont au cœur de la rhétorique de George W. Bush. On peut donc voir dans la politique de ce président la reprise de la Guerre froide avec les plus belliqueux des instruments élaborés en 1947, sans pourtant se préoccuper de maintenir un fort réseau d'alliances. En effet, contrairement à ce à quoi on aurait pu s'attendre quand le président Bush faisait appel en 2001 à la collaboration internationale et que les pays de l'OTAN réagissaient au nom de la solidarité de cette organisation, l'esprit qui a présidé aux alliances de la Guerre froide fait péniblement défaut. Seule la grande peur américaine refait surface dans une atmosphère toute à l'unilatéralisme. Au cours du second mandat de ce gouvernement, il lui faut bien revenir quelque peu à la diplomatie, mais toujours la prétendue « guerre au terrorisme » sert à justifier toutes les politiques, même les plus impopulaires.

Les aléas de la diplomatie américaine

Comme on l'a vu dans la première section de ce chapitre, il n'existe pas de grande tradition diplomatique aux États-Unis. Dans ce pays qui n'a jamais favorisé l'administration publique, on a attendu jusqu'à 1924 pour mettre sur pied un véritable service extérieur de carrière. Ce service ne s'est guère développé avant la Deuxième Guerre mondiale. Les nécessités de l'après-guerre ont grandement contribué à consolider le département d'État et à accroître considérablement son personnel et ses activités sous la direction de secrétaires prestigieux comme James Byrnes, George Marshall et Dean Acheson. Mais la campagne menée par le sénateur républicain du Wisconsin, Joseph McCarthy (1947-1957), qui provoqua la création du *Un-American Activities Comittee*, porta un dur coup au service extérieur. L'accusation initiale lancée en 1950, « le département d'État est infiltré par des agents communistes », continua de planer et d'éveiller des doutes quant à la loyauté des diplomates américains. Le maccarthysme fut la cause d'une véritable saignée du personnel et contribua à dissuader les meilleurs talents de faire carrière dans la diplomatie. Ainsi, de grands experts des cultures étrangères, accusés de ne pas être de bons patriotes, sont demeurés en dehors d'une institution où leurs compétences auraient pu servir la cause de la diplomatie américaine.

Le maccarthysme aura été un phénomène passager. Les victimes de cette terrible campagne ont été vengées. Mais la méfiance envers les diplomates professionnels est toujours présente. La population américaine et ses représentants politiques n'entretiennent pas d'admiration pour les fonctionnaires du département d'État. On les considère volontiers comme inefficaces, éloignés des nécessités concrètes et, en général, trop « mous » à l'endroit des ennemis de la nation. C'est là une des raisons pour lesquelles le président accorde plutôt sa confiance aux personnes choisies hors des rangs du service extérieur pour occuper des postes diplomatiques importants, souvent en récompense de services rendus durant les campagnes électorales et sans beaucoup de considération pour leur compétence en matière de politique internationale.

Le président a d'ailleurs tendance à élaborer sa politique extérieure à partir de la Maison-Blanche plutôt qu'en prenant avis du département d'État. Cette tendance a atteint un sommet sans précédent durant la présidence de Richard Nixon (1969-1974) alors que Henry Kissinger, en tant que conseiller spécial en matière de sécurité nationale, dirigeait, de la Maison-Blanche et du Conseil national de sécurité qu'il contrôlait, la politique étrangère des États-Unis. Jimmy Carter promettait de corriger cette situation et son conseiller spécial lui-même, Zbigniew Brzezinski, s'engageait à demeurer dans l'ombre. C'est pourtant tout le contraire qui s'est produit, au point que le secrétaire d'État Cyrus Vance en vint à démissionner en 1980. Sous Reagan, même si le secrétaire d'État George Schultz bénéficiait d'un grand prestige, c'est encore le conseiller à la sécurité, appuyé par le personnel du Conseil national de sécurité, qui tint le haut du pavé. La situation se détériora d'autant plus que le président se tenait lui-même à l'écart de ces personnages qui fonctionnaient sans aucun égard ni pour le département d'État ni pour les autres membres du gouvernement, et encore moins pour le Congrès. Pas moins de six conseillers à la sécurité se sont succédé. Certains d'entre eux, Robert McFarlane et John Poindexter, ont été impliqués dans la triste affaire de détournement de fonds illégaux vers les rebelles du Nicaragua (*Contras*), à la suite de ventes d'armes à l'Iran (Irangate).

Avec George H. W. Bush, un conseiller spécial fort expérimenté (qui avait déjà occupé le poste sous Gerald Ford), Brent Scowcroft, joua le rôle effacé qui devait être le sien, laissant le secrétaire d'État James Baker III occuper l'avant-scène. Mais il semble bien qu'encore une fois, le conseiller à la sécurité ait exercé au moins autant d'influence que le titulaire des affaires extérieures.

Bill Clinton, en 1993, nomme un diplomate chevronné à la tête du département d'État. Mais il est loin d'être sûr que Warren Christopher ait été vraiment responsable de la politique extérieure. On peut se poser la même question au sujet de Madeleine Albright qui lui succéda en 1997. Il semble bien que les conseillers à la sécurité, Anthony Lake et Samuel Berger, ont exercé plus de pouvoir, bien que toujours de façon discrète. Disons cependant que le président démocrate était entouré de personnes plus enclines à la diplomatie que ce n'était le cas pour ses prédécesseurs républicains.

Le premier mandat de George W. Bush laisse bien peu de place à la diplomatie. Le secrétaire d'État, Colin Powell, tente vainement d'imposer une politique relativement modérée face au régime irakien de Saddam Hussein, identifié faussement comme lié aux attentats du 11 septembre et susceptible de fournir des armements nucléaires à des terroristes. Après avoir obtenu une résolution unanime du Conseil de sécurité des Nations Unies forçant le retour des inspecteurs en Irak et menaçant Saddam Hussein de conséquences graves en cas de non-collaboration (novembre 2002), il échoue lamentablement dans les mois qui suivent. Les « faucons » du gouvernement de Bush, le vice-président Dick Cheney et le secrétaire à la Défense, Donald Rumsfeld en tête, ont gain de cause. Colin Powell en vient même à servir de caution à une attaque hâtive réprouvée par la plupart des partenaires internationaux. La conseillère à la sécurité, Condoleezza Rice, qui était apparue comme un arbitre entre le diplomate Powell (pourtant un ancien général d'armée) et les faucons néoconservateurs, prend les devants de la scène pour justifier la politique combative de son patron.

Elle est récompensée de ses loyaux services en devenant elle-même secrétaire d'État lors du second mandat de George W. Bush. Elle ouvre alors la porte à la diplomatie. Elle se préoccupe davantage du conflit israélo-palestinien, cesse d'évoquer l'axe du mal et engage des négociations multilatérales avec la Corée du Nord, et la collaboration européenne dans le dossier nucléaire iranien. Mme Rice est la personne la plus respectée au sein du Cabinet présidentiel au moment où le président tombe dans les abîmes de l'impopularité. Le conseiller spécial en matière de sécurité nationale, Stephen Hadley, ancien adjoint de Mme Rice, demeure dans l'ombre et reste subordonné à sa patronne du premier mandat. Cette situation correspond-elle à un retour en force du département d'État ? Pas vraiment, car il faut tenir compte de l'énorme influence du vice-président Dick Cheney dans tous les dossiers stratégiques.

Il est difficile de contrer la tendance du président à diriger lui-même sa politique extérieure ou à confier les questions internationales à son propre conseiller. Ce dernier, contrairement au secrétaire d'État, est libéré de tout l'appareil bureaucratique d'un département et du prestige de la fonction officielle. Il est bien placé aussi pour jouer le rôle d'arbitre entre les différents départements qui sont concernés par la politique extérieure. Car, c'est là une autre limite sérieuse à sa responsabilité, le département d'État ne peut pas prétendre à une juridiction exclusive en matière de politique extérieure. Plusieurs autres départements croient pouvoir œuvrer dans ce domaine de façon plus compétente et plus efficace, par exemple le Trésor et le Commerce, pour les questions économiques devenues primordiales, et, au premier chef, le département de la Défense.

La diplomatie américaine souffre donc de sérieuses carences. De toute évidence, il ne s'agit pas d'un échec total. La politique extérieure des États-Unis a connu de grands succès. Il se trouve à Washington et dans les quelque 150 missions américaines à travers le monde des diplomates de grand talent, mais ils ne parviennent pas très souvent à imposer leurs vues. Ils arrivent encore moins à élaborer une politique à long terme qui serait fondée sur l'évaluation du contexte international et de l'intérêt national. Le résultat de cette réticence à planifier, c'est une politique qui se définit au hasard des crises et des problèmes jugés assez cruciaux pour être inscrits à l'ordre du jour des délibérations du Conseil national de sécurité. Une politique qui résulte souvent de la concurrence très vive entre les organisations ou groupes divers qui se disputent l'influence dans la prise de décision. Une politique toujours susceptible d'être entravée par un Congrès jaloux de ses prérogatives et souvent manipulé par des intérêts particuliers, surtout s'il est dominé par des ennemis du président, comme c'est le cas entre 1995 et 2001 et encore en 2007 et 2008. L'ère du consensus « bipartisan » est bel et bien révolue.

Une autre grande faiblesse de la politique officielle, c'est d'avoir souvent failli à reconnaître l'hétérogénéité des idéologies à l'échelle de la planète. La politique de George W. Bush en est un exemple typique. Dans le monde manichéen proclamé à la suite des attaques du 11 septembre 2001, il n'y a plus de place pour la diversité culturelle. Il n'y a que des amis et des ennemis. À l'endroit de ces derniers, un seul objectif valable : les détruire. Pourtant, au sein des masses islamistes, arabes et autres, les véritables terroristes demeurent toujours une infime minorité. Mais l'intransigeance américaine suscite une profonde hostilité dans ces populations et conforte ainsi le terreau de recrutement des terroristes.

Tout se passe comme si le gouvernement de George W. Bush se plaisait à multiplier les ennemis des États-Unis au nom de la pureté de sa mission. À l'encontre d'un principe dont la politique américaine a souvent fait fi : celui de la limitation et de l'isolement des ennemis. Paradoxalement, après avoir été l'objet d'une sympathie presque universelle après les attentats du 11 septembre, le gouvernement américain agit de telle sorte qu'il fait retomber sur les États-Unis une hostilité sans précédent. C'est là le résultat de la politique de l'unipolarité poussée à son comble. Dès le début du second mandat de George W. Bush, cette politique, inspirée par les néo-conservateurs, montre des signes d'essoufflement. Après la victoire des démocrates aux élections législatives de 2006, elle fait long feu.

Il est remarquable qu'à 30 ans d'intervalle, on ait répété les mêmes erreurs que durant la guerre du Viêt-nam : confiance absolue dans la supériorité de l'armement américain et dans la technologie militaire ; incompréhension des cultures locales et refus de s'en remettre aux spécialistes de ces cultures ; croyance que la force américaine et le prestige de la démocratie libérale en viendront à créer de grands courants de sympathie ; refus de tenir compte des leçons de l'histoire ; mépris de l'avis des sages, des diplomates et des représentants des organisations internationales et des autres pays alliés ; tendance à diaboliser l'adversaire et à n'y voir que du communisme dans le cas du Viêt-nam et à associer l'ennemi irakien aux islamistes radicaux dans le cas de l'Irak. Dans les deux cas, Washington offre l'image de l'albatros, de Gulliver empêtré, de la paradoxale impuissance de la superpuissance.

Est-il seulement possible que ces leçons soient entendues et que la diplomatie américaine retrouve le chemin d'une véritable coopération internationale ? On ne peut tenter de répondre à cette question qu'à la lumière des défis qui s'offrent aux dirigeants américains dans un monde passablement troublé.

Défis et dilemmes

Dans cet univers éclaté, caractérisé à la fois par l'interdépendance croissante des États en perte de souveraineté, la multiplicité des acteurs, des écarts considérables des niveaux de vie et des organisations internationales déficientes, les défis ne manquent pas pour la superpuissance américaine, à commencer par les limites de son influence et l'incertitude quant au maintien de son statut. Pour faire face à ces défis, plusieurs voies sont possibles et le débat se poursuit toujours entre diverses écoles de pensée.

Les hauts et les bas du gouvernement de George W. Bush illustrent bien comment, pour avoir fait preuve d'une confiance absolue en son omnipuissance, le géant américain se retrouve dans une position précaire au point où on est en droit de se demander si un processus de déclin n'est pas en marche. Déjà, au moment même où les États-Unis triomphaient de l'Union soviétique en 1989, on se posait la question. À la suite de la publication du livre de Paul Kennedy, *Naissance et déclin des grandes puissances*[9], le débat faisait rage au sujet d'une puissance américaine en perte de vitesse par rapport à ses concurrents économiques, l'Union européenne et le Japon. Ce débat s'est plus ou moins éteint dans la foulée de la performance économique du pays dans les années Clinton. Le bilan de la présidence de George W. Bush est plus négatif tant sur le plan politique que sur le plan économique. Pour avoir remporté des succès militaires fulgurants en Afghanistan en 2001 et en Irak en 2003, Washington se heurte, dans les deux cas, mais surtout en Irak, au cauchemar d'une occupation contestée. Les changements de régime dans ces deux pays donnent lieu à de fortes résistances et à une situation tout à fait contraire à celle qu'on anticipait. Les méthodes utilisées pour poursuivre la « guerre à la terreur » donnent des résultats opposés à ceux qu'on escomptait. Tout s'est passé comme si ces méthodes avaient stimulé le terrorisme radical islamique au lieu de l'éradiquer, notamment en invitant le réseau Al-Qaeda à s'introduire en Irak, là où il était absent avant l'invasion américano-britannique. Cette «guerre à la terreur» devait être menée pour faire triompher les valeurs américaines de démocratie, de liberté et de droits de l'homme. Les moyens utilisés font pourtant douter de la pureté de ces objectifs : restrictions des libertés sur le territoire même des États-Unis, conditions de détention des prisonniers contraires aux normes internationales à la prison de Guantanamo, pratiques de torture et de traitements dégradants à la prison d'Abu Ghraib en Irak, transferts dans des prisons d'autres pays susceptibles de recourir à la torture. Tous ces cas et bien d'autres laissent croire que l'exacerbation du sentiment de la menace conduit les responsables américains à renoncer, dans une certaine mesure, aux valeurs fondamentales de la tradition américaine. Il en résulte un affaiblissement considérable de ce qu'on a appelé le *soft power* des États-Unis, c'est-à-dire toutes les ressources d'attraction et d'influence ne relevant pas de la puissance militaire ou économique. Même la puissance militaire apparaît inadéquate au chapitre des ressources humaines et des moyens de la lutte antiguérilla. En matière économique, la surconsommation de la population américaine, jointe à d'énormes dépenses militaires et au refus obstiné de recourir à une fiscalité proportionnée aux besoins, a entraîné d'énormes déficits budgétaires et commerciaux. En conséquence, la superpuissance américaine se trouve dans la situation plutôt gênante de recourir au financement étranger, notamment du Japon et de la Chine. Enfin, l'unilatéralisme du premier mandat de George W. Bush correspond à une perte d'influence des États-Unis dans les forums internationaux. En matière d'environnement, tout particulièrement, la superpuissance américaine n'a pu exercer le leadership qu'on attendait d'elle.

En plus de toutes ces carences, Washington doit faire face à la montée spectaculaire des deux pays les plus populeux du monde, la Chine et l'Inde, qui sont appelés, aux yeux de la plupart des observateurs avertis, à devenir à leur tour des superpuissances au cours du XXIe siècle. Le rythme de croissance économique de ces deux nations dépasse de beaucoup celui des États-Unis. Ils sont tous deux équipés d'armes nucléaires et pourraient un jour développer une organisation militaire qui rivaliserait avec la puissance américaine. La Russie, même si elle n'est plus la superpuissance impériale qu'elle était, est un autre État qui se fait menaçant en raison de ses immenses capacités énergétiques, d'une forte croissance et du maintien d'un arsenal nucléaire toujours considérable. L'Union européenne ne représentera pas dans un avenir prévisible une puissance assez cohérente pour rivaliser avec les États-Unis, mais sa force économique, son influence politique et son rayonnement culturel en font un autre pôle important dont Washington doit tenir compte.

En dépit de toutes ces limitations de la puissance américaine qui la contraindront sans doute à renoncer à l'unilatéralisme, il semble bien que cette puissance soit appelée à demeurer pour un certain temps indispensable à l'ordre international. D'abord, le budget militaire des États-Unis demeure presque aussi élevé que celui de toutes les autres puissances du monde réunies. Ce budget ne constitue encore qu'une faible proportion du produit intérieur brut du pays[10]. Il est vrai que l'antiaméricanisme a atteint dans la première décennie du XXIe siècle un niveau sans précédent, mais il se peut fort bien qu'il soit lié aux méfaits du gouvernement Bush et tende à baisser sous un autre gouvernement. Il semble bien que ce phénomène soit lié à une grande déception quant à ce qu'on attend toujours des États-Unis et qu'il révèle donc la permanence de ces attentes plutôt qu'une condamnation sans appel. Il est vrai aussi que la menace du terrorisme radical islamiste demeure toujours très forte, mais les États-Unis qui ont su échapper à cette menace durant plusieurs années après les attentats du 11 septembre 2001 ont démontré qu'ils peuvent survivre avec cette menace. Les quelque 3000 morts causés par les attentats ont causé un choc terrible, mais ce chiffre demeure bien peu élevé par rapport à toutes les autres menaces mortelles dues à des calamités naturelles, à la déficience des soins de santé et aux risques associés aux transports[11]. La démocratie américaine fonctionne toujours malgré ses carences et les États-Unis sont encore un pays où on arrive à faire démissionner un président ou du moins à modifier considérablement l'orientation des politiques. La productivité américaine est toujours remarquable et Washington contrôle un ensemble impressionnant d'institutions économiques. Enfin, les États-Unis attirent toujours une grande quantité d'immigrants. Le mur érigé à la frontière du Mexique, pour déplorable qu'il soit, vise à limiter l'entrée au pays et non pas la sortie, comme c'était le cas pour le mur de Berlin.

Pour toutes ces raisons et compte tenu des énormes problèmes qui attendent les puissances rivales, qu'il serait trop long d'énumérer ici, il est toujours impossible d'envisager quelque solution des crises internationales, que ce soit au Moyen-Orient, en Afrique ou en Asie, aussi bien qu'en Europe et dans les Amériques, sans une contribution importante des États-Unis.

Le terrorisme international animé par un islamisme radical est appelé à demeurer au centre des préoccupations de la politique étrangère des États-Unis. Notons cependant que les Américains devront bien, tôt ou tard, considérer ce phénomène pour ce qu'il est, c'est-à-dire une réaction qui s'enracine dans une conjoncture particulière. Aussi effroyable et maléfique soit-il, le recours à la terreur se situe dans le terreau de l'aliénation des populations musulmanes. Il date de bien avant les attentats du 11 septembre et appelle davantage qu'une réaction belliqueuse. Le gouvernement Bush a dépensé beaucoup d'énergie à vouloir enrayer le terrorisme en cherchant à détruire les organisations et à éliminer leurs membres. Cette politique, aussi justifiée fût-elle, n'est pas parvenue à réduire le nombre des islamistes radicaux déterminés à recourir à des attaques terroristes. On peut même croire que ce nombre a augmenté durant les années Bush. En conséquence, l'éradication du terrorisme ne relève pas de la guerre à proprement parler bien qu'elle n'exclue pas des actions violentes. Une guerre se fait avec des armes classiques et se termine habituellement par une victoire définitive. Ce n'est évidemment pas le cas du terrorisme qu'il faut bien plutôt considérer comme une pathologie que comme une menace militaire[12]. La lutte qu'on lui mène ne peut se poursuivre par les États-Unis seuls, mais par plusieurs membres de la communauté internationale. Elle suppose le recours à un ensemble de moyens bien au-delà des forces armées, comme d'ailleurs George W. Bush lui-même l'a exprimé dans son message du 20 septembre 2001[13].

La prolifération des armes nucléaires est un autre défi de taille pour la politique américaine au XXIe siècle. Ce défi n'est pas nouveau. Dès que les Américains eurent produit et utilisé une bombe atomique en 1945, ils ont souhaité que ce type d'armement ne se répande pas dans le monde. Bien en vain. Comment l'Union soviétique se serait-elle privée de contrer son adversaire par des armes nucléaires? Même les alliés, la Grande-Bretagne et la France, y ont eu recours. En 1968, après que la Chine eut fait exploser à son tour un engin nucléaire, plusieurs nations ont accepté de signer un traité de non-prolifération. Des non-signataires, tels Israël, l'Inde, le Pakistan, ont fini par se procurer ces armes de destruction massive. Tant qu'il s'agit d'alliés des États-Unis ou de nations qui ne sont pas perçues comme menaçantes, les responsables américains ne s'en inquiètent pas outre mesure. Quand la Corée du Nord prétend posséder quelques bombes nucléaires et que l'Iran semble se préparer à le faire, l'inquiétude s'installe à Washington, et les dirigeants gouvernementaux invitent toute la communauté internationale à réagir et à empêcher cette dissémination. Le succès demeure mitigé dans la mesure où la politique américaine apparaît nettement biaisée à l'encontre de certains. Il s'agit clairement d'une politique de deux poids, deux mesures qui ne peut être que contestée par les ennemis des États-Unis.

La prolifération devient encore plus inquiétante quand elle paraît devoir s'étendre aux mouvements terroristes dont on craint qu'ils aient accès à des armes nucléaires tactiques assez puissantes pour infliger des dommages catastrophiques.

Pour faire face à de tels défis et à bien d'autres, plusieurs types de moyens s'offrent à la superpuissance américaine. Ces moyens sont proposés par des écoles de pensée diverses qu'on peut regrouper en quatre catégories qui s'entremêlent et s'entrecoupent dans les programmes des partis politiques et des factions à l'intérieur de ces partis. Deux peuvent être qualifiées de mineures, l'isolationnisme et l'idéalisme, deux sont majeures et occupent la plus grande part de l'espace politique. Ce sont le réalisme et l'internationalisme libéral.

En raison de l'ampleur des défis, il est normal que la tradition isolationniste ait presque disparu de l'horizon politique, mais l'échec du globalisme de George W. Bush a considérablement restreint l'ardeur interventionniste et fourni des arguments aux héritiers de l'isolationnisme, tant à gauche qu'à droite du spectre politique. Sur la droite, on trouve des conservateurs, comme Pat Buchanan, qui s'opposent autant à la présence de troupes américaines en Irak qu'à la participation aux organisations internationales[14]. À la gauche, un courant antimondialiste et protectionniste propose une république américaine davantage préoccupée du bien-être de ses citoyens que de l'hégémonie internationale. Ce courant est représenté, entre autres, par le défenseur des droits des consommateurs et candidat aux élections présidentielles de 2000 et 2004, Ralph Nader, de même que par l'universitaire Noam Chomsky[15] qui dénonce les méfaits de l'impérialisme américain.

L'idéalisme se traduit aussi dans des positions de gauche comme de droite. Dans la tradition mondialiste et pacifiste de Woodrow Wilson, il se trouve encore des Américains pour rêver d'un ordre international fondé sur la primauté de la morale, le respect des droits et la coopération. Par contre, l'idéalisme des néoconservateurs du gouvernement de George W. Bush, qu'on a qualifié à tort de wilsonien, les entraîne à soutenir un « impérialisme bienveillant[16] » et une politique d'extension de la démocratie partout dans le monde, quels que soient les moyens (parfois tout à fait mésadaptés) pour ce faire. Cet idéalisme a subi un dur coup au cours du second mandat de la présidence de Bush fils, mais il est toujours susceptible de réapparaître, tant la bonne conscience est tenace dans ces milieux conservateurs.

Le grand débat se situe surtout entre deux formes de ce qu'on pourrait appeler le *containment*, version XXIᵉ siècle. Deux grandes écoles de pensée se disputent la meilleure manière de contrer les grandes menaces dont il a été fait état plus haut : terrorisme international, montée de nouvelles puissances, dissémination des armes nucléaires et tout ce qu'on pourrait ranger sous le signe de l'anarchie internationale.

Pour les tenants de la théorie dite réaliste, la meilleure politique est celle qui poursuit un intérêt national bien compris, ce qui suppose une diplomatie fondée sur la maximisation de la puissance américaine tout en tenant compte des limites du possible. Cela peut supposer le maintien des alliances existantes et la recherche de nouveaux rapprochements, mais aussi la protection de la souveraineté des États-Unis. Une telle politique, fondée sur l'équilibre et la stabilité du système peut entraîner le recours aux armes si cela s'avère nécessaire. Pour les réalistes, bien représentés par l'ancien secrétaire d'État Henry Kissinger, dans les relations internationales, les nécessités de l'ordre doivent prévaloir sur celles de la justice[17]. Bien que cette dernière représente toujours une valeur pour les réalistes, elle risque de perdre son sens si l'ordre en vient à être perturbé. Que devient la justice en temps de guerre ou de révolution ? Quelle sorte de justice Robespierre a-t-il pu imposer? La seule politique valable, pour les réalistes, est donc celle qui s'inscrit dans l'univers du possible, de la paix et de la stabilité. Pour avoir voulu mettre en œuvre des principes universels, les idéalistes se sont retrouvés souvent avec le désordre et l'anarchie. Les seuls principes qu'il faut prendre en considération sont donc ceux dont on a bien mesuré l'applicabilité en fonction des moyens disponibles et de la possibilité d'atteindre les objectifs. Cette école de pensée est embrassée par plusieurs républicains, notamment par ceux qu'on peut qualifier de modérés, tel, par exemple, celui qui fut président de la Commission séna-toriale (2003-2006) sur la politique étrangère, le sénateur Richard Lugar, de l'Indiana.

Le courant du libéralisme international, de son côté, sans répudier certains préceptes du réalisme, considère un rôle pour les États-Unis sur la scène internationale bien au-delà de la seule défense des intérêts nationaux ou à tout le moins selon une conception à long terme de ces intérêts qui suppose une présence positive et généreuse au sein des institutions interna-tionales. Les tenants de cette école s'appuient sur le précédent des grands succès internationaux des États-Unis au lendemain de la Deuxième Guerre mondiale alors que des organisations internationales étaient créées en vue d'un système fondé sur la coopération au-delà des rivalités. On pense au plan Marshall, à l'encouragement que Washington a apporté à la construc-tion de l'Europe, à certaines politiques mises en œuvre au début de la prési-dence de John F. Kennedy, à la politique des droits de la personne de Jimmy Carter, à l'interventionnisme humanitaire prôné (fût-ce avec de faibles résultats) par Bill Clinton.

Les tenants de l'internationalisme libéral insistent sur la nécessité pour les États-Unis d'exercer leur leadership avec d'autres moyens que la force militaire brute ou le pouvoir de l'argent: le *soft power*[18]. Ainsi, le modèle américain des libertés, des droits et de la démocratie a séduit quantité de populations dans le monde, ceux qui ont trouvé refuge aux États-Unis et ceux qui y ont trouvé une inspiration pour un mouvement de réforme ou de contestation. Les étudiants qui protestaient à la Place Tienanmen, à Beijing, en 1989 ont brandi la Statue de la liberté et, dans presque tous les pays d'Europe centrale où se sont effondrés des régimes communistes sous la pression populaire, on en appelait aux valeurs américaines. De plus, la culture de masse américaine, notamment sous la forme de la musique rock, du cinéma et des émissions de télévision, pénètre, pour le meilleur ou pour le pire, à peu près partout dans le monde. Enfin, à un niveau plus élevé, grâce à des programmes comme ceux de la Fondation Fulbright, des étudiants de plusieurs points du globe affluent régulièrement dans des universités américaines. Les résultats ne sont pas toujours ceux que souhaiteraient les Américains. Il arrive qu'on revienne d'un séjour d'études aux États-Unis avec des sentiments antiaméricains. Il arrive aussi que l'invasion de la culture de masse soit réalisée avec des moyens commerciaux agressifs qui provoquent des réactions négatives. Dans l'ensemble, cependant, les États-Unis ont pu marquer des points grâce à la mise en œuvre intelligente du *soft power*, même si ce pouvoir demeure « fragile et peut être détruit par un unilatéralisme excessif et par l'arrogance[19] ». Les internationalistes libéraux insistent sur le fait que les États-Unis sont beaucoup plus dépendants du reste du monde qu'on est porté à le croire. L'intérêt national américain doit donc « prendre en compte les intérêts des autres[20] » et accepter les contraintes que cela suppose.

À partir de telles perspectives et en prenant conscience des transformations du monde contemporain, en particulier du phénomène de la mondialisation et de la porosité croissante des frontières, les internationalistes libéraux en sont venus à promouvoir des interventions à l'intérieur d'autres pays dans des situations où la violation des droits élémentaires des personnes apparaît scandaleuse et intolérable. Cela comporte la suspension d'une règle qui date du traité de Westphalie de 1648 et qui a été généralement sanctionnée par le droit international : le principe de non-intervention dans les affaires internes d'un autre État.

Les réalistes ont fait valoir que de telles interventions introduisent un dangereux précédent. Car on agirait en fonction d'un principe qu'on ne voudrait ni ne pourrait appliquer universellement. Les internationalistes libéraux répondaient que l'application d'un principe universel ne nécessitait sûrement pas qu'on fasse de même partout. Reprenant le principe cher aux réalistes selon lequel la politique est l'art du possible, ils faisaient valoir que l'impossibilité de faire le bien partout ne supposait pas qu'on doive s'en abstenir dans tous les cas. Quoi qu'il en soit, poursuivent les internationalistes libéraux, l'intervention humanitaire est une cause qui est là pour demeurer. Le gouvernement américain est toujours susceptible d'être soumis aux pressions d'une population qui aura été témoin, par le truchement de la télévision, de violations inacceptables des droits humains.

Pas plus que les réalistes, les internationalistes libéraux ne forment un groupe homogène. On peut distinguer parmi eux diverses tendances dites libérales[21]. D'abord, un groupe se détache et se manifeste comme moins internationaliste que les autres en raison de son soutien à un certain protectionnisme. Des membres du Parti démocrate, qui se réclament toujours de la grande tradition majoritaire d'ouverture au monde des Roosevelt, Truman et autres, interviennent fréquemment pour s'opposer à des politiques de libéralisation des échanges. Ils sont soutenus par les grands syndicats et par un électorat soucieux de protéger des emplois fragilisés par la mondialisation. Un autre groupe important se manifeste dans la tendance centriste de ceux qu'on a appelés les *New Democrats*, c'est-à-dire tous ceux qui, à la suite de Clinton, se sont rapprochés un peu des politiques républicaines conservatrices en matière de réduction des déficits budgétaires et de valeurs traditionnelles. Ce courant a contribué à modérer les ardeurs libérales et multilatérales de certains artisans de la politique étrangère sous Clinton. Enfin, un autre courant, plus fortement ouvert à la coopération, peine toujours à se traduire en succès politique.

Ainsi donc, la superpuissance américaine, en dépit d'une tradition qui ne la prédisposait pas à son rôle contemporain, a mis sur pied un système hégémonique redoutable. Pour diverses raisons, la diplomatie n'a pas toujours accompagné les ambitions américaines qui ont atteint un niveau inquiétant et tragique dans les premières années du XXIe siècle, au point de susciter des prises de conscience quant aux limites de cette puissance. Les défis sont énormes et les moyens pour les relever oscillent entre un soi-disant réalisme fondé sur la force et un internationalisme libéral plus ouvert à la coopération et au multilatéralisme.

NOTES

1. Dean ACHESON, *Present at the Creation. My Days at the State Department*, New York, Norton, 1969.

2. Au sujet de la relève de l'empire, voir William Appleman WILLIAMS, *Empire as A Way of Life. An Essay on the Causes and Character of America's Present Predicament, Along with a Few Toughts About an Alternative*, New York, Oxford University Press, 1980. Quant à la relation privilégiée avec la Grande-Bretagne, il faut noter que déjà Jefferson était conscient de la nécessité d'établir avec l'ancienne métropole « une amitié cordiale ».

3. « La doctrine Truman », dans Henry Steele COMMAGER (dir.), *Les grands textes de l'histoire américaine*, Service américain d'information, p. 70.

4. Ce document mérite d'être relu et conserve une étonnante actualité. Son auteur a maintenu jusqu'à sa mort que le *containment* qu'il envisageait comme une politique « à long terme aussi patiente que ferme et vigilante » devait demeurer diplomatique plutôt que militaire. Il écrivait d'ailleurs que « cette politique n'avait rien à voir avec des manifestations dramatiques, avec des menaces tempétueuses et des gestes superflus de dureté (« *such a policy has nothing to do with outward histrionics, with threats of blustering and superfluous gestures of outward toughness*»). Il est clair que les politiques de provocation familières à Ronald Reagan et bien davantage à George W. Bush n'ont rien à voir avec les recommandations de George Kennan.

5. Charles KRAUTHAMMER, « The Unipolar Moment », *Foreign Affairs: America and the World 1990-1991*, vol. 70, n° 1, 1990-1991, p. 23-33.

6. « *Our war on terror begins with Al Qaeda, but it does not end there. It will not end until every terrorist group of global reach has been found, stopped and defeated.* » <http://www.whitehouse.gov/news/releases/2001/09/20010920-8.html> (page consultée le 14 août 2007).

7. « *They hate our freedoms – our freedom of religion, our freedom of speech, our freedom to vote and assemble and disagree with each other* » (*ibid.*).

8. « *Every nation, in every region, now has a decision to make. Either you are with us, or you are with the terrorists* » (*ibid.*).

9. Paris, Payot, 1989.

10. Pour l'année financière 2008, ce budget s'élevait à 583 283 milliards de dollars. Voir <www.gpoaccess.gov/usbudget/fy08/budget/defense.pdf> (page consultée le 27 août 2007). En 2004, les dépenses militaires aux États-Unis comptaient pour 47 % des dépenses militaires de toute la planète, le reste se répartissant entre 29 % pour les alliés des États-Unis dans l'OTAN et 23 % pour l'ensemble des autres pays. Voir <www.borgenproject.org/Defense_Spending> (page consultée le 27 août 2007). En 2003, le budget de la défense aux États-Unis comptait pour 3,7 % du PIB, comparativement à 9,4 % en 1968 au plus fort de la guerre du Viêt-nam et à 37,8 % en 1944, sommet de la Deuxième Guerre mondiale. Voir <www.truthandpolitics.org/military-relative-size.php> (page consultée le 27 août 2007).

11. Voir John MUELLER, *Overblown: How Politicians and the Terrorism Industry Inflate National Security Threats, and Why We Believe Them*, New York, The Free Press, 2006.

12. Voir à ce sujet l'analyse de Richard HAASS : « Le succès ne peut être défini en termes d'élimination ou de cessation du terrorisme, pas plus que la santé ne peut être définie par l'élimination de toute maladie », *The Opportunity: America's Moment to Alter History's Course*, New York, Public Affairs, 2005, p. 58 (traduction libre).

13. «Nous allons faire appel à toutes les ressources à notre disposition – tous les moyens de la diplomatie, tous les outils du renseignement, tous les instruments d'application de la loi, toutes les influences financières [...] ». (*We will direct every resource at our command – every means of diplomacy, every tool of intelligence, every instrument of law enforcement, every financial influence, and every necessary weapon of war*), <http://www.whitehouse.gov/news/releases/2001/09/20010920-8.html>.

14. Pat BUCHANAN, *A Republic, not an Empire*, Washington (DC), Regnery Publishing, 1999, 437 p.

15. Voir Noam CHOMSKY, *Dominer le monde ou sauver la planète : l'Amérique en quête d'hégémonie*, Paris, Fayard, 2004.

16. Voir Robert KAGAN, «The Benevolent Empire», *Foreign Policy*, n° 111, été 1998, p. 24-35. Voir aussi du même auteur, *La puissance et la faiblesse : les États-Unis et l'Europe dans le nouvel ordre mondial*, Paris, Plon, 2006.

17. Voir Henry KISSINGER, *Does America Need A Foreign Policy ? Toward a Diplomacy for the 21ˢᵗ Century*, New York, Simon & Schuster, 2001.

18. Voir Joseph S. NYE Jr., *Bound to Lead : The Changing Nature of American Power*, New York, Basic Books, 1990.

19. Joseph S. NYE Jr., *The Paradox of American Power : Why the World's Only Superpower Can't Go It Alone*, New York, Oxford University Press, 2002, p. 160 (traduction libre).

20. *Ibid.*, p. 138.

21. Voir Pierre MELANDRI et Justin VAÏSSE, *L'empire du milieu. Les États-Unis et le monde depuis la fin de la Guerre froide*, Paris, Odile Jacob, 2001, p. 351-353.

POUR EN SAVOIR PLUS

BIBLIOGRAPHIE ET LECTURES RECOMMANDÉES

DAVID, Charles-Philippe, Louis BALTHAZAR et Justin VAÏSSE, *La politique étrangère des États-Unis : fondements, acteurs, formulations*, Paris, Les Presses de Science Po, 2003.

DAVID, Charles-Philippe, *Au sein de la Maison-Blanche. La formulation de la politique étrangère des États-Unis*, Québec, Presses de l'Université Laval, 2005.

GADDIS, John Lewis, *We Now Know. Rethinking Cold War History*, New York, Oxford University Press, 1997.

HAASS, Richard N., *The Opportunity : America's Moment to Alter History's Course*, New York, Public Affairs, 2005.

HOFFMANN, Stanley, *Chaos and Violence : What Globalization, Failed States and Terrorism Mean for U.S. Foreign Policy*, New York/Toronto, Rowman & Littlefield, 2006.

HUNT, Michael H., *Ideology and U.S. Foreign Policy*, New Haven, Yale University Press, 1987.

JENTLESON, Bruce W., *American Foreign Policy. The Dynamics of Choice in the 21st Century*, New York, Norton, 2000.

KAGAN, Robert, *Dangerous Nation : America's Place in the World from its Earliest Days to the Dawn of the 20th Century*, New York, Knopf, 2006.

MEAD, Walter Russell, *Special Providence : American Foreign Policy and How It Changed the World*, New York, Knopf, 2001.

MELANDRI, Pierre et Justin VAÏSSE, *L'empire du milieu. Les États-Unis et le monde depuis la fin de la Guerre froide*, Paris, Odile Jacob, 2001.

NOUHAILLAT, Yves-Henri, *Les États-Unis et le monde au XXᵉ siècle*, Paris, Armand Colin, 1997.

NYE, Joseph S. Jr., *The Paradox of American Power : Why the World's Only Superpower Can't Go It Alone*, New York, Oxford University Press, 2002.

SERFATY, Simon, *La tentation impériale*, Paris, Odile Jacob, 2004.

SITES INTERNET

Chicago Council on Global Affairs : www.ccfr.org
Council on Foreign Relations (publie la revue *Foreign Affairs*) : www.cfr.org
Département d'État des États-Unis : www.state.gov
Foreign Policy (revue spécialisée) : www.foreignpolicy.com
Frontline (documentaires sur la politique étrangère et divers autres sujets) : www.pbs.org/frontline
Observatoire des États-Unis de la Chaire Raoul-Dandurand (Université du Québec à Montréal) : www.dandurand.uqam.ca/fr/us/actualites.htm
Woodrow Wilson International Center for Scholars : www.wilsoncenter.org

LA POLITIQUE DE DÉFENSE

Michel Fortmann
Loïc Baumans

Pourquoi accorder à la politique de sécurité et de défense américaine une place particulière dans cet ouvrage ? La raison en est simple. Bien que le statut de superpuissance des États-Unis soit incontestable tant sur le plan de l'économie que sur celui de l'influence culturelle et idéologique, c'est dans le domaine militaire et les affaires de sécurité que se traduit de la façon la plus tangible la prépondérance des États-Unis dans le monde depuis la fin de la Guerre froide. Pour comprendre l'évolution de cette puissance, il faut toutefois revenir à ses origines et examiner les racines historiques de la politique de sécurité américaine. Dans cette perspective, notre démarche s'effectuera en deux temps. Nous rappellerons, tout d'abord, les faits qui ont donné naissance à une culture stratégique particulière aux États-Unis. Nous analyserons, ensuite, l'évolution de la politique de sécurité et de défense américaine de 1945 jusqu'aux nouvelles orientations dont l'horizon s'étend à 2010, voire 2020.

Les bases de la doctrine de sécurité et de défense

Si l'on considère globalement la période allant de la déclaration d'Indépendance à la Seconde Guerre mondiale, l'histoire de la puissance militaire américaine est traditionnellement divisée en deux périodes couvrant, d'une part, la naissance et la consolidation de la République (1776-1898), d'autre part, l'entrée des États-Unis sur la scène mondiale (1898-1940). Cette période sera ici traitée de façon homogène comme une phase de formation révélant les traits récurrents de la culture stratégique américaine.

D'un point de vue **géopolitique**, d'abord, il faut souligner que la sécurité des États-Unis, durant cette période, réside en premier lieu dans leur situation quasi insulaire. Cette situation, qui s'oppose par exemple à celle d'un grand État continental comme la Russie, est caractérisée par l'absence de menace d'invasion territoriale. En effet, depuis 1783, aucune puissance n'a été capable de mener avec succès une campagne terrestre d'envergure sur le continent nord-américain. À l'origine, l'Amérique n'avait donc pas besoin d'une armée de grande taille, tout au plus d'une marine capable de défendre ses côtes.

Parallèlement, sur le plan **politique**, l'un des principes sur lesquels s'étaient entendues les 13 colonies fondatrices était le rejet de toute forme d'armée en temps de paix. Comme l'a noté Barbara Tuchman, la jeune république manifestait ainsi, dès l'origine, « une passion pour la liberté » qui se traduisait par un antimilitarisme virulent. Il n'est donc pas étonnant que, dès la fin de la guerre d'Indépendance, le Congrès ait réduit l'armée à 80 hommes, déclarant que : « Les armées permanentes, en temps de paix, ne conviennent pas à un gouvernement républicain, elles constituent une menace pour les droits d'un peuple libre et doivent être considérées comme des instruments de destruction voués au despotisme[1]. » De 1800 à 1890, le Congrès est resté fidèle à ce principe. À l'aube de la guerre avec le Mexique, en 1846, les États-Unis ne disposaient ainsi que de 40 000 soldats et, à la veille de l'affrontement avec l'Espagne, en 1890, l'armée américaine ne comptait encore que 39 000 hommes, alors que la population des États-Unis représentait déjà le double de celle de la Grande-Bretagne[2]. Même sur le plan maritime, les États-Unis ne disposaient jusqu'en 1883 d'aucun vaisseau digne d'une grande puissance navale[3].

Sentiment de sécurité et **méfiance envers l'armée** perçue comme un instrument de despotisme ont constitué deux traits marquants de la culture politique américaine pendant près d'un siècle. Le peu d'attirance que les Américains éprouvaient à l'égard des guerres et des armées se manifestait, d'ailleurs, par leur attachement à trois principes qui sont restés valides jusqu'en 1945 et qui le sont toujours, en partie, depuis : il s'agit de l'absence de préparation à la guerre, du goût des victoires rapides au détriment des buts politiques poursuivis et de la démobilisation instantanée dès la fin des hostilités. À titre d'illustration, mentionnons simplement le fait qu'à la veille du second conflit mondial, les États-Unis ne disposaient que de 155 000 soldats et qu'en 1946, la démobilisation fut réalisée si brutalement que les forces américaines purent à peine faire face à leurs tâches d'occupation en Allemagne et au Japon.

Deux autres caractéristiques de la culture stratégique des États-Unis sont dignes de mention, ce sont la tendance au **repli sur soi** et le **goût pour les grandes causes** et, par extension, les guerres « justes ». En effet, le sentiment d'isolement et de sécurité, ressenti par les Américains du XIXe siècle, se double d'une grande méfiance à l'égard des querelles européennes et de la politique d'équilibre des puissances pratiquée outre-Atlantique. L'image très morale que les Américains ont d'eux-mêmes et celle qu'ils ont de leur système politique les ont amenés, au contraire, à avoir une perception particulière des guerres. Celles-ci ne méritent un engagement de la part des États-Unis que lorsque certains principes fondamentaux sont violés ou lorsqu'une attaque directe a été entreprise contre les États-Unis. En d'autres termes, il semble exister, dans la mentalité américaine, une tendance à considérer l'ennemi comme un hors-la-loi, un criminel, et la guerre comme une expédition punitive. Bien qu'elle soit caractérisée par des traits fondamentalement pacifiques, la culture politique américaine manifeste donc un penchant pour le manichéisme et l'extrémisme en matière militaire. L'idéalisme politique, la passion de la liberté sont, en quelque sorte, le berceau du pacifisme qu'illustraient les ligues pour la paix de 1840 et l'enthousiasme populaire face aux deux conférences de la paix, en 1899 et 1907, mais aussi la source de l'enthousiasme belliqueux qui a animé les Américains en 1898, 1917, 1941, 1990 et 2003.

Concrètement d'ailleurs, l'histoire américaine, si elle n'est pas guerrière au sens classique du terme, est certainement fort violente, autant sur le plan interne qu'externe. Au XIXᵉ siècle seulement, les États-Unis ont mené 69 guerres aux nations amérindiennes, en plus d'une guerre civile qui a fait 620 000 morts. Sur le plan externe, les États-Unis ont déployé à 251 reprises leurs forces armées à des fins politiques entre 1789 et 1995, mais 5 fois seulement dans le cadre de guerres déclarées. Cela souligne un premier paradoxe de la politique militaire américaine : celui de l'antimilitarisme et du bellicisme, paradoxe dont l'observateur trouve encore aujourd'hui la trace.

L'image d'une Amérique neutre et superbement indifférente au contexte international est, elle aussi, trompeuse et indique une seconde contradiction. En effet, tout en se gardant jusqu'en 1917 de nouer des alliances militaires avec l'Europe, les États-Unis ont professé et pratiqué une politique d'expansion qui leur a permis, d'abord, d'acquérir la plus grande partie du continent nord-américain, puis d'étendre leur influence au-delà de celui-ci. En ce sens, les gouvernements américains ont obéi à la politique de la « destinée manifeste », selon laquelle la République « était clairement appelée par le Tout-Puissant à un avenir qu'auraient envié la Grèce et la Rome antiques⁴ ». Les « corollaires » Polk (1845) et Roosevelt (1905) de la doctrine Monroe (1823) ont fait de l'Amérique latine la chasse gardée des États-Unis. Les États-Unis ont, en outre, acquis plusieurs territoires dans les Caraïbes et le Pacifique à partir de la seconde moitié du XIXᵉ siècle. Ils ont aussi été les premiers à imposer, par la force, l'ouverture des relations diplomatiques et commerciales au Japon (1853-1854). Ajoutons, finalement, que c'est précisément à la fin du siècle dernier, alors que la puissance industrielle et économique américaine commençait à dépasser celle des pays européens, qu'ont été formulées les théories stratégiques d'Alfred Mahan, le premier grand penseur américain en cette matière. Celui-ci, qui insistait sur l'importance capitale d'une force navale comme base de la puissance d'un État, a directement inspiré l'expansion de la flotte américaine ainsi que la politique de prestige maritime menée par le président T. Roosevelt dans les premières années du XXᵉ siècle.

Nul épisode ne traduit mieux les contrastes de la politique de défense américaine que la Première Guerre mondiale. S'y reflètent, à la fois, les tendances neutralistes et opportunistes des milieux d'affaires, qui cherchent avant tout à préserver leurs considérables intérêts commerciaux, le moralisme des médias, qui font de la guerre une « sainte croisade de la liberté et de la démocratie », et l'idéalisme du président Wilson, qui veut défendre les principes de paix et de justice sur la scène mondiale. La Grande Guerre souligne déjà à quel point il est difficile, pour le système politique américain, de concilier les différents courants politiques qui l'animent. Le retour soudain à l'isolationnisme et au pacifisme, qui caractérise l'entre-deux-guerres, symbolise la réticence avec laquelle la nouvelle grande puissance qu'était devenue l'Amérique fait face à son rôle international. En un curieux mouvement de balancier, l'antimilitarisme et le neutralisme redeviennent ainsi les deux mots d'ordre de la politique de sécurité américaine entre les deux guerres. On n'a qu'à penser au refus des États-Unis de devenir membre de la Société des Nations ou d'offrir une garantie de sécurité à la France en cas de nouvelle agression allemande, ou encore au traité naval de Washington (1921), qui établissait des limites considérables à l'expansion des marines de guerre américaine, japonaise et britannique, ainsi qu'au pacte Briand-Kellogg (1928) qui, noblement, consacrait l'abandon du recours à la guerre comme moyen de résoudre les conflits entre États. Soulignons aussi l'impact public des révélations du Comité d'enquête sur les munitions, qui ont inspiré, de 1934 à 1936, un embargo sur le commerce des armes ainsi que la loi de neutralité qui interdisait toute vente d'armes à un pays en guerre. Les pressions populaires étaient telles, d'ailleurs, que la conscription militaire n'a été acceptée, au Congrès, qu'en 1940, avec une seule voix de majorité. Et on peut se demander si les États-Unis seraient entrés en guerre contre l'Axe en l'absence de l'agression japonaise contre Pearl Harbor.

À l'issue du deuxième conflit mondial, l'Amérique fait face à un contexte international qui bouleverse toutes les données antérieures de sa sécurité. Avec une Europe en ruine, les États-Unis étaient devenus, pratiquement, la plus grande puissance économique et militaire du monde. Leur PNB, en 1945, équivalait à 50 % de la production mondiale brute et leurs exportations représentaient la moitié des échanges mondiaux. Les forces armées américaines, quant à elles, comptaient 12 millions d'hommes, et la marine disposait à elle seule de 1 200 navires, 40 000 avions et 500 000 *marines*. Compte tenu de cette situation, l'Amérique ne pouvait que diffi-

cilement refuser le leadership militaire que lui imposaient les circonstances. D'autant plus que les élites américaines, ayant tiré des leçons de
l'entre-deux-guerres, n'étaient plus prêtes à adopter une attitude de laisser-
faire et de repli sur soi face aux questions de sécurité internationale. Le
« splendide isolement » américain n'avait plus sa raison d'être. Comme
l'exprimait le président Truman :

> L'histoire nous a appris qu'une agression, où que ce soit sur la planète, est
> une menace à la paix mondiale. Si une telle agression est appuyée par les
> dirigeants d'une nation puissante et avide de conquêtes, elle devient un
> danger manifeste pour la sécurité et l'indépendance de toute nation libre[5].

L'année 1945 représente donc le point de non-retour de l'engagement
américain dans les affaires mondiales, autant sur le plan militaire que sur
celui de la diplomatie. Nous ne reviendrons pas sur les origines politiques
et idéologiques du conflit américano-soviétique. Il ne faudrait cependant
pas oublier que ce qu'on allait appeler la Guerre froide avait aussi une
dimension militaire bien réelle : la **menace soviétique en Europe**. Il était
donc essentiel pour l'Amérique de se préparer au pire. Il était aussi clair
que les États-Unis ne pouvaient assumer seuls la sécurité des démocraties
libérales, incapables d'assurer seules leur défense. Les circonstances imposaient donc une forme de défense collective, un système d'alliances,
qu'avaient toujours refusé les hommes politiques américains depuis
Washington. C'est dans cet esprit qu'ont été fondées l'OTAN ainsi que
d'autres alliances, qui engageaient les États-Unis dans le maintien de la
sécurité mondiale.

L'autre rupture fondamentale dans le contexte stratégique américain,
à partir de 1945, est représentée par l'**arme nucléaire**. Cette dernière,
combinée avec le bombardier stratégique, puis avec le missile interconti-
nental, symbolise en effet la fin de l'invulnérabilité du continent nord-
américain. Dorénavant, les villes américaines, comme les cités européennes,
pourront être dévastées en cas de conflit mondial. Mais l'arme nucléaire
est-elle réellement un instrument utilisable à des fins militaires ? Les
réponses que les analystes ont apportées à cette question ne laissent pas de
doute : la guerre totale ou nucléaire impliquerait des coûts beaucoup trop
élevés par rapport aux avantages politiques qu'il serait possible d'en retirer.
Elle constituerait soit un suicide, soit un acte de barbarie impensable.

Malheureusement, l'arme nucléaire existait et ne pouvait être «désinventée». On ne pouvait pas non plus s'attendre à ce qu'un pays tel que l'URSS fasse reposer sa sécurité sur une simple déclaration d'intention du gouvernement américain et abandonne le monopole nucléaire à un État perçu comme un ennemi mortel. Le match nul stratégique était donc déjà prévisible avant même que les Soviétiques ne fassent l'essai de leur première bombe atomique, en août 1949. Les États-Unis se trouvèrent ainsi devant la décision d'accumuler un arsenal dont le but ultime était d'empêcher la guerre.

Les doctrines américaines de défense après 1945

Dans les circonstances particulières du conflit Est-Ouest – qui implique à la fois la compétition stratégique sous de multiples formes et le maintien d'un ordre international stable pour les deux superpuissances –, les choix américains en matière de défense étaient limités. En pratique, la seule doctrine envisageable était celle de l'endiguement (*containment*) et les principes de celle-ci, comme l'a justement souligné le chapitre précédent, demeureront valides jusqu'à l'effondrement de l'URSS. Le rapport présidentiel intitulé NSC 68, dont il a déjà été question en ce qui concerne la politique extérieure (voir le chapitre 14), a cristallisé l'agressivité de la politique américaine. Il désignait l'Union soviétique comme l'ennemi absolu et établissait nettement que les États-Unis «devraient augmenter leur arsenal nucléaire aussi rapidement que possible», et, même si la guerre n'était pas une option recommandée par le rapport, le but de son programme était tout de même de favoriser une mutation interne du système soviétique.

Le problème majeur d'une telle politique résidait dans son ambition démesurée. En effet, un effort militaire d'une telle ampleur exigeait non seulement des moyens techniques et financiers considérables, mais aussi une détermination collective et une stratégie à la fois cohérente et réaliste. Or, dans les faits, et ce, dès le conflit coréen, les États-Unis s'avérèrent incapables de remplir ces conditions. Sur le plan matériel, tout d'abord, il était improbable que les forces américaines puissent faire face à toute la gamme des conflits potentiels susceptibles de se produire dans le monde. Dans la réalité, la stratégie des « deux guerres et demie », telle qu'on la nomma plus tard, était donc d'emblée hors de portée. Cette stratégie supposait que les États-Unis auraient les moyens de mener une guerre en Europe, une autre en Asie ainsi qu'un conflit limité ailleurs dans le monde. Or, dans le seul cas du théâtre européen, même l'OTAN dans son ensemble était incapable d'atteindre les objectifs qu'elle s'était fixés à Lisbonne en 1952. Même plus de 20 ans plus tard, à une époque où les États-Unis avaient réduit leur planification au cadre d'une guerre et demie, H. Brown, secrétaire à la Défense sous le président Carter, pouvait déclarer candidement : « Les capacités américaines de mener une ou une guerre et demie sont purement théoriques. Notre politique n'a jamais vraiment coïncidé avec ces objectifs[6]. » La faillite de l'endiguement global résidait dans le caractère paradoxal d'une politique qui mariait des objectifs illimités et une rhétorique manichéenne à des moyens restreints.

Ironiquement, les limites d'une politique d'endiguement *tous azimuts* n'avaient pas échappé aux politiciens américains, et ce, dès le début des années 1950. Eisenhower, par exemple, reconnaissait implicitement, dans le cadre de la doctrine du *New Look*, que le « périmètre de sécurité » impliquant l'intervention directe des troupes américaines devrait être limité de façon draconienne. Il accordait, de ce fait, la priorité au développement économique et proposait de compenser la faiblesse en armes classiques des États-Unis par un usage accru de la supériorité nucléaire américaine. C'est ainsi que, durant son mandat, l'arsenal atomique américain est passé de 600 à 12 000 bombes, tandis que le nombre de bombardiers stratégiques grimpait de 300 à plus de 2000 appareils, et que plusieurs milliers d'armes nucléaires tactiques étaient déployées en Europe. Cet accroissement des forces nucléaires a conforté la supériorité stratégique américaine. Mais ces armes de destruction totale étaient-elles réellement à même de résoudre le dilemme militaire américain ?

Schématiquement, le débat politique sur cette question a été marqué par deux tendances. La première voyait dans l'arme nucléaire un instrument purement politique et symbolique dont le seul but est de neutraliser l'arsenal d'un adversaire, en lui promettant une destruction totale s'il venait à utiliser ses propres armes. Dans ce cadre, qui correspond à la théorie de la **destruction mutuelle assurée** (connue sous l'acronyme anglais MAD), la fonction des armes dites stratégiques est purement dissuasive et la quantité de force requise peut être limitée à ce qu'on appelle une capacité de seconde frappe – c'est-à-dire la quantité d'armes requise pour qu'un agresseur ne puisse échapper aux représailles nucléaires, même s'il décidait de frapper en premier.

La seconde tendance percevait plutôt l'arme atomique comme une composante des options militaires contemporaines, un instrument qu'il s'agissait d'intégrer de façon réaliste à l'équation des forces. Selon cette perspective, il était dangereux de faire confiance aux Soviétiques dans le domaine du nucléaire, et la seule façon de les dissuader de rechercher la supériorité nucléaire était, pour les États-Unis, de disposer eux-mêmes d'un **avantage décisif** dans ce domaine. Les tenants les plus modérés de cette école de pensée envisagèrent les moyens de survivre à un conflit nucléaire et de rétablir la dissuasion à l'intérieur même d'un conflit (*intra-war deterrence*). Or, cette ligne de pensée, en envisageant des scénarios concrets de guerre atomique – même défensive –, contredisait la notion de suicide qu'impliquait la théorie de la destruction mutuelle assurée et réintégrait l'arme atomique parmi les instruments de coercition dont l'usage était envisageable.

La première école de pensée (la doctrine MAD) était celle qui avait le plus d'attraits du point de vue politique. Cependant, elle s'appuyait sur un postulat difficilement acceptable, à savoir la certitude que les dirigeants du Kremlin adopteraient la même doctrine que leurs homologues américains. Les opposants à la doctrine MAD n'ont donc eu aucun mal à faire valoir que, en l'absence de certitude quant aux intentions soviétiques, il était plus prudent d'avoir une capacité de mener un conflit nucléaire et d'y survivre. Comme Desmond Ball[7] l'a clairement démontré, les armes nucléaires ont toujours été intégrées à des plans *opérationnels* et non « mises en quarantaine » comme des armes de dernier recours, et les officiers du Strategic Air Command n'ont donc jamais cessé de penser la guerre nucléaire comme une opération militaire.

Les politiciens, pour leur part, ont hésité entre une rhétorique belliqueuse et un discours rassurant, augmentant ainsi l'ambiguïté de la stratégie dans son ensemble. L'époque d'Eisenhower a été marquée par l'agressivité de la doctrine des représailles massives. Celle-ci établissait, par exemple, que les armes atomiques et thermonucléaires constitueraient l'élément essentiel des défenses de l'OTAN.

Robert McNamara, secrétaire à la Défense sous la présidence de Kennedy, a tenté, à partir de 1961, d'introduire un certain raffinement dans cette stratégie en insistant sur la notion de limitation des dommages concomitants (*collateral damage*). Dans ce cadre, il était proposé d'épargner les villes et les populations de chacun des protagonistes, de façon à pouvoir arrêter l'escalade avant l'holocauste. Toutefois, cette doctrine impliquait un contrôle minutieux des échanges nucléaires, un peu à la façon dont on respecte les règles d'un match sportif. Était-il crédible de prêter un tel degré de retenue et de rationalité à des acteurs engagés dans une guerre nucléaire? On peut en douter. McNamara a d'ailleurs été forcé, dès 1964, d'effectuer une volte-face complète à ce sujet. À partir de cette année-là, en effet, la doctrine MAD est devenue – en apparence – la pierre angulaire de la stratégie américaine et l'est restée jusqu'en 1981. En pratique, cependant, l'ambiguïté a été maintenue à la fois par le développement de systèmes d'armes stratégiques à caractère offensif, par les plans d'emploi nucléaire et par les déclarations politiques qui, de James Schlesinger à Jimmy Carter, ont mis l'accent sur les aspects opérationnels d'un conflit nucléaire.

Généralement, les années 1970, du début du désengagement américain au Viêt-nam à la dernière année de la présidence de Jimmy Carter, sont perçues comme une époque de **détente**. C'est aussi une période de succès pour la notion de contrôle des armements, dont le symbole est le traité SALT. Cependant, si l'on s'en tient à la politique de défense américaine et à la situation mondiale en matière de sécurité, il y a certainement matière à s'interroger sur la validité ou la pertinence du concept de détente, notamment parce que celui-ci possédait un sens bien particulier pour les responsables américains. Selon Stanley Hoffmann, il s'agissait d'une politique mondiale ambitieuse qui visait à contraindre les Soviétiques à jouer un rôle qui leur était assigné par Washington à l'intérieur d'une « structure de paix stable » ; cette dernière aurait garanti la suprématie des États-Unis et aurait assuré le triomphe d'une conception très américaine et purement conservatrice de la stabilité[8]. La détente a donc été, en pratique, une *Realpolitik* relativement peu différente du concept d'endiguement. Cette interprétation est d'ailleurs étayée par les faits, en particulier la croissance continue de l'arsenal stratégique américain ainsi que l'évolution du budget du Pentagone. C'est pendant les années 1970 qu'ont été mis au point ou déployés de nouveaux systèmes d'armes nucléaires, tels que le missile de croisière, le bombardier *B-1*, le missile *MX*, le sous-marin *Trident* et le missile *Trident D5*, tandis que le budget militaire de 1972, en pleine détente (6,4 % du PNB), représentait un effort de défense comparable à celui consenti en 1984, en pleine reprise de la Guerre froide (6,3 % du PNB). On peut faire un constat identique lorsqu'on observe les rivalités opposant Américains et Soviétiques dans le cadre de conflits locaux, tels que la guerre du Kippour (1973), la guerre civile en Angola (à partir de 1975), le conflit de la Corne de l'Afrique (1977) et l'intervention soviétique en Afghanistan (1979). Dans ces différentes situations, la détente est demeurée lettre morte.

Si le concept de détente a été en vogue de 1972 à 1976 auprès du public américain, il a rapidement perdu de son attrait lorsque ce même public a pris conscience de « l'expansion militaire soviétique ». Il faut en effet se rendre compte, comme l'a montré Raymond Garthoff[9], que l'URSS, motivée par un sentiment d'infériorité hérité du revers cinglant qu'elle avait subi à Cuba en 1962, avait entrepris un effort de réarmement, en particulier sur le plan de l'arsenal nucléaire, à partir du milieu des années 1960. Malheureusement, les effets de cet effort coïncidèrent avec l'apothéose du dégel des relations Est-Ouest, donnant ainsi l'impression que Moscou ne jouait pas le jeu de la détente. Quelle qu'ait été la nature réelle des intentions soviétiques, les groupes conservateurs américains n'ont eu aucun mal à monter l'opinion contre un adversaire qui, visiblement, ne semblait pas accepter les règles du jeu. Le président Carter, face à ces pressions et dans un contexte international difficile, eut beaucoup de mal à défendre la poursuite d'une politique de détente. D'ailleurs, le concept de contrôle des armements, qui constituait l'élément central de cette politique, se heurta au fait que ni les États-Unis ni l'URSS ne désiraient remettre en cause la modernisation et le développement de leurs arsenaux.

L'échec de la politique de détente au cours des années 1970 a mené à une mutation radicale du discours officiel, mutation qui rappelait de façon inquiétante la période la plus sombre de la Guerre froide. Rien n'est plus révélateur de cette atmosphère que les objectifs de la défense américaine mis de l'avant par le président Reagan lors de son premier mandat. Ceux-ci requéraient, en plus des exigences traditionnelles du *containment*, que les États-Unis aient « la capacité de faire face à une *guerre mondiale*, ce qui inclut à la fois la défense de l'Europe, celle de l'Asie du Sud-Ouest, du Pacifique et d'autres régions [...]. Compte tenu des capacités globales de l'URSS, il s'agit, à long terme, de pouvoir défendre toutes ces régions *simultanément*[10].»

Cette stratégie extrêmement ambitieuse confiait plusieurs missions supplémentaires aux forces armées américaines. Sur le plan nucléaire, tout d'abord, il était clairement prévu qu'en cas de conflit, les États-Unis tenteraient de désarmer l'URSS et de « décapiter » sa direction suprême par une frappe préventive, ce qui contredisait clairement la doctrine MAD. Quant aux opérations classiques, la stratégie américaine prévoyait non seulement de contenir les Soviétiques, mais aussi de les attaquer dans la profondeur de leur dispositif de défense en Europe de l'Est et en Russie. Il était ainsi question d'offensives contre les flancs du pacte de Varsovie ou d'opérations contre les bases du nord de la Russie ou contre les régions extrême-orientales de l'URSS. Les forces armées américaines se voyaient confier des missions exigeantes qui rappelaient l'époque de la stratégie des « deux guerres et demie ». Cette mutation est très perceptible sur le plan des doctrines et des stratégies militaires qui deviennent plus offensives. C'est notamment le cas de celle de l'armée (la doctrine de l'*Air Land Battle*) et de la marine (*Forward Maritime Strategy*), mais on peut faire le même constat en ce qui a trait au développement et à l'acquisition de nouvelles armes traditionnelles dont le but est d'affirmer la supériorité technologique des États-Unis (véhicules blindés pour l'armée, système de détection aéroporté, avions furtifs, etc.).

Les années 1980 ont aussi été marquées par une relative atténuation du « syndrome vietnamien », ce qui s'est traduit par une reprise des interventions directes à l'étranger, notamment à la Grenade (1983), au Liban (1983-1984), en Libye (1986), dans le golfe Arabo-Persique (1987) et au Panama (1989). La création d'un nouveau commandement interarmes (le Central Command ou USCENTCOM) en 1983 a certainement été le signe le plus évident de l'importance que les États-Unis accordaient une fois de plus à la « demi-guerre » dans leur politique de défense. Il faut aussi mentionner, à ce sujet, la réorganisation des Special Forces (les différentes unités commandos des forces armées américaines) en un commandement unifié et la création d'un poste de secrétaire adjoint à la Défense pour les opérations spéciales et les conflits de faible intensité, dont les opérations de lutte contre le trafic de la drogue.

Il demeure toutefois vrai que le programme militaire qui a le plus attiré l'attention durant la présidence de Reagan a été l'**Initiative de défense stratégique** (IDS). C'est le 23 mars 1983 que le président a annoncé publiquement l'intention de son gouvernement de déployer un bouclier de défense stratégique destiné à intercepter les armes nucléaires soviétiques. Cette décision marquait la fin d'une longue période de limitation volontaire, en matière de défense antimissile, adoptée par les États-Unis depuis les accords SALT. Elle semblait donc ouvrir la porte à une militarisation accrue de l'espace et à une nouvelle étape de la course aux armements. L'IDS représentait aussi une tentative de rétablir l'invulnérabilité historique du continent nord-américain, perdue avec l'arrivée des missiles nucléaires intercontinentaux, thème qui refera surface au cours des années 1990 avec le projet de défense antimissile du territoire américain (*National Missile Defense*). Nous y reviendrons.

Le débat stratégique après la Guerre froide

Les élites américaines ont été prises de court par le changement de cap brutal de la politique du Kremlin dès 1986, puis par l'effondrement très rapide de l'empire soviétique. Les États-Unis perdaient leur ennemi mortel et devaient, du même coup, faire table rase de 40 ans d'expérience politico-stratégique. De plus, alors que dans le contexte de la Guerre froide les choix stratégiques américains étaient relativement circonscrits, l'après-Guerre froide offre un éventail d'options beaucoup plus étendu. Les années 1990 sont donc caractérisées par un **débat stratégique** sans précédent, portant tout autant sur le rôle et le degré d'engagement des États-Unis sur la scène internationale que sur la réorganisation de leurs forces armées en fonction du nouvel environnement stratégique. En l'absence de menace claire à la sécurité américaine et occidentale, il est en effet possible de pencher tout aussi bien en faveur d'un néo-isolationnisme, d'une stratégie hégémonique ou d'un engagement sélectif. Selon le point de vue stratégique que l'on adopte, il est également possible de promouvoir des forces armées très perfectionnées, destinées à combattre une grande puissance potentielle ou de convertir une partie importante de l'appareil de défense en vue d'opérations de faible intensité. Enfin, le domaine même de la sécurité est soumis à une redéfinition, alors que plusieurs analystes affirment que la détérioration de l'environnement, l'absence de gouvernement efficace et démocratique, les pandémies, la criminalité transnationale et les attaques contre les réseaux informatiques constituent autant de nouvelles menaces à la sécurité. La prise en compte de ces menaces non traditionnelles signifie, bien sûr, que la politique de sécurité n'est plus conçue de façon strictement militaire.

Face à ces choix, le gouvernement Clinton va opter – après une brève période de multilatéralisme actif – pour un multilatéralisme sélectif. Le principal concept géostratégique est alors celui de l'*enlargement* (ou élargissement), défini en 1993 par Anthony Lake, conseiller du président en matière de sécurité nationale. L'«élargissement», qui succède au *containment*, a pour thèmes principaux la promotion de la démocratie, la diffusion de l'économie de marché et la libéralisation des échanges. Ces priorités doivent en effet garantir une économie saine et, donc, une défense solide. Autrement dit, il n'est plus question de contrer une superpuissance, mais plutôt d'élargir et de consolider le réseau des pays alliés, tant sur le plan politique qu'économique.

Cette politique a été exprimée sous le second mandat de Clinton par la formule *Shaping the World*. Sur le plan militaire, cela se traduit par une triade stratégique : préparer l'avenir, réagir, être prêt (*shape, respond and prepare*). Cette thématique se veut à la fois une réponse aux conflits contemporains et un prélude à l'avenir. L'objectif ultime est de réduire les menaces asymétriques. Cette vieille notion militaire, remise au goût du jour dans le contexte de l'après-Guerre froide, fait référence à une attaque d'un adversaire moins puissant qui, devant l'impossibilité de l'emporter dans un affrontement direct avec les États-Unis, choisirait des moyens asymétriques – comme le terrorisme ou les armes nucléaires, bactériologiques ou chimiques – pour vaincre la puissante machine militaire américaine.

Le débat stratégique de la dernière décennie est, à l'évidence, intimement lié à la question de la **restructuration des forces armées améri-**

caines. Sur ce plan, le gouvernement Clinton bénéficie du résultat des efforts entrepris par les administrations précédentes depuis plus de 10 ans. On peut, en effet, affirmer que les quatre grands exercices de réforme effectués depuis la fin de la Guerre froide, à savoir la *Base Force* de 1991, la *Bottom-Up Review* de 1993, le rapport de la Commission sur les rôles et missions des forces armées de 1995 et la *Quadrennial Defense Review* (*QDR*) de 1997, sont le fruit d'un processus qui a commencé au cours des années 1980. On peut mentionner, à ce titre, la réorganisation du commandement supérieur des forces armées (*Joint Chiefs of Staff*) qui a fait suite à l'adoption de la Loi Goldwater-Nichols en 1986. Le rapport de la commission Packard, constituée en 1989, a également donné lieu à un ensemble de réformes dans les domaines de l'administration et de la gestion.

La nécessité de réviser le processus de **planification** s'est ainsi graduellement imposée aux Américains et s'est cristallisée autour d'un nouveau processus formel : l'examen quadriennal de la défense (mieux connu par son sigle anglais *QDR*). Entériné par la loi de programmation militaire pour l'année 1997 dans une sous-section intitulée *Military Force Structure Review Act of 1996*, le *QDR* se veut un mécanisme d'examen régulier qui prévoit que soient évalués, au début de chaque nouvelle présidence, la stratégie, la structure des forces et les programmes de modernisation de l'infrastructure de Défense américaine.

Le nouveau visage des forces américaines apparaît donc lentement au cours des années 1990. Par exemple, la présence militaire outre-mer décline de façon importante, passant de 541 000 hommes en 1988 à 250 000 hommes au début des années 2000. C'est le personnel militaire américain en Europe qui a subi la diminution la plus marquée, passant en une décennie de 356 000 à 109 000 hommes. Mais que ce soit en Europe ou en Asie, les forces armées américaines sont réorganisées afin de pouvoir intervenir partout dans le monde, et cela sans disposer de troupes ou de matériel sur place, comme c'était le cas en Europe lors de la Guerre froide.

Parallèlement à ces efforts de réorganisation, les autorités militaires américaines ont aussi tenté de définir une **stratégie opérationnelle interarmes,** c'est-à-dire une stratégie dans le cadre de laquelle les divers éléments des forces armées agissent en synergie. La guerre du Golfe a démontré que les capacités militaires des quatre armes américaines étaient suffisantes, prises individuellement, mais qu'il n'existait pas de véritable doctrine inter-armes. Si la nécessité d'un commandement unifié remonte à la Loi Goldwater-Nichols de 1986, qui a renforcé le pouvoir des commandements opérationnels et mené à la création, en 1994, d'un *Joint Warfighting Center*, la guerre du Golfe a inspiré une première réflexion dont le fruit a été la publication, en 1996, de *Joint Vision 2010*, par le chef d'état-major inter-armes John Shalikashvilli. Ce document tente de définir un cadre concep-tuel destiné à préparer les forces américaines pour les deux prochaines décennies. Il s'agit d'une synthèse des réflexions entreprises par chaque armée. Ce document met l'accent sur quatre concepts : la manœuvre domi-nante, l'engagement de précision, la protection multidimensionnelle et la logistique ciblée. Une nouvelle version de la *Joint Vision* est parue en juin 2000. Elle met l'accent sur la nécessité, pour les forces armées américaines, de l'emporter dans n'importe quelle situation, dans le cadre de deux conflits régionaux[11]. On y favorise également une approche plus équilibrée qui tienne compte de toutes les dimensions de la supériorité militaire, qu'il s'agisse de technologie, de leadership, de personnel, de doctrine, d'organisa-tion ou d'entraînement.

Il faut noter, en conclusion de cette section, que le budget de la défense, qui était de 304 milliards de dollars en 1987, ne s'élève qu'à 267 milliards de dollars en 2000 et ne représente plus, en tenant compte de l'inflation, que 3 % du produit national brut et 15 % du budget fédéral. Certains analystes et politiciens américains estiment que ce niveau de dépenses est insuffisant pour réaliser les objectifs fixés. Cela dit, les dépenses militaires américaines représentent tout de même près du tiers des dépenses militaires mondiales et 20 % de plus que les budgets de défense combinés des alliés européens et asiatiques des États-Unis. On saisit ici l'ampleur du fossé qui sépare les États-Unis des autres pays en matière de puissance militaire.

Les années 1990 sont donc riches en nouveautés, non seulement sur le plan de la réflexion stratégique et de la restructuration de la défense, mais aussi en ce qui a trait à l'évolution de la technologie militaire. Il s'agit, ici, de se préparer à la guerre de l'avenir, et le concept clé est celui de **révolu-tion dans les affaires militaires** (RAM). La RAM consiste, pour l'essentiel, à appliquer à des fins militaires le formidable potentiel des technologies de l'information, qui révolutionnent d'ailleurs les économies des pays les plus développés. Cette mutation représente un défi de taille, car, au-delà du développement et de l'acquisition de nouveaux équipements, elle nécessite une reformulation de la doctrine militaire, une réorganisation des formations militaires, ainsi qu'une restructuration de tout l'appareil de défense : de la logistique à l'acquisition du matériel, en passant par l'organisation de l'industrie de la défense.

La RAM doit permettre idéalement aux États-Unis de conserver, à long terme, une prépondérance en matière de guerre conventionnelle, comparable ou supérieure à celle dont ils ont bénéficié lors de la guerre du Golfe, en 1991. La RAM pourrait aussi permettre aux Américains de transformer leur mode d'intervention à l'étranger, en misant sur leur supériorité électronique et sur leur capacité de frapper à distance les centres nerveux d'un ennemi plutôt que sur le déploiement de grandes unités terrestres, navales ou aériennes. Malgré ses avantages, la RAM suscite des critiques, même aux États-Unis. Certains analystes doutent de la capacité des États-Unis de s'adapter à cette mutation, compte tenu des contraintes budgétaires et de la nécessité de restructurer l'arsenal hérité de la Guerre froide. D'autres estiment que la RAM n'est pas d'actualité dans le contexte stratégique actuel. Ils soulignent, en particulier, l'absence d'une superpuissance capable de concurrencer les États-Unis sur le plan technologique. Plusieurs notent, par ailleurs, que même un État disposant de forces ultramodernes demeure vulnérable face aux menaces asymétriques dont nous avons fait état précédemment. Malgré ces critiques, la RAM continue de fournir un cadre de référence aux efforts de modernisation et d'innovation des forces armées américaines, sans que l'on puisse être certain de son efficacité à long terme.

Dès le début des années 1990, politiciens et militaires américains ont également appris à leurs dépens que les conflits internes de type ethnique ou religieux, qui ont tant attiré l'attention durant la dernière décennie, ne pouvaient être abordés comme des affrontements militaires traditionnels. Cette évidence demeure encore d'actualité aujourd'hui. Rien n'illustre mieux ce fait que la **pratique du maintien de la paix**. Très en vogue durant la dernière année de la présidence de Bush et la première année de la présidence de Clinton, l'enthousiasme américain pour le *peacekeeping* se refroidira rapidement après les événements de Somalie, d'Haïti et de Bosnie. Ces crises ont d'ailleurs pris les autorités militaires au dépourvu puisque les interventions humanitaires ne figuraient dans aucune de leurs doctrines et que le maintien de la paix n'était pas, pour elles, une opération militaire clairement définie.

Il fallait cependant se pencher rapidement sur cette question puisque l'ONU gérait à cette époque 13 opérations, dont 6 comportaient une participation américaine. Le débat sur la place du maintien de la paix dans la politique américaine s'est déroulé principalement en février 1993, au cours de la préparation de la *Presidential Review Directive 13*, qui est devenue la *Presidential Decision Directive 25* en mai 1994. Or, une différence de contenu notable sépare la première version de la *PRD 13* de la version finale de la *PDD 25*, qui se veut beaucoup plus critique de la participation des États-Unis au maintien de la paix. Ce revirement s'explique surtout par les pertes américaines en Somalie.

La mort de soldats américains en Somalie n'est pas un événement banal. Les Américains ont toujours été sensibles au sort de leurs soldats, mais l'échec de l'imposition de la paix en Somalie suscite l'inquiétude du public, pour ne pas parler d'allergie, face à tout engagement de troupes américaines dans des missions de paix. La possibilité de pertes militaires, même légères, devient donc un facteur important qui influera de façon déterminante sur les décisions d'intervenir à l'étranger, à partir de 1992. Outre ce phénomène, les problèmes éprouvés en Somalie et en Bosnie joueront aussi un rôle important dans la définition des priorités américaines. En fin de compte, les leçons militaires et politiques tirées de ces premières tentatives d'imposition de la paix sont à ce point négatives qu'Anthony Lake écrit, en 1994, que le *peacekeeping* « n'est pas au cœur de la politique étrangère et de défense des États-Unis » et que l'armée américaine n'est « pas une armée mondiale permanente »[12].

Cela étant dit, on assiste néanmoins à une *américanisation* du maintien international de la paix. En 1996, 2 399 soldats américains servaient sous la bannière des Nations Unies (sur un total de 26 412 Casques bleus), ce qui fait des États-Unis l'un des principaux fournisseurs de Casques bleus de l'ONU. Les États-Unis sont aussi un acteur important au sein de l'OTAN. Au moment du déploiement initial de la SFOR (Force de stabilisation en Bosnie), on comptait 20 000 militaires américains sur les 60 000 de la mission. Pour une armée vouée à la guerre, la participation soutenue au maintien de la paix peut émousser la capacité de combat des unités en réduisant leur temps d'entraînement. Par ailleurs, la diversité des conflits de l'après-Guerre froide, dont les opérations de paix ne sont qu'une catégorie, a entraîné une modification de la doctrine militaire américaine. Le manuel de guerre de l'armée *FM 100-5 Operations* de 1993 fait, par exemple, référence aux « opérations militaires autres que la guerre » et les opérations militaires sont maintenant conçues comme un ensemble d'activités très diversifiées, allant du maintien de la paix traditionnel jusqu'au combat de haute intensité.

Notons, finalement, que durant la décennie qui suit la dissolution de l'URSS et la fin de la Guerre froide, l'importance des armes nucléaires va diminuer de façon radicale. Il n'existe plus vraiment de grande puissance à dissuader. Le public et le Congrès demeurent toutefois préoccupés par certaines menaces nucléaires. Le risque d'une attaque provenant d'un des États « voyous » ou d'un lancement accidentel de missile continue à faire la manchette aux États-Unis. En conséquence, la triade stratégique a été maintenue au courant des années 1990, même si le niveau d'alerte des forces stratégiques avait été réduit. D'importantes réductions ont aussi été effectuées dans les arsenaux nucléaires qui passent de plus de 10 000 à 5 000 têtes nucléaires durant cette période. Les accords START I, START II et SORT, signés entre la Russie et les États-Unis de 1992 à 2002, serviront de cadre à ces réductions.

La réorientation stratégique de 2001

L'arrivée au pouvoir du gouvernement républicain, en novembre 2000, et surtout les événements du 11 septembre 2001 vont annoncer une série de changements significatifs dans la politique de défense américaine. Les éléments de continuité ne sont cependant pas absents de cette période que d'aucuns ont qualifiée de révolutionnaire.

La réorientation stratégique qui a suivi les événements de septembre 2001 trouve son expression dans deux documents : la *Quadriennal Defense Review* (QDR) de 2001 et la *National Security Strategy* (NSS) de 2002. Le premier de ces textes, publié 21 jours seulement après les attentats, était en préparation depuis le début de l'année. Certains de ses objectifs seront modifiés, mais les grandes orientations de la politique de défense américaine qu'il contient seront conservées.

Bien que, durant la campagne électorale, George W. Bush ait reproché aux démocrates leurs engagements internationaux en matière de maintien de la paix, l'objectif de la *Quadriennal Defense Review* n'est pas d'annoncer un repli stratégique[13]. Il s'agit, au contraire, d'affirmer globalement la suprématie militaire américaine et de dissuader, ce faisant, tout adversaire potentiel. Parallèlement, cette supériorité a pour objet de décourager toute compétition stratégique de la part de grandes puissances régionales. Deux changements significatifs ressortent du document. La doctrine des deux conflits régionaux majeurs prônée par le gouvernement précédent est abandonnée, et le principe de la planification en fonction des menaces est remplacé par une nouvelle approche qui repose sur l'optimisation des moyens militaires. La possibilité d'intervenir dans deux conflits régionaux de manière victorieuse avait été adoptée durant les années 1990. Cette approche, critiquée par le futur secrétaire à la Défense du gouvernement Bush, Donald H. Rumsfeld, avait été jugée trop ambitieuse en raison, en particulier, des réductions budgétaires de l'après-Guerre froide[14]. La nouvelle doctrine demeure cependant très exigeante. En effet, elle prévoit encore la capacité de mener deux conflits majeurs de façon simultanée, même si une victoire décisive (conclue par un « changement de régime ») n'est visée que dans l'un des deux cas. Simultanément, les États-Unis doivent pouvoir assurer une dissuasion efficace (*forward deterrence*) dans quatre régions du globe. Il s'agit donc d'un programme tout aussi ambitieux, quoique plus diversifié. Cette réorientation inspire aussi l'idée d'une planification fondée sur l'amélioration des capacités militaires plutôt que sur l'analyse des menaces régionales. Dans cette optique, au lieu de se préparer en fonction d'un adversaire désigné, les forces armées américaines doivent envisager un éventail de capacités qui puissent répondre à un ensemble de scénarios et de menaces plus diversifiés. Il va sans dire que la notion d'optimisation des moyens militaires donne une importance cruciale à la révolution dans les affaires militaires dont nous avons parlé dans la section précédente. Le terme utilisé sous la présidence républicaine ne sera plus la RAM des années 1990, mais la *Transformation*.

Publiée le 17 septembre 2002, la Stratégie de sécurité nationale (*National Security Strategy*) s'harmonise aux objectifs fixés par l'examen quadriennal de la défense et constitue la « plus importante reformulation de la stratégie américaine depuis 50 ans[15] », dans les termes de l'historien J. L. Gaddis. Bien qu'elle vise la paix, la stabilité et la prospérité, tout comme la stratégie du gouvernement Clinton, les mesures proposées pour atteindre ces objectifs sont cependant beaucoup plus ambitieuses : la lutte au terrorisme et à la tyrannie, identifiés comme sources majeures d'instabilité, et l'appui actif à l'expansion de la démocratie sont ainsi au centre du document. Le point qui retient le plus d'attention dans cet énoncé stratégique est l'introduction du concept de guerre par anticipation ou préemptive. Cette notion n'est pas entièrement étrangère à la politique américaine. Le gouvernement Clinton avait en effet envisagé une telle option en 1994 contre la Corée du Nord[16]. Ce qui distingue l'emploi du concept dans le cadre de la « doctrine Bush », ce sont ses critères d'application. Désormais, une attaque préemptive pourrait être déclenchée non seulement en cas de guerre imminente, mais aussi lorsqu'une menace serait « en émergence ». Le caractère plutôt vague de ce cas de figure ouvre la porte à toutes les interprétations, affaiblissant considérablement la notion de légitime défense, pierre angulaire du droit international. Les attentats du 11 septembre 2001 soulignent évidemment, aux yeux du gouvernement républicain, la faillite de la doctrine traditionnelle de la dissuasion face aux réseaux terroristes ou aux États voyous, et justifient l'adoption de la nouvelle doctrine.

De la RAM à la *Transformation*

La *Transformation*, qui constitue une priorité pour le secrétaire à la Défense Rumsfeld en 2001, est, comme nous l'avons mentionné plus haut, la dernière incarnation de la révolution dans les affaires militaires (RAM). Sous l'égide des républicains, la *Transformation* va désigner le processus par lequel les forces armées, y compris le commandement, sont réorganisées pour tirer profit des technologies de pointe (robotique, informatique, etc.) et mener la guerre en se fondant sur trois principes : vitesse, précision et connaissance du terrain. L'objet de la *Transformation* est de mener la guerre « en réseau ». Cette forme de guerre (*network-centric warfare*[17]) est caractérisée par l'interconnectivité et le partage de l'information entre les combattants et les systèmes d'armes qu'ils utilisent. Elle privilégie la vitesse et la surprise plutôt que les gros bataillons et la puissance de feu. Comme l'énoncent deux experts, John Warden[18] et John Boyd, la précision et la rapidité peuvent prendre l'adversaire au dépourvu et neutraliser sa capacité de combattre. Baptisée également « guerre d'effet » (*effect-based warfare*), cette approche est au centre de la réorganisation des forces américaines à partir de 2001. La supervision de cette tâche incombe à l'Office of Force « Transformation »[19]. Notons que la situation est unique, car cette transformation s'effectue dans un « vide stratégique » frappant[20]. En effet, alors que les réformes militaires majeures surviennent historiquement en période de guerre, afin de répondre à des problèmes tactiques ou techniques précis et face à un adversaire spécifique, la RAM/*Transformation*, amorcée dans les années 1990, se développe dans un contexte où l'on ne connaît ni l'ennemi ni les menaces auxquels on aura à faire face.

Soulignons également que la *Transformation* prévoyait la poursuite de la réduction des effectifs et une diminution de la présence militaire américaine à l'étranger. La *Transformation* devait en effet agir comme un catalyseur qui augmenterait la capacité des forces américaines et faciliterait leur déploiement rapide. Toutefois, la forte demande d'effectifs, suscitée par les opérations en Afghanistan et en Irak, force le Pentagone à suspendre les réductions et à recourir à des mesures de rétention (*stop-loss*) très impopulaires auprès des soldats. Aucune augmentation d'effectifs n'est cependant envisagée[21]. Ceux-ci s'élèvent toujours à 1 400 000 militaires de carrière, auxquels vient s'ajouter 1 000 000 de réservistes[22]. La taille de l'armée américaine a donc diminué du tiers depuis la fin de la Guerre froide, et ce, en dépit de la multiplicité de ses déploiements depuis 1989. Les budgets, par contre, ont connu une hausse significative depuis 2001. En 2005, ils atteignent la somme de 423 milliards de dollars, à laquelle s'ajoute l'allocation de 100 milliards de dollars supplémentaires pour l'Irak et l'Afghanistan. Le budget devrait s'élever, selon les prévisions, à 500 milliards de dollars en 2009. À titre de comparaison, cela représente la moitié des dépenses militaires mondiales. À l'échelle de l'économie américaine cependant, les dépenses militaires ne constituent que 4 % du produit national brut[23]. Bien que les programmes comme le bouclier antimissile et les systèmes liés à la *Transformation* représentent des dépenses significatives, la principale cause de l'augmentation des dépenses militaires demeure l'acquisition de matériel. La majeure partie des équipements actuellement en service a été acquise dans les années 1980 et arrive au terme de son cycle de vie. Le remplacement de ce matériel (recherche et développement compris) explique pourquoi les budgets ont sensiblement augmenté depuis 2001, alors que la taille de l'arsenal américain demeure à peu près la même.

Opération *Enduring Freedom*

La première campagne de la «guerre au terrorisme», déclenchée par Washington en réponse aux attaques de septembre 2001, vise l'Afghanistan, où l'organisation terroriste Al-Qaeda, dirigée par le Saoudien Ben Laden, a trouvé refuge. Au lendemain des attentats, le président Bush autorise les services de renseignement américains à entreprendre la poursuite des membres de cette organisation. L'opération, baptisée Liberté immuable (*Enduring Freedom*) va se dérouler sur plusieurs fronts. En Afghanistan, l'objectif sera de neutraliser les infrastructures et les groupes associés au terrorisme. Les autres théâtres d'opérations incluent les Philippines, la Corne de l'Afrique et l'Afrique saharienne, de même que le Caucase. Après avoir sommé le régime des Talibans du mollah Omar de livrer Ben Laden et ses complices, la riposte militaire contre l'Afghanistan est déclenchée, le 7 octobre 2001, par une vague de frappes aériennes. À l'automne 2001, il n'existe cependant aucun plan opérationnel pour une intervention dans ce pays. Le Pentagone charge initialement le commandement régional (CENTCOM) d'en concevoir un, mais les délais de planification poussent finalement le secrétaire à la Défense à se tourner vers la CIA. Celle-ci suggère de former une alliance avec les mouvements antitalibans qui se trouvent dans le nord du pays. Appuyés par des éléments des forces spéciales (SOF) et par la puissance aérienne américaine, des agents américains mèneraient les troupes afghanes dans une campagne visant à renverser le régime en place à Kaboul. Cette proposition agrée au secrétaire à la Défense pour deux raisons. D'abord, elle peut être mise en œuvre dans de très brefs délais. En outre, elle correspond bien à la vision véhiculée par la doctrine de la *Transformation*. Dans ce cadre, une force réduite, mais technologiquement supérieure, peut défaire un ennemi numériquement plus important. La première phase de Liberté immuable adopte cette approche. L'Alliance du Nord, assistée par une poignée de commandos américains, eux-mêmes appuyés par les forces aériennes, reprend successivement Mazar-i-Sharif le 9 novembre, Kaboul le 13 et finalement, Kandahar, le fief des Talibans, en décembre. De la fin décembre 2001 au mois de mars 2002, des unités conventionnelles de la Coalition mènent d'importantes opérations d'encerclement et de destruction des bastions d'Al-Qaeda et des Talibans à Tora Bora et dans la vallée de Shah-i-Khot (opération *Anaconda*). Après l'arrivée de la Force internationale d'assistance à la sécurité (FIAS), coalition de 37 pays sous l'égide de l'OTAN, les derniers éléments d'Al-Qaeda et des Talibanss défaits sur le terrain se replient dans la région montagneuse longeant la frontière pakistanaise.

Au point de vue militaire, les opérations en Afghanistan sont considérées initialement comme un succès majeur et une illustration de la doctrine de la *Transformation*. Les objectifs militaires sont atteints rapidement et les Talibans surprennent les Américains par leurs tactiques très conventionnelles et la fragilité de leur régime. Par ailleurs, alors que l'on s'attendait à une réception hostile de la part de la population afghane, l'accueil réservé aux troupes de la Coalition est plutôt amical. À la fin des combats, en 2002, allait cependant succéder une campagne difficile de stabilisation et de reconstruction qui se prolonge encore en 2007. Le Pentagone ne s'était en effet pas préparé à ce type d'opération. En fait, dès l'automne 2001, le président Bush avait déclaré que le travail de l'armée américaine n'inclurait pas la reconstruction politique et économique, tâche qu'il envisageait plutôt de confier aux Nations Unies. L'une des principales causes des difficultés qui apparaîtront par la suite en Afghanistan est le manque de troupes d'occupation, lacune qui reflète bien les limites du modèle de *Transformation* appliqué par les États-Unis. La Force internationale (FIAS), faute de moyens, ne pourra assurer la souveraineté et la viabilité du nouveau régime de Kaboul ; elle ne pourra pas, non plus, assurer de façon satisfaisante la sécurité dans l'ensemble du pays. Un scénario identique allait se produire à la suite de l'invasion de l'Irak, en 2003.

L'opération Liberté irakienne (*Operation Iraqi Freedom*)

L'intervention en Irak, en mars 2003, est très différente de la précédente. Contrairement à ce qui s'était passé lors d'*Enduring Freedom*, CENTCOM avait en effet travaillé depuis une décennie sur un tel scénario. Le projet de renverser Saddam Hussein et de mettre en place un régime démocratique en Irak avait pris forme depuis le passage du *Iraq Liberation Act,* en 1998. Prenant pour prétexte les velléités apparentes du régime irakien de poursuivre son programme nucléaire et son manque de coopération avec les inspections de l'ONU, le gouvernement Bush allait, à l'été 2002, exiger de la communauté internationale qu'elle passe à l'acte afin d'éviter que le régime baasiste ne se dote de l'arme atomique. L'Irak est alors présenté comme un danger immédiat, un « État voyou », promoteur du terrorisme, et doté d'une capacité certaine de production d'armes de destruction massive.

Tout comme en Afghanistan, la planification de l'après-guerre est dramatiquement négligée. En outre, alors que l'on s'attend à ce que les Irakiens, délivrés d'un régime tyrannique, accueillent les troupes américaines à bras ouverts, la phase conventionnelle de la guerre est suivie immédiatement d'une insurrection qui deviendra de plus en plus violente. Cette tournure des événements n'est pas surprenante, compte tenu des importantes modifications apportées aux plans conçus par CENTCOM. Ceux-ci prévoyaient initialement l'envoi de centaines de milliers de soldats afin d'assurer la loi et l'ordre durant la période qui suivrait la cessation des combats. Ce choix est appuyé par la hiérarchie militaire et par le chef d'état-major de l'armée, le général Eric Shinseki. Donald Rumsfeld et les tenants de la doctrine de la *Transformation* sont cependant tout à fait en désaccord avec ce point de vue. Croyant fermement que l'Afghanistan a validé le nouveau modèle de la guerre en réseau, et épaulé en ce sens par le commandant du CENTCOM, le général Tommy Franks, Donald Rumsfeld, fort du succès d'*Enduring Freedom,* entend appliquer en Irak les leçons de l'expérience afghane. La situation, toutefois, est très différente. L'Irak est un pays plus vaste et plus peuplé, dont la composition religieuse et ethnique est à la fois complexe et explosive. La disparition du régime baasiste laisse un vide que les factions cherchent rapidement à combler.

Ignorant les critiques, Rumsfeld soutient que le chiffre d'un demi-million d'hommes est de beaucoup supérieur à ce qui est requis en vertu de la stratégie de *Shock and Awe* (Choc et stupeur) qu'il entend mettre en œuvre. En janvier 2003, le général Franks rapporte que 105 000 hommes suffiront à renverser le régime de Bagdad, avec l'appui d'une douzaine de pays alliés. Dans une perspective purement militaire, le secrétaire à la Défense n'a pas entièrement tort. La supériorité militaire américaine, autant d'un point de vue technologique que tactique, peut sans problème avoir raison d'une armée irakienne affaiblie par une décennie de vaches maigres.

La campagne, déclenchée en mars 2003, se distingue pour plusieurs raisons. Rompant avec l'approche adoptée depuis 1990, une campagne de bombardement aérien intensif ne précède pas l'invasion des forces terrestres. Les attaques aériennes ont lieu simultanément. « Liberté irakienne » reflète, dans cette perspective, la doctrine de la guerre d'effet, qui vise un ensemble de cibles choisies plutôt que l'application massive de la puissance de feu. Pénétrant le territoire irakien sur plusieurs axes, les forces de la Coalition vont ainsi systématiquement éviter les villes, prenant de vitesse les défenseurs irakiens, détruisant au fur et à mesure les points de résistance à l'aide de leur artillerie ou de frappes aériennes. Le régime irakien s'effondre rapidement et, coupés de leur hiérarchie, les militaires irakiens se rendent massivement. Au mois de mai, la phase des combats conventionnels est terminée. Les destructions concentrées sur les installations militaires et politiques sont relativement modestes, la Coalition ayant pris soin d'éviter d'infliger trop de dommages aux infrastructures économiques nécessaires à la reconstruction.

Malgré cette modération, de nombreux problèmes se posent après la chute du régime. Aucun plan n'avait été mis au point pour gérer l'afflux de prisonniers de guerre. La situation était pourtant prévisible, compte tenu de l'expérience du Golfe en 1991. Le nombre de soldats de la Coalition s'avère également insuffisant pour stabiliser l'Irak au lendemain des combats, et le pays entre rapidement dans une phase d'anarchie. Progressivement, la fracture entre les principaux groupes ethnoreligieux de l'Irak va aussi s'élargir. La tâche de constituer un gouvernement démocratique, multiethnique et multiconfessionnel deviendra, de ce fait, difficile, sinon impossible. Ajoutée au manque d'effectifs, la faible priorité accordée à la restauration de l'ordre et des services humanitaires permet donc à l'insurrection de devenir endémique.

Le retour de la contre-insurrection

Les opérations en Afghanistan, en Irak, ainsi que dans les divers lieux de la « guerre au terrorisme » ont été conçues dans le cadre de la réorientation stratégique des années 2000. Le cas de l'Irak, en particulier, représente la première expression de la doctrine de guerre préemptive contre un État considéré comme une source de menace imminente pour les États-Unis. La conduite des opérations y a été aussi fortement marquée par la doctrine de la *Transformation* produisant, lors de la phase initiale, des résultats impressionnants. Cependant, les succès militaires se sont avérés éphémères et n'ont pas produit les résultats politiques que l'on attendait. Les forces américaines se sont heurtées à une résistance populaire dont la haute technologie ne pouvait avoir raison. Paradoxalement, la petite taille des forces employées – gage de succès durant la phase conventionnelle des opérations – est en partie responsable de l'incapacité de prévenir la naissance de l'insurrection. Combiné avec l'hésitation des militaires à se consacrer aux missions de stabilisation, l'usage de la force s'est effectué initialement sans considération du contexte politique et social. Or, le politique prend le pas sur le militaire dans le cadre des conflits auxquels ont donné lieu les interventions en Afghanistan et en Irak[24]. En situation d'insurrection, les militaires, assistés par la diplomatie et l'aide au développement, doivent gagner l'appui des populations pour pouvoir combattre les insurgés. Il s'agit là de la règle d'or de la contre-guérilla. Il est remarquable, de ce point de vue, que les planificateurs du Pentagone aient choisi de tenir pour acquis le soutien populaire en Irak plutôt que de s'inspirer des leçons du passé pour tenter d'obtenir cet appui. L'histoire militaire américaine en la matière, bien que riche en enseignements pertinents, a été négligée[25]. Ce n'est qu'en 2007 que le Pentagone entreprend de réviser sa doctrine contre-insurrectionnelle sous la direction du général David Petraeus. Cette révision s'accompagne d'une réorientation générale de la stratégie militaire en Irak et d'une augmentation des effectifs (*Surge*) dans les régions de Bagdad et d'Anbar. En Afghanistan, le partage des tâches de combat avec certains pays participant à la FIAS, au début de l'année, reflète la même approche : rétablir le contrôle dans les zones particulièrement touchées par l'insurrection en augmentant les effectifs et en combinant les initiatives économiques et politiques avec les opérations de maintien de l'ordre. Parallèlement à cet effort de stabilisation, les opérations menées en Afghanistan et en Irak comportent d'importants programmes de transfert des responsabilités aux autorités nationales (armée et police), à la suite de la tenue d'élections et de la mise sur pied de gouvernements nationaux, en 2004 et 2005 respectivement. Ces programmes incluent l'entraînement, l'équipement et l'encadrement des unités nationales. Ironiquement, l'engouement pour la *Transformation* du début des années 2000 a donc fait place, au Pentagone, à la redécouverte des méthodes traditionnelles de la contre-guérilla, ce qui fera certainement sourire les anciens du Viêt-Nam, mais aussi grincer des dents les tenants de la révolution dans les affaires militaires et de la guerre en réseau…

La revitalisation du projet de défense antimissile

Notre survol des grands thèmes de la politique de défense américaine depuis 2000 serait incomplet s'il n'était fait mention ici des défenses antimissiles. Ce dossier a en effet pris une grande importance sous la présidence Bush. Il s'intègre à la doctrine de sécurité nationale, dont l'un des premiers objectifs est la sécurité du territoire américain. La stratégie de sécurité nationale de 2001 cite ainsi les « États voyous » (*rogue States*) et les réseaux terroristes dotés d'armes de destruction massive comme les principales menaces auxquelles doivent faire face les États-Unis. Le déploiement d'un système de défense antimissile, baptisé *Ground-based Midcourse Defense* (*GMD*), est annoncé en décembre 2002 par le biais d'une directive présidentielle (*NSPD 23*). En fait, les premiers intercepteurs seront installés à Fort Greely, en Alaska, et deviendront opérationnels en juillet 2004. Un autre site est mis en activité sur la base de Vandenberg, en Californie, au cours de la même année. Dès 2002, Washington approche aussi les gouvernements britannique, danois et polonais dans le but de les convaincre de participer au réseau de détection avancé auquel s'intègre le bouclier antimissile. Il faudra, toutefois, attendre septembre 2006 avant que les intercepteurs du GMD soient testés avec succès. Entre-temps, un croiseur Aegis de la marine américaine lance, en février 2005, un missile SM-3 qui réussit à intercepter une cible balistique inerte. Le Pentagone examine alors la possibilité d'intégrer les systèmes antimissiles de la marine au bouclier antimissile national. L'intégration des systèmes de détection et de contrôle permettrait d'étendre de façon importante la portée et la couverture du système.

Le programme de défense antimissile demeure malgré tout très controversé. L'opposition provient, au premier chef, des experts américains pour qui il s'agit d'un système coûteux et inefficace, destiné à contrer une menace improbable. Sur le plan international, le projet s'est heurté à l'opposition de plusieurs pays, particulièrement la Russie et la Chine. Certains voient en effet dans le bouclier antimissile un instrument destiné à assurer la suprématie nucléaire américaine face à tout compétiteur potentiel.

Stratégie nucléaire et suprématie

La volonté des États-Unis d'imposer leur suprématie militaire s'étend-elle à la dimension nucléaire[26] ? La révision de la politique nucléaire de 2001 (*Nuclear Posture Review 2001*) indique que l'arsenal stratégique américain passera de 5 000 à 2 200 têtes nucléaires en 2012, selon les modalités du traité de Moscou de 2002 (SORT). Cette réduction s'accompagne cependant d'un ensemble de mesures qui visent à rendre l'arsenal américain plus efficace, notamment au point de vue de la précision et de la fiabilité. Pour ce qui est des systèmes d'armes, 50 missiles *Peacekeeper MX* ont été retirés, laissant 500 missiles *Minutemen* III en service actif. L'examen quadriennal de la défense de 2006 (*QDR 2006*) a prévu de désactiver 50 *Minutemen* supplémentaires. Ceux-ci pourraient servir d'engins d'essai dans le cadre du programme d'entretien de l'arsenal stratégique. Le nombre de têtes par missile (le *Minuteman* en compte trois) devrait aussi être réduit en vertu du traité START II, bien que la *Nuclear Posture Review* de 2001 prévoie la possibilité de revoir ces termes si le besoin s'en faisait sentir. En ce qui concerne les sous-marins nucléaires lance-engins, la flotte, déjà réduite aux 18 bâtiments de la classe Ohio, verra 4 sous-marins nucléaires mis à la retraite dans les prochaines années. Des navires restants, cinq seront basés sur la côte Atlantique, sept autres étant déployés sur la côte Pacifique. Finalement, les vecteurs aériens, le troisième élément de la triade nucléaire, ont déjà été réduits par le retrait des bombardiers B-1 de la force stratégique. Seul le B-2 furtif assumera la mission nucléaire à long terme. Ironiquement, ces réductions ne représentent pas réellement une baisse de la capacité nucléaire américaine. Si l'on compare l'arsenal américain à celui de la Russie et de la Chine, l'écart stratégique s'est creusé depuis la fin de la Guerre froide entre les États-Unis et les autres grandes puissances. En fait, suivant plusieurs auteurs, les Américains sont en passe d'acquérir une capacité de désarmer leurs principaux rivaux en cas de guerre nucléaire ; cette situation remet en question le principe même de la dissuasion. Dans ce contexte, il est intéressant de considérer la doctrine nucléaire américaine. La dernière révision de celle-ci s'intitule *Doctrine for Joint Nuclear Operations 2005*. Elle prévoit le recours à l'arme nucléaire en fonction de huit objectifs :

1. devancer une attaque imminente dans le cadre de laquelle des armes de destruction massive pourraient être utilisées ;
2. détruire les capacités de production d'armes de destruction massive ;
3. prévenir une attaque biologique ;
4. neutraliser une force ennemie supérieure en nombre ;
5. mettre fin à un conflit jugé trop coûteux ;
6. assurer le succès d'opérations américaines ou alliées jugées critiques ;
7. dissuader un ennemi d'attaquer les États-Unis ou leurs alliés à l'aide d'armes nucléaires ;
8. répliquer à l'emploi d'armes de destruction massive par des réseaux terroristes.

L'éventail des possibilités est donc très large et l'on peut se demander, avec une certaine inquiétude, si la « doctrine Bush » n'en vient pas à considérer le nucléaire comme une arme ordinaire, utilisable au besoin. La révision de 2005 de la doctrine nucléaire américaine rédigée en 1993, puis modifiée une première fois en 1995, a suscité une vive controverse[27] en intégrant l'option nucléaire à la doctrine de préemption annoncée en 2001. Face à cette levée de boucliers, le Pentagone a annulé la révision peu de temps après sa publication. Que l'option nucléaire ait été retirée ou non de la « doctrine Bush », il est clair que l'attitude des autorités américaines à l'égard de l'arme nucléaire a changé de façon significative depuis 2001.

◆

En 2001, nous notions que le débat sur les grandes orientations de la politique de défense américaine après la Guerre froide avait fait rage pendant une décennie, mais qu'il était loin d'être clos au moment où débutait le nouveau millénaire. Quelles étaient les priorités en matière de sécurité pour les États-Unis ? La stratégie américaine avait-elle finalement retrouvé une orientation claire en l'absence d'un ennemi défini ? Quels types de forces militaires étaient les plus adaptées dans un contexte international encore en mutation ? La dissuasion nucléaire était-elle encore pertinente ? Il n'y avait pas encore de réponses définitives à ces questions, alors qu'un nouveau président prenait le pouvoir en 2001. Les attentats du 11 septembre allaient jouer le rôle d'un électrochoc pour les élites gouvernementales américaines. Un gouvernement *a priori* peu enclin à s'engager sur la scène internationale sera obligé d'assumer le rôle de policier mondial pour répondre à la menace du mégaterrorisme nourrie par le fanatisme religieux. Doit-on pour autant parler de révolution en matière de défense, comme il en a été question dans le domaine de la politique étrangère ? Il est vrai que les États-Unis ont procédé à deux interventions militaires majeures en 2001 et 2003, ce qui ne s'était plus produit depuis 1990. Les forces spéciales américaines sont également présentes actuellement, au titre de la guerre contre le terrorisme, dans près de 170 pays, et Washington entretient des bases militaires dans 59 États du monde. Les grands paramètres de la défense américaine demeurent cependant sensiblement les mêmes que durant les années 1990. La taille des forces plafonne à 1 400 000 de soldats (31 % de moins que durant la Guerre froide). Le budget de la défense, bien qu'en augmentation depuis 2001, reste bien en deçà de ce qu'il a été dans les années 1980 par rapport au PNB. Au-delà de ces considérations générales, il est frappant de constater la continuité des politiques militaires américaines des années 1990 à aujourd'hui. Le gouvernement Bush a ainsi repris directement le thème de la révolution militaire, lancé par le Pentagone au début de la décennie précédente. Sous le nom de *Transformation,* la RAM a inspiré directement les deux campagnes militaires entreprises dans le sillage du 11 septembre : « *Liberté immuable* » et « *Liberté irakienne* ». Dans les deux cas, l'usage intensif de la haute technologie, particulièrement en ce qui a trait à la reconnaissance et aux frappes de précision, devait permettre à des forces de taille relativement limitée de remporter des victoires rapides et économiques. On reconnaît d'ailleurs là la fascination typiquement américaine à l'égard des solutions technologiques, fascination qui caractérise la culture militaire de ce pays depuis la belle époque du projet Manhattan. Le fétichisme « techno » n'est pas le seul biais traditionnel que l'on retrouve dans la politique de défense qu'ont adoptée les républicains durant ces dernières années. Le goût des solutions simples, des victoires rapides et décisives, des guerres « justes », l'optimisme rationaliste et naïf sont, tous, des traits que nous avons déjà signalés dans la première partie de cet ouvrage. Les engagements militaires américains, après le 11 septembre 2001, reflètent fidèlement la myopie stratégique d'une société très ethnocentrique qui a du mal à tenir compte de la complexité du contexte international qu'elle domine pourtant de sa puissance militaire. Les combats qui s'éternisent en Afghanistan et en Irak seront-ils suffisants pour rappeler aux élites américaines les limites de cette puissance ? On le souhaite. Dans le monde diffus et confus de ce début de millénaire, une chose est néanmoins sûre : la politique américaine de défense et de sécurité continuera de façonner l'environnement stratégique international, et ce, pour l'avenir prévisible.

NOTES

1. C. Joseph BERNARDO et Eugene H. BACON, *American Military Policy. Its Development since 1775,* Westport, Greenwood Press, 1974, p. 61 (traduction libre).
2. Voir, à ce sujet, Lawrence J. KORB, *The Fall and Rise of the Pentagon. American Defense Policies in the 1970s,* Westport, Greenwood Press, 1979, p. 4 ; et Paul KENNEDY, « The First World War and the International Power System », *International Security,* vol. 9, n° 1, été 1984, p. 9.
3. Bernard et Fawn M. BRODIE, *From Crossbow to H-Bomb,* Bloomington, Indiana University Press, 1973, p. 162.

4. William SAFIRE, *Safire's Political Dictionnary*, 3ᵉ éd., New York, Random House, 1978, p. 399 (traduction libre).
5. Cité par Bernard BRODIE, *War and Politics*, New York, MacMillan, 1973, p. 62. (Traduction libre.)
6. Cité par John M. COLLINS, *The US-Soviet Military Balance. Concepts and Capabilities*, Washington, Pergamon-Brassey's International Defense Publishers, 1985, p. 185. (Traduction libre.)
7. Desmond BALL, *Targeting for Strategic Deterrence*, Londres, International Institute for Strategic Studies, coll. « Adelphi Papers », n° 185, 1983.
8. Stanley HOFFMANN, « Détente », *dans* Joseph S. NYE Jr., *The Making of America's Soviet Policy*, New Haven, Yale University Press, 1984, p. 231.
9. Raymond L. GARTHOFF, *Perspectives on the Strategic Balance. A Staff Paper*, Washington, Brookings Institution Press, 1983.
10. Caspar WEINBERGER, *Annual Report to the Congress, Fiscal Year 1983*, United States Government Printing Office, 1982, section 3, p. 91.
11. L'examen de la politique de défense de 1993 (*Bottom-Up Review*) avait adopté le scénario des deux conflits régionaux majeurs simultanés. Ce scénario sera conservé tout au long des années 1990.
12. Anthony LAKE, « The Limits of Peacekeeping », *The New York Times*, 6 février 1994.
13. Frederick W. KAGAN, *Finding the Target : The Transformation of American Military Policy*, New York, Encounter Books, 2006, p. 270.
14. *Ibid.*, p. 274-275.
15. John L. GADDIS, Gaddis « A grand strategy of transformation », *Foreign Policy*, n° 133, nov.-déc. 2002, p. 38.
16. Michael E. O'HANLON, *Defense Strategy for the Post-Saddam Era*, Washington, Brookings Institution Press, 2005, p. 9.
17. Kagan, FREDERICK W., *op. cit.*, p. 265.
18. *Ibid.*, p. 262.
19. *Ibid.*, p. 284-285.
20. *Ibid.*, p. 200.
21. Michael E. O'HANLON, *op. cit.*, p. 6.
22. *Ibid.*, p. 4.
23. *Ibid.*, p. 13.
24. Thomas X. HAMMES, *The Sling and the Stone : On War in the 21st Century*, St.Paul, Zenith Press, 2006, p. 52.
25. Max BOOT, *The Savage Wars of Peace : Small Wars and the Rise of American Power*, New York, Basic Books, 2002, p. 336.
26. Keir A. LIEBER et Daryl G. PRESS, « The Rise of U.S. Nuclear Supremacy », *Foreign Affairs*, mars-avril 2006.
27. Walter PINCUS, « Pentagon revises nuclear strike plan », *Washington Post*, 11 septembre 2005.

POUR EN SAVOIR PLUS

BIBLIOGRAPHIE ET LECTURES RECOMMANDÉES

BACEVICH, Andrew J., *The New American Militarism*, New York, Oxford University Press, 2005.

CARROLL, James, *House of War: The Pentagon and the Disastrous Rise of American Power*, Boston/New York, Houghton Mifflin, 2006.

DAALDER, Ivo H. et James M. LINDSAY, *America Unbound: The Bush Revolution in Foreign Policy*, Washington, Brookings Institution Press, 2003.

HAASS, Richard N., *The Reluctant Sheriff. The United States After the Cold War*, New York, Council on Foreign Relations Press, 1997.

KAGAN, Frederick W., *Finding the Target: The Transformation of American Military Policy*, New York, Encounter Books, 2006.

LIEBER, Keir A., Daryl G. PRESS, « The Rise of U.S. Nuclear Supremacy », *Foreign Affairs*, mars-avril 2006.

NYE, Joseph S. Jr., *Bound to Lead. The Changing Nature of American Power*, New York, Basic Books, 1990.

O'HANLON, Michael E., *Defense Strategy for the post-Saddam Era*, Washington, Brookings Institution Press, 2005.

PURDUM, Todd S., *A Time of our Choosing: America's War in Iraq*, New York, Times Books, 2003.

WOOLF, Amy F., « U.S. Strategic Nuclear Forces: Background, Development and Issues », *CRS Report for Congress (RL33640)*, Congressional Research Service, mis à jour le 8 mai 2007.

SITES INTERNET

Center for Strategic and International Study : www.csis.org

Commonwealth Institute, Project on Defense Alternatives (publie la revue *Defense Strategy Review)* : www.comw.org/pda

Département de la Défense des États-Unis : www.defenselink.mil

Global Security (revue et site Internet spécialisés) : www.globalsecurity.org

International Institute for Strategic Studies : www.iiss.org

The War (documentaire sur la participation américaine à la Seconde Guerre mondiale) : www.pbs.org/thewar

CONCLUSION

Pierre Martin
Michel Fortmann

Pour les observateurs étrangers, dont nous sommes et dont font partie la plupart des lecteurs de cet ouvrage, l'étude du système politique des États-Unis ne peut que laisser deux impressions contradictoires, soit une certaine admiration, mais également un sentiment de déception. En effet, force est de constater l'ampleur des réalisations de la société américaine depuis qu'elle a acquis son indépendance. Sur le plan politique, les États-Unis ne sont plus le « Nouveau Monde » qu'ils ont déjà été. En effet, la Constitution des États-Unis, ratifiée par une poignée de colonies nouvellement indépendantes entre 1787 et 1790, est aujourd'hui l'une des plus anciennes Constitutions démocratiques du monde. Le système politique américain a été secoué par de nombreuses crises au fil des années, mais ses fondations sont encore solides et il est demeuré fidèle, pour l'essentiel, à l'esprit des Pères fondateurs.

Malgré tout, face à l'immense promesse du rêve américain et au potentiel presque illimité d'un pays que plusieurs perçoivent comme un phare pour le monde, on ne peut s'empêcher de ressentir une certaine déception devant les problèmes sociaux et politiques qui persistent au sein de la société américaine et devant les difficultés que les États-Unis éprouvent à jouer adéquatement leur rôle de leader sur la scène internationale. Ces sentiments contradictoires sont le point de départ de notre conclusion qui, nous l'espérons, incitera à poursuivre une réflexion entamée à la lecture de l'ouvrage.

En ce qui a trait au rôle des États-Unis dans le monde en ce début de millénaire, empathie et déception teintent aussi le jugement des observateurs de la politique étrangère américaine. Pourtant, sur le plan extérieur, les États-Unis étaient sortis des années 1990 plus forts et plus confiants que jamais. Alors que les années 1970 et 1980 avaient été marquées par une succession d'analyses plus pessimistes les unes que les autres qui proclamaient le « déclin de l'empire américain », les États-Unis se sont retrouvés au tournant du siècle comme la seule puissance véritablement globale, capable de projeter sa puissance économique et militaire sur l'ensemble de la planète. Par contre, leur pouvoir de rassembler et de convaincre la communauté internationale restait à démontrer, tout comme leur capacité de se poser en modèle social, économique et politique pour un monde résolument tourné vers la démocratie et l'économie de marché.

Ainsi, comme nous le rappelle Louis Balthazar, après avoir été l'objet d'une sympathie presque universelle dans le sillage des attentats du 11 septembre, le gouvernement américain a agi de telle sorte qu'il a suscité une vague de méfiance et d'hostilité sans précédent dans le monde. C'est là le résultat d'un unilatéralisme poussé à l'extrême, mais on se prend à penser que de tels excès auraient pu être évités si Washington avait respecté les normes d'un système international que les États-Unis avaient eux-mêmes contribué à créer après les deux grandes guerres du siècle dernier. Perversion du droit d'user de la force militaire contre un autre État, restriction des libertés sur le territoire des États-Unis, violation des normes internationales en matière de détention, recours à la torture, accroissement des pouvoirs policiers : tous ces excès, et bien d'autres, laissent croire que l'exacerbation du sentiment de la menace a amené les autorités américaines à renoncer, dans une certaine mesure, aux valeurs fondamentales que prône la culture politique américaine. Rien d'étonnant à ce que les États-Unis aient vu une diminution marquée de leur influence dans les forums internationaux. Quoi qu'il en soit, comme le rappellent Michel Fortmann et Loïc Baumans, la puissance militaire américaine demeure une donnée fondamentale de l'ordre international contemporain. Pour toutes ces raisons et compte tenu des énormes problèmes qui attendent les compétiteurs stratégiques potentiels des États-Unis, il est toujours impossible d'envisager quelque solution des crises internationales, que ce soit au Moyen-Orient, en Afrique ou en Asie, aussi bien qu'en Europe et dans les Amériques, sans une contribution américaine importante.

Malgré les problèmes éprouvés à l'extérieur, la démocratie américaine fonctionne toujours, en dépit de ses carences, et les États-Unis sont encore un pays où le public et les forces politiques peuvent arriver à faire plier un président. Le tournant marqué de la politique étrangère américaine durant le second mandat du président George W. Bush en témoigne éloquemment. En quelques chapitres consacrés aux institutions politiques, nos collaborateurs ont su démontrer la solidité des fondations de la démocratie américaines. Au centre de cet édifice, comme le montre bien le chapitre toujours d'actualité que nous a légué Edmond Orban, se trouve la Constitution des États-Unis, dont le système élaboré de poids et de contrepoids devait servir le peuple en le protégeant des abus du pouvoir de l'État. Il est vrai que cette Constitution a joué ce rôle avec une grande efficacité tout au long de son histoire, mais les obstacles qu'elle a imposés à l'exercice des pouvoirs de l'État central étaient-ils toujours dans l'intérêt du peuple américain?

Bien sûr, comme nous le rappelle Jean-François Gaudreault-DesBiens, l'interprétation de la Constitution par la Cour suprême aura parfois servi les intérêts des faibles et des laissés-pour-compte, par exemple, à l'époque des grandes réformes des droits civils. Par contre, elle a aussi sanctionné, à d'autres moments, l'abus de pouvoir des classes dominantes – comme à l'occasion de l'arrêt *Dred Scott,* qui sanctionnait l'esclavage, ou dans le cas des arrêts rendus au début du xxe siècle qui eurent pour effet de saper le développement des forces de résistance au capitalisme sauvage de l'époque. Il faut, par ailleurs, souligner que le *New Deal,* enclenché en réponse à la crise économique et sociale sans précédent qui affligeait son pays dans les années 1930, n'aurait jamais pu se concrétiser si le président Franklin D. Roosevelt n'avait su tenir tête aux juges de la Cour suprême pour imposer son programme d'urgence.

Sur un autre plan, il y a lieu d'admirer la durabilité d'un document conçu il y a plus de 200 ans par un groupe d'hommes profondément ancrés dans leur époque. On peut aussi souligner comment les amendements qui lui ont été apportés avec parcimonie au fil des ans ont permis à la Constitution de se moderniser. Mais on peut aussi déplorer les occasions manquées de réforme, comme l'échec de l'*Equal Rights Amendment,* qui aurait consacré formellement l'égalité entre les hommes et les femmes. Après l'élection présidentielle de 2000 et la distorsion qu'on a alors observée entre le résultat du scrutin populaire et le décompte des votes au collège électoral, d'aucuns se sont questionnés sur la pertinence de cette institution créée à une époque où on ne pouvait concevoir l'expression de la volonté populaire qu'à travers le filtre d'une certaine élite dite représentative. Quoi qu'on pense de ce résultat, il n'en demeure pas moins que, à la suite d'une bataille juridique qui a tenu le pays et le monde en haleine pendant plusieurs semaines, une décision de la Cour suprême, prise à une seule voix de majorité, scellait l'issue de l'élection en décembre 2000. Qu'est-il arrivé au lendemain de cette décision chaudement contestée qui aurait pu, dans d'autres contextes, provoquer une réaction violente de la part des perdants ? L'ordre constitutionnel s'est imposé ; le calme a prévalu. C'était sans doute la moins mauvaise des issues à cet imbroglio politique sans précédent.

L'évolution du fédéralisme américain donne aussi lieu à des évaluations contradictoires, mais, dans ce cas, la déception cède le pas à un certain optimisme. Dès le départ, le principe fédéral constituait un compromis nécessaire pour la réussite d'un projet commun d'indépendance entre des colonies qui représentaient, dans le vrai sens du terme, des sociétés distinctes. Pendant longtemps, l'autonomie relative des États dans leurs champs de compétence a constitué une force de résistance au progrès social. Après une vague de centralisation qui a englobé les deux grandes guerres, le *New Deal* et la période de réformes sociales des années 1960, on note depuis quelques années une certaine augmentation de la marge de manœuvre des États. Comme le font valoir Louis Massicotte et François Vaillancourt dans leur analyse détaillée des institutions fédérales américaines, cette autonomie croissante des États coexiste aujourd'hui avec des mécanismes bien éprouvés de partage des recettes fiscales et de péréquation. C'est en partie la mondialisation économique qui, en exposant les régions à des pressions diverses, pousse chaque État à adopter des mesures adaptées à ses propres besoins. Les États sont donc devenus des laboratoires d'innovation en politiques publiques qui, dans certains domaines, devancent de loin le gouvernement central. C'est le cas, par exemple, des politiques de réduction des gaz à effet de serre, où des États comme la Californie montrent la voie au reste du pays, et même au reste du monde.

Lorsqu'il est question de leadership, toutefois, ce n'est pas vers les États que se tourne en général l'attention du monde, mais vers la présidence. Comme le montrent bien Guy-Antoine Lafleur et Félix Grenier, le poste de président a été occupé, à travers l'histoire, par des personnalités plus grandes que nature qui ont su inspirer le peuple américain et le pousser à accomplir des choses remarquables dans des moments difficiles. Qui plus est, depuis que les États-Unis ont été amenés à jouer le rôle de pilier du système international, on s'attend à ce que le président inspire un leadership qui dépasse de loin les frontières de son pays. On retient, entre autres, le rôle qu'ont joué des leaders charismatiques tels Franklin D. Roosevelt et Ronald Reagan pour contribuer à infléchir le cours de l'histoire. La puissance de l'institution a aussi permis à Harry Truman, dont la personnalité était moins affirmée que celle de son prédécesseur, de relever une succession de défis historiques pour lesquels rien ne semblait l'avoir préparé. Les attentes sont donc immenses pour quiconque se voit confier le rôle de « leader du monde libre », et la déception est d'autant plus grande lorsque celui-ci ne se révèle pas à la hauteur de ces attentes. La centralisation du pouvoir aux mains du président américain a aussi donné lieu à certains épisodes moins glorieux où les locataires de la Maison-Blanche ont abusé des prérogatives de leur poste. On pense évidemment à la disgrâce de Richard Nixon après le scandale du Watergate. L'histoire pourrait aussi juger sévèrement la présidence de George W. Bush, qui a précipité son pays dans une guerre ruineuse pour des motifs au mieux trompeurs, au pire mensongers.

Dans l'esprit des Pères fondateurs de la république américaine, comme le rappelle Harold Waller, c'est le Congrès qui devait incarner et exercer, pour l'essentiel, la souveraineté du peuple. L'article 1 de la Constitution porte donc sur la branche législative du gouvernement fédéral, dont les caractéristiques de base ont peu changé en deux siècles. À plusieurs égards, le Congrès américain est un modèle d'institution démocratique. Les représentants et sénateurs sont pour la grande majorité des personnes de talent, dévouées et consciencieuses qui se dépensent sans compter pour leurs commettants. Pour faire face à l'alourdissement du fardeau de travail du gouvernement fédéral américain, le Congrès a développé en son sein une expertise considérable dans tous les domaines. Pourtant, sondage après sondage, les Américains disent apprécier le travail de leurs propres représentants, mais ils expriment une opinion bien peu favorable à l'égard de l'institution dans son ensemble. À leurs yeux, le Congrès est trop porté à l'immobilisme et ses membres sont perçus comme corrompus par l'attrait du pouvoir et par le jeu de la politique partisane. Ils n'ont pas entièrement tort. En fait, cette tendance à l'immobilisme de l'institution était explicitement voulue par les Pères fondateurs, qui souhaitaient éviter la concentration et l'exercice arbitraire du pouvoir.

Quant au jeu de la politique partisane, il a contribué à créer une situation où les législateurs en poste sont outrageusement avantagés par rapport à leurs adversaires au moment des élections. Les règles du jeu partisan les poussent aussi à devoir courtiser les bailleurs de fonds à un rythme de plus en plus insoutenable, ce qui les expose à l'influence indue des groupes les plus fortunés et les éloigne de leur mission de service public. Le reste du monde a eu lui aussi, à travers l'histoire, de bonnes raisons d'être déçu du Congrès. On pense, entre autres, au refus du Sénat, en mars 1920, de ratifier le traité de la Société des Nations, créée moins d'un an plus tôt à l'instigation du président Wilson. Le reste du monde tient le Congrès à l'œil depuis longtemps pour ses tendances protectionnistes, qui lui ont fait adopter en 1930 une loi commerciale qui a précipité l'économie mondiale vers la grande dépression. Aujourd'hui, plusieurs observateurs étrangers considèrent le Congrès comme un obstacle à l'ouverture des États-Unis sur le monde. La résurgence d'un certain protectionnisme et l'accroissement de la résistance à l'immigration chez les législateurs américains au cours des dernières années tendent à leur donner raison.

Les chapitres sur les groupes d'intérêt, les partis politiques et l'équilibre des forces électorales fournissent autant d'illustrations du thème de cette conclusion. Dans la démocratie la plus riche et la plus puissante du monde, qui se targue de représenter un modèle à suivre pour les démocraties émergentes, on pourrait s'attendre à ce que le jeu des forces politiques s'approche d'un certain idéal démocratique. La réalité est tout autre. Raymond Hudon entame son chapitre sur les groupes d'intérêts par une citation de Tocqueville, pour qui la propension des Américains à s'unir en groupes pour s'engager dans les affaires de leur communauté était une base solide pour l'établissement d'une démocratie saine. Pourtant, notre collaborateur conclut que le libre exercice de la concurrence entre des groupes de forces si déséquilibrées met aujourd'hui en péril l'idéal démocratique américain. La place des partis politiques à ce chapitre est plus ambiguë. Si les Pères fondateurs considéraient les factions ou les partis comme des créatures nuisibles dans le paysage politique qu'ils envisageaient pour la nouvelle république, ceux-ci se sont vite imposés comme des forces incontournables. Comme le souligne Claude Corbo, toutefois, leur nombre effectif dans le système partisan américain a toujours été limité à deux, et la domination des deux grands partis n'est pas près d'être remise en cause. Ceci ne peut que décevoir les tenants d'une certaine conception de l'idéal démocratique, qui favorisent les modes de scrutin et l'existence d'une plus grande diversité de partis. Malgré cela, comme le démontrent Richard Nadeau et Antoine Yoshinaka, ceux qui craignent que la dualité partisane ne se traduise par l'hégémonie durable d'un parti ou de l'autre font peut-être preuve d'un trop grand pessimisme. Dans les faits, selon leur analyse, le système électoral américain est plus compétitif aujourd'hui qu'il ne l'a été depuis longtemps.

En dernier lieu, cet ouvrage a jeté un regard sur les produits de l'action des gouvernements, avec le chapitre de Mark Brawley et Pierre Martin sur les politiques économiques et celui de Guy Lachapelle sur les politiques sociales et de santé. Là comme ailleurs, l'expérience américaine permet d'observer à la fois des réalisations remarquables et des lacunes qui demeurent criantes. Sur le plan économique, la productivité et la capacité d'innovation des Américains sont toujours remarquables. Malgré les impressionnants déficits accumulés dans le sillage de la guerre en Irak et l'affaiblissement du dollar américain face aux autres grandes devises au cours du second mandat du gouvernement Bush, l'économie américaine persiste à se maintenir à flot. En fait, ce qui impressionne vraiment, c'est la capacité de l'économie américaine de croître au-delà de toutes les prévisions, même en présence de déficits et de déséquilibres chroniques dont l'ampleur défie l'entendement. On pose encore la question aujourd'hui : combien de temps cela peut-il durer ? Mais cette question a été posée maintes fois dans le passé, et la croissance est chaque fois revenue. Ces succès économiques ne peuvent toutefois pas effacer le sentiment de déception qu'on éprouve face à la persistance de la pauvreté chez des millions d'Américains qui vivent au cœur de la société la plus riche du monde. Pourtant, l'État américain avait été l'un des précurseurs, dès les années 1930, en mettant en place une infrastructure moderne de politiques sociales. Les réformateurs américains de l'époque, y compris dans le domaine de la santé, étaient en fait bien en avance sur leurs homologues de plusieurs pays, dont le Canada, mais l'inertie de l'appareil politique n'a pas permis à leur vision d'avenir de se concrétiser pleinement. De plus, comme le rappellent Jean Mercier et Mathieu Ouimet, les appareils administratifs qui doivent mettre en œuvre l'ensemble des politiques publiques améri-caines ne se sont pas toujours révélés, notamment depuis quelques années, à la hauteur du défi.

Pour conclure cette incitation à la réflexion sur les sentiments contra-dictoires que peut inspirer l'étude approfondie du système politique américain, quoi de mieux qu'une citation d'un des plus grands admira-teurs de la puissance et de la promesse incarnées par les États-Unis ? De l'ancien premier ministre britannique, Winston Churchill, on peut dire en effet qu'il fut un éternel optimiste lorsqu'il était question de la relation avec la superpuissance émergente de son époque, mais on ne peut certes pas l'accuser de naïveté dans ses jugements politiques. Churchill, donc, disait des Américains « qu'on peut toujours compter sur eux pour faire la bonne chose... une fois qu'ils ont épuisé toutes les autres options ». Il convient donc, comme Churchill, de demeurer optimistes tout en gardant les yeux ouverts et les pieds sur terre. Les États-Unis n'ont pas fini de nous étonner, voire de nous épater. Toutefois, comme il s'agit d'un pays bâti sur des idéaux qui doit composer avec un monde réel, et comme on comparera toujours la réalité américaine à l'image idéalisée qu'on se fait de ce que ce pays devrait être, les États-Unis n'ont sans doute pas fini de nous décevoir non plus.

GLOSSAIRE DE TERMES JURIDIQUES ET POLITIQUES *

Edmond Orban

ACCOUNTABILITY Principe en vertu duquel les fonctionnaires sont tenus responsables de leur comportement par ceux qui les ont élus ou nommés, donc le peuple en dernier ressort.

ACTS Désigne les *Statutes* ou lois passées par le Congrès ou les législatures des États. Les *Acts* du Congrès national sont publiés à la fin de chaque session dans *Statutes at Large of the United States,* tandis que le *Code of Laws of the United States* opère une codification d'ensemble et par matière, à compléter et à réviser.

ADVISE AND CONSENT La Constitution permet au président des États-Unis de conclure des traités et de procéder à des nominations de personnel (juges, fonctionnaires, ambassadeurs, etc.) avec l'avis et le consentement du Sénat (ce qui requiert un vote des deux tiers des sénateurs présents pour la ratification des traités).

AFFIRMATIVE ACTION Exigences imposées par des lois ou des règlements administratifs, incitant ou forçant certains organismes privés ou publics à faire une place plus grande aux minorités dans leur système de recrutement et de promotion.

AMICUS *CURIÆ* BRIEF Argumentations écrites déposées devant une cour de justice où a lieu un procès dans lequel un individu ou un groupe n'est pas directement impliqué (comme les parties) mais qui risque d'être affecté par l'issue dudit procès. Concernent des principes de droit que les « amis de la Cour » contribuent à éclaircir au profit de la Cour.

---

* Beaucoup de termes et d'expressions de ce glossaire ne sont pas mentionnés dans les chapitres de ce livre. Leur connaissance est cependant requise pour poursuivre des lectures plus poussées dans des ouvrages de langue anglaise consacrés aux mêmes sujets.

APPORTIONMENT Répartition des sièges d'une assemblée législative selon les districts électoraux. Ces derniers doivent tenir compte des changements de population (d'après les recensements fédéraux effectués tous les dix ans).

APPROPRIATION Disposition législative (*bill*) accordant des fonds bien spécifiés pour un programme qui a été autorisé par une loi du Congrès.

AT LARGE VOTING Élection d'un membre par un corps d'électeurs d'une unité entière plutôt qu'à l'intérieur des subdivisions électorales. Exemple : les deux sénateurs élus par chaque État alors que les membres de la Chambre des représentants sont élus dans des districts (à part quelques États tels que le Vermont et l'Alaska).

ATTORNEY Ses fonctions sont plus ou moins comparables à celles d'un ministre de la Justice. L'*Attorney General* exerce cette fonction au niveau fédéral, le *State Attorney* au niveau de l'État et le *District Attorney* est un procureur du gouvernement.

BICAMERAL LEGISLATURES Contrairement aux provinces canadiennes, tous les États, sauf le Nebraska, ont encore une seconde chambre législative.

BILL Projet de loi écrit, déposé devant les deux chambres. S'il est ratifié, il devient une loi (*law*). Est pris aussi dans le sens de *law*.

BILL OF ATTAINDER Loi déclarant une personne coupable sans qu'il y ait eu procès. La Constitution interdit de telles pratiques (voir Article I, sections 9 et 10).

BILL OF RIGHTS Au sens strict, désigne les 10 premiers amendements de la Constitution. Concerne les droits et libertés individuels qui seront élargis plus tard (ne pas confondre avec les *civil rights*, voir plus loin).

BLOCK GRANTS Attribution de sommes d'argent par le gouvernement fédéral aux gouvernements inférieurs à des fins précisées en termes généraux. Contrairement aux categorical grants, les *block grants* comportent peu ou pas de conditions.

BROKERAGE POLITICS Négociation et ajustement des demandes émanant de différents groupes d'intérêt en vue de leur harmonisation.

***CERTIORARI* (WRIT OF)** Ordre de la Cour suprême à une cour inférieure (souvent une cour d'appel ou une cour suprême d'un État), exigeant qu'elle lui soumette une cause pour examen. Celui qui perd un procès devant une cour inférieure peut solliciter un tel ordre. Mais la Cour suprême rejette la grande majorité de ces demandes.

CIVIL RIGHTS Action gouvernementale, généralement sous forme de loi (exemple : le *Civil Rights Act* de 1964) destinée à protéger les individus contre l'arbitraire, la discrimination raciale, sexiste, ethnique, etc.

CIVIL SERVICE Établi en 1883 (après le *Pendleton Act* de 1883). Organise le recrutement et l'avancement dans la fonction publique sur la base du mérite (*merit system*) et non de la partisanerie politique (*spoils system*).

CLOSED PRIMARY Élection limitée aux membres d'un parti. Dans une primaire ouverte, les électeurs n'ont pas à déclarer leur appartenance politique. La primaire fermée empêche l'intrusion des membres d'un autre parti dans la primaire.

CLOTURE Motion en vue de clore un débat et ainsi de déclencher un vote. Elle est plus difficile à obtenir au Sénat, où un vote de 60 sénateurs (sur 100) est nécessaire pour limiter le temps de parole d'un sénateur.

COMMITTEE OF THE WHOLE Commission plénière de la Chambre des représentants pour l'examen de projets de loi ou d'autres propositions. Permet de simplifier les procédures et d'accélérer la prise de décision.

COMMON LAW Ensemble de principes et dispositions juridiques concernant les droits et devoirs des personnes. Découle des décisions des juges en Grande-Bretagne et plus tard des juges aux États-Unis. Varie d'un État à l'autre et peut être contredit par des lois émanant des assemblées élues.

CONCURRENT POWERS Pouvoirs partagés par les deux niveaux de gouvernement (fédéral et États), notamment en matière d'impôt.

CONTAINMENT Politique étrangère mise au point par le président Truman, visant à enrayer l'expansion de l'influence soviétique dans le monde.

CONTINENTAL CONGRESS Assemblée des représentants des colonies américaines qui s'est tenue en 1774 avant le déclenchement de la guerre d'Indépendance. Est devenue l'organisation principale de la Confédération des treize colonies.

COOLING-OFF PERIOD Disposition visant à retarder une grève ou d'autres manifestations durant un conflit, afin de gagner du temps et de permettre aux parties de trouver un compromis.

CORONER Agent civil ayant des fonctions surtout judiciaires (enquêtes en cas de meurtre, etc.), assisté par un jury. On en a un dans chaque comté.

CROSS-CUTTING CLEAVAGE Le fait qu'un électeur au moment du vote est influencé par divers facteurs et différents enjeux compliquant son choix d'un seul parti.

DENNIS DECISION Décision de la Cour suprême (1951) autorisant l'emprisonnement de dirigeants du parti communiste sur la base du *Smith Act* (1940). Ce dernier vise les organisations prônant le renversement du gouvernement par la force.

DEREGULATION Déréglementation. Procédure consistant à supprimer ou à réduire des règlements ou restrictions gouvernementales affectant la production ou la circulation de biens et de personnes.

DETERRENCE Dissuasion. Présomption que, si un État est suffisamment puissant sur le plan militaire, aucune autre puissance ne sera tentée de l'attaquer par crainte des représailles possibles.

DISCHARGE PETITION Pétition signée par une majorité des membres de la Chambre des représentants. Si elle est approuvée par cette Chambre, elle peut obliger à retirer un projet de loi d'une commission législative pour procéder à un examen directement devant la Chambre.

DISCOVERY Échange d'informations entre les parties opposées au cours d'un procès.

DOUBLE JEOPARDY Selon la Constitution (Vᵉ Amendement) «nul ne peut, pour le même délit, être deux fois menacé dans sa vie ou dans son corps» (nul ne peut être poursuivi deux fois). Cas où le gouvernement accuse une personne d'un délit dont une cour l'a acquittée antérieurement.

DUE PROCESS OF LAW Selon la Constitution (Vᵉ et XIVᵉ Amendements), tout accusé a droit à une procédure régulière et à une « égale » protection de la loi. Au sens large, concerne aussi ce que le gouvernement ne peut faire : des lois ou procédures arbitraires ou injustes.

ECONOMIC MESSAGE Rapport sur la situation économique soumis chaque année par le président au Congrès (en janvier) en vertu de l'*Employment Act* de 1946.

ELASTIC CLAUSE Concerne les pouvoirs implicites par opposition aux pouvoirs explicites ou énumérés. Voir la fin de la section 8 de l'Article 1 de la Constitution : « Et de faire toutes les lois qui seront nécessaires et convenables pour mettre à exécution les pouvoirs ci-dessus mentionnés [...]. »

ENTRAPMENT Comportement d'agents gouvernementaux amenant des personnes à commettre un délit que, sans cela, elles n'auraient pas commis. Ce qui, dans certains cas, peut permettre de les inculper en attendant de réunir des preuves pour un délit commis antérieurement.

EQUITY Procédure juridique pratiquée d'abord en Grand-Bretagne comme alternative à la *Common Law* quand celle-ci ne fournit pas une solution adéquate au problème traité. Basée sur des principes de justice et des précédents.

EXCLUSIONARY RULE Règle interdisant de produire devant un tribunal une preuve obtenue par des moyens illégaux (aveux extorqués sous la torture, etc.).

EXECUTIVE AGREEMENTS Accords conclus par le président avec des gouvernements étrangers, ayant pratiquement la même valeur qu'un traité bien qu'ils ne lient pas les chefs d'État en place. Contrairement au traité, ils n'exigent pas la ratification du Sénat (par les deux tiers des sénateurs présents).

EXECUTIVE ORDER Réglementation édictée par les exécutifs des différents niveaux de gouvernement (président, gouverneurs, maires, etc.) en application de la Constitution ou des lois.

EXECUTIVE PRIVILEGE Droit invoqué par plusieurs présidents (notamment Nixon lors de l'affaire du Watergate) de refuser de communiquer au Congrès ou aux tribunaux des renseignements confidentiels dont la divulgation serait de nature à nuire à l'intérêt national.

EX POST FACTO LAW Loi faisant rétroactivement d'un acte licite (au moment où il est fait) un délit avec des effets négatifs pour l'accusé au point de vue de la procédure et surtout des sanctions.

FAIRNESS DOCTRINE Au sens limité, concerne l'obligation qu'ont les émetteurs de radio-télévision de donner les différents points de vue sur les grandes questions controversées et, plus particulièrement, de donner l'occasion aux candidats de l'opposition de s'exprimer par la voie des ondes. (Voir *Federal Communication Commission*.)

FEDERAL RESERVE BOARD Organisme créé en 1913 pour réglementer les prêts des banques et influencer les politiques monétaires et de crédit.

FEDERALISTS Ceux qui proposent un gouvernement fédéral, national et centralisé, en 1777. John Adams a été élu, en 1796, sous l'étiquette fédéraliste.

FEDERALIST PAPERS Série d'essais rédigés par Alexander Hamilton, James Madison et John Jay pour pousser à la ratification de la Constitution (entre 1787 et 1789). Reste un classique des théories sur le fédéralisme.

FILIBUSTER Discussion prolongée ou obstruction organisée par un ou plusieurs sénateurs pour empêcher le passage d'un projet de loi. Plusieurs sénateur du Sud se sont distingués dans ces pratiques plus difficiles à contrer au Sénat où les procédures permettent plus de liberté, notamment à l'égard de la clôture.

FLOOR LEADERS Membres du Congrès choisis par leur parti pour diriger leur députation à la Chambre ou au Sénat.

GENERAL REVENUE SHARING Programme mis au point sous Nixon visant à donner aux gouvernements inférieurs plusieurs milliards de dollars prélevés sur l'impôt fédéral. Le tout est assorti de fort peu de conditions.

GERRYMANDERING Découpage volontairement arbitraire des limites d'un district électoral en vue de favoriser un parti ou une partie de l'électorat.

GRANDFATHER CLAUSE Clause utilisée dans les États du Sud, disant que pouvaient être dispensés du *literacy test* (capacité de lire et écrire en anglais) ou des qualifications en matière de propriété ceux pouvant prouver qu'ils avaient un père ou grand-père ayant le droit de vote le 1er janvier 1867). Cela ne s'appliquait donc pas aux Noirs. Ces clauses et tests sont désormais interdits par la Constitution.

GRANTS-IN-AID Octrois du gouvernement fédéral aux gouvernements inférieurs, à utiliser à des fins spécifiques et selon des conditions prescrites par des lois ou des règlements administratifs.

GULF OF TONKIN RESOLUTION Autorisation du Congrès en 1964 permettant au président des États-Unis de prendre toutes les mesures voulues pour assurer la protection du corps expéditionnaire américain en Indochine. Considérée comme un feu vert à l'« escalade » vietnamienne.

HABEAS CORPUS Ordre de la Cour (émis souvent à la demande de l'entourage du prévenu) exigeant que le prévenu soit amené devant un tribunal pour juger si sa détention est justifiée. Vise à empêcher les arrestations arbitraires.

IMPEACHMENT Procédure prévue par la Constitution en vue de relever un fonctionnaire public (au sens large, y compris un juge fédéral, un président) de ses fonctions. La mise en accusation est faite par la Chambre des représentants (majorité simple) et le jugement est prononcé par le Sénat (majorité des deux tiers).

IMPLEMENTATION Mise en œuvre des politiques déterminées par le gouvernement. Implique une certaine marge de manœuvre au point de vue organisation et interprétation, surtout dans le cas de lois-cadres assez générales.

IMPOUNDMENT Refus d'un membre de l'exécutif (notamment suite à une directive du président) de dépenser une somme attribuée par le Congrès dans un domaine spécifié. Souvent suite à un désaccord quant à l'utilisation d'une partie des fonds publics.

INCREMENTALISM Comportement ou stratégie politique consistant à n'apporter que de légères modifications aux politiques antérieures plutôt que de procéder à des réformes en profondeur. Associé ici à l'idée de pragmatisme prudent, voire opportuniste (« Politique des petits pas »).

INDEPENDENT REGULATORY COMMISSIONS Organismes avec des pouvoirs administratifs, quasi législatifs et judiciaires (indépendants de l'exécutif et du Congrès). Exemples : la *Securities and Exchange Commission*, la *Federal Communications Commission*, l'*Interstate Commerce Commission*.

INDICTMENT Mise en accusation formelle par un Grand Jury à l'effet qu'une ou plusieurs personnes doivent comparaître devant un tribunal compétent à la suite des plaintes portées.

IMPLIED POWERS Pouvoirs implicites, voir *Elastic clause.*

INJUNCTION Injonction. Ordre d'un tribunal adressé à un ou des citoyens ou à un ou des agents du secteur public, leur demandant de ne pas agir, ou de cesser d'agir d'une certaine façon, notamment lorsqu'ils ont une cause devant un tribunal. Utilisé aussi contre les syndicats.

INTERSTATE COMPACT Accords ou alliances entre plusieurs États.

ITEM VETO Pouvoir de l'exécutif de rejeter une partie d'un projet de loi au lieu de la totalité. Les présidents des États-Unis n'ont pas ce droit alors que les gouverneurs des États, pour la plupart, en bénéficient avec la marge de manœuvre que cela implique.

JIM CROW LAWS Législation discriminatoire à l'égard des Noirs, spécialement dans les États du Sud.

JUDICIAL REVIEW Principe en vertu duquel la Cour suprême a l'autorité de déclarer non constitutionnelles des lois du Congrès ou des États, ou des décisions de l'exécutif.

KITCHEN CABINET Groupe informel de conseillers présidentiels (ou à d'autres niveaux des exécutifs). A souvent plus d'influence que les conseillers attitrés et plus visibles.

LAME DUCK Personne élue ou faisant partie de l'administration défaite aux élections mais dont le mandat n'est pas encore terminé.

LEAK Fuite involontaire (ou provoquée délibérément) de documents gouvernementaux intéressant la presse, via des intermédiaires non officiels.

LIBEL Difffamation. Atteinte à la réputation de quelqu'un. Habituellement sous forme d'écrit publié. *Slander* désigne un comportement analogue mais de nature verbale.

LOGROLLING Accord entre un ou plusieurs législateurs pour appuyer leur(s) projet(s) de loi respectif(s). Sorte de marchandage et d'échange réciproque.

MANDAMUS (WRIT OF) Ordre donné par un tribunal de faire un acte précis. Ce peut être l'obligation de remplir un contrat. Le refus d'obéir constitue un *contempt of court* (mépris de la cour), c'est-à-dire un délit punissable.

MARSHAL Agent du département de la Justice attaché à chaque cour de district fédéral. Ses fonctions correspondent à celles du sherif dans les gouvernement de comté. Est nommé par le président avec l'accord du Sénat.

MATCHING FUNDS Se dit de certains programmes d'aide fédéraux obligeant les gouvernements inférieurs à partager les dépenses s'ils veulent recevoir un octroi fédéral.

MEDICAID Programme fédéral lancé en 1965 qui, avec la collaboration financière et administrative des États, permet le remboursement de soins de santé personnels et fournit des services de santé aux personnes admissibles à ces soins (pauvres).

MEDICARE Programme d'assurance médicale (1965) destiné aux personnes âgées (plus de 65 ans) en collaboration avec les sociétés privées d'assurances et les associations professionnelles. Premier pas vers un programme d'assurance-maladie plus général.

MISDEMEANOR Délit pour lequel les tribunaux peuvent imposer une amende ou une courte peine d'emprisonnement ; se distingue du *felony*, délit plus grave punissable d'un emprisonnement d'au moins un an, voire même de la peine capitale.

MISTRIAL Procès entaché d'un vice de procédure ou ajourné pour défaut d'unanimité du jury.

MONROE DOCTRINE Politique de l'« Amérique aux Américains » formulée par le président Monroe (1823) à l'encontre des interventions européennes, spécialement en Amérique latine.

MUCKRAKERS Désigne les enquêteurs (spécialement les journalistes) au tournant du xxe siècle lorsqu'ils ont dénoncé la corruption politique, les problèmes économiques et sociaux, ainsi que les scandales les plus spectaculaires dans ces domaines.

NATIONAL SUPREMACY Doctrine dégagée (notamment par la Cour suprême) sur la base de l'Article VI de la Constitution, voulant que la Constitution, les lois fédérales (et même les traités) soient la loi suprême pour tous, y compris les États.

NEW JERSEY PLAN Projet d'une Chambre législative unique présenté lors de la Convention constitutionnelle de 1787. Exigeait un vote égal par État et visait la protection des États, spécialement des petits États. S'opposait au *Virginia Plan*.

NIXON DOCTRINE Politique étrangère défendue par Nixon après le retrait du Viêt-nam, visant à limiter les interventions militaires américaines directement sur les théâtres d'opération étrangers. Exige davantage l'utilisation de puissances intermédiaires et une augmentation des contributions des alliés en général.

NULLIFICATION DOCTRINE Résulte d'une déclaration de la Caroline du Sud en 1832, s'opposant aux lois sur les tarifs de 1828 et 1832. Formulée par J. Calhoun, cette doctrine estime que l'Union des États-Unis est basée sur un contrat entre États souverains, excluant toute supériorité de juridiction du gouvernement central. Un État pourrait donc déclarer nulle (sur son propre territoire) n'importe quelle loi fédérale et éventuellement faire sécession s'il le voulait.

PARDON Le pardon relève du chef de l'exécutif (président, gouverneur) et empêche l'application de sanctions à la suite d'un délit (avant ou après un procès). Cas du pardon accordé à Nixon par son successeur, le président Ford. L'amnistie relève du président ou du Congrès et concerne généralement tous les membres d'un groupe ou d'une catégorie de personnes. Jefferson a amnistié les personnes condamnées en vertu des *Alien and Sedition Acts* (concernant les rébellions). Plus près de nous, on peut citer l'amnistie des déserteurs de la guerre du Viêt-nam.

PAROLE Libération d'un détenu avant que la sentence ait été complètement purgée. Accordée suite à une décision de la Commission de libération.

PLEA BARGAINING Négociation entre la défense et la poursuite. En échange de renseignements contre d'autres personnes (accusées ou pas) ou contre un aveu de culpabilité, le procureur peut laisser tomber l'accusation, réduire la portée de l'accusation ou recommander aux juges des sanctions plus légères.

POCKET VETO À la fin d'une session du Congrès, quand le président s'abstient de signer un projet de loi accepté par les deux chambres, cela équivaut à un veto formel, s'il reste moins de 10 jours entre l'envoi du projet au président et l'ajournement *sine die* du Congrès. Durant la session, un projet de loi adopté entre en vigueur automatiquement après dix jours, même si le président ne l'a pas signé ou s'il n'a pas exprimé son veto (à justifier et pouvant être renversé par le Congrès).

POLITICAL QUESTION DOCTRINE La Cour suprême, désireuse de ne pas s'immiscer dans les controverses constitutionnelles à caractère nettement politique, peut estimer que celles-ci doivent être tranchées par l'exécutif ou le législatif pour éviter un affrontement avec eux. Exemple : déterminer si certains États ont effectivement une forme républicaine de gouvernement (exigence de la Constitution).

POLL TAX Taxe imposée à toute personne habilitée à voter, ne tenant pas compte du revenu ou de la propriété. Façon détournée d'empêcher la minorité noire (plus démunie) d'aller voter. À été interdite par le XXIVᵉ Amendement de la Constitution (1964).

POPULIST Désigne d'abord des réformateurs agraires de la fin du xixᵉ siècle dernier, opposés à l'establishment de l'Est et à ceux qui contrôlaient l'économie nationale et locale. Ont formé un parti disparu après 1896. Terme plus général qualifiant toute action populaire menée au nom de la moralité et de la justice.

PORK BARREL Référence aux avantages donnés à certains groupes ou régions par favoritisme.

PRIVATE LAW Législation concernant un individu plutôt que l'ensemble des citoyens ou une catégorie de ceux-ci. Exemple : le Congrès permet à un étranger en particulier d'obtenir le statut d'immigrant reçu, voire la naturalisation.

PROPOSITION 13 Proposition mise aux voix lors d'un référendum tenu en Californie en 1978 visant à limiter strictement les possibilités d'augmenter les taxes sur la propriété. Est devenu le symbole de la résistance à l'augmentation des taxes et impôts et indirectement à l'augmentation des services de l'État.

REALPOLITIK Conduite de la politique extérieure sur la base de la force (découlant d'une étude soi-disant fondée elle-même sur la réalité). Invoque donc davantage la notion de pouvoir que des considérations d'ordre moral.

RECALL Rappel ou révocation d'un agent public avant la fin de son mandat.

REGRESSIVE TAX Impôt ou taxe frappant les contribuables sans se soucier de l'inégalité de leurs ressources. Les taxes de vente, par exemple, affectent davantage les pauvres que les riches.

REVOLVING DOOR Connivence entre les secteurs privé et public, passage de l'un à l'autre mais dans le but de favoriser les intérêts de certains groupes.

RIDER Annexe à un projet de loi important mais sans rapport avec les buts de ce dernier. Le vote dudit projet entraîne celui du *rider*, favorisant ainsi un cas spécial, souvent contre le gré des législateurs.

ROLL AND CALL Mise aux voix au Congrès où les votes (oui ou non) sont enregistrés et rendus publics.

SENIOR EXECUTIVE SERVICE Le *Civil Service Act* de 1978 crée une catégorie d'environ 8000 hauts fonctionnaires fédéraux pouvant être nommés, mutés, révoqués en fonction de normes différentes de celles de l'ensemble de la fonction publique. Permet au président des États-Unis d'avoir plus de latitude en ce qui concerne le choix de ses conseillers et collaborateurs.

SHAY'S REBELLION Révolte populaire après la guerre d'Indépendance (au Massachusetts). Semble avoir été le prélude à un renforcement du conservatisme et de la réaction en faveur d'un gouvernement central plus puissant.

SOCIAL SECURITY ACT OF 1935 Ensemble de dispositions législatives en matière d'assurances sociales, de santé, d'assistance publique et de *welfare* en général.

SOLICITOR GENERAL Fonctionnaire du département de la Justice chargé plus spécialement de représenter le gouvernement dans les causes intéressant ce dernier devant la Cour suprême.

SPILL OVER Désigne les activités d'une communauté qui affectent ses voisins.

STARE DECISIS Laisser une décision antérieure suivre son cours. Pratique basée sur le précédent, adoptée par les juges de la *common law* d'abord en Angleterre, ensuite aux États-Unis.

STEWARDSHIP Théorie défendue par Theodore Roosevelt (spécialement en politique extérieure) défendant l'idée que le président peut faire tout ce qui n'est pas expressément interdit dans la Constitution. Interprétation permettant une extension de ses pouvoirs.

STANDING COMMITTEE Commission permanente des chambres législatives.

SUBPŒNA Ordre de comparaître, de témoigner, en général devant un tribunal (ou devant une commission d'enquête du Congrès). Assorti de sanctions en cas de refus.

SUNSHINE LAW Loi exigeant l'accès du public aux réunions de certains organismes ou agences du gouvernement au sens large.

SUPREMACY LAW Article VI de la Constitution spécifiant que la Constitution, les lois fédérales et tous les traités (même ceux affectant un ou des États en particulier dans leur sphère de compétence) sont la loi suprême de tout le pays et lient tous les tribunaux en conséquence.

SWING RATIO Avantage que retire un parti politique quand il détient plus de sièges que son pourcentage de vote populaire.

TRADE-OFF Compromis, marchandage à propos de biens ou valeurs importants, mais de nature différente.

VETO Rejet d'un projet de loi par le président. Il renvoie ce projet au Congrès avec ses objections. Le Congrès peut à son tour renverser le veto par une majorité des deux tiers dans chacune des deux chambres.

VIRGINIA PLAN Présenté lors de l'élaboration de la Constitution en 1787, ce plan favorisait les États populeux et riches. Il réclamait un gouvernement central fort et deux Chambres élues proportionnellement à la population ou à la contribution financière des États.

VOLATILITY Désigne les sautes d'humeur d'un électorat enclin à changer facilement d'opinion politique.

WARRANT Ordre d'une autorité judiciaire permettant à un agent public d'effectuer une démarche précise, par exemple, une perquisition, une arrestation.

WAR POWERS ACT Adoptée en 1973, cette loi exige que le président informe le Congrès immédiatement dès qu'il envoie des troupes à l'étranger. Le Congrès peut exiger leur retrait dans un délai de 60 à 90 jours.

WELFARE STATE Terme général désignant les interventions de l'État en matière sociale : santé, éducation, logement, assurance-vieillesse, aide aux handicapés, et aussi en matière économique : sécurité d'emploi, aide aux chômeurs, salaire minimum, etc.

WHIP Membre du Congrès aidant le chef de la majorité ou de la minorité, spécialement lorsqu'il s'agit de faire passer ou de bloquer un projet de loi.

WRIT Ordre donné au défendeur de se présenter devant un tribunal ou de s'expliquer en cas de refus. Désigne souvent un ordre formel et écrit d'un tribunal.

LES COLLABORATEURS

LOUIS BALTHAZAR est professeur émérite du Département de science politique de l'Université Laval. Depuis 2002, il est président de l'Observatoire sur les États-Unis de la Chaire Raoul-Dandurand en Études stratégiques et diplomatiques et professeur associé au Département de science politique de l'Université du Québec à Montréal. Ses recherches portent sur la politique étrangère des États-Unis, sur les relations canado-américaines et sur le nationalisme. Il a publié de nombreux articles sur ces sujets. Il est l'auteur de *Bilan du nationalisme au Québec* (L'Hexagone, 1986 ; prix Air Canada, 1987) et le coauteur (avec Charles-Philippe David et Justin Vaïsse) de *La politique étrangère des États-Unis : fondements, acteurs, formulations* (Les Presses de Science Po, 2003).

LOÏC BAUMANS est étudiant à la maîtrise en science politique à l'Université de Montréal. Il est assistant du Groupe d'étude et de recherche sur la sécurité internationale dans la même institution.

MARK BRAWLEY est professeur au Département de science politique de l'Université McGill. Spécialiste de l'économie politique internationale, il s'est penché en particulier sur la question du leadership dans l'économie internationale. Il a écrit deux ouvrages sur ce thème : *Liberal Leadership* (Cornell University Press, 1993) et *Afterglow or Adjustment ? Domestic Institutions and Response to Overstretch* (Columbia University Press, 1999). Il étudie actuellement les liens entre politique intérieure et politique extérieure, et son livre le plus récent est *Power, Money & Trade* (Broadview, 2005).

CLAUDE CORBO est professeur titulaire au Département de science politique de l'Université du Québec à Montréal (UQAM) et également recteur de la même université. Il est membre de l'Observatoire sur les États-Unis de la Chaire Raoul-Dandurand de l'UQAM. Il est notamment l'auteur de *Les États-Unis d'Amérique. Les institutions politiques* (Septentrion, 2004).

MICHEL FORTMANN est professeur titulaire de science politique à l'Université de Montréal. Il est directeur du Groupe d'étude et de recherche sur la sécurité internationale (GERSI) qu'il a fondé en 1996. Avec Albert Legault, il a écrit *Une diplomatie de l'espoir, le Canada et le désarmement de 1945 à 1988* (Presses de l'Université Laval, 1990). Il a dirigé ou collaboré à plusieurs ouvrages sur les politiques de défense, la sécurité européenne, le contrôle des armements et les études stratégiques. Ses articles ont paru notamment dans *International Journal, Études internationales, Canadian Foreign Policy* et *Relations internationales et stratégiques*. Il vient de terminer la rédaction d'un ouvrage sur l'impact des guerres sur l'évolution de l'État moderne.

JEAN-FRANÇOIS GAUDREAULT-DESBIENS est professeur agrégé à la Faculté de droit de l'Université de Montréal, où il est également titulaire de la Chaire de recherche du Canada sur les identités juridiques et culturelles nord-américaines et comparées. Outre de nombreux articles, il a publié trois ouvrages individuels : *Les solitudes du bijuridisme canadien. Essai sur les rapports de pouvoir entre les traditions juridiques et sur la résilience des atavismes identitaires* (Thémis, 2007) ; *Le sexe et le droit. Sur le féminisme juridique de Catharine MacKinnon* (Yvon Blais/Liber, 2001) et *La liberté d'expression entre l'art et le droit* (PUL/Liber, 1996).

FÉLIX GRENIER a complété sa formation de maîtrise à l'Institut québécois des hautes études internationales de l'Université Laval et poursuit actuellement un Master-2 de recherche en sécurité internationale et défense de l'Université Jean-Moulin (Lyon) en France. Il a aussi été chargé de recherche au Département de science politique de l'Université Laval, au sein du Groupe de recherche sur la libéralisation des échanges et politique de concurrence dans le secteur agroalimentaire.

RAYMOND HUDON est professeur titulaire au Département de science politique de l'Université Laval et directeur fondateur du Diplôme d'études supérieures spécialisées (DESS) en Affaires publiques et représentation des intérêts (APRI). Il est l'auteur (ou coauteur) de nombreux articles, chapitres et ouvrages sur les groupes d'intérêt, le lobbying et autres aspects de la sociologue politique et des politiques publiques.

GUY LACHAPELLE est professeur titulaire au Département de science politique de l'Université Concordia. Il est coordonnateur des relations avec le gouvernement du Québec au Bureau du vice-recteur aux Affaires institutionnelles de l'Université Concordia. Il a publié plusieurs ouvrages, dont *Claude Ryan et la violence du pouvoir* (Presses de l'Université Laval, 2005), *Robert Bourassa : un bâtisseur tranquille*, avec Robert Comeau (Presses de l'Université Laval, 1993), et *Globalization, Governance and Identity*, avec John Trent (Presses de l'Université de Montréal, 2000).

GUY-ANTOINE LAFLEUR a d'abord été engagé au ministère des Affaires internationales du Québec (direction des États-Unis) de 1976 à 1978, puis comme professeur de science politique à l'Université Laval. Ses principales publications ont pour sujet les stratégies de communication des partis politiques et la présidence américaine. Il a donné des cours sur la politique canadienne et québécoise à l'École nationale d'administration publique, à la School of Advanced International Studies à Washington, etc.

PIERRE MARTIN est professeur titulaire de science politique et directeur de la Chaire d'études politiques et économiques américaines à l'Université de Montréal. Il est aussi membre du Groupe d'étude et de recherche sur la sécurité internationale (GERSI) des universités de Montréal et McGill. En 1999-2000, il était professeur invité, titulaire de la Chaire Mackenzie King et boursier Fulbright à l'Université Harvard. Il a signé plus de quarante articles dans des revues et ouvrages spécialisés et a dirigé ou codirigé trois ouvrages.

LOUIS MASSICOTTE est professeur titulaire au Département de science politique de l'Université Laval (Québec), où il dirige la Chaire de recherche sur la démocratie et les institutions parlementaires. De 1992 à 2006, il a enseigné au Département de science politique de l'Université de Montréal. Coauteur de l'ouvrage *Establishing the Rules of the Game : Election Laws in Democracies* (2003), il a publié des articles dans *European Journal of Political Research, Electoral Studies* et la *Revue canadienne de science politique.*

JEAN MERCIER est professeur titulaire au Département de science politique de l'Université Laval. Il a publié dans des revues spécialisées, au Canada et à l'étranger, dont *Administration and Society, Public Administration Review, La Revue administrative, Administration publique au Canada, Policy Options* ainsi que la *Revue canadienne de science politique.* Il a publié *L'administration publique. De l'École classique au nouveau management public* (Les Presses de l'Université Laval, 2002).

RICHARD NADEAU, professeur titulaire de science politique à l'Université de Montréal, est spécialiste du comportement électoral, de l'opinion publique et de la communication politique. Il a publié près d'une centaine de textes scientifiques sur ces questions dans des revues telles que *American Political Science Review, American Journal of Political Science, Journal of Politics, The British Journal of Political Science, Public Opinion Quarterly, Electoral Studies, The European Journal of Political Research, Electoral Studies, Political Behavior, The International Journal of Political Research, Political Studies* et la *Revue canadienne de science politique.*

EDMOND ORBAN a passé l'essentiel de sa carrière en tant que professeur de science politique à l'Université de Montréal. Professeur émérite, il a écrit ou dirigé 12 ouvrages : *Le Conseil législatif de Québec ; La présidence moderne aux États-Unis ; Le Conseil nordique ; Dynamique de la centralisation dans l'État fédéral ; Mécanismes pour une nouvelle constitution ; Cours suprêmes et fédéralisme ; Le système politique américain ; Fédéralisme,* etc. Il a également écrit de nombreux articles et livres en collaboration, dont *Regional Development at the National Level* (Shaw). Edmond Orban est décédé tragiquement à la fin de l'été 2002.

MATHIEU OUIMET est professeur adjoint au Département de science politique de l'Université Laval. Il enseigne notamment l'introduction à l'administration publique et les enjeux contemporains de l'administration publique. Il est auteur et coauteur de plusieurs articles scientifiques sur le transfert et l'utilisation de la recherche au sein de l'administration publique. Il a publié des articles dans des revues telles que *European Planning Studies, Social Science and Medicine, Scientometrics, Journal of Technology Transfer* et *Science Communication.*

FRANÇOIS VAILLANCOURT est professeur titulaire au Département de sciences économiques de l'Université de Montréal ; il y enseigne depuis 1976 et est directeur de recherche à la CÉPÉA. Ses intérêts de recherche sont l'économie des questions linguistiques et l'économie publique, en particulier le fédéralisme financier.

HAROLD M. WALLER est professeur de science politique et titulaire de la Chaire d'études nord-américaines de l'Université McGill où il a dirigé le Département de science politique et a été vice-doyen de la Faculté des arts. Il est est codirecteur, avec Filippo Sabetti et Daniel J. Elazar, de l'ouvrage *Canadian Federalism : From Crisis to Constitution*, et coauteur, avec Daniel J. Elazar, de *Maintaining Consensus*.

ANTOINE YOSHINAKA est professeur adjoint au Département de science politique de l'University of California à Riverside, où ses cours et recherches portent surtout sur les institutions politiques et les comportements électoraux aux États-Unis. Il est coauteur de *Establishing the Rules of the Game : Election Laws in Democracies* (University of Toronto Press, 2004). Ses travaux ont été publiés dans plusieurs revues scientifiques, notamment *Legislative Studies Quarterly* et *Electoral Studies*.

TABLE DES MATIÈRES

Ce livre a été imprimé au Québec en février 2008
sur du papier entièrement recyclé
sur les presses de Marquis imprimeur.